О САМОМ ВАЖНОМ ДЛЯ ЗДОРОВЬЯ

ЧИТАЙТЕ ТАКЖЕ КНИГИ СЕРГЕЯ АГАПКИНА

О САМОМ ВАЖНОМ ДЛЯ ЗДОРОВЬЯ

СПРАВОЧНИК ДОЛГОЛЕТИЯ ДОКТОРА АГАПКИНА

Москва
2018

УДК 613
ББК 51.204.0
А23

Художественное оформление *Р. Фахрутдинова*
Фото С. Агапкина на обложке предоставлено ООО «М-Продакшн»
Редактор *А. Василевская*

Агапкин, Сергей Николаевич.
А23 Справочник долголетия / Сергей Агапкин. – Москва : Эксмо, 2018. – 576 с.
ISBN 978-5-04-096007-1

В этой книге собраны советы и рекомендации от доктора Агапкина, помогающие сохранить здоровье и продлить активные годы жизни. Справочник содержит важные знания о продуктах, которые защитят ваш организм, а при наличии заболеваний – помогут сократить или полностью прекратить прием медикаментов. Также даны пошаговые инструкции для противодействия болезням и защиты главных органов тела. Для женщин в третьей части книги – полезная информация о гормонах, которая поможет с легкостью пережить климакс и выздороветь при гинекологических заболеваниях.

В этот сборник вошли популярные книги Сергея Агапкина: «Тайная сила продуктов», «Каждый орган под контролем» и «Всё о женских гормонах».

УДК 613
ББК 51.204.0

ISBN 978-5-04-096007-1

СОДЕРЖАНИЕ

ПРЕДИСЛОВИЕ

Заболевания поджидают нас на каждом шагу. Уже после 35 лет у каждого человека организм начинает подавать тревожные сигналы о внутренних неполадках, а затем, с годами, возникает одна болезнь за другой. Гипертония, ишемическая болезнь сердца, гастрит и холецистит, пиелонефрит, цирроз печени – эти заболевания преследуют нас чаще всего, а женщинам угрожают еще и болезни репродуктивной системы. Стоит ли мириться с этими угрозами, считая их неизбежными?

Я хочу убедить вас, что здоровье находится в ваших руках! За годы существования программы «О самом главном» мы накопили полезные знания, которые позволят вам дать болезням отпор и защитить свой организм, – все они собраны в этой книге.

В первую очередь, вы должны обратить внимание на продукты, которые составляют ваш ежедневный рацион. Из этой книги вы узнаете, как получить максимальную пользу для здоровья из каждого блюда на вашем столе. Для каждого продукта приведены: содержание витаминов, микро- и макроэлементов, калорийность, полезные свойства. Я надеюсь, что эта книга поможет вам улучшить свое питание и восполнить дефицит полезных веществ. Попробуйте приготовить блюда по нашим рецептам – каждый из них я специально для вас рассчитывал так, чтобы он содержал только полезные вещества в их максимальной концентрации!

Во второй части книги для вас собраны простые и эффективные способы защитить главные органы вашего организма, укрепить и продлить их здоровье. Ведь проще не допустить заболевание, чем его лечить. Вы узнаете, как вовремя распознать тревожные симптомы, какие негативные факторы губят ваше здоровье каждый день и что позволит вам не стать жертвой болезней.

Третья часть – полный справочник по самым распространенным женским заболеваниям: от причин и симптомов до рекомендаций по диагностике, лечению и профилактике. Полезные советы для сохранения красоты, стройности и продления молодости будут приятным дополнением.

В итоге вы получаете настоящую энциклопедию здоровья! Все правила долголетия собраны в одной книге. Я надеюсь, что она станет для вас самым главным руководством, которое позволит всегда сохранять отменное качество жизни.

Часть 1

ТАЙНАЯ СИЛА ПРОДУКТОВ

«Ты есть то, что ты ешь», — сказал Гиппократ. Вряд ли найдется среди нас человек, который бы не слышал или не произносил бы сам эти слова, давно ставшие аксиомой. К сожалению, в реальности мы сплошь и рядом нарушаем этот непреложный закон. Жирная, жареная, рафинированная пища и переизбыток сахара соблазняют нас на каждом шагу. Неудивительно, что в наше время самыми распространенными заболеваниями являются сахарный диабет, атеросклероз и болезни желудочно-кишечного тракта, ведь причиной их возникновения является неправильное питание. А ведь еда — это главный источник витаминов и минералов — строительных материалов, которые формируют наше тело. Некоторые необходимые для правильного функционирования нашего организма вещества мы можем получать только с пищей.

Но не всегда мы вредим своему организму сознательно. Иногда мы просто не знаем, где взять достоверную информацию. Как питаться правильно, если полки магазинов забиты продуктами с консервантами, ароматизаторами и усилителями вкуса, овощи и фрукты напичканы пестицидами, а Интернет буквально наводнен ошибочной информацией, которая, многократно тиражируясь, постепенно превращается в устойчивые мифы?

Не случайно в нашей передаче существует рубрика, посвященная вопросам здорового питания. Мы развенчиваем мифы, рассказываем о том, какие полезные вещества можно получить из того или иного продукта, раскрываем секреты хранения и приготовления продуктов, которые позволяют сохранить максимальное количество витаминов и минералов. А еще мы изобретаем полезные рецепты, которые не только удивляют потрясающим вкусом, но и помогают улучшить здоровье и сбросить лишний вес.

Многие наши зрители во время передачи пытаются записать наши рекомендации и рецепты. Но такие «заметки на полях», как правило, со временем теряются. Поэтому мы решили собрать и систематизировать для вас весь накопленный опыт за время существования нашей программы. Перед тем как пойти в магазин за продуктами или начать готовить то или иное блюдо, загляните в эту книгу. Это займет у вас считаные минуты, но поможет избежать многих ошибок и нежелательных последствий для вашего здоровья от употребления некачественных или противопоказанных именно вам продуктов.

Мы хотели сделать эту книгу информативной и удобной для повседневного пользования и надеемся, что она станет таким же непременным атрибутом на вашей кухне, как и поваренные книги.

Удалось ли это нам — судить вам, наши дорогие читатели.

МЕГАПОЛЬЗА КАЖДЫЙ ДЕНЬ

Продукты способны не только насытить наш организм, но и снабдить его полезными веществами, которые улучшают здоровье и продлевают жизнь. Но есть другие продукты и блюда – те, которые очень вкусные, но и не менее вредные.

Соответственно, одни продукты должны быть в рационе каждый день, а употребление других стоит ограничить. Для вашего удобства я разделил все продукты на три группы:

- могут быть в рационе каждый день;
- должны быть в рационе в умеренном количестве;
- должны быть ограничены в рационе.

Придерживайтесь этих рекомендаций – и каждый ваш день питание будет исключительно полезным.

РЕКОМЕНДУЕМАЯ СУТОЧНАЯ ПОТРЕБНОСТЬ

В этой книге вам будет часто встречаться таинственная аббревиатура – РСП. Это сокращение термина «Рекомендуемая суточная потребность». Важно понимать, что данный термин учитывает два нюанса.

Первый. РСП – это расчетное количество потребления в пищу различных веществ человеком в сутки, необходимое для поддержания нормального, то есть здорового, состояния организма. Это означает, что 100% РСП, например, кальция – это норма, которую должен получать человек, чтобы у него не возник дефицит данного вещества, который может привести к развитию заболеваний. 100% РСП кальция поможет в профилактике остеопороза, но не будет являться лечебным фактором при наличии уже развившегося заболевания.

Второй важный нюанс – нормы РСП являются усредненными. Для лучшего понимания можно привести простой пример.

Суточная потребность в железе	
Мужчины	10 мг
Женщины	18 мг
Беременные женщины	20 мг
Кормящие грудью	25 мг

Суточная потребность в железе	
Пожилые люди	10–15 мг
Дети 1–6 лет	10 мг
Дети 7–10 лет	12 мг
Дети 11-17 лет	мальчики – 15 мг девочки – 18 мг

Как видите, РСП железа колеблется в зависимости от пола, возраста и сопутствующих состояний (кормление грудью, беременность). Потребность в том или ином элементе может также изменяться в связи с повышенной физической нагрузкой, стрессами, а также при наличии заболеваний. Поэтому нельзя придерживаться норм РСП безоговорочно, можно лишь опираться на них. Более детальную информацию по потребности именно вашего организма в том или ином веществе вы можете узнать у вашего лечащего врача.

ПРОДУКТЫ, КОТОРЫЕ МОГУТ БЫТЬ В РАЦИОНЕ ЕЖЕДНЕВНО

ОВОЩИ И ЗЕЛЕНЬ

По статистике, 97% жителей нашей страны страдают от дефицита витамина С, 80% — от недостатка витаминов группы В, почти половина россиян испытывает нехватку бета-каротина. Причем уже давно авитаминоз перестал быть проблемой только людей с низким уровнем доходов. Что же делать? Особенно в холодное время года? Производители пищевых продуктов предлагают нам восполнять дефицит полезных веществ замороженными овощами.

Многие люди, придерживающиеся здорового питания, уверены, что «заморозка» лишь по вкусу отдаленно напоминает настоящий продукт, а содержание полезных веществ в ней приближено к нулю. Но это совсем не так.

Оказывается, замороженная морковь намного полезней свежей.

Содержание витаминов в свежей (купленной зимой) и замороженной моркови

Полезные вещества	Свежая морковь	Замороженная морковь
Витамин А	1003 мкг	2000 мкг
Бета-каротин	7 мг	12 мг
Витамин С	2 мг	4 мг
Лютеин	117 мкг	332 мкг

Для сорванной с грядки моркови показатели будут, конечно же, выше, чем для замороженной. Но до зимы морковь лежит в овощехранилищах, а затем — на прилавках, где под воздействием кислорода и света все овощи начинают терять свои полезные свойства. Например, количество витамина С в капусте брокколи за шесть дней хранения при комнатной температуре снижается приблизительно на 60%.

Замораживание позволяет сохранить в овощах изначальный запас витаминов – до 90% (*незначительно снижается содержание витамина С*), а микроэлементы сохраняются полностью, ведь на производстве овощи подвергаются заморозке всего через несколько часов после того, как были собраны.

И происходит это благодаря специальной процедуре заморозки. Нарезанные овощи попадают в морозильный тоннель, где происходит быстрое, «шоковое» замораживание каждого овощного кусочка при – 40 °С, что позволяет практически полностью сохранить полезные вещества. Поэтому не стоит избегать замороженных овощей. Главное – проверьте, чтобы они не были слипшимися в упаковке. Это говорит о том, что овощи уже подвергались размораживанию, а значит, утратили витаминный запас.

БАКЛАЖАНЫ

Состав	Количество	РСП
Вода	91,0 г	
Жиры	0,1 г	0%
Белки	1,2 г	2%
Углеводы	4,5 г	2%
Пищевые волокна	2,5 г	13%
Калий	238 мг	10%
Кобальт	1 мкг	10%
Марганец	0,21 мг	11%
Медь	0,14 мг	14%
Молибден	10 мкг	14%
Энергетическая ценность – 24 ккал		

Мало кто знает, но баклажан – это ягода! Родина баклажана – Бирма и тропические районы Индии. Древние греки и римляне называли баклажаны «яблоками бешенства» и считали, что употребление их в пищу приводит к сумасшествию. В Европе баклажаны стали выращивать только в Средние века, да и то исключительно как декоративные растения. Но затем все-таки распробовали. В Россию баклажаны попали через Кавказ, где их назвали «овощами долголетия».

Баклажаны активно используются в кулинарии многих стран мира. Их варят, жарят, запекают, тушат, готовят на гриле, маринуют, используют для приготовления баклажанных салатов и икры, а также консервируют.

Перезревшие баклажаны употреблять в пищу не надо, так как в них содержится много соланина. В пищу лучше использовать молодые плоды.

Есть мнение, что если баклажан горчит, то он вредный и его есть не стоит. Но это не так страшно. Горечь баклажана зависит от сорта и степени зрелости. Избавиться от горечи просто – замочите баклажан в соленой воде на 20–40 минут и наслаждайтесь его вкусом без горчинки. Замачивание в воде также снижает впитывание баклажанами жира во время готовки.

МИФЫ

- **Большие баклажаны полезнее маленьких.**

Конечно, все зависит от сорта. Однако большой баклажан чаще

Баклажаны практически не имеют противопоказаний. От них стоит воздержаться при обострении заболеваний ЖКТ.

всего перезрелый, а это значит, что в нем может содержаться соланин. Это вредное вещество, которое вызывает расстройство желудка.

• **Баклажаны помогают бросить курить.**

В Интернете много информации, что баклажаны помогают бросить курить, так как в них содержится никотиновая кислота. Но это миф. На самом деле никотиновая кислота никак не влияет на тягу к никотину. Это два разных вещества, хоть и с похожими названиями.

• **В баклажанах много витамина С.**

В баклажанах очень мало витамина С – 5 мкг на 100 г – 5,6% РСП. Поэтому вся информация о пользе баклажанов благодаря витамину С – миф.

• **Баклажаны можно есть сырыми.**

Баклажан – один из немногих овощей, который не рекомендуется есть в сыром виде. Без термической обработки баклажан практически не усваивается, что может привести к проблемам с желудком.

ПРАВДА

• **Баклажаны полезно есть худеющим.**

Несмотря на то что баклажан на вкус кажется немного маслянистым, он один из самых низкокалорийных овощей – всего 24 ккал на 100 г. При этом он вызывает ощущение сытости. Но стоит помнить о том, что баклажаны сильно впитывают в себя жир во время готовки. Поэтому худеющим не стоит жарить баклажаны.

• **Баклажаны снижают уровень холестерина в крови.**

Баклажаны содержат пищевые волокна, большинство из которых представлены пектином. Пектин связывает жиры в желудочно-кишечном тракте и выводит их из организма.

• **Баклажаны полезны при отеках.**

Баклажаны содержат калий, который выводит лишнюю жидкость из организма, уменьшая нагрузку на сердце и снижая повышенное артериальное давление.

Как люди обычно едят баклажаны? Жарят, добавляют в лечо и рагу, делают из них закуски. А еще существует замечательный рецепт торта из баклажанов.

Баклажаны – 3 шт.
Яйцо – 3 шт.
Йогурт – 250 г
Чеснок – 2 зубчика
Помидоры – 4 шт.
Мука – 2 ст. л.
Сода – 0,5 ч.л.
Зелень
Уксус
Соль

Баклажаны натереть на терке, добавить к ним яйца, муку, соду, гашенную уксусом. Из полученной смеси выпечь коржи. Йогурт смешать с давленым чесноком и рубленой зеленью. Помидоры порезать тонкими кружками.

Выложить слоями: корж, соус, помидоры. Собранный торт оставить настаиваться на ночь в холодильнике.

БОЛГАРСКИЙ ПЕРЕЦ

Перец желтый

Состав	Количество	РСП
Вода	92,0 г	
Жиры	0,2 г	0%
Белки	1,0 г	2%
Углеводы	5,4 г	2%
Пищевые волокна	0,9 г	5%
Витамин С	183,5 мг	204%
Медь	0,11 мг	11%
Энергетическая ценность – 27 ккал		

Перец зеленый

Состав	Количество	РСП
Вода	94,0 г	
Жиры	0,2 г	0%
Белки	0,9 г	1%
Углеводы	2,9 г	1%
Пищевые волокна	1,7 г	9%
Витамин B_6	0,22 мг	11%
Витамин С	80,4 мг	89%
Медь	0,11 мг	11%
Энергетическая ценность – 20 ккал		

Перец красный

Состав	Количество	РСП
Вода	91,0 г	
Жиры	0,1 г	0%
Белки	1,3 г	2%
Углеводы	4,9 г	2%
Пищевые волокна	1,9 г	10%
Витамин А	125 мкг	14%
Бета-каротин	1500 мкг	30%
Витамин B_6	0,5 мг	25%
Витамин С	200 мг	222%
Кобальт	3 мкг	30%
Медь	0,1 мг	10%
Хром	6 мкг	12%
Энергетическая ценность – 26 ккал		

Как видно из представленного состава, красный болгарский перец имеет гораздо больше полезных свойств, чем его желтый и зеленый собратья. Он содержит большее количество клетчатки, витамина B_6, а главное – витамина С – больше двух суточных норм! Также красный болгарский перец содержит хром.

Изначально «болгарский» перец рос только в Южной Америке, а название получил благодаря болгарским селекционерам, которые вывели крупные сладкие сорта.

При термообработке болгарский перец теряет практически 70% полезных веществ. Болгарский перец, запеченный в духовке, может быть опасным для зубов, так как в процессе запекания многие органические кислоты выходят из клеток, а блюдо при этом приобретает повышенную способ-

Болгарский перец практически не имеет противопоказаний. Но его следует есть с осторожностью при повышенной кислотности желудка, ведь в нем содержатся фитонциды и алкалоиды. Они оказывают раздражающее действие на желудок и могут вызвать обострение гастрита или язвы.

ность вызывать кариес. Это практически не происходит при варке и жарке.

МИФЫ

• Болгарский перец полезен для профилактики появления прыщей.

Есть мнение, что в болгарском перце много витамина РР, который препятствует воспалительным кожным заболеваниям, в том числе акне. Но это миф. Витамина РР там очень мало.

• Кожура болгарского перца должна быть блестящей.

Многие думают, что блестящая кожура говорит о свежести перца. Но на самом деле блеск говорит о том, что перец обработали химикатами, чтобы он дольше пролежал. Поверхность перца должна быть в меру матовая.

• Болгарский перец богат калием.

Это распространенный миф. Содержание калия в разных сортах болгарского перца не превышает порог в 9% РСП.

ПРАВДА

• Цвет перца влияет на срок хранения.

По ГОСТу-13937, красный перец считается более зрелым и хранится 2 недели, а зеленый перец – технически зрелым. Его срок хранения – около 2 месяцев. Так что если вы хотите запастись перцем, то лучше покупайте зеленый.

• Болгарский перец полезен для профилактики рака.

Болгарский перец – один из лидеров по содержанию витамина С – это мощный антиоксидант, который препятствует развитию раковых клеток. Кроме того, красный болгарский перец богат ликопином – веществом, которое стимулирует иммунитет человека и препятствует возникновению у него онкологических заболеваний.

• Болгарский перец защищает от атеросклероза.

Зеленый болгарский перец содержит фитостерины – вещества растительного происхождения, которые регулируют жировой обмен у человека, уменьшают содержание плохого холестерина и увеличивают содержание липопротеидов высокой плотности, которые защищают наши сосуды от атеросклероза. А красный болгарский перец содержит достаточное для профилактики атеросклероза количество пищевых волокон.

• Болгарский перец полезен для профилактики сахарного диабета.

Красный болгарский перец содержит хром, который регулирует уровень сахара в крови.

Болгарский перец является одним из основных ингредиентов легендарного супа гаспачо. Еще 500 лет назад словом «гаспачо» называли любую смесь, которая была приготовлена путем толчения или перетирания продуктов. В настоящее время под этим названием скрываются холодные испанские супы, чем-то созвучные нашим окрошке и тюре. Говорят, что гаспачо был любимым супом писателя Эрнеста Хемингуэя.

В жаркую погоду холодные супы занимают почетное место в обеденном меню. И популярность холодных супов легко объяснить – они не только отлично утоляют голод и жажду, но и не прибавляют лишних килограммов. Этот суп низкокалорийный: всего 73 ккал на 100 г. Итак, рецепт традиционного андалузского гаспачо.

Красный болгарский перец – 2 шт.
Помидоры – 4 шт.
Огурец – 1 шт.
Лук – 1 шт.
Чеснок – 2 зубчика
Ломоть белого хлеба – 1 шт.
Лимон – 1 шт.
Ледяная вода
Соль
Черный молотый перец
Оливковое масло

Сделайте на верхушках помидоров крестообразные надрезы, затем опустите помидоры в кипящую воду и через 5 секунд положите в миску с холодной водой. Из-за перепада температур кожица помидоров легко отойдет – снимите ее. Смешайте в блендере до состояния пюре помидоры, огурец, лук, чеснок и перцы. Хлеб размочите в воде и добавьте к овощам. Приправьте суп солью, перцем, оливковым маслом и соком из половинки лимона. Разведите овощную массу ледяной водой до такой консистенции, которая вам нравится.

Гаспачо богат ликопином, который защищает от рака, витамином С, который повышает иммунитет и сохраняет молодость, а также витамином А, который является антиоксидантом и способствует быстрой регенерации кожных покровов. Гаспачо не стоит есть людям с желчнокаменной болезнью и подагрой.

ЗЕЛЕНЫЙ ГОРОШЕК

Состав	Количество	РСП
Вода	80,0 г	
Жиры	0,2 г	0%
Белки	5,0 г	8%
Углеводы	8,3 г	3%
Пищевые волокна	5,5 г	28%
Витамин B_1	0,34 мг	23%
Витамин B_2	0,19 мг	11%
Витамин B_5	0,8 мг	16%
Витамин С	25 мг	28%
Калий	285 мг	11%
Магний	38 мг	10%
Фосфор	122 мг	15%

Состав	Количество	РСП
Незаменимые аминокислоты		
Валин	0,20 г	13%
Гистидин	0,10 г	10%
Изолейцин	0,20 г	13%
Лейцин	0,30 г	10%
Лизин	0,30 г	10%
Треонин	0,20 г	13%
Триптофан	0,04 г	10%
Фенилаланин + тирозин	0,30 г	11%
Энергетическая ценность – 55 ккал		

Горошек стал применяться в культуре еще в IV веке до нашей эры. Родиной зеленого горошка считаются Северо-Западная Индия и Восточный Афганистан. Наши предки любили этот продукт – делали гороховую лапшу, пекли пироги с горошком и даже изготавливали из него сыр! На Руси горох пришелся настолько по вкусу, что о нем появилось огромное количество пословиц и поговорок. Самая популярная – «как об стенку горох». На русской свадьбе молодых стегали гороховыми плетями на входе в дом после венчания, поскольку горох считался символом плодородия.

Многие жители нашей страны выращивают зеленый горошек у себя на даче. А вне сезона зеленый горошек можно купить в магазинах в замороженном и консервированном видах. Консервированный горошек содержит в себе меньше полезных веществ: практически в 3 раза меньше витамина С, чем в свежем горошке, – 11% от РСП против 28% у свежего горошка. Сильно снижается в нем и количество витаминов группы В. Кроме того, в консервированный горошек добавляется соль – в 100 г консервированного горошка около 360 мг натрия. Из незаменимых аминокислот в консервированном горошке остается лишь триптофан – 10% РСП.

Замороженный горошек предпочтительней. В отличие от консервированного он не подвергается термической обработке. Замороженный горошек не только сохраняет незаменимые аминокислоты в достаточном количестве, но и практически не теряет

Зеленый горошек содержит большое количество серосодержащих аминокислот, которые, попадая в кишечник, вызывают газообразование. Поэтому горошек не стоит употреблять людям, страдающим метеоризмом и вздутием, а также при язвенной болезни желудка и двенадцатиперстной кишки, при остром и хроническом энтерите и колите.

Зеленый горошек противопоказан при подагре, мочекислом диатезе, остром и хроническом нефрите — высокое содержание в нем щавелевой кислоты и пуринов может вызвать обострение этих заболеваний.

витаминов. Например, витамина С в замороженном горошке 20% РСП против 28% у свежего.

МИФЫ

· Зеленый горошек делает кости крепче.

К сожалению, кальция в горошке слишком мало — всего 25 мг, что составляет лишь 3% РСП.

· Зеленый горошек может спровоцировать отеки.

Этот миф появился из-за подобного эффекта, оказываемого насыщением натрием консервированного горошка. В свежем же зеленом горошке натрия нет.

ПРАВДА

· Зеленый горошек полезен для работы сердца.

Зеленый горошек содержит магний, который укрепляет сердечную мышцу.

· Зеленый горошек полезен при гипертонии.

Зеленый горошек содержит калий, который помогает выводить лишнюю жидкость из организма.

· Зеленый горошек полезен для печени.

В зеленом горошке содержится вещество инозитол, которое предотвращает ожирение печени у человека. Ускоряя обмен веществ, инозитол препятствует накоплению жира в тканях печени и тем самым предотвращает развитие жирового гепатоза.

· Зеленый горошек помогает бороться с депрессией.

Зеленый горошек содержит триптофан, из которого в организме человека синтезируется серотонин — «гормон радости».

· Зеленый горошек укрепляет нервную систему.

Он содержит витамины группы В, которые необходимы для хорошей работы нервной системы.

· В блюда из зеленого горошка стоит добавлять укроп.

Как известно, горох вызывает газообразование в кишечнике, укроп нейтрализует горох, так как обладает ветрогонным эффектом.

С самого детства мы привыкаем к тому, что вторые блюда надо есть с гарниром. Рис, гречка, овощи и, конечно, картофельное пюре! Но не менее хорош и гарнир в виде пюре из зеленого горошка. Тем более что готовить его очень просто и быстро.

Зеленый горошек — 250 г
(свежий или замороженный)
Мята — 1 большой пучок
Чеснок — 3 зубчика
Сливочное масло — 20 г
Сливки 10%-ные — 50 мл
Соль

На растопленном сливочном масле 2 минуты тушим нарезанные листья мяты и раздавленные зубчики чеснока. Затем высыпаем горох и тушим его под крышкой около 5 минут до готовности. Если вы видите, что жидкости во время тушения мало, можно добавить немного горячей воды.

Готовый горошек с мятой перекладываем в блендер, добавляем соль и сливки и взбиваем в пюре. Кладите соль буквально на кончике ножа – пюре должно оставаться сладковатым. Такое пюре идеально подойдет к красной рыбе и куриной печени.

КАБАЧКИ

Состав	Количество	РСП
Вода	93,0 г	
Жиры	0,3 г	0%
Белки	0,6 г	1%
Углеводы	4,6 г	2%
Пищевые волокна	1,0 г	5%
Витамин С	15 мг	17%
Калий	238 мг	10%
Энергетическая ценность – 24 ккал		

Кабачок – это разновидность тыквы. Происходит из Северной Мексики, где первоначально в пищу употреблялись только его семена. И только в XVI веке из Нового Света кабачки попали в Европу, где сначала их выращивали в ботанических садах.

Кабачки популярны во многих кухнях мира. Ведь они вкусные и низкокалорийные. Этот овощ заслуженно считается диетическим – ведь его калорийность всего 24 ккал! В середине XX века существовала даже специальная кабачковая диета, поклонниками которой были такие известные личности, как Катрин Денев, Софи Лорен, Ален Делон, Маргарет Тэтчер.

А в нашей стране огромной популярностью пользуется кабачковая икра, но из 10 банок в продаже только 3 являются качественным продуктом. Как же выбрать кабачковую икру?

Прежде всего следует обратить внимание на дату изготовления кабачковой икры. Лучше выбирать продукт, произведенный в августе или сентябре, в сезон массового сбора кабачков. Другая дата изготовления может указать на то, что товар изготовлен из замороженных овощей.

На этикетках всегда пишут регион, в котором изготовлен продукт. Нужно помнить, что кабачковая икра должна изготавливаться только в тех регионах, где могут расти кабачки. Лучшая кабачковая икра сделана в Краснодарском крае. Если, например, окажется, что икра изготовлена в Тюмени, да еще зимой, значит, наверняка она сделана из замороженного сырья.

Рассмотрите, какого цвета содержимое банки. Качественную икру делают из уваренных кабачков, а потому цвет она имеет светло-коричневый. Если икра приготовлена из кабачков сорта цукини, то цвет будет с темно-зелеными вкраплениями кожицы. Рыжий, желтоватый оттенок говорит о том, что часть кабачкового пюре заменили тыквенным или морковным. Вреда от такой икры не будет. Но по вкусу она будет далека от традиционной.

Переверните банку с икрой вверх дном. Качественный продукт будет медленно сползать по стенкам банки. Если икра слишком жидкая и быстро перетекает, значит, в нее добавили воду. Она будет невкусная.

В составе кабачковой икры не должно быть крахмала. Такая икра будет слишком калорийной.

МИФЫ

· Кабачки нужно очищать от кожуры.

В кожуре кабачков много витаминов и клетчатки. Поэтом лучше есть кабачки с кожурой, а не счищать ее.

· Кабачки улучшают состояние волос.

Считается, что маски из кабачков полезны для волос. Но в кабачках мало витаминов, полезных для волос. Даже если бы их было много, они бы не помогли, потому что через кожу витамины не всасываются.

· Кабачки дольше хранятся, если их натереть маслом.

Некоторые хозяйки натирают кабачки маслом, чтобы они дольше хранились. Но делать этого ни в коем случае нельзя, так как появится питательная среда для развития грибков и плод сгниет.

· Кабачки могут стать причиной диареи у детей.

Много такой информации появляется в Интернете. В них действительно содержится клетчатка, которая усиливает стул. Но ее не так много, и нужно съесть 3–4 кабачка, чтобы возникла диарея. Даже у ребенка.

ПРАВДА

· Зеленые кабачки полезнее белых.

В зеленых кабачках (цукини) в 2 раза больше витамина С, чем в обычных, белых. В первых — 34% РСП, а во-вторых — всего 17%!

· Кабачки помогают снижать давление.

Кабачки содержат калий, который помогает выводить лишнюю воду из организма и избавляет от отеков.

· Кабачки можно есть сырыми.

Во многих кухнях мира есть рецепты салатов из сырых кабачков. Такие салаты полезны, поскольку кабачки не теряют витамин С, который разрушается при термической обработке.

Кабачок может быть опасен только при заболеваниях почек, поскольку обладает мочегонным действием. В остальных случаях он не имеет противопоказаний и даже включен во многие лечебные диеты. Кабачок также ценен тем, что не вызывает аллергии.

Попробуйте сами такой салат. Натрите молодые кабачки на мелкой терке и заправьте их нерафинированным оливковым маслом, солью и перцем.

А еще приготовьте из кабачков торт!

Кабачки – 1 кг
Яйца – 4 шт.
Мука – 1 ст.
Помидоры – 4 шт.
Сыр – 150 г
Зелень – 150 г
Йогурт – 75 г
Чеснок – 3 зубчика
Оливковое масло
Соль
Перец

Кабачок натереть на крупной терке, слегка отжать через марлю. Затем в тарелку с кабачком добавить яйца, соль, перец и муку. Перемешать. По консистенции тесто должно получиться как для оладий. Из этого теста выпечь кабачковые блины и остудить их. Получится примерно 6–7 блинов.

Помидоры нарезать тонкими колечками. Йогурт смешать с чесноком и порубленной зеленью.

Сложить кабачковый торт: смазать блин йогуртом, выложить на него кружочки помидора. Сверху еще немного смазать йогуртом и положить следующий блин. Снова помидор, соус, и так далее.

Украсить торт натертым сыром и зеленью и поставить на 1–2 часа в холодильник для пропитки.

КАПУСТА БЕЛОКОЧАННАЯ

Состав	Количество	РСП
Вода	90,4 г	
Жиры	0,1 г	0%
Белки	1,8 г	3%
Углеводы	4,7 г	2%
Пищевые волокна	2,0 г	10%
Витамин С	45 мг	50%
Калий	300 мг	12%
Кобальт	3 мкг	30%
Молибден	10 мкг	14%
Хром	5 мкг	10%
Энергетическая ценность – 28 ккал		

Археологические раскопки свидетельствуют о том, что капусту люди стали использовать с каменного и бронзового веков. Возделывали капусту древние египтяне, а позднее освоили технологию ее выращивания древние греки и римляне, им было известно всего от 3 до 10 сортов капусты. Древнегреческий философ и математик Пифагор весьма ценил лечебные свойства капусты и занимался ее селекцией. Южные племена славян впервые узнали о капусте от греко-римских колонистов, живших в районах Причерноморья. Со временем познакомились с этой овощной культурой и на Руси.

Наши предки полюбили капусту, особенно квашеную. И не зря, ведь квашеная капуста обладает многими полезными свойствами.

Во-первых, она повышает иммунитет и защищает от гриппа, так как содержит 30 мг витамина

Капуста противопоказана при повышенной кислотности желудочного сока, так как она стимулирует секрецию желудочного сока. Также не следует применять свежую капусту при панкреатите. Капусту не стоит употреблять кормящим матерям, поскольку она может вызвать колики у ребенка.

С на каждые 100 г продукта, то есть 33% РСП. Кроме того, при квашении в капусте образуются молочнокислые бактерии. Доказано, что они не только укрепляют иммунитет, но и эффективно борются с вирусами – возбудителями гриппа.

Во-вторых, квашеная капуста защищает от рака! При квашении в капусте образуются изотиоцианаты. Это вещества, которые мешают росту раковых клеток, чем и снижают риск возникновения рака.

В-третьих, квашеная капуста улучшает работу кишечника, поскольку молочнокислые бактерии нормализуют его микрофлору.

А еще квашеная капуста помогает при похмелье. Из-за алкогольных токсинов в организме нарушается водно-солевой баланс, а квашеная капуста помогает его восстановить.

Капусту для квашения лучше шинковать крупно, так в ней сохранится больше полезных веществ. Если же нарезать ее мелко, то витаминов и микроэлементов в ней останется гораздо меньше.

Если вы покупаете квашеную капусту, то помните, что качественная квашеная капуста должна быть золотистого цвета. Если капуста белого цвета, значит, ее квасили с уксусом и в ней осталось мало полезных веществ. У качественной капусты рассол слегка мутноватый. Если же рассола мало или он слишком мутный, значит, капуста неправильно хранится и, скорее всего, потеряла все свои вкусовые качества. Качественная капуста обязательно должна хрустеть. Если же капуста не хрустит, значит, она долго хранилась и успела испортиться.

МИФЫ

· **Капустный сок помогает при язве желудка.**

Капустный сок действительно содержит вещество, помогающее заживлению язвы желудка, – витамин U, но при наличии язвы капустный сок пить нельзя – он может вызвать обострение за счет других ингредиентов. Витамин U нужно принимать только в виде препаратов.

· **Употребляя капусту, можно увеличить грудь.**

Это миф. От капусты грудь не растет.

ПРАВДА

· **Капуста укрепляет иммунитет.**

200 г капусты восполняют суточную потребность в витамине С.

· **Капуста полезна для профилактики атеросклероза.**

В квашеной капусте содержится клетчатка (до 2 г на 100 г). Она снижает уровень холестерина, способствуя выведению его из организма. Также в ней содержится витамин С, увеличивающий эластичность сосудов и укрепляющий их стенки.

· **Капуста защищает от сахарного диабета.**

Капуста содержит хром, который регулирует уровень сахара в крови и помогает тканям усваивать инсулин.

· **Капуста полезна при отеках.**

Капуста содержит калий, который выводит лишнюю жидкость из организма.

Капусту можно заквасить без соли. По вкусу она будет такой же, как обычная квашеная капуста. Зато ее можно есть людям с повышенным давлением.

Капуста – 2 кочана
Морковь – 1 штука
Чеснок – 6 зубчиков
Семена укропа
Тмин
Молотый красный перец

Кочан капусты нашинковать, смешать со специями, залить чистой прохладной водой и оставить в тепле на 2–3 дня. После этого капусту нужно отжать и выбросить. Не жалейте, так нужно сделать всего один раз. Получившийся сок нужно процедить. Это и есть рассол для бессолевой капусты.

Теперь мы будем готовить саму капусту. Для этого нужно нашинковать второй кочан капусты и морковь и плотно уложить их в таз, залить рассолом и поставить под пресс в тепло на 1–2 дня. После этого нужно дня на четыре поставить капусту на холод.

Также для разнообразия можно приготовить капусту по-грузински. Она точно так же может храниться зимой, тоже очень полезная и, конечно, не менее вкусная.

Капуста – 1 кочан
Свекла – 1 шт.
Чеснок – 4 зубчика
Перец чили – 1 шт.
Корень сельдерея – 1 шт.
Соль – 2 ст. л.
Уксус 9%-ный – 2 ст. л.
Вода – 2 л

Капусту нарезать кубиками, свеклу – полосками. Чеснок и сельдерей нарезать крупно. Все перемешать.

В кипящую воду добавить уксус и соль, перемешать до полного растворения соли. Залить овощи этим рассолом. После того как все остынет, поставить капусту в холодильник на 1–2 дня в эмалированной или стеклянной посуде. В ней же можно ее и хранить.

КАПУСТА ПЕКИНСКАЯ

Состав	Количество	РСП
Вода	94,4 г	
Жиры	0,2 г	0%
Белки	1,2 г	2%
Углеводы	2,0 г	1%
Пищевые волокна	1,2 г	2%
Витамин B_6	0,23 мг	12%
Витамин B_9	79 мкг	20%
Витамин C	27 мг	30%
Витамин K	42,9 мкг	36%
Калий	238 мг	10%
Марганец	0,19 мг	10%
Энергетическая ценность – 16 ккал		

Петсай, или пекинская капуста, – этот овощ очень любят и в Китае, и в Японии, и в Европе. Родина петсай – Китай, письменные упоминания о ней относятся к V–VI векам н.э. В нашей стране этот овощ тоже стал популярным, у нас петсай часто называют китайским салатом.

Пекинскую капусту используют в качестве салата, заменяют ею обычную капусту в супах и рагу. В странах Восточной Азии салатную капусту часто заквашивают – корейцы, например, называют это блюдо «кимчхи».

МИФЫ

• **Пекинская капуста поможет снизить уровень холестерина.**

Пекинская капуста содержит всего 2% РСП пищевых волокон. Этого количества клетчатки недостаточно для существенного влияния на уровень холестерина в крови.

• **Пекинская капуста полезна при тромбофлебите.**

Пекинская капуста содержит 36% РСП витамина K, который способствует сгущению крови, что повышает риск образования тромбов. Хотя употребление пекинской капусты не является строгим противопоказанием при тромбофлебите и варикозном расширении вен, все же людям, страдающим от этих заболеваний, не стоит увлекаться этим овощем.

ПРАВДА

• **Пекинская капуста сохраняет красоту.**

Пекинская капуста богата витамином C, который стимулирует синтез коллагена и делает кожу упругой.

• **Пекинская капуста укрепляет нервную систему.**

Пекинская капуста содержит витамины группы B, которые необходимы для нормальной работы нервной системы.

Пекинская капуста имеет те же противопоказания, что и белокочанная: гастриты с повышенной кислотностью, язвенная болезнь, панкреатит, склонность к метеоризму.

• **Пекинская капуста полезна при отеках.**

Пекинская капуста содержит калий, который выводит лишнюю жидкость из организма.

Из пекинской капусты можно готовить не только салаты, но и полезные рулетики с творогом и брынзой.

Пекинская капуста – 1 кочан
Болгарский перец – 1 шт.
Творог – 300 г
Брынза – 100 г
Базилик – 1 большой пучок
Укроп – 1 пучок
Чеснок – 3 зубчика

Творог смешать с брынзой, выдавить туда чеснок, добавить порубленную зелень и порезанный кубиками перец. Перемешать.

Аккуратно отогнуть листики по одному, не отделяя их от черешка, – как распустившийся цветок. Если капуста слишком твердая, предварительно можно положить ее в пакет и оставить при комнатной температуре на ночь. Промазать каждый листик творожной смесью и снова собрать листья в кочанчик. Затем завернуть капусту в пищевую пленку и на несколько часов (в идеале – на ночь) оставить в холодильнике. После чего можно резать капусту как рулет на красивые порционные кружочки.

Такие рулетики из капусты принесут огромную пользу вашему организму.

Ведь базилик богат витамином А, который не только улучшает состояние кожи, но и нормализует сон, и, как антиоксидант, замедляет старение нервных клеток, а пекинская капуста – отличный источник витаминов группы В, которые необходимы для нормальной работы нервной системы.

КАПУСТА БРОККОЛИ

Состав	Количество	РСП
Вода	89,3 г	
Жиры	0,4 г	1%
Белки	2,8 г	5%
Углеводы	4,0 г	1%
Пищевые волокна	2,6 г	13%
Витамин B_5	0,57 мг	11%
Витамин B_9	63 мкг	16%
Витамин С	89,2 мг	99%
Витамин К	101,6 мкг	85%
Калий	316 мг	13%
Марганец	0,21 мг	11%
Энергетическая ценность – 34 ккал		

История капусты брокколи начинается еще со времен Древнего Рима. Ведь именно древние римляне вывели брокколи из дикой капусты. Само название «брокколи» капуста получила от латинского «brachium» – рука или ветвь. Еще Плиний Старший назвал брокколи «благословенным плодом». Но широкого распространения брокколи долго не получала и долго не покидала пределы Италии. Во Францию брокколи завезли только благодаря Екатерине Медичи в 1560 году. Ее назвали итальянской спаржей, и капуста быстро набрала популярности как гарнир к птице, красному мясу и рыбе. Затем брокколи пришлась по вкусу и остальным жителям европейского континента. В мире известно около 200 сортов капусты брокколи. В России выращивают всего 6 сортов.

В России капуста брокколи пока не пользуется большим спросом, а зря. У нее есть одно суперполезное свойство, которое может спасти вашу жизнь. Последнее время уже многие слышали про Хеликобактер пилори. Это такая бактерия, которая может жить у человека в желудке и двенадцатиперстной кишке. И не просто жить, а стать причиной гастрита, язвы и даже рака желудка! И поможет от нее защититься капуста брокколи! В этой капусте есть сульфорафан – вещество, которое, по данным научных исследований, способно убивать даже устойчивые к антибиотикам штаммы Хеликобактера.

Человеку нужно употреблять до 250–300 г брокколи в день.

МИФЫ

• **Свежая капуста брокколи полезнее, чем замороженная.**

Большая часть капусты брокколи на наших прилавках – импорт. Неизвестно, когда эта капуста была сорвана. Возможно, она уже потеряла много полезных веществ. А если это не лето, то при транспортировке большинство витаминов уже разрушилось. Поэтому лучше покупать замороженную капусту брокколи.

• **Перед приготовлением замороженную капусту брокколи нужно размораживать.**

Если размораживать, то разрушится много витаминов. Готовьте сразу замороженной.

• **Капуста брокколи полезна для профилактики тромбов.**

В капусте брокколи содержится витамин К – 101,6 мкг – 85% РСП. Он увеличивает свертываемость крови, а значит, может стать причиной возникновения тромбов.

• **Капуста брокколи улучшает зрение.**

Существует распространенное мнение, что капуста брокколи полезна для зрения благодаря витамину А. Это миф. Во-первых, брокколи содержит всего 3% РСП витамина А. Во-вторых, витамин А не влияет на остроту зрения.

Брокколи противопоказана при заболеваниях поджелудочной железы и при гастритах с повышенной кислотностью желудочного сока.

ПРАВДА

• Замороженная капуста брокколи должна быть яркого цвета.

Цвет должен быть ярким. Если же он бледный, значит, брокколи размораживалась уже не раз. В ней совсем нет полезных веществ. И она будет невкусная.

• Курильщикам особенно полезно есть капусту брокколи.

В капусте брокколи содержится 99% РСП витамина С! Этот витамин является мощным антиоксидантом, который уменьшает вредное воздействие сигарет на организм. Кроме того, у курильщиков всегда дефицит витамина С.

• Капуста брокколи эффективна для профилактики атеросклероза.

В капусте брокколи содержится много клетчатки, которая выводит холестерин из организма, защищая его от атеросклероза. Кроме того, брокколи содержит сульфорафан, который защищает стенки сосудов от повреждения и этим препятствует отложению на них атеросклеротических бляшек.

• Капуста брокколи полезна для профилактики рака.

Сульфорафан, который содержится в брокколи, также помогает организму противостоять распространению раковых клеток.

Из капусты брокколи получаются замечательные супы-пюре, которые помогут похудеть. Ведь консистенция супа-пюре помогает продлиться чувству сытости после еды до 5 часов, тогда как обычный суп с брокколи обеспечит чувство сытости всего на 2–3 часа.

Когда человек ест обычный суп, то жидкость из него быстро проходит через желудок. А все остальные ингредиенты остаются в желудке. Но они очень маленькие. Желудок тоже маленький. И поэтому чувство насыщения длится не очень долго. А когда человек ест суп-пюре, то и жидкость, и ингредиенты как бы скреплены, они имеют больший объем и дольше остаются в желудке. Поэтому человек дольше чувствует насыщение и, соответственно, дольше не хочет есть. А чем меньше ешь, тем стройнее будешь. Поэтому готовьте суп-пюре из брокколи по нашему рецепту.

Брокколи — 400 г
Куриное филе — 300 г
Лук — 1 шт.
Вода — 1,5 л
Чеснок — 2 зубчика
Соль
Черный молотый перец

Куриное филе отварить до готовности. Лук и чеснок нарезать, брокколи разделить на соцветия и добавить в бульон к курице. Отварить до готовности. Добавить соль и чеснок. Пюрировать блендером. В таком супе-пюре всего 62 ккал. Чтобы добавить вкуса, во время готовки можно положить в такой суп плавленый сырок, но тогда калорийность увеличится.

Еще одно вкусное и полезное блюдо с брокколи — сабджи. Это

блюдо индийской кухни. В нем немного калорий и много полезных веществ.

Брокколи – 200 г
Стручковая фасоль – 200 г
Морковь – 2 шт.
Зеленый горошек – 150 г
Картофель – 2 шт.
Помидоры – 2 шт.
Лук – 2 шт.
Адыгейский сыр – 250 г
Сливки 33%-ные – 1/2 ст.
Топленое масло – 3 ст. л.
Имбирь – кусочек 3–4 см
Чеснок – 3 зубчика
Зелень – пучок
Зира
Куркума
Кориандр
Чили

Нарезать овощи. Обжарить специи на топленом масле, добавить к ним резаные овощи и обжарить их. Затем добавить крупно порезанный адыгейский сыр. Дать немного времени настояться. При желании можно заправить сливками. Перед подачей украсить блюдо мелко нарубленной зеленью.

КАПУСТА ЦВЕТНАЯ

Состав	Количество	РСП
Вода	90,0 г	
Жиры	0,3 г	0%
Белки	2,5 г	4%
Углеводы	4,2 г	1%
Пищевые волокна	2,1 г	11%
Витамин B_5	0,9 мг	18%
Витамин С	70 мг	78%
Витамин К	15,5 мкг	13%
Калий	299 мг	12%
Энергетическая ценность – 30 ккал		

Считается, что цветная капуста введена в культуру в Средиземноморье, возможно, из капусты листовой сирийскими феллахами и поэтому в течение длительного времени называлась сирийской капустой. В те времена она была позднеспелой, отличалась горьковатым вкусом и имела небольшую кремовато-зеленоватую головку. Авиценна рекомендовал употреблять сирийскую капусту для питания в зимнее время. Много веков цветную капусту выращивали только в Сирии и других арабских странах. В XII веке арабы привезли ее в Испанию, а из Сирии эта капуста была завезена на Кипр, и много веков Кипр был едва ли не главным поставщиком ее семян в страны Европы. В XIV веке отдельные сорта цветной капусты начали выращивать во Франции, Италии, Голландии и Англии.

В Россию цветная капуста была завезена при Екатерине II, и ее выращивали только в огородах немногих вельмож. В XVIII веке русские помещики по баснословным ценам выписывали ее семена с острова Мальта. Долгое время цветная капуста не приживалась в российских широтах. Но потом известный агроном Андрей Тимофеевич Болотов вывел ее северный вариант. Теперь цветная капуста растет и в нашей стране. Она широко применяется в диетическом и детском питании.

МИФЫ

• Цветная капуста полезна при язве желудка.

Это миф. Цветная капуста никак не влияет на заживление язвы желудка. Кроме того, цветная капуста обладает сокогонным действием и может вызвать обострение заболевания.

• Цветную капусту нельзя есть при заболеваниях щитовидной железы.

В капусте содержатся вещества – тиоцианаты, которые связывают йод, препятствуя его усвоению тканями щитовидной железы. Но эти вещества содержатся в цветной капусте в мизерных количествах. И, чтобы действительно повлиять на усвоение йода щитовидной железой, нужно есть цветную капусту килограммами каждый день на протяжении многих месяцев.

ПРАВДА

• В цветной капусте больше витамина С, чем в белокочанной.

В цветной капусте 78% РСП витамина С, а в белокочанной – 50%.

• Цветная капуста полезна для профилактики онкологических заболеваний.

Потому что в цветной капусте содержатся такие вещества, как индол-3-карбинол и сульфорафан, которые препятствуют появлению раковых клеток.

• Цветная капуста помогает похудеть.

У цветной капусты калорийность низкая – всего 30 ккал на 100 г, а объем при этом большой. Поэтому она надолго сохраняет чувство сытости. Капуста настолько диетический продукт, что ее можно есть даже детям до 2 лет.

• Цветную капусту можно есть при заболеваниях печени.

Потому что цветная капуста обладает желчегонными свойствами. Поэтому блюда из цветной капусты включены во многие лечебные диеты при заболеваниях печени.

• Замороженная цветная капуста сохраняет полезные свойства.

Это один из немногих овощей, который при заморозке сохраняет большинство полезных свойств.

• Цветная капуста улучшает пищеварение.

Цветная капуста содержит пурины (57 мг на 100 г продукта), поэтому при подагре и уратных камнях в почках ее лучше не употреблять.

Потому что в ней содержится клетчатка. Известно, что пищеварительная система нормально функционирует именно благодаря пищевым волокнам.

Очень многие люди не любят цветную капусту. Говорят, она безвкусная и пахнет неприятно. Но котлеты из цветной капусты точно понравятся всем.

Цветная капуста – 300 г
Яйцо – 1 шт.
Панировочные сухари – 1 ст. л.
Оливковое масло – 1 ст. л.
Соль

Цветную капусту взбить в блендере вместе с яйцом, солью и перцем. Сформировать котлетки при помощи столовой ложки и обвалять их в панировочных сухарях. Обжарить котлеты на хорошо разогретой сковороде с оливковым маслом по 1 минуте с каждой стороны.

КАРТОФЕЛЬ

Состав	Количество	РСП
Вода	78,8 г	
Жиры	0,4 г	1%
Белки	2,0 г	3%
Углеводы	16,3 г	6%
Пищевые волокна	1,4 г	7%
Витамин B_6	0,3 г	15%
Витамин С	20 мг	22%
Калий	568 мг	23%
Кобальт	5 мкг	50%
Медь	0,14 мг	14%
Молибден	8 мкг	11%
Хром	10 мкг	20%
Энергетическая ценность – 77 ккал		

Родина картофеля – Южная Америка, где до сих пор можно встретить дикорастущие растения. Индейцы не только употребляли картофель в пищу, но и поклонялись ему, считая одушевленным существом.

В Европе картофель появился в Испании во второй половине XVI века и сначала был принят за декоративное ядовитое растение. Но французский агроном Антуан-Огюст Пармантье доказал, что картофель обладает высокими вкусовыми и питательными качествами. Кроме того, Пармантье победил во Франции с помощью этого овоща голод и цингу. В дальнейшем картофель распространился в Италии, Бельгии, Германии, Нидерландах, Франции, Великобритании и других европейских странах.

В России картофель появился в конце XVII века. Поначалу картофель считался экзотическим растением и подавался на стол только в аристократических домах. Государственные меры по распространению картофеля были впервые приняты при Екатерине II. В 1765 году вышло Наставление Сената «о разведении земляных яблоков». Картофель постепенно получил признание, вытеснив из крестьянского рациона репу. Тем не менее еще в XIX веке крестьяне называли картофель чертовым яблоком и считали грехом употребление его в пищу. Но картофель все же занял одно из самых главных мест в рационе: к началу XX века этот овощ уже считался в России «вторым хлебом», то есть одним из основных продуктов питания.

Многие не любят картофель «в мундире» из-за того, что такую картошку долго чистить. Но существует секрет, благодаря которому картошку, сваренную «в мундире», можно почистить очень быстро. Всего 10 секунд на штуку – и картошка останется без кожуры. Для этого достаточно опускать отваренный картофель в холодную, лучше – ледяную, воду. Делать это надо сразу же, как только картофель сварился. Надо вынимать картофелины по одной шумовкой, класть каждую на 5 секунд в холодную воду, доставать ее руками и как бы «выдавливать» из отставшей из-за резкого перепада температур кожуры.

Картофель не имеет противопоказаний и включен в состав многих лечебных диет.

МИФЫ

· **Красный картофель полезнее желтого.**

Любой картофель полезен. Однако красный лучше для жарки, белый – для пюре, а в желтом больше крахмала, так что лучше его класть в суп или тушить.

· **Картофель с зелеными пятнами можно есть.**

Ни в коем случае, потому что позеленевший картофель содержит в себе ядовитое вещество соланин. Оно вызывает тошноту, рвоту, боли в животе. Поэтому все зеленые места нужно срезать.

· **Картофель вареный, «в мундире» — самый полезный способ приготовления картофеля.**

Многие думают, что самая полезная картошка – вареная. Но это не так. При варке многие полезные вещества уходят в воду. При жарке картошка пропитывается маслом и тоже теряет много полезных веществ. А вот при запекании «в мундире» полезные вещества никуда не уходят и сохраняются внутри картофеля.

· **Картофель может стать причиной набора веса.**

Очень распространено мнение, что от картошки полнеют. Но это – миф. От картофеля полнеют не больше, чем от многих других продуктов. Просто во всем нужно соблюдать меру.

· **Картофель снижает уровень холестерина.**

В картофеле содержится клетчатка, которая снижает уровень холестерина. Но в картофеле ее немного – 7% РСП, что недостаточно для серьезного влияния на уровень холестерина в крови.

ПРАВДА

· **В картофеле больше витамина С, чем в клюкве.**

В картофеле 20 мг витамина С на 100 г – 22%, а в клюкве 15 мг на 100 г – 17% РСП.

· **В молодом картофеле крахмала больше, чем в старом.**

В молодом картофеле действительно больше крахмала. И при этом молодой картофель еще и полезнее старого. Потому что в старом картофеле крахмал превращается в сахар, то есть он быстрее усваивается. И если человек слишком часто ест старую картошку, то у него повышается риск ожирения и даже сахарного диабета.

· **Картофель полезен при отеках.**

В нем содержится много калия: 568 мг на 100 г – 23% РСП. Калий участвует в водно-солевом обмене, снижая отеки.

· **Картофель улучшает работу сердца.**

В нем содержится калий, который выводит лишнюю жидкость из организма и тем самым снимает нагрузку на сердце.

· **Картофель лучше варить в эмалированной посуде.**

Вообще все продукты лучше готовить в эмалированной посуде, потому что в ней они теряют меньше витаминов, чем в металлической. При соприкосновении с металлом многие витамины разрушаются.

Многие отказываются от картофельного пюре и от жареного картофеля, поскольку считают, что от этих блюд можно набрать лишний вес. На самом деле главное – приготовить эти блюда правильно, тогда они сохранят в себе пользу картофеля и будут содержать минимум калорий!

Традиционное картофельное пюре, со сливочным маслом, с жирным молоком, – далеко не самый полезный продукт. Поэтому мы предлагаем вам заменить его нашим оригинальным картофельным пюре, которое будет не только полезней, но и вкуснее!

Картофель – 250 г
Корень сельдерея – 500 г
Молоко 0,5%-ной жирности – 150 мг
Лук – 1 шт.
Чеснок – 2 зубчика
Сушеная ламинария (морская капуста)

Картофель и корень сельдерея очистить от кожуры. Сельдерей нарезать крупными кусками. Картофель и сельдерей сварить до готовности с луком и чесноком. Слить воду, вынуть лук и чеснок. Готовый картофель и сельдерей размять в пюре и заправить молоком. Сверху посыпать сушеной ламинарией.

Чем же такое пюре полезней традиционного? Традиционное пюре содержит около 130 ккал на 100 г, а наше, полезное, во многом благодаря замене большей части картофеля сельдереем – всего 49 ккал. Кроме того, мы не добавляли в наше пюре масло. И не добавляли соль! Вместо соли мы приправили наше пюре сушеной ламинарией!

Наше полезное пюре, богатое калием, выводит лишнюю жидкость из организма, тем самым снимая отеки и уменьшая давление. Оно улучшает моторику кишечника, поскольку богато пищевыми волокнами, и по этой же причине снижает уровень холестерина.

Также существует рецепт низкокалорийного жареного картофеля, благодаря которому вы сможете баловать себя любимым блюдом без ущерба для фигуры.

Картофель – 3 шт.
Подсолнечное масло – 1 ст. л.
Соль

Картофель очистить и измельчить в блендере буквально 2–3 секунды. Можно просто натереть его на терке. Полученную массу положить в марлю и отжать лишнюю жидкость. Из картофеля сформировать лепешку, немного посолить и обжарить на масле с обеих сторон по 4–5 минут. Главный секрет – нужно использовать сковородку с рисунком на дне. Таким образом, остатки масла не будут впитываться в картошку, а останутся в углублениях рисунка.

В порции обычной жареной картошки содержится 305 ккал, а в порции нашей полезной жареной картошки – всего 107, то есть в три раза меньше! Поэтому ее можно есть даже худеющим.

Еще одно необычное блюдо из картофеля – курабье. Причем этим блюдом можно лакомиться, даже сидя на диете!

Картофель – 3 шт.
Брокколи – 1 кочан
Яйцо – 2 шт.
Чеснок – 1 головка
Сельдерей – 3 стебля
Лук – 1 шт.
Соль

Картофель очистить и сварить в воде вместе с луковицей, сельдереем и чесноком до полуготовности. Затем добавить туда же нарезанную брокколи и варить еще 5–10 минут. Слить воду, вынуть лук, чеснок и сельдерей. Картофель и брокколи немного остудить. Картофель размять, брокколи и яйца взбить при помощи блендера до однородной массы. Смешать ингредиенты, посолить. Пюре из картофеля и брокколи положить в пакет, отрезать кончик и выдавить на противень, выстланный пекарской бумагой, порционно небольшие курабье. Запекать в духовке при максимальной температуре 5–10 минут.

Курабье из картофеля и брокколи не только вкусное и низкокалорийное, но и очень полезное! Такое курабье содержит витамины группы В, которые укрепляют нервную систему. А также клетчатку, которая помогает выводить вредный холестерин из организма и улучшает моторику кишечника.

ЛУК РЕПЧАТЫЙ

Состав	Количество	РСП
Вода	86,0 г	
Жиры	0,2 г	0%
Белки	1,4 г	2%
Углеводы	8,2 г	3%
Пищевые волокна	3,0 г	15%
Витамин С	10 мг	11%
Кобальт	5 мкг	50%
Марганец	0,23 мг	12%
Энергетическая ценность – 41 ккал		

Этот продукт известен уже 6 тысяч лет. Его употребляли в пищу и римские легионеры, и китайские императоры, и рыцари Крестовых походов, а каждый современный житель нашей страны съедает по 11 кг этого продукта в год.

Лук широко применяется в быту:

– разрезанная пополам луковица поможет хорошо очистить зеркала и оконные стекла. Достаточно протереть поверхность сначала луковицей, а потом мягкой тканью;

– чтобы избавиться от подпалины от утюга на одежде, нужно смочить ее луковым соком, а потом простирать;

– раньше отвар луковой шелухи использовали для окраски волос, а на Пасху красили им яйца. Второе применение широко бытует и сегодня;

– следы плесени с одежды, ржавчину с ножей и вилок можно вывести, протирая их половинкой луковицы.

Как правильно выбрать лук?

Выбирайте лук с короткой сухой шейкой. Длинная шейка и мягкость луковицы говорят о том, что лук начал прорастать и витаминов в самих белых перьях почти не осталось, все они пошли на их собственное развитие. По той же причине нельзя покупать лук, если из него торчат зеленые перья. В луке для продажи населению по ГОСТу длина шейки не должна быть более 1 см.

Если шелуха матового цвета, это говорит о том, что лук отсырел или начал прорастать. Шелуха у качественного свежего лука должна быть блестящей.

Если луковица хрустит при надавливании, плотная, не проминается пальцами – значит, она свежая, сочная, не проросшая и будет дома в холодильнике хорошо и долго храниться.

Лук противопоказан при заболеваниях печени, он обладает желчегонным эффектом, и его употребление может вызвать обострение болезни. Нельзя есть репчатый лук при язве желудка, при остром панкреатите.

Не покупайте уже очищенный репчатый лук, так как в нем почти нет витаминов – лук в процессе хранения без шелухи сам все их «съел».

Вряд ли можно найти любителя резать лук, ведь от этого овоща жутко слезятся глаза. Но есть два простых секрета, как избежать раздражения глаз. Первый способ – смазать разделочную доску уксусом, который блокирует жгучие летучие вещества в луке. Второй способ – перед нарезкой положить лук на 5–10 минут в морозильную камеру. Охлажденный лук помогает избежать слез, так как летучие вещества в луке не испаряются.

МИФЫ

• Лук лучше резать как можно мельче.

Чем меньше лук соприкасается с ножом, тем больше полезных веществ в нем остается. Поэтому лучше резать лук крупно.

• Глаза слезятся от любого лука.

От репчатого лука глаза слезятся. В нем содержатся вещества лакриматоры, которые и вызывают слезы. В зеленом луке их нет, и от него глаза слезиться не будут.

ПРАВДА

• Красный лук полезнее белого.

В красном луке содержится больше антиоксидантов, чем в белом, именно поэтому он эффективнее замедляет старение.

• Лук полезен для профилактики онкологических заболеваний.

В луке содержатся вещества группы сульфидов, которые препятствуют развитию рака. Эти вещества воздействуют на раковые клетки и уничтожают их. Поэтому ешьте лук, чтобы снизить риск возникновения рака.

• Лук может вызвать головную боль.

В Интернете пишут, что лук может вызвать головную боль, и это правда. Запах лука раздражает обонятельные рецепторы слизистой носа, из-за чего может разболеться голова.

• Лук защищает от простуды и гриппа.

В луке содержится большое количество фитонцидов – природных антибиотиков. Именно они защищают организм от вирусов и инфекций, передающихся воздушно-капельным путем. Поэтому лук нужно обязательно есть всегда, а весной и осенью – особенно!

• **Лук полезен для профилактики кариеса.**

В луке содержатся фитонциды, которые убивают микробы во рту, чем действительно снижают риск возникновения кариеса.

• **Лук полезен для профилактики анемии.**

В луке содержится много кобальта. Этот микроэлемент улучшает кроветворение, значит, лук действительно полезен для профилактики анемии.

Мало кто знает, но из лука можно сделать отличный гарнир к мясу и рыбе — карамелизованный лук!

Лук — 4 шт.
Сливочное масло — 10 г
Оливковое масло — 2 ст. л.
Сахар — 1/2 ст. л.
Бальзамический уксус — 2 ч.л.
Соль

Лук нарезать соломкой. В сковороде с толстым дном нагреть оливковое и сливочное масло. Выложить лук и, постоянно помешивая, тушить 10 минут на слабом огне. Затем посыпать лук сахаром и солью, добавить бальзамический уксус и тушить еще 5–10 минут, постоянно помешивая. Лук должен приобрести красивый золотисто-коричневый оттенок.

А еще из лука можно приготовить котлеты. Многие могут подумать, что это невкусно. Но это не так. Попробуйте!

Лук — 4 шт.
Яйцо — 2 шт.
Пшеничная мука — 7 ст. л.
Подсолнечное масло — 2 ст. л.
Соль
Черный молотый перец

Лук измельчить в блендере и слегка отжать через марлю, затем перемешать его с яйцами и мукой, солью и перцем. Масса должна получиться густой, чтобы можно было лепить из нее котлеты. Если она получается жидковатой, то можно добавить еще немного муки.

Сформировать котлеты и жарить на сковороде с подсолнечным маслом 8–10 минут.

МОРКОВЬ

Состав	Количество	РСП
Вода	88,0 г	
Жиры	0,1 г	0%
Белки	1,3 г	2%
Углеводы	6,9 г	2%
Пищевые волокна	2,4 г	12%
Витамин А	1000 мкг	111%
Бета-каротин	12000 мкг	240%
Магний	38 мг	10%
Энергетическая ценность – 35 ккал		

Морковь знакома человечеству с древнейших времен. О ней знали еще древние египтяне, древние греки и римляне. По рисункам в египетских гробницах можно судить, что морковь использовалась для врачевания.

История свидетельствует, что раньше цвет моркови был красным, черным, желтым, белым и фиолетовым, но только не оранжевым! Современная оранжевая морковь появилась благодаря стараниям голландских садовников в XVI–XVII веках.

В нашей стране морковь является вторым по популярности овощем после картофеля. Она практически каждый день присутствует в рационе россиян. Но как правильно выбрать морковь, чтобы она принесла пользу для здоровья?

Морковь со слишком густой ботвой брать не стоит. У нее будет очень большая сердцевина, и она не будет сочной. Ботвы должно быть не очень много — 5–6 веточек.

Самая полезная морковь – ярко-оранжевая. В ней больше всего витамина А. Именно такая морковь лучше всего подходит для салатов, рагу, маринования и свежевыжатого сока. А вот светло-оранжевая морковь идеально подходит для приготовления блюд. Из нее хорошо получаются котлеты и запеканки, так как такая морковь лучше держит их форму. Обязательно обратите внимание и на цвет моркови возле ботвы. Он не должен быть зеленым, иначе такая морковь будет горьковатой.

Больше всего витаминов содержится в морковке весом около 150 г. Чем крупнее морковь, тем больше в ней нитратов.

Чтобы проверить сочность моркови, нужно провести небольшой тест. Поскребите ногтем по кожуре моркови. Если сок сразу брызнет, значит, морковь сочная.

Многие продавцы моют морковь для придания ей товарного вида. Но лучше такую морковь не покупать. Потому что она быстрее портится. Кроме того, скорее всего, такую морковь мыли с помощью ПАВов, которые, в свою очередь, сами плохо смываются.

Морковь можно приготовить таким образом, что каждый ее кусочек будет содержать в 20 раз больше витамина А и бета-каротина, чем в кусочке обычной сырой морковки. Для этого ее нужно засушить по определенным правилам.

Мытую морковь отварить в течение 13—15 минут, после чего охладить. Морковь можно и не отваривать, так как при этом часть витаминов все-таки разрушается. Она отваривается только для того, чтобы не темнела после сушки.

Очистите морковь от кожицы, ополосните холодной водой и нарежьте на дольки толщиной не более 7 мм. Нарезанную морковь вновь охладите в холодной воде. После этого разложите морковь в один слой на противень и сушите ее в духовке 5–6 часов при температуре около 75–80 °С. Высушенную морковь надо хранить в целлофановом пакете в темном месте.

МИФЫ

• Морковь улучшает зрение.

Морковь полезна для профилактики такого заболевания, как куриная слепота. Однако на остроту зрения она никак не влияет. Значит, для улучшения зрения морковь не подходит. Но морковь является отличным средством профилактики поражений сетчатки глаза, так как содержит каротин – витамин А, укрепляющий сетчатку.

• Сырая морковь полезнее вареной.

Основная ценность моркови – ее антиокисидантные свойства. А они при варке приумножаются! Увеличивается содержание антоцианов – в 0,5 раза больше, полифенолов – в 4 раза больше!

• В кожуре моркови скапливается больше вредных веществ, чем в сердцевине.

Совершенно наоборот – все вредные вещества накапливаются в сердцевине моркови. Потому что именно там у моркови расположена зона роста.

• Салат из моркови полезнее заправлять лимонным соком.

Салат из моркови обязательно нужно заправлять маслом или сметаной. Потому что витамин А является жирорастворимым, и без жиров он не усвоится.

• Морковь увеличивает количество молока у кормящих мам.

Есть такое мнение, что если есть больше моркови, то будет больше молока. Это миф. Морковь может повлиять только на качество молока, но усилить лактацию она не может. Увлечение кормящей матери морковью и морковным соком может привести к развитию каротиновой желтухи у ребенка.

ПРАВДА

• Морковь улучшает цвет загара.

Потому что бета-каротин, который в ней содержится, влияет на выработку меланина. Меланин – это вещество, которое отвечает за цвет кожи. Если хотите красивый и ровный загар – ешьте морковь или пейте морковный сок. Но не переусердствуйте, переизбыток меланина вреден для здоровья.

• Ботву моркови можно употреблять в пищу.

Да, ее можно добавлять в салаты, супы. В ней много клетчатки, которая полезна для здоровья.

• Морковь полезно есть при заболеваниях почек.

Витамин А улучшает состояние эпителия почек.

• Морковь замедляет старение кожи.

Сырую морковь не рекомендуется употреблять при диарее. Стоит употреблять ее с осторожностью людям, склонным к аллергическим реакциям. В остальных случаях морковь не имеет противопоказаний.

Витамин А укрепляет клетки эпителия, из которых состоит наша кожа. Поэтому если вы хотите сохранить кожу упругой и молодой как можно дольше, то съедайте хотя бы 3–4 моркови в неделю.

• **Морковь укрепляет кости.**

Витамин А улучшает метаболизм костной ткани и делает кости крепче. Поэтому обязательно добавляйте морковь в рацион детей. Морковь также нужно есть женщинам в период менопаузы, когда кости у них становятся более хрупкими.

• **Морковь полезна для профилактики рака.**

Морковь предотвращает возникновение онкологии, потому как содержит огромное количество антиоксидантов, которые уничтожают свободные радикалы. Исследования показали, что морковь наиболее эффективно защищает человека от рака легких.

• **Морковь полезна для профилактики кариеса.**

В моркови содержатся фитонциды. Достаточно пожевать морковку – и количество микробов во рту резко уменьшится, а значит, риск кариеса снизится.

• **Морковь снижает уровень холестерина.**

Морковь содержит пищевые волокна, которые помогают выводить из организма вредный холестерин.

Уже около 10 лет в России популярна так называемая морковь «по-корейски». Но в готовых салатах, продающихся в магазинах, часто содержится усилитель вкуса – глютамат натрия. Поэтому магазинную морковь «по-корейски» лучше не покупать, а готовить ее самостоятельно. Это очень просто.

Морковь – 500 г
Лук – 1 шт.
Чеснок – 3 зубчика
Подсолнечное масло – 4 ст. л.
Уксус 9%-ный – 1 ст. л.
Черный молотый перец
Красный молотый перец
Кориандр
Сахар
Соль

Морковь натереть на специальной терке, которая режет морковь длинной соломкой (если такой нет – можно натереть на обычной крупной). Лук и чеснок мелко порубить.

Лук обжарить в масле и выложить его из сковородки – он нам больше не понадобится. Маслом из-под лука нужно полить нашинкованную морковь, добавить остальные ингредиенты и перемешать. Поставить в холодильник настаиваться минимум на 3 часа.

Из моркови и клюквы можно приготовить салат – помощник для почек. Делается он буквально за 1 минуту.

Морковь – 2 шт.
Клюква – 100 г
Сметана – 2 ст. л.

Натереть морковь на крупной терке, смешать с клюквой и сметаной. И салат — помощник для почек — готов! Он полезен при сухой коже, поскольку содержит витамин А. Улучшает иммунитет, поскольку в нем много витамина С. Снижает уровень холестерина, поскольку содержит много клетчатки. А также замедляет старение, поскольку содержит большое количество антиоксидантов. И главное, он обладает выраженным мочегонным эффектом, поэтому полезен при многих почечных заболеваниях.

ОГУРЕЦ

Состав	Количество	РСП
Вода	95,0 г	
Жиры	0,1 г	0%
Белки	0,8 г	1%
Углеводы	2,5 г	1%
Пищевые волокна	1,0 г	5%
Витамин С	10 мг	11%
Кобальт	1 мкг	10%
Медь	0,1 мг	10%
Хром	6 мкг	12%
Энергетическая ценность – 14 ккал		

Родина огурца — тропические и субтропические районы Индии, подножие Гималаев, где он до сих пор растет в естественных условиях. Существует легенда, связывающая появление огурца с индийским раджой, у которого было 60 тысяч детей, что как будто бы соответствует количеству семян в одном плоде.

Из Индии огурец начал распространяться по всему миру. Его изображения встречаются на фресках в египетских и греческих храмах. Аристотель в своих трудах описывал полезные свойства огурца, а лечебные качества этой культуры изучались Гиппократом. В эти времена появились первые рецепты засолки огурцов.

В XVII веке на Руси уже вовсю выращивали этот овощ. Петр I, любивший все делать с размахом и научным подходом, издает указ, согласно которому в Просяном царском саду в Измайлове начинают выращивать огурцы и дыни в теплицах. А в суздальских архивах есть записи XVIII века: «Во граде Суждале по доброте земли и по приятности воздуха луку, чесноку, а наипаче огурцов преизобильно». В некоторых городах выращивание огурцов стало основным занятием: Луховицы, Муром, Клин, Нежин.

В нашей стране популярны домашние заготовки из огурцов, особенно соленые огурцы. Чтобы соленье получилось вкусным, нужно правильно выбрать огурцы.

Свежий огурец должен быть сухим, с упругим хвостиком, хрустящим и ярко-зеленым. На нем должно быть немного земли. Если у огурца есть пятна, он будет горчить.

Кожура огурцов является грубой клетчаткой, поэтому при остром гастрите и язвенной болезни желудка и двенадцатиперстной кишки их есть нельзя.

Для засолки выбирайте огурцы с черными пупырышками. Они реже взрываются. Также не стоит выбирать слишком большие огурцы – они, как правило, перезрелые.

МИФЫ

· **Огурцы полезны для профилактики атеросклероза.**

Клетчатка, которая содержится в огурцах, очищает кишечник и удаляет избытки холестерина. Но ее в огурцах всего 5% РСП, а этого очень мало для профилактики атеросклероза.

· **Огурцы улучшают работу щитовидной железы.**

Существует такой миф. Но на самом деле в огурцах содержится слишком незначительное количество йода.

· **Огурцы нельзя сочетать с молоком.**

Широко распространено мнение, что огурцы нельзя есть с молоком, иначе возникнет диарея. На самом деле это не так. Никаких прямых противопоказаний к совмещению молока и огурцов нет. Все зависит от ЖКТ каждого человека в отдельности – у кого-то он здоров и переварит эти продукты, а у кого-то действительно может вызвать расстройство кишечника.

ПРАВДА

· **Соленые огурцы полезнее маринованных.**

Разница между солеными и маринованными огурцами огромна. В соленых огурцах сохраняется много витаминов, а в маринованных их практически нет. Поэтому огурцы действительно лучше солить.

· **Кончики огурцов нужно обрезать перед употреблением.**

Именно в кончиках огурцов скапливаются нитраты. К тому же если вы собираетесь солить огурцы, то они без кончиков быстрее и лучше просолятся и останутся хрустящими.

· **Огурцы полезны при повышенном давлении.**

В огурцах содержится много воды, значит, они являются хорошим мочегонным средством. Поэтому огурцы выводят из организма лишнюю жидкость и нормализуют давление.

· **Огурцы снижают уровень сахара в крови.**

Огурцы содержат хром, который помогает в усвоении глюкозы и снижает уровень сахара в крови.

· **Огурцы защищают волосы от преждевременной седины.**

Огурцы содержат медь, которая защищает волосы от ранней седины.

· **Огурцы укрепляют иммунитет.**

В 100 г огурца 11% от рекомендуемой суточной потребности витамина С.

· **Огурцы полезны при песке в почках.**

Огурцы обладают сильным мочегонным действием и помогают вымывать песок из почек. Но при крупных камнях употребление большого количества огурцов, наоборот, может привести к почечной колике.

Как обычно мы едим огурцы? Просто хрустим свежими, добавляем в салаты, солим, маринуем. Но существует еще множество интересных и оригинальных блюд из огурцов. Одно из них — огуречная намазка для бутербродов.

Огурцы — 3 штуки
Творог — 100 граммов
Чеснок — 3 зубчика
Сок лимона — 2 ст. л.
Укроп
Базилик

Огурцы измельчить в блендере. Полученную смесь отжать через марлю и снова взбить в блендере вместе с творогом, зеленью, чесноком, лимонным соком и солью. Огуречная намазка готова.

Еще одно интересное блюдо — китайская закуска из огурцов.

Огурцы — 6 шт.
Чеснок — 3 зубчика
Имбирь — кусочек длиной 2–3 см
Соль — 1 ч. л.
Сахар — 2 ч. л.
Рисовый уксус — 3 ст. л.
Кунжутное масло — 1 ч. л.
Красный молотый перец — $^{1}/_{2}$ ч. л.
Кунжут — 3 ст. л.
Теплая кипяченая вода — 200 мл

Огурцы нарезать спиральками, сложить в контейнер, посыпать солью, закрыть крышкой, встряхнуть, чтобы соль перемешалась с огурцами, и поставить в холодильник на 30 минут. Тем временем нужно сделать заправку: имбирь и чеснок натереть на мелкой терке, кунжут обжарить на сковороде без масла до золотистого цвета. Затем смешать в миске со всеми оставшимися ингредиентами.

Огурцы отжать и обсушить, залить получившейся заправкой. Оставить при комнатной температуре на 2–3 часа, и закуска из огурцов готова.

Из огурцов также получается отличный соус родом из Греции — дзадзыки. Этот соус особенно хорош в жару, поскольку имеющаяся в нем молочная кислота обладает хорошими жаждоутоляющими свойствами.

Огурцы — 2 шт.
Йогурт — 200 г
Чеснок — 2 зубчика
Оливковое масло — 1 ст. л.
Петрушка
Мята
Соль
Черный молотый перец

Огурец натираем на крупной терке и немного отжимаем. Добавляем огурцы в нежирный натуральный йогурт, выдавливаем туда чеснок, добавляем немного оливкового масла, соль, перец по вкусу и мелко нарезанную зелень. Все перемешиваем, и наш соус готов.

Дзадзыки особенно хорош в жару, поскольку имеющаяся в нем молочная кислота обладает хорошими жаждоутоляющими свойствами.

Этот соус (только без чеснока) пожилые люди могут использовать в качестве маски. Огурцы и петрушка обладают отбеливающим эффектом, что окажет хорошее действие на пигментные пятна, которые появляются с возрастом.

ПОМИДОРЫ

Состав	Количество	РСП
Вода	92,0 г	
Жиры	0,2 г	0%
Белки	1,1 г	2%
Углеводы	3,8 г	1%
Пищевые волокна	1,4 г	7%
Бета-каротин	800 мкг	16%
Витамин С	25 мг	28%
Калий	290 мг	12%
Кобальт	6 мкг	60%
Медь	0,11 мг	11%
Молибден	7 мкг	10%
Хром	5 мкг	10%
Энергетическая ценность – 24 ккал		

Помидоры родом из Южной Америки. В Европу они были завезены Колумбом в 1493 году. А впервые возделывать помидоры в Европе начали в 50–60-е годы XVI века. В конце XVI века во Франции, Англии, Бельгии, Германии, Италии, Испании, Португалии помидоры называли яблоками любви.

В Россию помидоры попали в 1780 году в качестве подарка Екатерине II от итальянского посла. Поначалу помидоры считали комнатным растением и выращивали в горшках. Но затем стали выращивать на огородах и в теплицах.

Многие любят использовать томатную пасту. В ней содержится особое вещество – ликопин. Он уменьшает воспаление в сосудах и обладает противораковой активностью. Всего 50 г, то есть 2 ст. л., томатной пасты в день эффективно защитят вас от атеросклероза.

В томатной пасте больше ликопина, чем в свежих помидорах. В 100 г помидоров содержится 5 мг ликопина. А в 100 г томатной пасты – 150 мг – в 30 раз больше! Дело в том, что при варке из томатов испаряется вода и количество ликопина увеличивается. Поэтому томатная паста защищает от рака лучше, чем свежие томаты. Но для того чтобы этот продукт принес пользу, ее нужно выбрать правильно.

Цвет томатной пасты зависит от ее сорта. Экстра и высший сорт – оранжево-красный цвет.

Первый – бордовый и коричневатый цвет. Если же цвет томатной пасты ярко-красный, значит, производитель добавил туда красители. Такая паста может вызвать аллергию. Поэтому не покупайте ее.

Томатная паста не должна пахнуть помидорами! Если она ими пахнет, значит, в нее добавили ароматизаторы. А они могут вызвать аллергию. У качественной томатной пасты должен быть приятный кисло-сладкий запах.

МИФЫ

· Помидоры лучше есть очищенными.

Это не так. Помидорная кожица улучшает перистальтику кишечника, тем самым являясь отличным средством для профилактики запоров.

· Помидоры черри полезнее обычных.

Химический состав и польза двух этих сортов помидоров – одинаковая.

· Помидоры нельзя есть на ночь.

В книге Ильфа и Петрова «Золотой теленок», уходя от миллионера Корейко, Остап Бендер сказал: «И не ешьте сырых помидоров на ночь». Так можно их есть на ночь или нет? На самом деле можно. Никакого вреда вам помидоры не нанесут.

· Помидоры противопоказаны при подагре.

Долгое время считалось, что употребление помидоров противопоказано при подагре. Такое ограничение было из-за наличия в томатах щавелевой кислоты, нарушающей обменные процессы в суставах. Однако наука не стоит на месте, и ограничения на употребление помидоров были сняты, так как щавелевой кислоты в этом овоще оказалось мизерное количество.

· Сырые помидоры полезнее подвергшихся температурной обработке.

Если помидоры готовить при высокой температуре, в них уже через 2 минуты ликопина будет на треть больше, чем в сырых плодах. Если же варить их 15 минут, концентрация этого вещества в 100 г готового продукта повышается в 1,5 раза.

ПРАВДА

· Помидоры полезны для профилактики заболеваний сердца.

Помидоры содержат калий, который очень полезен для сердца: предотвращает аритмию и снижает артериальное давление.

· Помидоры помогают избавиться от депрессии.

Помидоры практически не имеют противопоказаний. Ограничивать их употребление стоит разве что аллергикам.

В помидорах содержится тирамин — органическое соединение, которое в организме превращается в серотонин, который действительно помогает бороться с депрессией.

• **Помидоры можно есть при заболеваниях ЖКТ.**

Улучшая пищеварение, помидоры способствуют легкому усвоению пищи, тем самым снижая нагрузку на ЖКТ. Кроме того, в помидорах много клетчатки и пектина — они тоже улучшают деятельность ЖКТ.

• **Помидоры полезны для профилактики «куриной слепоты».**

Помидоры содержат витамин бета-каротин, который превращается в организме человека в витамин А и способствует улучшению качества ночного зрения.

• **Красные помидоры полезнее желтых.**

Именно ликопин, который защищает от рака, придает помидорам красную окраску. Поэтому желтые помидоры менее полезны, чем красные.

Из помидоров можно приготовить вкусный и полезный коктейль.

Помидоры — 800 г
Чеснок — 2 зубчика
Подсолнечное масло — 1 ст. л.
Базилик
Сок половины лимона
Соус табаско
Соль

Помидоры надрезать крестом на вершине, опустить в кипяток, а через минуту — в холодную воду, так легко отойдет кожица, которую нужно снять. В блендере измельчить помидоры, чеснок, базилик. Добавить масло, соль, соус табаско и сок половины лимона, взбить все блендером в течение пары минут.

Такой коктейль ускоряет обмен веществ, значит, поможет всегда быть в форме! Соус табаско, который входит в состав коктейля, — острый, а значит, стимулирует работу желудочно-кишечного тракта. Это ускоряет обмен веществ на 15%.

В Италии очень популярны спагетти с вялеными помидорами. В наших магазинах цены на этот продукт «кусаются». Но вяленые помидоры можно легко приготовить самостоятельно.

Помидоры — 1,5 кг
Чеснок — 3 зубчика
Рафинированное подсолнечное масло — 100 мл
Розмарин — 3 веточки
Орегано — 3 веточки
Черный молотый перец
Морская соль

Для вяленья выбирают помидоры небольшого размера или помидоры черри.

Помидоры помыть, обсушить, разрезать на половинки и ложкой удалить из них семена. Противень застелить пергаментной бумагой и разложить помидоры плотно друг к другу. Посыпать их солью и перцем. В каждый помидор капнуть чуть-чуть подсолнечного масла и поставить противень в разогретую до 80 °C духовку, оставив дверцу слегка приоткрытой. Помидоры должны вялиться в таких условиях 5–6 часов.

Готовые помидоры значительно уменьшаются в размерах, остаются чуть влажными и легко гнутся. Желательно их не пересушить до ломкости, то есть выпаривать из помидоров абсолютно всю влагу не нужно.

В банку налить 30 мл подсолнечного масла, добавить по веточке розмарина и орегано, потом немного нарезанного ломтиками чеснока. Затем положить в банку 1/3 помидоров. И снова масло, травы, чеснок, помидоры. Слегка уплотнив помидоры, нужно залить маслом так, чтобы оно их покрывало.

Хранить помидоры нужно в прохладном темном месте. Если же вы их открыли, то обязательно храните в холодильнике.

И, конечно же, из помидоров можно приготовить самый популярный в мире соус — кетчуп. Покупать его в магазине — дело опасное. Производители добавляют в него массу вредных добавок, крахмал, много сахара. А такой кетчуп повышает риск ожирения и может иметь много других противопоказаний!

Поэтому попробуйте приготовить домашний кетчуп. Во-первых, это несложно. Во-вторых, это очень вкусно. Ну и, в-третьих, это максимально полезно.

Помидоры — 1 кг
Болгарский перец — 3 шт.
Перец чили — 1 небольшой стручок
Чеснок — 5 зубчиков
Сахар — 70 г
Соль — 1 ч.л.

С помидоров снять кожицу. Очищенные помидоры, сладкий и острый перец измельчить в блендере, переложить в кастрюлю, добавить соль и сахар и поставить на огонь.

Когда масса начнет кипеть, убавить огонь и проварить кетчуп еще 40 минут. За 10 минут до конца варки добавить в кетчуп измельченный чеснок.

Такой кетчуп можно готовить по мере необходимости, а можно заготовить впрок. Тогда его надо разложить в стерилизованные банки и закатать.

РЕДИС

Состав	Количество	РСП
Вода	93,0 г	
Жиры	0,1 г	0%
Белки	1,2 г	2%
Углеводы	3,4 г	1%
Пищевые волокна	1,6 г	8%
Витамин С	25 мг	28%

Состав	Количество	РСП
Калий	255 мг	10%
Кобальт	3 мкг	30%
Медь	150 мг	15%
Хром	11 мкг	22%
Энергетическая ценность – 20 ккал		

Редис был завезен из Китая в Венецию великим путешественником Марко Поло. А уже оттуда распространился по Европе. В Россию из Голландии его привез Петр I, а сейчас редис выращивается даже на Международной космической станции!

Как выбрать редис, чтобы в нем было максимальное количество витамина С и чтобы он был самым вкусным?

Лучше покупать редис с ботвой. Потому что по ней можно определить его свежесть. Если ботва зеленая и имеет свежий вид, значит, редис был сорван недавно. Он вкусный и полезный. Если же ботва пожелтевшая и поникшая, то не берите такой редис. Он был сорван давно и внутри уже мог начать портиться.

У свежего редиса кожура гладкая, однородного цвета. Если же на нем есть черные точки – значит, овощ уже начал подгнивать.

При выборе редиса нужно его сжать. Хороший редис должен быть твердым, жестким. Если же редис мягковат, значит, он перезрел или долго хранился. Внутри он будет рыхлым. Если редис во время сжимания лопнул, значит, он перезрел. В нем мало полезных веществ. И на вкус он безвкусный или слишком горький!

МИФЫ

• **Белый редис полезнее красного.**

В красном содержатся антоцианы, которые предотвращают риск раковых заболеваний, тогда как количество витамина С в них почти одинаково. Поэтому красный редис все-таки предпочтительнее.

ПРАВДА

• **Цельный редис полезнее, чем салат из редиса.**

Когда редиска разрезается ножом, то некоторые витамины при этом разрушаются. Поэтому цельный редис полезнее, чем салат из него.

• **Редис полезнее есть с кожурой.**

Редис противопоказан при язвенной болезни желудка, двенадцатиперстной кишки и панкреатите, поскольку в редисе содержатся органические кислоты, которые усиливают выработку желудочного сока. Также нельзя употреблять редис при холецистите, поскольку он обладает желчегонным действием. Людям, перенесшим инфаркт, не стоит употреблять редис, так как имеющиеся в редисе гликозиды могут спровоцировать нарушение сердечного ритма.

В кожуре редиса содержатся антоцианы, которые обладают противораковой активностью.

• **Редис помогает избавиться от неприятного запаха изо рта.**

Редис содержит горчичное масло, которое обладает антибактериальными свойствами и убивает бактерии, вызывающие неприятный запах.

• **Ботву редиса можно употреблять в пищу.**

В ботве много витамина С, и можно ее есть, добавляя в салаты.

• **Редис укрепляет иммунитет.**

В редисе содержатся фитонциды — натуральные антибиотики, что, безусловно, способствует укреплению иммунитета.

Из редиса можно приготовить вкусный и полезный питьевой салат.

Редис — 9 шт.
Огурцы — 2 шт.
Йогурт обезжиренный — 300 мл
Руккола
Черный молотый перец
Соль

В блендере измельчить и смешать все ингредиенты — и питьевой салат готов! В нем есть йогурт, а он прекрасно влияет на количество иммуноглобулина, поэтому такой салат полезен для иммунитета. В таком салате много клетчатки, что делает его полезным для профилактики онкологических заболеваний. Это настоящий коктейль здоровья. Его непременно стоит включить в свой рацион.

РЕПА

Состав	Количество	РСП
Вода	89,5 г	
Жиры	0,1 г	0%
Белки	1,5 г	3%
Углеводы	6,2 г	2%
Пищевые волокна	1,9 г	10%
Витамин С	20 мг	22%
Калий	238 мг	10%
Энергетическая ценность — 32 ккал		

В наши дни репа незаслуженно забыта. Нынешнее поколение знает про нее в основном по одноименной сказке и по картинкам в книжке. А между тем, пока на Руси не было картофеля, репа считалась одним из основных продуктов питания. В средней полосе России, известной как зона неустойчивого земледелия, репа способна давать два урожая в год и при правильном хранении сохраняет многие из своих полезных свойств до будущего урожая.

Свежая репа не менее полезна, чем редис, но гораздо слаще. Тушеная репа — замечательный гарнир к мясу. Хороша она и как самостоятельное блюдо, если ее приготовить под белым соусом. К тому же у нее есть очень полезный «побочный эффект»: ее можно использовать как освежитель полости рта! Для этого достаточно просто съесть несколько кусочков сырой репы. Дело в том, что репа содержит лизоцим, который расщепляет мукополисахариды, составляющие структурную основу клеточной стенки бактерий, что приводит к их полному уничтожению.

МИФЫ

• **Репа противопоказана при сахарном диабете.**

Непонятно, по какой причине возник этот миф. Ведь репа практически не содержит сахаров, зато имеет низкий гликемический индекс и содержит клетчатку, которая помогает нормализовать уровень сахара в крови. Поэтому репа не противопоказана, а очень даже полезна при сахарном диабете.

• **Репа — опасный продукт, потому что в ней содержится мышьяк.**

Хотя мышьяк в чистом виде является смертельным ядом, тем не менее его соли, содержащиеся в репе, хорошо усваиваются организмом человека и способствуют его укреплению. Мышьяк препятствует потере организмом фосфора и регулирует фосфорный обмен. Ученые полагают, что некоторые формы аллергии могут быть вызваны дефицитом мышьяка в организме.

ПРАВДА

• **Репа полезна для профилактики атеросклероза.**

Она содержит клетчатку, которая помогает выводить вредный холестерин из организма. Таким образом репа препятствует образованию атеросклеротических бляшек в сосудах.

• **Репа помогает при отеках.**

Репа содержит калий, который помогает выводить лишнюю жидкость из организма.

• **Репа помогает похудеть.**

Репа содержит клетчатку, которая разбухает в желудке и создает длительное чувство сытости. К тому же репа низкокалорийный продукт — всего 32 ккал на 100 г продукта.

• **Репа полезна при инфекционных заболеваниях.**

Она богата эфирными маслами, которые содержат фитонциды — вещества, обладающие противовоспалительными и бактерицидными свойствами. Поэтому употребление репы ускорит выздоровление.

• **Репа полезна для профилактики онкологических заболеваний.**

В химический состав репы входит особый редкий элемент — глюкорафанин — растительный

Репа противопоказана при язвенной болезни желудка и двенадцатиперстной кишки, острых гастритах с повышенной секрецией, энтероколитах, заболеваниях печени и почек.

предшественник сульфорафана, обладающего сильными противораковыми свойствами. Кроме того, клетчатка, содержащаяся в репе, помогает выводить из организма радиоактивные изотопы, которые попадают в него вместе с пищей.

Существует вкусный и полезный рецепт репы в медовом соусе.

Репа – 2 шт.
Мед – 4 ст. л.
Горчица – 2 ст. л.
Оливковое масло – 1 ст. л.
Молотый черный перец
Соль

Репу очистить и нарезать на тонкие кружочки. Выложить их в форму для запекания. Остальные ингредиенты смешать и полить репу получившимся соусом. Запекать 1 час при температуре 120 °С.

РОЗМАРИН[1]

Состав	Количество	РСП
Вода	67,8 г	
Жиры	5,9 г	9%
Белки	3,3 г	6%
Углеводы	6,6 г	2%
Пищевые волокна	14,1 г	71%
Витамин А	146 мкг	16%
Витамин B_5	0,8 мг	16%
Витамин B_6	0,34 мг	17%
Витамин B_9	109 мкг	27%
Витамин С	21,8 мг	24%
Калий	668 мг	27%
Кальций	317 мг	32%
Магний	91 мг	23%
Железо	6,65 мг	37%
Марганец	0,96 мг	48%
Медь	0,3 мг	30%
Незаменимые аминокислоты		
Триптофан	0,05 г	13%
Фенилаланин + тирозин	0,30 г	10%
Энергетическая ценность – 131 ккал		

Родиной этой приправы считается Средиземноморье. Ее название переводится как «морская роса». Первыми, кто использовал розмарин, были греки. Они возделывали его как медоносное растение, плели из веток венки, использовали вместо ладана. Во Франции верили, что вино, настоянное на розмарине, спасает от чумы.

В нашей стране эта специя не очень популярна. А жаль, потому что она защищает от трех неприятных проблем со здоровьем.

Розмарин улучшает память. С помощью розмарина можно улучшить работу мозга. В нашем мозге между клетками – нейронами – передаются сигналы, несущие информацию. Когда человек вдыхает эфирное масло розмари-

[1] Состав приведен для свежего растения.

на, оно стимулирует работу нейронов. При этом память у человека улучшается. Об этом свойстве розмарина знали еще в Древней Греции – студенты-медики во время экзаменов носили на шее венки из розмарина.

Розмарин помогает избавиться от вздутия живота, так как эфирные масла розмарина убивают болезнетворные бактерии и снимают спазм кишечника. Для этого нужно приготовить напиток с розмарином: 3 стакана кипятка на 1 ст. л. сушеного розмарина.

Розмарин может защитить от атеросклероза. В его состав входят биофлавоноиды, которые укрепляют стенки сосудов. Для этого достаточно добавлять розмарин в пищу, которую вы готовите.

Листья розмарина источают яркий аромат, сочетающий в себе камфару, эвкалипт, лимон и сосну. Это растение часто используется в европейской кухне для приготовления различных блюд.

Розмарин добавляют в гороховые супы, он идеально сочетается с сыром, шпинатом, краснокочанной и белокочанной капустой. Добавляется во многие фруктовые салаты.

В Италии эту приправу добавляют в макаронные изделия, пиццу. Во Франции – в супы. Розмарин отлично дополняет все картофельные блюда. Незаменим во время копчения и барбекю – веточки этого растения кидают в огонь для придания мясу хвойного аромата с дымком.

В отличие от многих других приправ, розмарин при тепловой обработке не теряет своего аромата и вкуса. Но не стоит класть в блюдо слишком много розмарина, иначе он придаст блюду горечь.

МИФЫ

• В свежем розмарине больше витаминов, чем в сушеном.

Если взять 100 г свежего розмарина и 100 г сушеного, то в свежем розмарине основную массу будет составлять вода. А в сушеном розмарине эта вода выпарена – значит, концентрация витаминов на 100 г продукта возрастает во много раз.

• Добавлять розмарин в блюдо лучше в начале приготовления.

Напротив, ближе к концу, так как тепловая обработка уменьшает количество витаминов.

• Розмарин полезен для профилактики сахарного диабета.

В розмарине содержится необходимый для этого марганец: 0,96 мг на 100 г – 48% от суточной нормы. Он нормализует содержание сахара в крови, снижая

Розмарин не имеет противопоказаний.

его при диабете. Но съедать по 100 г розмарина ежедневно не реально!

ПРАВДА

• **Розмарин защищает от простуды.**

Эфирные масла розмарина содержат фитонциды, которые убивают болезнетворные бактерии и предотвращают простуду, а настойкой розмарина можно полоскать горло при ангине.

• **Розмарин полезен при гипертонии.**

Эфирные масла розмарина обладают сосудорасширяющим действием. При этом давление понижается.

• **Розмарин помогает при ревматизме.**

При ревматизме можно использовать эфирное масло розмарина в спиртовом растворе (2:100) для растираний, так как оно обладает противовоспалительным действием.

Как уже было сказано выше, розмарин помогает снижать уровень холестерина. Получается, что это растение не только чудесно сочетается с мясом по своим вкусовым свойствам, но и помогает «сбалансировать» поступление холестерина из мяса! Поэтому при приготовлении стейков обязательно используйте розмарин.

Для того чтобы стейк получился замечательным, нужно правильно выбрать мясо. Стейк – это толстый кусок мяса (2–5 см), нарезанный обязательно поперек волокон (только тогда мясо будет мягким и сочным). При этом мясо для стейка не отбивают! Лучше всего готовить стейк из филе миньона – говяжьей вырезки. Мясо следует выбирать без жира, чтобы уменьшить калорийность блюда и содержание в нем вредного холестерина.

Говяжий стейк – 1 кусок
Оливковое масло – 3 ст. л.
Розмарин – 1 веточка
Черный молотый перец
Крупная соль

Очень важна подготовка мяса. Его нужно посолить и поперчить, кисточкой смазать оливковым маслом с каждой из сторон, сверху положить чуть растертые листья розмарина и дать постоять минут пять.

Готовить стейк нужно на сковороде гриль – на ней можно готовить без масла, а канавки на дне сковороды помогут уйти лишнему жиру из самого мяса. Перед тем как выложить на сковороду стейк, ее следует раскалить.

Жарить мясо нужно 1–2 минуты, после чего перевернуть на другую сторону. И так – несколько раз. От количества таких прожарок с каждой стороны и будет зависеть степень приготовления мяса. Сколько переворотов претерпит мясо – вопрос ваших предпочтений в отношении степени готовности.

Хотя многие гурманы предпочитают мясо с кровью, все же стоит хорошенько прожарить стейк. Употребляя мясо с кровью, вы рискуете заболеть токсоплазмозом, сальмонеллезом, гельминтозом. А термическая обработка уничтожает до 99% бактерий и личинок паразитов.

Правильнее всего гарнировать стейки свежими овощами; так вы не увеличите калорийность блюда, поможете мясу легче перевариться. К тому же это дополнительный источник витаминов.

Если вдруг перед вами стоит вопрос, как вкусно и быстро приготовить мясо, которое не навредит здоровью, — приготовьте стейк по рецепту, приведенному выше.

РУККОЛА

Состав	Количество	РСП
Вода	91,7 г	
Жиры	0,7 г	1%
Белки	2,6 г	4%
Углеводы	2,1 г	1%
Пищевые волокна	1,6 г	8%
Витамин А	119 мкг	13%
Бета-каротин	1424 мкг	28%
Витамин B_9	97 мкг	24%
Витамин С	15 мг	17%
Витамин К	108,6 мкг	90%
Калий	369 мг	15%
Магний	47 мг	12%
Марганец	0,32 мг	16%
Энергетическая ценность — 25 ккал		

Руккола — однолетнее травянистое растение, родственница капусты. В диком виде произрастает на севере Африки, в Южной и Центральной Европе, в Индии, Малой и Средней Азии. На территории России встречается в предгорьях Кавказа и в Дагестане.

Человечество полюбило эту траву с древних времен. В Древнем Египте из рукколы делали специальный напиток для жениха на свадьбе, так как египтяне считали это растение мощным афродизиаком. В Древнем Риме руккола была одной из главных приправ на столах знати. В азиатских странах ею лечили боли в животе и горле, в Индии масло рукколы использовали при заболеваниях кожи и для устранения мозолей. В XVI веке королева Англии Елизавета I не садилась обедать, если за столом не было рукколы, а во Франции XVIII века ее называли растением певца за удивительную способность возвращать потерянный голос.

Руккола — это не просто трава для салата. Доказано, что руккола эффективно помогает защититься от онкологических заболеваний! В нашем организме постоянно образуются очаги раковых клеток, но они не опасны, так как наша иммунная система их вовремя уничтожает. При различных сбоях в иммунной системе возможности самозащиты в организме резко падают. В этом случае на помощь может прийти руккола. В ней содержится изотиоционат, который

Содержание суммы пуриновых оснований в 100 г рукколы составляет 21,3% суточной нормы, поэтому она противопоказана при подагре. Употреблять рукколу с осторожностью нужно также людям, склонным к аллергическим реакциям.

обладает противораковой активностью. Для профилактики рака достаточно съедать всего 70 г рукколы в день!

Хранить рукколу лучше в емкости с водой. Так она дольше останется свежей. При этом эта емкость должна стоять в холодильнике.

МИФЫ

· **Рукколу полезно есть при простуде.**

В Интернете пишут, что руккола обладает бактерицидными и противовирусными свойствами. Но это миф. В ней, конечно, есть полезные вещества, но вирусы и бактерии руккола не убивает.

· **Руккола улучшает зрение.**

Существует мнение, что руккола укрепляет зрение, потому что в ней содержится витамин А – 13% РСП и бета-каротин – 28% РСП. Но эти витамины не влияют на остроту зрения. Однако руккола полезна для профилактики «куриной слепоты».

· **Руккола полезна при тромбофлебите.**

Скорее наоборот. Дело в том, что руккола содержит практически суточную норму витамина К – 90% РСП. Переизбыток этого вещества способствует увеличению числа тромбоцитов и вязкости крови, что повышает риск образования тромбов.

ПРАВДА

· **Рукколу лучше не резать ножом.**

Если резать рукколу ножом, то большинство полезных веществ при соприкосновении с металлом разрушится. Поэтому рукколу лучше рвать руками.

· **Руккола улучшает работу сердца.**

В ней содержится магний – 12% РСП и калий – 15% РСП. А два этих макроэлемента улучшают работу сердца.

· **Руккола замедляет старение кожи.**

В ней содержится витамин С – 17% РСП, бета-каротин – 28% и витамин А – 13%. Во-первых, они являются антиоксидантами и замедляют старение кожи. Во-вторых, витамин А способствует скорейшей регенерации клеток кожи. И в-третьих, витамин С улучшает синтез коллагена, который делает кожу упругой.

· **Руккола эффективна для профилактики сахарного диабета.**

Во многих статьях о свойствах рукколы пишут, что она эффективно снижает уровень глюкозы в крови, и это правда. У нее низкий гликемический индекс. А это значит, что рукколу полезно есть для профилактики сахарного диабета.

- **Руккола укрепляет волосы.**

В рукколе содержатся витамины группы В, которые укрепляют волосы, улучшают их рост.

Все знают, что руккола замечательно сочетается с мясом. Но! Так же замечательно руккола сочетается... с клубникой! Поэтому можно приготовить оригинальный и очень вкусный салат из курицы с клубникой.

Куриное филе – 2 шт.
Руккола – 250 г
Клубника – 400 г
Бальзамический уксус – 1 ст. л.
Оливковое масло – 3 ст. л.
Молотый черный перец
Соль

Куриное филе предварительно обжарить на гриле, затем нарезать тонкими полосками. Клубнику разрезать на 4 части. Собирать салат нужно сразу на большой тарелке: выложить на дно листья рукколы, на них положить кусочки курицы, поверх курицы – клубнику и все это сбрызнуть бальзамическим уксусом и оливковым маслом. Посолить и поперчить. Салат готов!

Такой салат полезен для мозга – куриное мясо содержит большое количество витамина РР, который расширяет мелкие кровеносные сосуды головного мозга и улучшает микроциркуляцию крови. А еще такой салат повысит иммунитет – он богат витамином С, который содержится в клубнике и рукколе.

СВЕКЛА

Состав	Количество	РСП
Вода	86,0 г	
Жиры	0,1 г	0%
Белки	1,5 г	3%
Углеводы	8,8 г	3%
Пищевые волокна	2,5 г	13%
Витамин С	10 мг	11%
Калий	288 мг	12%
Кобальт	2 мкг	20%
Марганец	0,66 мг	33%
Медь	0,14 мг	14%
Молибден	10 мкг	14%
Хром	20 мкг	40%
Энергетическая ценность – 45 ккал		

Свеклу очень ценили древние греки, приносившие этот корнеплод в жертву богу Аполлону. Римские завоеватели принуждали покоренные провинции платить дань свеклой, чем способствовали распространению этой культуры в Европе, Африке и Азии.

В Киевскую Русь свекла была завезена из Византии в X веке. Первые сведения о ней упоминаются в «Изборнике Святослава» в 1073 году. Из Киевского княжества свекла распространилась на север вплоть до Великого Новгорода и на запад – в Польшу и Литву. В XVII–XVIII веках свекла стала настолько распространенной, что новое поколение считало свеклу местным растением.

Из свеклы делали холодные и горячие супы, а также варили кисель и делали свекольный квас.

Многие люди пьют свекольный сок. Но не всем такой сок принесет пользу – его противопоказано пить при таких заболеваниях, как почечная недостаточность, мочекаменная болезнь, язвенная болезнь желудка и двенадцатиперстной кишки.

Из-за высокого содержания нитратов свекольный сок способствует разжижению крови, что противопоказано для людей, страдающих от низкого артериального давления, – употребление свекольного сока может привести к резкому падению давления и обмороку. Также этот сок нельзя употреблять при сахарном диабете – он содержит много сахаров.

Свекольный сок нужно отстаивать перед употреблением, таким образом в нем уменьшится количество нитратов. Также свекольный сок нужно обязательно разбавлять водой. В чистом виде он может привести к резкому снижению артериального давления и обмороку. Пить свекольного сока можно не более 100 мл в день.

МИФЫ

• **Больше всего нитратов содержится в кожуре свеклы.**

Самое большое количество нитратов содержится в месте, откуда растет ботва. Поэтому эту часть рекомендуют срезать.

• **Если свекла окрашивает мочу, значит, у человека есть болезни почек.**

Это миф. Просто в свекле содержатся красящие вещества, которые попадают в кровь, а затем фильтруются и выводятся почками. Именно из-за них моча и приобретает красный цвет.

• **Свеклу нельзя есть сырой.**

На самом деле очень даже можно. И она будет даже полезнее вареной, так как у отварной свеклы более высокий гликемический индекс.

ПРАВДА

• **Свеклу лучше варить целиком.**

Не стоит резать свеклу перед варкой на кусочки. Это, конечно, ускорит процесс варки, но при этом полностью лишит корнеплод его полезных свойств.

• **Свекла замедляет старение.**

Свеклу не стоит употреблять при склонности к диарее. При сахарном диабете свекла не противопоказана, но ее употребление стоит строго ограничить — свекла содержит 17% сахаров на 100 г.

В свекле присутствует группа биологически активных веществ, называемых бетаинами. Именно бетаин придает свекле насыщенный красный цвет. Он является сильнейшим антиоксидантом, то есть замедляет старение. Рекомендуется съедать в день 150 г свеклы.

• **Свекла защищает от рака.**

Американские ученые провели исследование и доказали, что свекла помогает защищаться от рака. Например, от рака прямой кишки и лейкемии. Это происходит из-за присутствия в ней бетаина, который мешает раковым клеткам делиться.

• **Свеклу можно есть худеющим.**

В одной вареной свекле (200 г) содержится всего 86 ккал. Поэтому ее нужно есть желающим похудеть!

• **Свекла улучшает работу мозга.**

Бетаин, содержащийся в свекле, расширяет сосуды, питающие мозг. Поэтому свеклу полезно есть людям, занятым умственным трудом.

• **Свекла повышает выносливость.**

Исследователи из Университета Эксетера в Великобритании доказали, что велосипедисты, которые пили свекольный сок, могли ехать на 20% дольше. В свекле содержатся органические нитросоединения, благодаря которым расширяются кровеносные сосуды, что увеличивает кровоток. В результате этого улучшается работа мышц и сердечно-сосудистой системы.

• **Свекла помогает снизить уровень холестерина.**

Свекла содержит клетчатку (13% РСП), которая способствует выведению холестерина из организма.

Из свеклы можно приготовить полезные конфеты. Они защитят от атеросклероза, предотвратят запоры, улучшат работу мозга и послужат профилактикой рака. При этом калорийность их не превысит 67 ккал!

Свекла – 3 шт.
Брусника – 100 г

Свеклу положить в толстостенную и не подгорающую посуду. На дно посуды налить немного (на два пальца) воды, закрыть крышкой и поставить в духовку на небольшой огонь. Пропарить свеклу до полуготовности. Затем очистить и нарезать брусочками. Эти брусочки разложить на противне и поставить на небольшой огонь в духовку подвялиться. Когда свекла станет мягкой, пропустить ее вместе с брусникой через мясорубку. Вылепить из получившейся массы конфетки, выложить их на противень и отправить еще раз в духовку подсушиться.

Вместе со свеклой можно приготовить вкусный теплый салат из овощей, который сохранит в себе все полезные вещества, не отразится на вашей талии и поможет отрегулировать работу вашего кишечника.

Свекла – 1 шт.
Кабачок – 1 шт.
Морковь – 1 шт.
Зеленый горошек – 100 г (свежий или замороженный)
Арахис – 50 г
Оливковое масло – 2 ст. л.
Зеленый лук – несколько перьев
Зира
Молотый черный перец
Соль

Свеклу запекать в фольге в духовке 40 минут при 170 °С. Чтобы свекла легко очистилась, вынув из духовки, нужно сразу опустить ее в холодную воду. Нарезать небольшими брусочками.

Остальные овощи почистить и нарезать широкими брусочками, а также нарезать зеленый лук.

Арахис прокалить на сухой сковородке до появления аромата. Выложить его из сковороды, а в сковороде на оливковом масле прогреть семена зиры. Затем добавить туда нарезанные овощи и зеленый горошек. Посолить и поперчить. Обжаривать овощи в течение 6–8 минут, аккуратно перемешивая. Овощи перемешать со свеклой, выложить в салатники, посыпать зеленым луком и арахисом. Салат готов!

Теплый салат из овощей богат витамином А, который улучшает регенерацию клеток почек и уменьшает воспаление. Также такой салат защищает от атеросклероза, поскольку содержит клетчатку, а арахис богат витамином РР, который снижает уровень холестерина. Теплый салат из овощей богат антиоксидантами: витаминами А и Е, которые борются со свободными радикалами, поэтому такой салат замедляет старение. А еще теплый салат из овощей содержит магний, который обладает антистрессовым действием.

Многие любят и часто готовят винегрет. Правда, во время варки из овощей вываривается много полезных веществ. Но существует способ уменьшить потерю витаминов и сделать винегрет еще полезнее. Для этого нужно изменить классический рецепт:

БЫЛО	СТАЛО
Свекла вареная	Свекла печеная
Картошка вареная	Картошка печеная
Морковь вареная	Морковь печеная
Подсолнечное масло	Льняное масло
Соленые огурцы	Оливки

Нужно заменить вареные овощи запеченными в духовке. В них сохраняется больше витаминов, и вкус у них будет другой. Запекать овощи надо обязательно в кожуре.

Также винегрет лучше заправлять нерафинированным растительным маслом. В основном все используют подсолнечное. Но ради эксперимента можно заменить его льняным. В нем больше полиненасыщенных жирных кислот, а калорийность у него такая же, как у подсолнечного масла. Льняное масло придаст винегрету новый вкус.

В винегрете много углеводов, которые откладываются в жир. Чтобы этого не происходило, можно добавить в винегрет слабосоленую селедку. В ней достаточно белка, который ускорит обмен веществ и помешает углеводам превращаться в жир. Такая добавка понравится тем, кто следит за своим весом.

Еще стоит заменить соленые огурцы оливками — это источник полиненасыщенных жирных кислот, которые улучшают работу сердца.

Получается новый рецепт полезного винегрета.

Свекла — 300 г
Морковь — 150 г
Картофель — 300 г
Слабосоленая сельдь — 150 г
Оливки — 50 г
Зеленый лук — 50 г
Льняное масло

Такой винегрет улучшает работу кишечника. Плюс в нем больше полезных полиненасыщенных кислот. Правда, они добавляют калорийности. Поэтому, когда едите полезный винегрет, ограничьтесь одной порцией.

СЕЛЬДЕРЕЙ

Сельдерей черешковый

Состав	Количество	РСП
Вода	94,0 г	
Жиры	0,1 г	0%
Белки	0,9 г	2%
Углеводы	2,1 г	1%
Пищевые волокна	1,8 г	9%
Витамин А	375 мкг	42%
Бета-каротин	4500 мкг	90%
Витамин С	38 мг	42%
Калий	430 мг	17%
Магний	50 мг	13%
Натрий	200 мг	15%
Фосфор	77 мг	10%
Энергетическая ценность — 13 ккал		

Сельдерей корневой

Состав	Количество	РСП
Вода	87,7 г	
Жиры	0,3 г	0%
Белки	1,3 г	2%
Углеводы	6,5 г	2%
Пищевые волокна	3,1 г	16%
Калий	393 мг	16%
Энергетическая ценность — 34 ккал		

Сельдерей был известен задолго до новой эры. В Древнем Египте, Греции и Риме его выращивали как культовое, декоративное и лекарственное растение. Листьями украшали дома и храмы по праздникам, венками чествовали победителей в спортивных состязаниях. Сельдерей был воспет древнегреческим поэтом Гомером в «Одиссее» и «Илиаде». Но в то время сельдерей не употребляли в пищу. Лишь в XV веке европейцы распробовали вкус его листьев. Спустя три столетия обратили внимание и на корнеплод.

Сельдерей попал в Россию во времена правления Екатерины Великой. Вначале его тоже выращивали как декоративное растение, но затем тоже полюбили вкус его листьев и корня.

Со временем селекционеры вывели особые сорта сельдерея: листовые, черешковые и корнеплодные.

Черешковый сельдерей славится тем, что содержит всего 13 ккал. Поскольку организм тратит на усвоение сельдерея больше энергии, чем этот овощ в себе содержит, его называют овощем с нулевой калорийностью. Жевать сельдерей можно в любых количествах и без ущерба для фигуры.

Тем, кто любит мясо, желательно полюбить и сельдерей. Потому что именно он спасает нас от очень опасной «мясной» болезни. Когда человек ест много мяса, в организме повышается уровень мочевой кислоты. А чем выше уровень мочевой кислоты, тем выше риск возникновения такого заболевания, как подагра. Риск этот увеличивается с возрастом, поскольку у пожилых людей часто бывают проблемы с печенью и камни в почках, что также увеличивает вероятность развития подагры. Поэтому если вы любите мясо, то обязательно ешьте его вместе с сельдереем – он содержит вещества, которые связывают и выводят мочевую кислоту из организма.

МИФЫ

- **Сельдерей улучшает потенцию.**

В Интернете бытует мнение, что сельдерей является мощным афродизиаком. На самом деле он не содержит веществ, которые бы могли влиять на потенцию.

- **Сельдерей противопоказан при заболевании почек.**

Сельдерей, особенно черешковый, содержит много калия. Поэтому сельдерей обладает сильным мочегонным действием, что помогает промывать почки, вымывая из них песок и мелкие камни. Также сельдерей предотвращает образование уратных камней и об-

Сельдерей в больших количествах противопоказан беременным женщинам, поскольку может вызвать сокращения матки.

ладает легким бактерицидным действием.

• **Сельдерей может стать причиной метеоризма.**

В сельдерее содержится клетчатка, которая может вызвать повышенное газообразование. Но также в сельдерее содержатся эфирные масла, которые препятствуют этому процессу.

• **Корень сельдерея полезнее, чем стебли.**

И корень, и стебли содержат большое количество полезных веществ. В корне больше эфирных масел, а вот стебли богаты флавоноидами. Но у черешкового сельдерея есть большое преимущество в виде мощных антиоксидантов: витамина А – 42% РСП и бета-каротина – 90% РСП. Этих витаминов в корне сельдерея нет. Черешковый сельдерей также содержит больше калия и магния.

ПРАВДА

• **Сельдерей полезен при гипертонии.**

Сельдерей не только обладает мочегонным действием, что помогает снижать давление. Сельдерей, особенно корневой, содержит эфирные масла, которые обладают сосудорасширяющим действием. Благодаря расслаблению стенок сосудов кровяное давление снижается.

• **Сельдерей снижает уровень холестерина в крови.**

Сельдерей богат клетчаткой, которая выводит лишний холестерин из организма.

• **Сельдерей защищает организм от рака.**

Ученые обнаружили в сельдерее апигенин – это флавоноид, который, по их мнению, может остановить развитие определенных раковых клеток. Кроме того, в черешковом сельдерее много витамина А и бета-каротина, а также витамина С, которые являются сильными антиоксидантами.

• **Черешковый сельдерей полезен для сердца.**

Он содержит калий – 17% РСП и магний – 13% РСП, которые нормализуют сердечный ритм, препятствуя возникновению аритмии и тахикардии.

• **Черешковый сельдерей сохраняет красоту.**

Он богат витамином А и бета-каротином, которые улучшают регенерацию клеток кожи и устраняют сухость и раздражение кожных покровов. Также черешковый сельдерей содержит 42% РСП витамина С, который стимулирует синтез коллагена.

Из корня сельдерея можно приготовить вкусный суп-пюре. Его калорийность – всего 47 ккал на 100 г.

Корень сельдерея – 500 г
Кабачок – 200 г
Лук-порей – 1 шт.
Корень имбиря – кусочек 2–3 см
Чеснок – 3 зубчика
Молоко – 100 мл
Подсолнечное масло – 1 ч.л.
Соль
Черный молотый перец

Лук, чеснок и имбирь нарезать и обжарить в кастрюле с толстым дном 1–2 минуты. Положить порезанные брусочками сельдерей и кабачок в кастрюлю и залить водой так, чтобы вода только прикрывала овощи. Варить до готовности. Слить в отдельную посуду бульон. Взбить блендером и заправить молоком, солью и перцем. Довести суп-пюре бульоном до нужной консистенции.

У этого супа-пюре есть два секрета, которые делают его низкокалорийным, в отличие от большинства супов-пюре. Обычно в супы-пюре для придания им густоты добавляют картошку, которая имеет высокий гликемический индекс. Замените ее кабачком, у которого ГИ остается низким даже после термообработки.

Вместо жирных сливок нужно использовать 3,5%-ное молоко! Оно так же придаст супу сливочный вкус — разницы во вкусе вы не заметите, а вот в калорийности разница приличная — 67 ккал вместо 207!

Этот суп снижает уровень холестерина, так как содержит много клетчатки. Уменьшает отеки, так как сельдерей и кабачок содержат калий, который выводит жидкость, и молоко также обладает мочегонным эффектом. Улучшает пищеварение, поскольку клетчатка улучшает моторику кишечника. Помогает похудеть за счет имбиря, ускоряющего обменные процессы.

Из черешкового сельдерея можно приготовить вкусный салат с курицей, который поможет похудеть.

Отварная куриная грудка — 1 шт.
Сельдерей — 3 стебля
Яблоко — 1 шт.
Сметана — 3 ст. л.
Соль
Перец
Приправа карри

Грудку и яблоко порезать на кубики, стебли сельдерея нарезать тонкими кусочками. Заправить салат сметаной, солью, перцем и карри по вкусу.

Такой салат богат клетчаткой и снизит уровень холестерина. Клетчатка создаст долгое чувство насыщения, а куриная грудка, содержащая большое количество белка, ускорит метаболизм — так салат поможет худеющим.

Этот салат содержит много калия, поэтому поможет при отеках.

ТЫКВА

Состав	Количество	РСП
Вода	91,8 г	
Жиры	0,1 г	0%
Белки	1,0 г	2%
Углеводы	4,4 г	2%
Пищевые волокна	2,0 г	10%
Витамин А	125 мкг	14%
Бета-каротин	1500 мкг	30%
Кобальт	1 мкг	10%
Медь	0,18 мг	18%
Энергетическая ценность — 23 ккал		

Тыква противопоказана при язвенной болезни желудка и двенадцатиперстной кишки.

Родина тыквы – Америка. Впервые начали выращивать это растение индейцы Мексики и Техаса более 5 тысяч лет назад. В Европу семена тыквы завезли после открытия Колумбом Америки в середине XVI века. Сначала тыква распространилась в южных теплых странах континента, а затем попала в Россию.

Известно множество старинных блюд русской кухни, включающих тыкву. Ее запекали в печи или тушили с медом.

МИФЫ

• Тыква обязательно должна быть оранжевого цвета.

Все зависит от сорта. Бывают и зеленые, и синие тыквы. Просто в нашей стране больше всего распространены сорта оранжевых и желтых тыкв.

• В тыкве больше витамина А, чем в моркови.

Считается, что тыква, как и морковь, содержит много витамина А. Но это неправда! По сравнению с другими овощами его действительно немало – 14% РСП, а в моркови – 111%. Разница очевидна.

• Тыква помогает избавиться от бессонницы.

В Интернете пишут, что если пить на ночь тыквенный сок, то нервная система успокаивается, и человек лучше засыпает. Но это миф. Тыквенный сок не содержит никаких веществ, которые помогали бы избавиться от бессонницы.

ПРАВДА

• Тыкву можно есть сырой.

Тыкву обычно варят, запекают, жарят. Но в принципе, ее можно есть и сырой. Никаких противопоказаний к этому нет.

• Тыква помогает в профилактике катаракты.

Тыква содержит витамин А – 14% РСП и богата бета-каротином – 30%. Эти антиоксиданты защищают сетчатку глаза от воздействия вредных радикалов и тем самым предупреждают появление катаракты.

• Тыква полезна при заболеваниях печени.

В тыкве содержится витамин А, который улучшает работу печени. Помогает ей вырабатывать ферменты, нужные организму. Также тыква обладает желчегонным эффектом.

• Тыква замедляет раннее поседение.

В тыкве содержится медь – 18% РСП, а этот микроэлемент защищает от раннего поседения.

• Тыкву можно есть на ранних сроках беременности.

Витамин А, содержащийся в тыкве, обладает противорвотными

свойствами. Поэтому ее назначают при ранних сроках беременности, если есть признаки токсикоза.

• **Тыква улучшает состояние кожи.**

В тыкве много витамина А и бета-каротина, которые ускоряют регенерацию кожи, избавляют ее от сухости и раздражений. Эти же витамины позволяют продлить молодость, так как являются мощными антиоксидантами.

• **Тыква полезна для профилактики атеросклероза.**

Тыква содержит пищевые волокна, которые помогают выводить вредный холестерин из организма.

Из тыквы можно приготовить вкусный пудинг.

Тыква – 500 г
Теплое молоко – 0,5 л
Пшено – 1 стакан
Вода – 3 стакана
Лимонная цедра – 3 ст. л.
Апельсиновая цедра – 3 ст. л.
Сукралоза
Корица

Тыкву очистить от кожуры и семян, нарезать кубиками, сложить в кастрюлю с толстыми стенками, залить водой и довести до кипения. Пшено промыть горячей водой, а затем кипятком и добавить к тыкве. Варить 5–7 минут. Добавить в кастрюлю молоко, сукралозу, корицу, цедру апельсина и лимона, закрыть кастрюлю крышкой и готовить еще 5–6 минут. Потом пудинг охладить.

Замените вредные чипсы из магазина полезными тыквенными чипсами. Чипсы из тыквы улучшат состояние кожи, так как в тыкве много витамина А, который ускоряет регенерацию кожи, избавляет ее от сухости и раздражений. Этот же витамин позволяет продлить молодость. А содержащаяся в тыкве клетчатка выводит из организма вредный холестерин. Калорийность таких чипсов всего 63 ккал.

Тыква – 1 кг
Оливковое масло – 2 ст. л.
Мед – 2 ст. л.
Сухой тимьян
Кунжут

Мякоть тыквы нарезать тонкими пластинками. Оливковое масло и мед смешать. Противень выстлать пекарской бумагой, промазать ее маслом, сверху выложить пластинки тыквы. Смазать тыкву кисточкой масляно-медовой смесью. Посыпать тимьяном и кунжутом. Поставить в духовку, нагретую до 90 °С, на 4–6 часов.

УКРОП

Состав	Количество	РСП
Вода	85,5 г	
Жиры	0,5 г	1%
Белки	2,5 г	4%
Углеводы	6,3 г	2%

Состав	Количество	РСП
Пищевые волокна	2,8 г	14%
Витамин А	375 мкг	42%
Бета-каротин	4500 мкг	90%
Витамин С	100 мг	111%
Витамин Е	1,7 мг	11%
Калий	335 мг	13%
Кальций	223 мг	22%
Магний	70 мг	18%
Фосфор	93 мг	12%
Энергетическая ценность – 40 ккал		

В Древней Греции укроп ценили не только за красивый внешний вид и приятный аромат, но и за его полезные свойства. Древнегреческий врач Гиппократ в своих сочинениях давал совет применять укроп при болезни желудка. Диоскорид описал ряд способов приготовления лекарств из семян или листьев укропа в виде отваров или порошка. Подробное описание воздействия укропа на различные органы человека приводил Авиценна в своем труде «Канон врачебной науки».

На Руси укроп стал известен примерно в X веке. В давние времена укроп был незаменим при засолке огурцов. Имеются сведения, что в XVI веке ко двору князя Новгородского огородники вносили натуральный оброк в виде «бочек соляных огурцов». Соление огурцов, а вместе с тем и укроп сохранились в национальной русской кухне и в настоящее время.

Укроп применяют и в косметологии. В нем содержится много растительных антибиотиков – фитонцидов. Его семена помогают избавиться от прыщей. Для этого нужно протирать лицо кубиками льда из отвара семян укропа 2 раза в день – утром и вечером. Их делают так: 1 ст. л. измельченных семян укропа надо залить 1 стаканом кипятка, настоять 20–30 минут и разлить этот настой в формочки для льда. Семена укропа обладают бактерицидным и антисептическим действием.

Так как укроп обладает желчегонным действием, его не стоит в больших количествах употреблять при больших камнях в желчном пузыре. В остальных случаях противопоказаний у укропа нет.

МИФЫ

• Укроп может вызвать запор.

Напротив, укроп помогает при этой проблеме. Его семена измельчают в кофемолке и принимают порошок по 1 г вместе с холодной водой за 30 минут до еды.

• Укроп может навредить при беременности.

Если есть укроп не более одного пучка в день, то он не противопоказан беременным. А вот если больше, то может навредить.

ПРАВДА

• В укропе больше витамина С, чем в лимоне.

В 100 г укропа витамина С около 100 мг, в 100 г лимона – всего 40 мг.

• **Укроп помогает при заболеваниях печени.**

Укроп обладает желчегонным действием.

• **Укроп можно есть на ночь.**

В состав укропа входят эфирные масла (3,25 г на 100 г), которые обладают легким седативным действием. Поэтому для лучшего сна полезно съесть на ночь пучок укропа.

• **Укроп помогает при отеках.**

Укроп содержит калий, который помогает выводить лишнюю жидкость из организма.

• **Укроп полезен при гипертонии.**

Укроп благодаря эфирным маслам расширяет периферические и коронарные сосуды, а также обладает мочегонным действием, чем помогает снижать артериальное давление.

• **Укроп полезен для сердца.**

Укроп содержит магний – 18% РСП, который укрепляет сердечную мышцу.

• **Укроп помогает в профилактике атеросклероза.**

Употребление семян укропа по 1 ч.л. за 30 минут до еды 3 раза в день является отличным средством профилактики атеросклероза и сердечно-сосудистых заболеваний.

Укроп отлично подходит к любым овощным блюдам, в том числе и к такому вкусному блюду, как рататуй по-уральски.

Картошка отварная – 5 шт.
Помидоры – 5 шт.
Йогурт – 5 ст. л.
Томатная паста – 3 ст. л.
Зеленый лук – 5 перьев
Укроп – 1 пучок
Сыр – 150 г
Черный молотый перец
Соль

Помидоры и картофель нарезать кружками, измельчить лук и укроп. На сковороду, смазанную растительным маслом, выложить слой помидоров, посыпать солью и перцем. Сверху выложить слой вареной картошки. Опять посолить и поперчить, выложить сверху лук и укроп. Следом еще один слой картошки, посолить и выложить помидоры. Полить рататуй смесью йогурта с томатной пастой и посыпать тертым сыром. Поставить сковороду на 10 минут на огонь.

В традиционном французском рататуе фигурируют другие овощи, но, оказывается, рататуй по-уральски с картошкой – ничуть не хуже. К тому же это полезное блюдо! В нем присутствуют помидоры и томатная паста – источники ликопина, который защищает от онкологических заболеваний. А укроп, лук, помидоры и картофель обеспечивают блюдо пищевыми волокнами, которые улучшают моторику кишечника и помогают выводить вредный холестерин из организма.

ФАСОЛЬ (бобы)

Состав	Сухая фасоль		Отварная фасоль	
	Количество	РСП	Количество	РСП
Вода	14,0 г		69,0 г	
Жиры	2,0 г	3%	0,5 г	1%
Белки	21,0 г	35%	8,3 г	14%
Углеводы	47,0 г	16%	14,1 г	5%
Пищевые волокна	12,4 г	62%	7,0 г	35%
Витамин B_1	0,5 мг	33%	0,16 мг	11%
Витамин B_2	0,18 мг	10%	0,06 мг	3%
Витамин B_5	1,2 мг	24%	0,27 мг	5%
Витамин B_6	0,9 мг	45%	0,12 мг	6%
Витамин B_9	90 мкг	23%	102 мкг	26%
Витамин PP	6,4 мг	32%	2,33 мг	12%
Калий	1100 мг	44%	391 мг	16%
Кальций	150 мг	15%	68 мг	7%
Кремний	92 мг	307%	не известно	
Магний	103 мг	26%	50 мг	13%
Фосфор	480 мг	60%	156 мг	21%
Бор	490 мкг	24%	не известно	
Ванадий	190 мкг	475%	не известно	
Железо	5,9 мг	33%	2,13 мг	12%
Кобальт	18,7 мкг	187%	не известно	
Марганец	1,34 мг	67%	0,52 мг	26%
Медь	0,58 мг	58%	0,25 мг	25%
Молибден	39,4 мкг	56%	не известно	
Селен	24,9 мкг	45%	4,1 мкг	7%
Хром	10 мкг	20%	не известно	
Цинк	3,21 мг	27%	0,88 мг	7%
Незаменимые аминокислоты				
Валин	1,12 г	59%	0,44 г	23%
Гистидин	0,57 г	52%	0,23 г	21%
Изолейцин	1,03 г	69%	0,37 г	25%
Лейцин	1,74 г	53%	0,67 г	20%
Лизин	1,59 г	51%	0,57 г	18%
Метионин + цистеин	0,43 г	29%	0,22 г	15%
Треонин	0,87 г	54%	0,35 г	22%
Триптофан	0,26 г	65%	0,10 г	25%
Фенилаланин + тирозин	1,76 г	63%	0,69 г	25%
Энергетическая ценность – 298 ккал			118 ккал	

История возделывания фасоли насчитывает более 7000 лет. Родиной фасоли принято считать Южную Америку. Но ее выращивали и в Древнем Риме, и в Древнем Египте. В древних китайских летописях встречаются упоминания о фасоли, относящиеся к 2800 году до н.э.

В Древнем Риме фасоль использовалась не только в качестве продукта питания, но и как косметическое средство. Из нее делали пудру и белила для кожи лица. Считалось, что фасолевая пудра смягчает кожу и разглаживает морщины. Фасоль входила в состав знаменитой маски для лица царицы Клеопатры.

В Европу фасоль была привезена из Америки голландскими и испанскими мореплавателями в XVI веке. А уже из Старого Света фасоль была завезена в Россию, где ее долгое время называли французскими бобами. Сначала фасоль выращивали больше в качестве декоративного кустарника, а как овощная культура она получила распространение лишь в начале XVIII века.

В медицине широко используются створки фасоли. Экстракт и отвар из них обладают сахароснижающим действием. Фасоль обыкновенная входит в растительные сборы, применяемые при диабете.

Многие не любят фасоль, поскольку она вызывает повышенное газообразование. Но от этой проблемы легко избавиться, перед приготовлением замочив фасоль на ночь в растворе соды: 1 ст. л. соды на 1 л воды.

Фасоль богата пуринами, поэтому она противопоказана при подагре.

МИФЫ

• **Фасоль богата витамином С.**

В Интернете часто пишут о том, что фасоль богата витамином С. На самом деле фасоль не содержит этого витамина.

• **Для вегетарианцев фасоль — полноценная замена мяса.**

Существует такая распространенная рекомендация, поскольку фасоль богата железом. Но из растительных продуктов железо практически не усваивается.

• **Самая полезная фасоль — белая.**

Чем темнее фасоль, тем она полезнее. Самое большое количество антиоксидантов содержится в черной фасоли.

• **Фасоль можно есть сырой.**

Фасоль содержит ядовитое вещество — феазин, которое разрушается при варке. Сырой фасолью можно отравиться!

ПРАВДА

• **Фасоль полезна при сахарном диабете.**

Фасоль содержит аргинин — вещество, снижающее уровень сахара в крови. Также фасоль богата хромом, который регулирует уровень сахара в крови.

• **Фасоль укрепляет память.**

Фасоль богата витаминами группы В, которые улучшают работу нервной системы, укрепляют память и повышают работоспособность.

• **Фасоль полезна при депрессии.**

Фасоль содержит незаменимую аминокислоту триптофан, которая в организме человека синтезируется в серотонин — «гормон радости».

• **Фасоль полезна при отеках.**

Фасоль обладает мочегонными свойствами, так как содержит калий.

• **Фасоль защищает от заболеваний сердца и сосудов.**

В фасоли содержится много магния, а этот макроэлемент очень полезен для сердца, он укрепляет его, способствует нормализации сердечного ритма. Также фасоль богата витамином PP, который укрепляет стенки сосудов.

• **Фасоль выводит из организма холестерин, токсины и соли тяжелых металлов.**

Все дело в том, что всего в 100 г фасоли содержится 35% РСП пищевых волокон — они абсорбируют холестерин и вредные вещества и выводят их из организма естественным путем.

Из фасоли можно приготовить замечательное и очень полезное грузинское блюдо лобио.

Красная фасоль — 600 г
Лук — 1 шт.
Кинза — 1 пучок
Чеснок — 4 зубчика
Винный уксус — 2 ст. л.
Молотый кориандр
Подсолнечное масло
Соль

Фасоль замочить на ночь с 1 ст. л. соды. Промыть фасоль и варить 15 минут. Сменить воду и варить еще 45 минут. Затем откинуть фасоль на дуршлаг, чтобы стекла вся жидкость.

Лук нарезать и обжарить до золотистого цвета. Кинзу и чеснок мелко порубить.

Фасоль размять, заправить подсолнечным маслом и солью. Добавить остальные ингредиенты. Перемешать, и лобио готово!

ФАСОЛЬ (стручковая)

Состав	Количество	РСП
Вода	90,0 г	
Жиры	0,3 г	1%
Белки	2,5 г	4%
Углеводы	3,0 г	1%
Пищевые волокна	3,4 г	17%
Витамин B_2	0,2 мг	11%
Витамин C	20 мг	22%
Калий	260 мг	10%
Энергетическая ценность — 23 ккал		

Стручковую фасоль стали использовать в кулинарных целях намного позже, чем лущеную фасоль, завезенную в Европу гол-

Стручковая фасоль противопоказана при подагре.

ландскими и испанскими моряками еще в XVI веке. Итальянцы первыми в XVIII веке распробовали зеленые стручки, а потом стали активно использовать незрелую фасоль в различных блюдах. Однако прошло еще несколько десятилетий, прежде чем европейцы вывели специальный сорт фасоли, которая одаривала урожаем длинных сладковато-сочных стручков. Эту фасоль назвали французской или стручковой фасолью.

МИФЫ

• **Стручковую фасоль полезно есть в сыром виде.**

Перед приемом в пищу стручковую фасоль всегда следует подвергать тепловой обработке, поскольку в ней содержится ядовитый феазин, разрушающийся лишь при варке, жарке и тушении.

ПРАВДА

• **Стручковая фасоль полезна при сахарном диабете.**

Стручковая фасоль содержит аргинин, который стимулирует выработку инсулина и снижает уровень сахара в крови.

• **Стручковая фасоль защищает от отеков.**

Стручковая фасоль содержит калий, который помогает выводить лишнюю жидкость из организма.

• **Стручковая фасоль замедляет старение кожи.**

Стручковая фасоль содержит витамин С – 22% РСП, который стимулирует синтез коллагена, благодаря которому кожа сохраняет упругость.

Из стручковой фасоли можно приготовить оригинальное блюдо с миндалем.

Стручковая фасоль – 400 г
Подсолнечное масло – 1 ст. л.
Горчица – 1 ст. л.
Чеснок – 2 зубчика
Миндаль – 50 г
Петрушка – 1 пучок
Соль

Фасоль отварить в подсоленной воде в течение 5 минут и откинуть на дуршлаг. В глубокой сковороде на подсолнечном масле обжарить раздавленный чеснок, петрушку, горчицу, добавить фасоль, чуть посолить и тушить 4–5 минут. Готовое блюдо посыпать натертым миндалем.

Такое блюдо можно употреблять как теплый салат, а можно добавить в качестве гарнира к рыбе или мясу.

ФЕНХЕЛЬ[1]

Состав	Количество	РСП
Вода	90,2 г	
Жиры	0,2 г	0%
Белки	1,2 г	2%
Углеводы	4,2 г	1%
Пищевые волокна	3,1 г	16%
Витамин С	12 мг	13%
Калий	414 мг	17%
Марганец	0,19 мг	10%
Энергетическая ценность – 31 ккал		

Первые упоминания о фенхеле содержатся в травниках Древней Индии. Это растение знали в Древнем Китае и использовали не только в кулинарии, но и в косметических целях. В Древнем Египте считалось, что фенхель не только обладает приятным вкусом и запахом, но и имеет мистическую силу оберегать от злых духов. В Древней Греции и Древнем Риме растение использовали в борьбе с блохами, для придания свежести дыханию. Гиппократ рекомендовал фенхель для лечения колик у младенцев. Слово «Marathron» – греческое название фенхеля – произошло от слова «худеть». Римские легионеры жевали семена для утоления голода, а христиане – в дни поста. Греки считали фенхель символом успеха.

В Средние века фенхель получил распространение в Европе и стал выращиваться в полевых условиях. В XVIII веке английский парламент выплатил солидную компенсацию аптекарю Стефенсону за оглашение рецепта высокоэффективного лекарства. Оно излечивало почечные и желудочные болезни и было сделано на основе фенхеля. В XIX веке фитотерапевт Себастьян Кнайп использовал и рекомендовал чай из фенхеля при легочных заболеваниях, нарушениях пищеварения и связанных с ними головных болях.

К сожалению, этот вид зелени уже очень много лет почему-то остается незаслуженно забытым, и многие о фенхеле даже не знают. Это очень вкусный и очень полезный продукт. Его можно добавлять в салаты, можно есть просто так. А еще у него есть одно удивительное свойство, которое может пригодиться каждому: фенхель уменьшает запах изо рта.

Во рту у любого человека живут бактерии. Они выделяют сернистые газы, которые и образуют плохой запах. Чем больше бактерий, тем сильнее запах. А в фенхеле содержатся эфирные масла, которые обладают бактерицидным действием. Когда человек жует фенхель, то бактерии, из-за которых и возникает неприятный запах, просто погибают. Поэтому фенхель можно использовать вместо жевательной резинки.

Помимо зелени, используют и семена фенхеля. В 100 г семян фенхеля содержится 199% РСП

[1] Луковица, сырой.

Фенхель не имеет противопоказаний.

пищевых волокон, а также свыше 100% РСП кальция, железа, марганца и меди.

МИФЫ

• **Фенхель вреден для беременных.**

Молва гласит, что фенхель нельзя беременным, так как это приведет к выкидышу. Это не так! При употреблении в умеренных количествах он избавляет беременных от тошноты и улучшает выработку молока у кормящих женщин.

ПРАВДА

• **Фенхель помогает при метеоризме.**

Эфирные масла фенхеля подавляют деятельность болезнетворных бактерий и обладают спазмолитическим действием. Поэтому после еды для предупреждения метеоризма можно выпить чай с фенхелем.

• **Фенхель можно есть при гастрите.**

Из-за фенхеля расслабляется гладкая мускулатура желудка. При этом улучшается кровоснабжение. В результате боль в желудке проходит, а также укрепляются стенки желудка.

• **Фенхель предотвращает появление отеков.**

Действительно, фенхель содержит 17% РСП калия, который обладает мочегонным эффектом, помогающим избавиться от отеков.

• **Фенхель полезен при кашле.**

В нем содержатся цинеол и анетол – эти вещества обладают отхаркивающими свойствами.

• **Семена фенхеля помогают от укачивания.**

Если жевать семена фенхеля за 2 часа до поездки, это снимет приступы головокружения и тошноты. Все благодаря эфирным маслам, которые содержатся в семенах, – 1,08 г на 100 г фенхеля.

• **Фенхель замедляет старение.**

Фенхель содержит 13% РСП витамина С, который является сильным антиоксидантом. Он замедляет процессы старения клеток и оказывает омолаживающее воздействие на кожу, разглаживая мелкие морщинки и повышая эластичность верхних слоев эпидермиса.

• **Фенхель помогает бороться со стрессом.**

Эфирное масло фенхеля обладает успокаивающим действием.

Фенхель используется в кулинарии многих стран. Его семена применяют в качестве специй для солений и маринадов. Зелень и луковицы используют в салатах и супах. Также луковицы запекают, тушат и жарят.

Попробуйте приготовить фенхель, тушенный с сыром.

Фенхель – 3 луковицы
Сыр моцарелла – 200 г
Петрушка – 1 пучок
Соль
Черный молотый перец

Фенхель разрезать вдоль на две половинки. Сложить в кастрюлю, залить водой, посолить и варить 30 минут. Затем слить жидкость и обсушить фенхель.

В форму для запекания выложить фенхель срезом вверх. Посыпать сверху натертой моцареллой и нарезанной петрушкой, поперчить и поставить запекаться на максимальном огне до образования румяной корочки.

ХРЕН

Состав	Количество	РСП
Вода	77,0 г	
Жиры	0,4 г	1%
Белки	3,2 г	5%
Углеводы	10,5 г	4%
Пищевые волокна	7,3 г	37%
Витамин B_6	0,7 мг	35%
Витамин С	55 мг	61%
Калий	579 мг	23%
Кальций	119 мг	12%
Фосфор	2 мг	11%
Железо	2 мг	11%
Энергетическая ценность – 59 ккал		

На Руси хрен предположительно начали выращивать с IX века, использовали его издавна как пряность и как лекарственное растение. Про хрен существует множество пословиц и поговорок. Без него не обходилось ни одно русское застолье.

В Европу хрен попал в начале XV века. Особую популярность он приобрел в Германии и странах Прибалтики. Англичане называли хрен конским редисом и использовали исключительно в лекарственных целях. В настоящее время хрен культивируется во многих странах мира, в основном как овощная культура.

С помощью хрена можно продлить свежесть овощей в холодильнике. Для этого на дно пакета, где у вас лежат огурцы, помидоры, морковка, картошка и другие овощи, положите 100–200 г тертого хрена. Сделайте дырочки в пакете. Это нужно для того, чтобы овощи не пропитались его запахом. В течение 2–3 месяцев они будут свежими.

Фитонциды хрена препятствуют размножению плесени. Причем они будут положительно действовать не только на овощи, но и на остальные продукты в холодильнике.

Хрен широко применяется при засолке и квашении овощей для защиты от плесени. Если сверху овощей положить 2–3 свежих листа хрена, то рассол не станет мутным, овощи не заплесневеют, будут более упругими, а банка не взорвется.

Хрен противопоказан при заболеваниях ЖКТ, печени и почек. Также хрен противопоказан при гипертонии.

Фитонциды хрена обеззараживают рассол, убивая микробов. Листья хрена богаты минеральными солями. Они поддерживают водно-солевой баланс рассола, обеспечивая упругость овощей.

МИФЫ

• **Протертый хрен в банках так же полезен, как и свежий.**

Полезные свойства в протертом хрене сохраняются не больше недели. Поэтому хрен в баночках, который продается в магазинах, полезными свойствами не обладает.

ПРАВДА

• **Хрен улучшает аппетит.**

Хрен усиливает секрецию желудочного сока и потому возбуждает аппетит.

• **В хрене содержится больше витамина С, чем в лимоне.**

В 100 г хрена 55 мг витамина С, а в 100 г лимона — около 40 мг.

• **Хрен предотвращает рост раковых клеток.**

Хрен содержит вещества — тиогликозиды, которые защищают организм от развития рака молочной железы.

Из хрена можно приготовить вкусную и полезную приправу с яблоками.

Хрен — 250 г
Яблоки кислые — 2 шт.
Соль — 5 г
Яблочный уксус — 1 ст. л.
Сахар — 4 г
Вода — 3 ч. л.

Хрен и яблоки натереть на терке. Смешать с остальными ингредиентами. Смесь положить в маленькие баночки, закрыть крышками и стерилизовать 20 минут.

ЧЕСНОК

Состав	Количество	РСП
Вода	69,0 г	
Жиры	0,5 г	1%
Белки	6,5 г	11%
Углеводы	29,9 г	10%
Пищевые волокна	1,5 г	8%
Витамин B_6	0,6 мг	30%
Витамин С	10 мг	11%
Витамин РР	2,8 мг	14%
Калий	260 мг	10%
Кальций	180 мг	18%
Фосфор	100 мг	13%

Состав	Количество	РСП
Кобальт	9 мкг	90%
Марганец	0,81 мг	41%
Медь	0,13 мг	13%
Энергетическая ценность – 149 ккал		

Родина чеснока – Средняя Азия. Возделывали его и в Древнем Египте, и в Греции, и в Риме, и в Индии. В Древнем Китае чеснок использовали для отпугивания злых духов. А древнегреческие атлеты принимали чеснок как допинг перед соревнованиями.

Попав в Европу, чеснок больше всего полюбился французам и итальянцам. В Россию чеснок попал в IX веке. Причем не с запада, а с юга – из Византии.

Чеснок полюбили не только за острый пряный вкус, но и за его лечебные свойства. Например, чеснок помогает в профилактике атеросклероза – его настойка помогает снижать уровень холестерина в крови примерно на 10%. Приготовить настойку очень просто. Нужны 4 головки чеснока и 4 лимона. Зубчики чеснока очистить от шелухи, лимоны нарезать и удалить косточки, после чего провернуть лимоны и чеснок через мясорубку или взбить в блендере. Выложить получившуюся массу в трехлитровую банку и залить теплой водой. Настаивать смесь 3 суток в темном месте. Настойку чеснока принимают по 1 ст. л. 3 раза в день на протяжении 1–2 месяцев. Эффект длится 6 недель во время приема. Затем необходимо сделать перерыв на 2 месяца.

Многие люди хранят чеснок не в холодильнике, а при комнатной температуре, например в корзинке. Но это не совсем правильно – так чеснок может прорасти, а значит, отдать свои полезные вещества в побеги. Если головка чеснока целая, то ее нужно хранить без пакета в нижнем ящике холодильника. Если же остаются очищенные зубчики, то их нужно сложить в стеклянную банку, залить маслом и поставить в холодильник.

Интересно, что настоящей фанаткой чеснока была легендарная певица Анна Герман. Музыканты вспоминают, как на гастролях она неоднократно устраивала «чесночные вечеринки». Она приглашала к себе в номер весь коллектив. На столе была огромная тарелка с бутербродами: белый хлеб с маслом, обильно посыпанный мелкорубленым чесноком. Это было очень аппетитно, на запах изо рта никто не обращал внимания, но потом пару дней музыканты мучились болями в желудке от слишком большого количества съеденного чеснока. И только Анне все было нипочем. Вот такая бывает любовь к чесноку.

МИФЫ

• Жевательная резинка помогает избавиться от чесночного запаха изо рта.

Чеснок противопоказан при заболеваниях ЖКТ, панкреатите, желчнокаменной болезни, заболеваниях почек. Чеснок может усиливать аритмию, поэтому лучше отказаться от употребления этого продукта в сыром виде.

Запах чеснока идет не изо рта, а из желудка. Поэтому избавиться от него поможет только время.

· **Чеснок можно есть худеющим.**

Чеснок содержит эфирные масла, которые лишь возбуждают аппетит. Поэтому худеющим лучше не есть блюда с чесноком, а то вся диета пойдет насмарку!

· **Чеснок лучше есть вечером.** Чеснок возбуждающе действует на нервную систему, поэтому лучше есть его утром или днем. Если же человек съест его вечером, то долго не сможет заснуть.

ПРАВДА

· **Чеснок защищает организм от микробов.**

Научными исследованиями доказано, что под влиянием чеснока гибнет около сотни различных видов вредных микроорганизмов. Его используют как естественный антибиотик. В недавно проведенных исследованиях установлено, что от экстракта чеснока гибнет около 93% стафилококков всего за один час и такое же количество сальмонеллы за три часа. Все благодаря фитонцидам, которые в нем содержатся.

· **Чеснок полезен для профилактики инфарктов и инсультов.**

Ученые выделили из чеснока биологически активное вещество аджоен, которое снижает вязкость крови. Благодаря этому заметно уменьшается риск образования тромбов, а значит, и инсульта.

· **Чеснок снижает высокое артериальное давление.**

Способность чеснока снижать кровяное давление была научно доказана австралийскими учеными, которые, проведя 11 исследований, установили: аллицин, содержащийся в чесноке, способен расширять кровеносные сосуды.

· **Чеснок полезен для пищеварения.**

Ежедневное включение чеснока в рацион помогает устранить проблемы с пищеварением. Чеснок способствует нормальному функционированию кишечника благодаря эфирным маслам, которые усиливают секрецию желудочного сока, улучшая процесс переваривания пищи. Однако важно помнить, что чрезмерное употребление чеснока может вызвать раздражение стенок желудка и кишечника, которые будут сопровождаться болью.

· **Чеснок улучшает потенцию.**

В чесноке есть аминокислота цистеин, из которой синтезируется сероводород. Итальянские ученые из Неапольского университета даже провели эксперименты, в которых доказали, что сероводород эффективно влияет на потенцию.

- **Чеснок защищает от рака.**

Большое количество серосодержащих соединений, присутствующих в чесноке, обладают онкопротективным действием.

Многие любят продающийся в магазинах маринованный чеснок, а ведь на самом деле его легко приготовить самостоятельно.

Чеснок – 6 луковиц
Уксус 9%-ный – 400 мл
Вода – 600 мл
Соль – 2 ст. л.
Сахар – 4 ст. л.
Лавровый лист – 2 шт.
Черный перец горошком – 1 ч.л.
Хмели-сунели – ½ ч.л.

Чеснок нужно взять молодой. Очистить луковицы от внешней шелухи и ошпарить их кипятком. Приготовить рассол – смешать уксус, воду и соль. На дно банки выложить лавровый лист, перец горошком, хмели-сунели, сверху выложить чеснок. Доверху залить рассолом. Закрыть крышкой и поставить в холодильник на 1 месяц.

Если хотите, чтобы чеснок стал красным, – положите в банку пару кусочков свеклы.

ЩАВЕЛЬ

Состав	Количество	РСП
Вода	92,0 г	
Жиры	0,3 г	0%
Белки	1,5 г	3%
Углеводы	2,9 г	1%
Пищевые волокна	1,2 г	6%
Витамин А	208 мкг	23%
Бета-каротин	2500 мкг	50%
Витамин Е	2 мг	13%
Витамин B_1	0,19 мг	13%
Витамин С	43 мг	48%
Калий	500 мг	20%
Магний	85 мг	21%
Фосфор	90 мг	11%
Железо	2 мг	11%
Энергетическая ценность – 22 ккал		

Люди долгое время не решались есть щавель, его считали сорняком. Русские едва ли не самыми последними из европейцев распробовали эту зелень. Еще в начале XVIII века от щавеля русский крестьянин воротил нос и считал его пищей, достойной только лошадей. Известный немецкий путешественник Адам Олеарий, посетивший Москву в 1633 году, вспоминал, как москвичи смеялись над иностранцами, поедавшими «зеленую траву». Но, посмотрев на французов, которые, наоборот, очень активно использовали щавель в приготовлении блюд, русские все же попробовали кислые зеленые листики и пополнили книгу рецептов русской кухни разнообразными блюдами из щавеля.

Суп из щавеля, салат из щавеля, пирожки со щавелем многие люди летом едят без ограничений. К сожалению, он далеко не так безобиден, каким кажется на первый взгляд.

В щавеле есть очень агрессивная щавелевая кислота, относящаяся к сильным органическим кислотам. Достаточно сказать, что она содержится во многих веществах для отчистки от ржавчины и чернильных пятен! Она может быть крайне опасна для здоровья. Под ее воздействием в почках могут образовываться камни-оксалаты. Чем больше щавелевой кислоты в организме, тем выше риск образования камней.

Больше всего щавелевой кислоты в соке старого щавеля и в отваре из него. В молодом щавеле ее концентрация заметно ниже.

Поэтому полезнее есть молодой щавель. А супы и пирожки из щавеля не годятся для ежедневного питания.

МИФЫ

• **К июлю щавель накапливает в себе максимальное количество полезных веществ.**

Максимальная польза содержится в самых молодых, майских и июньских листиках щавеля. К июлю листья растения грубеют, накапливают щавелевую кислоту и уже не годятся в пищу.

ПРАВДА

• **Щавель полезен при дисбактериозе.**

Щавель богат органическими кислотами, которые помогают при дисбактериозе.

• **Щавель помогает при кровоточивости десен.**

В щавеле содержится большое количество дубильных веществ, которые укрепляют десны, уменьшая их кровоточивость.

• **Щавель полезен для кожи.**

Щавель богат витамином А и бета-каротином — антиоксидантами, которые предотвращают старение кожи, устраняют сухость кожи и улучшают регенерацию ее клеток. Также щавель содержит витамин С, который стимулирует синтез коллагена.

• **Щавель полезен для сердца.**

Щавель содержит 21% РСП магния, который укрепляет сердечную мышцу.

• **Щавель способствует снижению артериального давления.**

Щавель содержит 20% РСП калия, который выводит лишнюю жидкость из организма и тем

Щавель противопоказан при оксалатных камнях в почках, при подагре. Не стоит употреблять его при холецистите и пиелонефрите.

самым помогает снижать давление.

Из щавеля можно приготовить низкокалорийный, вкусный и полезный пирог без муки!

Щавель – 300 г
Сыр сулугуни – 500 г
Творог – 100 г
Сметана – 2 ст. л.
Лук – 1 шт.
Подсолнечное масло – 1 ст. л.
Мята – 1 пучок
Кедровые орешки
Соль

Из сыра сулугуни нужно приготовить основу для пирога. Воду нагреть, сыр нарезать пластинками. Как только вода закипит, нужно класть кусочки сыра по одному, непрерывно помешивая, – сыр расплавится и станет тягучим. После этого его надо выложить в форму и ложкой размять в лепешку.

На сковороде с подсолнечным маслом обжарить нарезанную луковицу, добавить нарезанный щавель, мяту и тушить 2–3 минуты.

Творог смешать со сметаной, добавить потушенный щавель с луком, перемешать и выложить начинку на основу из сулугуни. Посыпать кедровыми орешками, и блюдо готово!

С щавелем можно приготовить ботвинью – очень полезное и вкусное, но, к сожалению, немного забытое русское блюдо. А ведь когда-то о том, хорошая ли хозяйка та или иная женщина, судили по ее умению готовить ботвинью. Вот и поговорка до наших дней дошла: «Какова Аксинья, такова и ботвинья». Ботвинья с крестьянского стола перекочевала на стол помещичий, дворянский, а сейчас стала подаваться в дорогих ресторанах.

Писатель Владимир Гиляровский писал, что в Москве были трактиры, куда гурманы специально ходили откушать именно холодную ботвинью. В то время существовало множество рецептов. Вот один из них.

Щавель – 100 г
Крапива – 100 г
Лук зеленый – 50 г
Свекольная ботва – 50 г
Огурец – 2 шт.
Семга отварная – 3 кусочка
Укроп
Петрушка
Соль
Тертый хрен
Квас

Нарезать семгу. Щавель, ботву свеклы и крапиву варить несколько минут в подсоленной воде, после чего протереть через сито. К протертой смеси добавить нарезанные огурцы и зелень, залить все квасом.

При подаче на стол добавить в ботвинью колотый лед, отварную семгу и тертый хрен. Ботвинья готова!

АВОКАДО

Состав	Количество	РСП
Вода	73,2 г	
Жиры	14,7 г	22%
Белки	2,0 г	3%
Углеводы	1,8 г	1%
Пищевые волокна	6,7 г	34%
Витамин B_5	1,39 мг	28%
Витамин B_6	0,26 мг	13%
Витамин B_9	81 мкг	20%
Витамин Е	2,07 мг	14%
Витамин К	21 мкг	18%
Витамин С	10 мг	11%
Витамин РР	2,15 мг	11%
Калий	485 мг	19%
Медь	0,19 мг	19%
Энергетическая ценность – 160 ккал		

Аллигаторова груша, корова бедняка, персея американская – все это названия авокадо. Еще десять лет назад жители нашей страны и не подозревали о существовании этого фрукта. А сейчас с ним готовят все – от салатов до десертов. Диетологи всего мира рекомендуют есть авокадо, ведь оно входит в десятку самых полезных продуктов! А все потому, что авокадо защищает от онкологических заболеваний и заболеваний сердца. Кроме того, авокадо содержит фитостеролы – природные гормоны, которые продлевают молодость.

Из авокадо можно сделать отличную маску для лица. Половину авокадо разминаем и накладываем маску на 15–20 минут, а затем смываем прохладной водой. Такая маска увлажнит кожу, поможет при небольших раздражениях, поскольку авокадо содержит цинк.

Авокадо лучше употреблять сырым, поскольку оно содержит танин. Из-за него авокадо при тепловой обработке горчит. К тому же при тепловой обработке уменьшается количество витаминов.

МИФЫ

• **Лучше покупать мягкие авокадо.**

Слишком мягкое авокадо может быть внутри рыхлым и перезрелым. Если вы сжали фрукт и осталась вмятина, значит, так оно и есть. Такое авокадо не очень вкусное. Лучше покупать чуть твердые авокадо и дать им дозреть дома.

• **Авокадо противопоказано беременным.**

Наоборот, полезно. В нем содержится фолиевая кислота, очень полезная для будущих мам.

ПРАВДА

• **Авокадо может заменить сливочное масло.**

В авокадо содержится 26% жиров. По консистенции и вкусу оно похоже на масло, а бутерброд с авокадо вместо масла будет даже более вкусным.

• **Авокадо калорийнее банана.**

Банан достаточно калориен – 96 ккал. Однако авокадо – самый калорийный из фруктов – 160 ккал!

Авокадо нельзя употреблять только при его индивидуальной непереносимости.

• Авокадо снижает уровень холестерина.

Можно подумать, что из-за высокой жирности авокадо повышает холестерин. Однако исследование, проведенное среди людей со сравнительно высоким уровнем холестерина, показало, что недельная диета, содержащая авокадо, существенно снизила уровень плохого ЛНП-холестерина и повысила на 11% хороший ЛПВП-холестерин.

• Авокадо улучшает состояние кожи.

Авокадо содержит витамин Е и витамин F — комплекс из жирных кислот: линолевой, линоленовой и арахидоновой. Витамин Е способствует улучшению снабжения клеток нашего организма кислородом и к тому же работает как антиоксидант, защищая клетки. Витамин F обеспечивает здоровое состояние кожи.

Попробуйте мусс из авокадо — он сохранит молодость и улучшит моторику кишечника, поскольку содержит большое количество пищевых волокон.

Авокадо — 1 шт.
Зеленое яблоко — 1 шт.
Огурец — 1 шт.
Лайм — 1 шт.
Оливковое масло — 25 г
Зелень
Креветки
Красная икра

Авокадо, огурцы, яблоко очищаем от кожицы, пробиваем в блендере. Добавляем сок лайма, соль и оливковое масло. Раскладываем по стаканчикам, украшаем обжаренной креветкой, красной икрой, петрушкой, лаймом.

КРУПЫ И КАШИ

Нам еще с детства говорили, что по утрам нужно есть кашу. Ее давали нам на завтрак в детском саду, в школе, в институтах. Но действительно ли от этого есть польза?

Начнем с того, что каша содержит углеводы. Но это не такие углеводы, как, например, в торте или в конфетах. В каше углеводы медленные, а в торте — быстрые. Разные типы углеводов и расходуются в организме по-разному.

Организм, в который поступают медленные углеводы, собирает их в мышцы и печень. А организм, которому достаются быстрые углеводы, собирать их не успевает. Эти углеводы отложатся в жировой запас, то есть на боках человека, на животе или на бедрах. Именно из-за быстрых углеводов человек набирает лишний вес.

Поэтому с утра лучше есть продукты с медленными углеводами – каши! Медленные углеводы всасываются постепенно, у человека дольше остается чувство насыщения, и, позавтракав кашей, он меньше съест в обед.

По той же причине кашу не нужно есть на ужин. Из-за того, что углеводы всасываются медленно, организм будет продолжать работать, даже когда вы ляжете спать, и вам будет тяжело заснуть.

ГРЕЧКА

Состав	Количество	РСП
Вода	14,0 г	
Жиры	3,3 г	5%
Белки	12,6 г	21%
Углеводы	57,1 г	20%
Пищевые волокна	11,3 г	57%
Витамин B_1	0,43 мг	29%
Витамин B_2	0,2 мг	11%
Витамин B_6	0,4 мг	20%
Витамин PP	7,2 мг	36%
Калий	380 мг	15%
Кремний	81 мг	270%
Магний	200 мг	50%
Фосфор	298 мг	37%
Железо	6,7 мг	37%
Кобальт	3,1 мкг	31%
Марганец	1,56 мг	78%
Медь	0,64 мг	64%
Молибден	34,4 мкг	49%
Селен	8,3 мкг	15%
Цинк	2,05 мг	17%
Незаменимые аминокислоты		
Валин	0,59 г	31%
Гистидин	0,30 г	27%
Изолейцин	0,46 г	31%
Лейцин	0,75 г	23%
Лизин	0,53 г	17%
Метионин + цистеин	0,65 г	43%
Треонин	0,40 г	25%
Триптофан	0,18 г	45%
Фенилаланин + тирозин	1,02 г	36%
Энергетическая ценность – 308 ккал		

Родиной гречихи является Северная Индия, где ее называют черным рисом. В Европейский регион она попала из Южной Сибири и Алтая через Урал. Изначально на Руси гречиху возделывали на монастырских угодьях чаще всего греческие монахи, считавшиеся сведущими в агрономии. То ли греки сами дали такое название крупе, то ли русские люди назвали плоды их труда созвучным словом, точно не известно. Однако по общепринятой точке зрения названия «гречиха», «греча», «гречка» закрепились благодаря грекам. Существует и другая версия появления слова «гречка» – от глагола «греть», то есть гретая каша или гретая крупа.

На Руси гречиха стала одним из самых популярных злаков: гречневая каша, супы с гречкой, пироги и курники, блины из гречневой крупы были постоянными блюдами в рационе наших предков. И сейчас гречка не утратила своей востребованности – в среднем каждый житель нашей страны за год съедает 7–8 кг этой крупы.

МИФЫ

• Гречка полезна при анемии.

Существует мнение, что гречка полезна при малокровии. Действительно, в ней есть железо – 6,7 мг. Но оно не усваивается из растительных продуктов. Поэтому при малокровии есть гречку бесполезно.

• Чем темнее гречневая крупа, тем она полезнее.

Чем светлее крупа, тем меньшую термическую обработку она прошла. А значит, в ней сохранилось больше полезных веществ.

• Гречку нельзя есть с молоком.

Существует мнение, что гречку не следует есть с молоком, потому что железо, которое содержится в каше, препятствует усвоению кальция из молока. Но это миф. Гречка с молоком – это полезно и вкусно.

ПРАВДА

• Гречка полезна для профилактики сахарного диабета.

У гречневой крупы – самый низкий гликемический индекс из всех круп. Поэтому гречневая каша снижает риск развития сахарного диабета.

• Гречка снижает риск онкологических заболеваний.

В гречке содержится много клетчатки – 11,3 г – 57% РСП. Она улучшает работу кишечника и предотвращает запоры. А ведь именно из-за них может развиться рак кишечника. Поэтому ешьте гречку, чтобы снизить риск этой болезни.

• Гречка улучшает работу печени.

В гречке содержится витамин РР, который улучшает работу печени.

• Гречка улучшает работу мозга.

В гречке содержится много витаминов группы В и селен, которые улучшают работу мозга и нервной системы.

• Гречка улучшает работу сердца.

Гречка богата магнием, который укрепляет миокард.

• Гречка помогает при депрессии.

Гречка содержит триптофан, из которого в нашем организме син-

Гречка не имеет противопоказаний, но ее следует с осторожностью употреблять при гастрите с повышенной кислотностью и при язвенной болезни.

тезируется «гормон радости» серотонин. Также гречка содержит магний, который обладает антидепрессантным действием.

- **Гречка укрепляет сосуды.**

Дело в том, что в гречке содержится рутин. Он очень полезен для сосудов – уменьшает ломкость капилляров и укрепляет стенки сосудов.

Наиболее распространенное применение этой крупы, конечно же, варка гречневой каши. Как обычно ее варят? Берут крупу и воду в пропорции 1:2 и варят 15–20, а то и 30 минут, пока вся вода не впитается в гречку. Получается обычная гречневая каша. Чтобы сделать гречневую кашу в 2 раза полезнее, нужно соблюдать одно простое правило: перед варкой гречневую крупу нужно замочить! Залить гречку холодной водой в пропорции 1:1 и оставить на 7–8 часов. Затем слить холодную воду, залить кипятком в пропорции 1:1 и настаивать в течение 5 минут!

В этом случае за счет непродолжительности термической обработки в гречке останется примерно в 2 раза больше полезных веществ, а значит, она будет в 2 раза полезнее каши, приготовленной традиционным способом.

Из гречки можно приготовить вкусный гречневый суп.

Гречка – 1 ст.
Вода – 3 л
Куриная грудка – 1 шт.
Лук – 2 шт.
Морковь – 1 шт.
Помидор – 2 шт.
Болгарский перец – 1 шт.
Цветная капуста – 100 г
Подсолнечное масло – 1 ст. л.
Зелень
Соль

Куриную грудку залить водой и отварить до полуготовности. Затем добавить промытую гречку и цветную капусту и доварить до готовности. В сковороде на подсолнечном масле потушить в течение 5 минут нарезанные лук, морковь, помидоры, болгарский перец и добавить в суп. Посолить, и суп готов! Подавать с нарезанной зеленью.

Такой суп очень полезно есть худеющим – ведь его калорийность всего 29 ккал на 100 г, а также суп богат клетчаткой, которая надолго сохраняет чувство насыщения. Суп с гречкой улучшает состояние сосудов за счет клетчатки и витамина PP. А также защищает от сухости кожи, так как содержит витамин А, который улучшает ее регенерацию и упругость.

ЛЬНЯНОЕ СЕМЯ

Состав	Количество	РСП
Вода	7,0 г	
Жиры:	42,2 г	63%
из них полиненасыщенные	28,7 г	131%
Белки	18,3 г	30%
Углеводы	1,6 г	1%

Состав	Количество	РСП
Пищевые волокна	27,3 г	137%
Витамин B_1	1,64 мг	109%
Витамин B_5	0,99 мг	20%
Витамин B_6	0,47 мг	24%
Витамин B_9	87 мкг	22%
Витамин PP	8,03 мг	40%
Холин (B_4)	78,7 мг	16%
Калий	813 мг	33%
Кальций	255 мг	26%
Магний	392 мг	98%
Фосфор	642 мг	80%
Железо	5,73 мг	32%
Марганец	2,48 мг	124%
Медь	1,22 мг	122%
Селен	25,4 мкг	46%
Цинк	4,34 мг	36%
Незаменимые аминокислоты		
Валин	1,07 г	56%
Гистидин	0,47 г	43%
Изолейцин	0,90 г	60%
Лейцин	1,24 г	38%
Лизин	0,86 г	28%
Метионин + цистеин	0,71 г	47%
Треонин	0,77 г	48%
Триптофан	0,30 г	75%
Фенилаланин + тирозин	1,45 г	52%
Энергетическая ценность – 534 ккал		

Лен известен человечеству с незапамятных времен. Семена льна выращивались в Вавилоне еще в 3000 году до н.э. Льняные ткани были на мумиях египетских фараонов, в льняные одежды одевались египетские жрецы, римские патриции. В VIII веке король Карл Великий настолько сильно верил в полезные свойства льняного семени, что издал целый ряд законов, обязывающих всех граждан регулярно употреблять семена льна. Согласно древнеримским свидетельствам, в I веке н.э. лен разводили галлы и германцы – у этих племен льняная одежда считалась привилегией знати, скандинавские мифы называют лен драгоценным.

Лен был любим и народами Руси. Семена культурного льна и части деревянной прялки были обнаружены археологами возле реки Вожа при раскопках поселения, относящегося ко II тысячелетию до н.э.

Раньше льняная каша была одной из самых популярных на Руси. Но со временем о ней как-то забыли. А зря! Потому что эта одна из самых полезных каш обладает рядом замечательных свойств.

МИФЫ

• **Льняная каша усваивается быстрее, чем овсяная.**

Льняная и овсяная каши усваиваются примерно одинаково.

• **Льняную кашу нельзя есть людям с гастритом.**

В Интернете пишут, что при гастрите нельзя есть льняную кашу. Но это не так. Льняную кашу при гастрите есть можно.

Льняная каша не имеет противопоказаний.

· Льняную кашу можно есть худеющим.

В 100 г льняной каши содержится 138 ккал, поэтому худеющим людям ее лучше не есть.

ПРАВДА

· Льняная каша полезна для профилактики атеросклероза.

Семена льна, из которых делается льняная мука, содержат большое количество полиненасыщенных жирных кислот – Омега-3 и Омега-6. Эти кислоты снижают уровень холестерина в организме. Также льняная каша содержит много клетчатки.

· Льняная каша полезна при заболеваниях суставов.

Полиненасыщенные жирные кислоты Омега-3 и Омега-6, которые содержатся в льняном семени, обладают противовоспалительным действием, поэтому полезны при артритах и других воспалительных заболеваниях суставов.

· Льняная каша уменьшает ночную потливость.

В льняной муке содержатся полиненасыщенные жирные кислоты. В том числе и линолевая кислота. Она уменьшает температуру тела, и человек меньше потеет.

· Льняную кашу можно есть детям.

Никаких противопоказаний у льняной каши для детей нет.

· Льняная каша помогает при заболеваниях желудка.

Льняная каша обладает обволакивающим действием и снимает воспаление благодаря высокому содержанию витамина РР.

· Льняная каша укрепляет сердце.

Льняная каша богата магнием, который укрепляет сердечную мышцу.

· Льняная каша улучшает работу нервной системы.

Льняная каша богата витаминами группы В.

О пользе льняной каши наслышаны многие, но есть ее в натуральном виде способны далеко не все. Она ведь практически безвкусная!

Но! При помощи нескольких ингредиентов ее можно превратить в очень вкусное блюдо, либо соленое, либо сладкое!

Рецепт 1

Льняная каша – 100 г
Обезжиренное молоко – 500 мл
Сушеные грибы – 1 горсть
Сушеный молотый чеснок
Соль

Молоко подогреть, грибы размолоть в кофемолке в порошок. Все ингредиенты сложить в миску, залить подогретым молоком, перемешать и настаивать 5 минут.

Рецепт 2

Льняная каша – 4 ст. л.
Вода – 200 мл
Молоко – 1 стакан
Изюм – 1 ст. л.
Курага – 4 штуки
Миндаль – несколько орешков
Мед – 1 ч. л.

Изюм и курагу предварительно замочить, затем отжать и проварить в кипящем молоке 3 минуты. В другой кастрюльке в кипящую воду при постоянном помешивании засыпать кашу, положить мед и варить 3 минуты.

Измельчить в блендере миндаль. Смешать содержимое двух кастрюлек и добавить туда измельченный миндаль. Каша готова!

ОВСЯНКА

Состав	Количество	РСП
Вода	12,0 г	
Жиры:	6,1 г	9%
из них полиненасыщенные	2,5 г	11%
Белки	12,3 г	21%
Углеводы	59,5 г	21%
Пищевые волокна	8,0 г	40%
Витамин B_1	0,49 мг	33%
Витамин B_5	0,9 мг	18%
Витамин B_6	0,27 мг	14%
Витамин Е	1,7 мг	11%
Витамин Н	20 мкг	40%
Витамин РР	4,3 мг	22%
Холин (B_4)	94 мг	19%
Калий	362 мг	14%
Кремний	43 мг	143%
Магний	116 мг	29%
Фосфор	349 мг	44%
Железо	3,9 мг	22%
Кобальт	6,7 мкг	67%
Марганец	5,05 мг	253%
Медь	0,5 мг	50%
Молибден	38,7 мкг	55%
Цинк	31 мг	26%
Незаменимые аминокислоты		
Валин	0,53 г	28%
Гистидин	0,25 г	23%
Изолейцин	0,45 г	30%
Лейцин	0,78 г	24%
Лизин	0,47 г	15%
Метионин + цистеин	0,41 г	27%
Треонин	0,39 г	24%
Триптофан	0,19 г	48%
Фенилаланин + тирозин	1,02 г	36%
Энергетическая ценность – 342 ккал		

Еще Гиппократ советовал принимать отвар или настой овса для лечения, очищения и поддержания сил ослабленного болезнью организма. В Великобританию овес впервые завезли римляне, считавшие этот злак лучшим кормом для лошадей. А впоследствии, в XVII веке, любимым национальным блюдом как шотландцев, так и англичан стала питательная и полезная овсяная каша.

С давних пор овес в виде толокна – толченной в ступе муки – употребляли в пищу и на Руси. Из толокна варили овсяную кашу, пекли хлеб, готовили полезные для здоровья овсяные кисели. Овес был составной частью оброка, выплачиваемого крестьянами князьям, помещикам и монастырям.

Современная овсянка чаще всего продается в виде овсяных хлопьев. Их существует два вида – традиционные овсяные хлопья, которые варятся 15 минут, и хлопья ускоренного приготовления, которые нужно готовить всего 2 минуты. При этом у них абсолютно одинаковый состав и количество питательных веществ. Почему же тогда разное время приготовления?

Время приготовления указывает производитель, и это напрямую зависит от того, какую влаготермическую обработку прошли хлопья. Если хлопья варятся 15 минут, то это значит, что они прошли неглубокую обработку, например низкими режимами пара или инфракрасного излучения. А если на упаковке написано варить 2 минуты – это значит, что часть приготовления на себя уже взял производитель. То есть он потратил лишние средства на электроэнергию и обработал эти хлопья при более высоких режимах пара или инфракрасного излучения. Такая обработка как раз приравнивается вот к этим 13 минутам, на которые различается время приготовления, время варки. Получается, что производитель выпускает практически готовые хлопья, нам остается только немного их доварить.

Количество витаминов и питательных веществ не зависит от времени варки. Если вы варите кашу 15 минут, часть полезных веществ вываривается. Конечно, не все. А если вы готовите хлопья ускоренного приготовления, то эти же питательные вещества у них пропали еще во время производства, при более глубокой обработке. Так что в результате в двух видах каши будет одинаковое количество питательных веществ.

Из сваренных овсяных хлопьев можно даже делать маски для лица. За счет того, что они такие слизистые, они смягчают кожу. А еще в овсянке есть жиры – они питают кожу. А сухую овсянку можно использовать как скраб для тела.

Овсянку не рекомендуется употреблять при язвенной болезни желудка и двенадцатиперстной кишки. В остальных случаях овсянка не имеет противопоказаний. Она входит в состав многих лечебных диет.

Многие люди каждый день начинают утро с овсяной каши – это идеальный ежедневный завтрак. Но стоит помнить, что людям с избыточным весом и сахарным диабетом овсянку можно есть максимум 2 раза в неделю. Все-таки в ней, кроме сложных углеводов, есть и простые, которые не показаны при этих заболеваниях.

МИФЫ

· Регулярное употребление овсянки может вызвать сахарный диабет.

Овсянка полезна при сахарном диабете благодаря содержанию в ней марганца. Этот микроэлемент хорошо влияет на чувствительность тканей к глюкозе.

· Овсянка полезна при анемии.

В Интернете распространено мнение, что овсянка полезна при анемии, так как содержит много железа. Но, увы, овсянка при малокровии бесполезна – железо из растительных продуктов практически не усваивается.

· Овсянка может вызвать гастрит.

Овсяная каша обладает обволакивающими свойствами. Ее, наоборот, часто назначают при воспалительных заболеваниях ЖКТ.

ПРАВДА

· Овсянка защищает от камней в желчном пузыре.

Овсянка содержит большое количество клетчатки, которая помогает выводить вредный холестерин из организма и, соответственно, уменьшает вероятность возникновения одного из возможных типов камней – холестериновых.

· Овсянка помогает при стрессе.

Овсянка с творогом содержит магний, который обладает антидепрессантными свойствами, а также витамины группы В, укрепляющие нервную систему. А еще овсянка содержит триптофан, из которого в организме синтезируется «гормон радости» серотонин.

· Овсянка улучшает работу мозга.

Она богата витаминами группы В и холином, которые нормализуют работу нервной системы, укрепляют память и концентрацию внимания, повышают работоспособность.

· Овсянка защищает от появления перхоти.

Овсянка содержит цинк, который полезен при себорее.

· Овсянка защищает от инфарктов и инсультов.

Овсянка содержит большое количество пищевых волокон, которые выводят лишний холестерин из организма. Также овсянка богата магнием, который укрепляет сердечную мышцу. А витамин PP, содержащийся в овсянке, укрепляет стенки сосудов.

Наибольший удар по желудку и кишечнику наносит отсутствие нормального завтрака, а этим грешат очень многие наши сограждaне. Но из овсянки можно приготовить вкусный и полезный завтрак, который сохранит здоровье вашей пищеварительной системы и повысит выносливость организма. И сделать такой завтрак можно буквально за одну минуту!

Овсяные хлопья – $^2/_3$ ст.
Йогурт – 100 мл
Молоко – 100 мл
Фрукты или ягоды – 100 г

Вам понадобится банка с крышкой на 500 мл. В банку нужно сложить все ингредиенты. В качестве наполнителя возьмите свои любимые фрукты или ягоды – это могут быть клубника, яблоко, банан, черешня без косточек, нарезанные на кусочки. С ингредиентами можно как угодно фантазировать: использовать цитрусовые, добавить какао, корицу или ваниль, для сладости – мед или сукралозу.

Банку закрыть крышкой и встряхнуть, чтобы ингредиенты перемешались.

Поставить банку в холодильник на ночь.

Такую быструю овсянку можно сделать с вечера и с утра просто взять с собой на работу. Храниться быстрая овсянка может до трех суток! Кроме того, такие банки можно заморозить впрок – но тогда банки нужно заполнять лишь на ¾, иначе они могут взорваться. И еще: такую овсянку необязательно есть холодной – ее можно разогреть в микроволновке.

Быстрая овсянка содержит витамин РР и клетчатку, которые снижают уровень холестерина в крови, а также магний, который укрепляет сердце. Она богата витамином B_1, который улучшает состояние нервной системы и повышает работоспособность, а также пищевыми волокнами, которые нормализуют моторику кишечника и снижают газообразование. Ваш кишечник будет весь день работать как часы. Благодаря молоку и йогурту быстрая овсянка содержит много кальция, который укрепляет кости. В такой баночке содержится отличная подзарядка для всего организма!

Попробуйте испечь овсяную шарлотку – она будет полезнее обычной. Во-первых, она низкокалорийная. Всего 170 ккал на 100 г! Поэтому ею отлично будет заменить сладкий тортик, калорийность которого 500 ккал. Во-вторых, в этом десерте много пищевых волокон – а это очень хорошо для пищеварения. В-третьих, в овсянке есть белок – он ускоряет обмен веществ.

Овсяные хлопья – 1 стакан
Яблоки – 4 шт.
Корица
Сукралоза
Мед
Ягоды для украшения

Яблоки натереть на крупной терке и смешать с овсяными хлопьями. Добавить корицу и сахарозаменитель, перемешать. Выложить получившуюся массу в форму для запекания, выстланную пекарской бумагой. Выпекать в духовке полчаса при температуре 175 °С. Украсить медом и ягодами.

Из овсяной крупы можно приготовить полезный овсяный напиток.

Овсяные хлопья «Геркулес» – ½ стакана
Кефир – 1 л
Мед – 1 ст. л.
Лимонный сок – 1 ст. л.
Цветочная пыльца – 1 ст. л.

Ингредиенты сложить в блендер и взбить. Такой напиток повышает иммунитет, так как цветочная пыльца, входящая в состав напитка, обладает иммуномодулирующими свойствами. Также цветочная пыльца содержит фитоэстрогены, которые нормализуют гормональный фон. А еще цветочная пыльца содержит ферменты, которые улучшают микрофлору кишечника.

РИС

Состав	Количество	РСП
Вода	14,0 г	
Жиры	2,6 г	4%
Белки	7,5 г	13%
Углеводы	62,3 г	21%
Пищевые волокна	9,7 г	49%
Витамин B_1	0,34 мг	23%
Витамин B_5	0,6 мг	12%
Витамин B_6	0,54 мг	27%
Витамин H	12 мкг	24%
Витамин PP	5,3 мг	27%
Холин (B_4)	85 мг	17%
Калий	314 мг	13%
Кремний	1240 мг	4133%
Магний	116 мг	29%
Фосфор	328 мг	41%
Железо	2,1 мг	12%
Кобальт	6,9 мкг	69%
Марганец	3,63 мг	182%
Медь	0,56 мг	56%
Молибден	26,7 мкг	38%
Селен	20 мкг	36%
Цинк	1,8 мг	15%
Незаменимые аминокислоты		
Валин	0,40 г	21%
Гистидин	0,19 г	17%
Изолейцин	0,28 г	19%
Лейцин	0,69 г	21%
Метионин + цистеин	0,29 г	19%
Треонин	0,26 г	16%
Триптофан	0,09 г	22%
Фенилаланин + тирозин	0,70 г	25%
Энергетическая ценность – 303 ккал		

Для разных видов риса вышеупомянутые показатели могут значительно меняться. При необходимости уточняйте в справочниках или в Интернете.

Родиной риса является Индия, так как именно там произрастает больше всего диких форм этого растения. Там же найдены древние оросительные каналы и остатки риса в глиняных черепках, датируемых VII тысячелетием до н.э. Доказано, что в Китае рис выращивался в V тысячелетии до н.э.

Эта злаковая культура является постоянным продуктом в рационе россиян. Кстати, слово «рис» появилось в России только в конце XIX века. До этого рис называли сарацинским зерном.

Рис различается по длине зерна.

Длиннозерный рис имеет длинное и тонкое зерно размером 6–8 мм в длину. Все сорта такого риса твердые, содержат мало клейких веществ, при варке поглощают незначительное количество жидкости, не слипаются и не развариваются. Самыми известными являются сорта «Басмати» и «Жасмин». Используются для приготовления плова и гарниров.

Круглозерный рис почти непрозрачен, зерна его овальной формы, размер 4–6 мм в зависимости от сорта. При варке такой рис впитывает значительное количество жидкости и слипается. Из него готовят каши, тефтели, голубцы, запеканки, суши.

В магазинах продают разные виды риса — шлифованный, обдирный, пропаренный, тибетский и другие. По цене они сильно различаются. И порой хозяйки теряются из-за такого многообразия. Ниже мы приведем некоторые особенности каждого из них с надеждой, что нашим читателям это поможет сориентироваться по соотношению «цена – качество».

Рис обдирный — самый дешевый. При изготовлении обдирного риса снимается его верхний слой — кожура. А ведь именно в ней находится большая часть полезных веществ. Такой рис теряет 40% клетчатки и витаминов, особенно группы В.

Шлифованный (белый рис). Примерно в два раза дороже обдирного. Это самый популярный в нашей стране рис — полупрозрачный, белый, гладкий. Но оболочку зерна у такой крупы удаляют при производстве, а затем его еще и шлифуют. Такой рис идеально подходит для питания при повышенной кислотности желудка, диарее, язве и гастрите, так как он обволакивает желудок и защищает его. В нем много белка, который легко усваивается. И человек быстро насыщается энергией. Но из-за обработки такой рис теряет большее количество витаминов и клетчатки.

Пропаренный рис (желтый рис). Ненамного дороже обдирного. Цвет этого риса меняется в результате обработки при производстве паром. Его зерна приоб-

Рис не имеет противопоказаний.

ретают янтарно-желтый оттенок. При такой обработке 80% полезных веществ из оболочки переходят внутрь зерна. В нем есть селен, марганец, фосфор, железо, кальций, калий, цинк, йод. Блюда из такого риса зарядят энергией, поддержат иммунитет, улучшат состояние волос и кожи, а также укрепят кости.

Дикий тибетский (он же – черный) рис. Примерно в 10 раз дороже. Черный рис родом из Китая и Таиланда. Его белая сердцевина покрыта тонкой черной шелухой. При производстве его не шлифуют и не подвергают температурной обработке. Поэтому он способен прорастать. А это главная гарантия качества. В таком рисе повышенное содержание витаминов Е и витаминов группы В, фолиевой кислоты, магния, фосфора, кальция, меди, цинка, железа, а также антиоксидантов. Присутствует оризанол – вещество, облегчающее состояние в период менопаузы у женщин, а также улучшающее работу мозга.

Конечно, с точки зрения пользы лучше всего покупать дикий тибетский рис. Но его цена слишком высокая. Да и найти его в продаже не так легко. Поэтому по соотношению «цена – качество» лучшим является пропаренный рис.

Чтобы максимально сохранить полезные свойства риса, его лучше не варить в воде, а готовить в пароварке. Тогда полезные вещества не вымываются из зерен риса.

МИФЫ

• **Рис полезнее всего есть с рыбой.**

Рис прекрасно сочетается и с мясом, и с птицей, и с овощами. Польза риса не зависит от того, с чем его едят. Так же как и рис не может повлиять на пользу блюда.

• **Рис защищает печень от ожирения.**

Рис содержит много крахмала. Особенно если он шлифованный. А продукты с таким высоким содержанием крахмала не защищают печень от ожирения.

• **Рис усиливает отеки.**

Рис содержит калий, который, напротив, помогает выводить лишнюю жидкость из организма.

• **Пропаренный рис предотвращает запоры.**

Скорее рис может стать причиной запора, потому что содержит мало клетчатки, не стимулирует рост кишечной микрофлоры, а именно она влияет на количество и качество каловых масс.

• **Рисовый крахмал полезнее картофельного.**

Рисовый крахмал идентичен картофельному.

ПРАВДА

• Рис может стать причиной лишнего веса.

В рисе содержится много крахмала (61,4 г на 100 г). При частом употреблении риса именно он является виновником лишних килограммов.

• Рис полезен при диарее.

Дело в том, что рис обладает закрепляющим действием. Поэтому при диарее часто советуют пить рисовый отвар и есть рис, сваренный на воде.

• Рис укрепляет сердце.

Рис содержит магний, который укрепляет сердечную мышцу. Кроме того, в рисовом зерне содержится много кремния, который оказывает сосудорасширяющее действие, способствует снижению артериального давления.

• Рис укрепляет память.

Рис содержит витамины группы В, которые укрепляют нервную систему.

• Пропаренный рис полезен для профилактики онкологических заболеваний.

В 100 г сырого риса содержится от 20 до 47% от суточной нормы селена. Этот микроэлемент является основным компонентом мощного антиоксиданта глутатиона, который защищает организм от рака, а также от вредных веществ, образующихся при распаде токсинов.

• Пропаренный рис снижает риск развития рассеянного склероза.

Одной из причин развития рассеянного склероза ученые считают разрушение миелиновой оболочки нейронов мозга. А в рисе содержится незаменимая аминокислота валин (0,47 г на 100 г – 25% от суточной нормы), которая защищает миелиновую оболочку от разрушения.

Что чаще всего мы готовим из риса? Кашу, плов или просто вареный рассыпчатый рис на гарнир. Мы предлагаем вашему вниманию три рецепта вкусных и полезных блюд из риса, которые, возможно, вам еще не знакомы.

Вместо всем известного плова с мясом попробуйте приготовить сладкий плов в казане.

Круглозерный рис – 1½ ст.
Морковь – 2 шт.
Курага – 150 г
Изюм – 100 г
Подсолнечное масло – 3 ст. л.
Соль
Зира

Изюм, курагу и рис промыть и замочить по отдельности на 1 час. Морковь нарезать соломкой, обжарить в казане на подсолнечном масле до полуготовности. Курагу и изюм отбросить на дуршлаг. Курагу нарезать кусочками и добавить к моркови. Сверху положить слой изюма. Чуть-чуть посолить, приправить зирой. Рис отбросить на сито, выложить в казан на сухофрукты и залить кипящей водой так, чтобы она покрыла рис на 2 см. Поставить казан на средний огонь. Когда вся вода уйдет с поверхности, плотно накрыть плов большой тарелкой, закрыть казан крышкой, уменьшить огонь до минимального и готовить, не перемешивая, 40 мин.

Ризотто с овощами. Этот рецепт пришел к нам из солнечной Италии. Постное ризотто с овощами будет особенно к месту в дни постов. Это полезное, сытное и очень вкусное блюдо, которое понравится и взрослым, и детям.

Пропаренный рис – 400 г
Грибной бульон – 1½ л
Лук – 1 шт.
Сельдерей – 1 стебель
Болгарский перец – 1 шт.
Помидор – 1 шт.
Петрушка – 20 г
Укроп – 20 г
Чеснок – 4 зубчика
Оливковое масло – 2 ст. л.
Соль
Черный молотый перец

Лук, сельдерей, болгарский перец, помидор, зелень, чеснок обжарить в глубокой сковороде на оливковом масле. Добавить рис. Обжаривать 2–3 минуты, добавить соль и перец. А затем начать постепенно вливать грибной бульон – рис будет его впитывать. Перемешивая, готовить ризотто, постоянно подливая грибной бульон.

Из риса можно приготовить вкусный десерт – рисовый пудинг с маком и ягодным муссом.

Рис – 150 г
Молоко – 1 л
Яйца – 3 шт.
Мак – 30 г
Лимон – 1 шт.
Клубника – 100 г
Банан – 1 шт.
Сливочное масло
Сукралоза
Соль

Молоко довести до кипения, добавить мак, сукралозу и тертую цедру лимона, взбить смесь венчиком, засыпать рис и варить 5 минут, постоянно помешивая.

Духовку разогреть до 80 °С и поставить томиться кастрюлю с рисом на 1 час. Затем вынуть из духовки и оставить остужаться до теплого состояния. Добавить в рис сок лимона.

Отделить белки от желтков. Желтки смешать с рисом. Белки взбить венчиком до крутой пены и тоже аккуратно смешать с рисом.

Смазать силиконовые формочки сливочным маслом и выложить в них получившийся пудинг. Выпекать в духовке на среднем огне 10 минут.

В это время нужно приготовить мусс – просто взбить клубнику с бананом в блендере. Вынуть готовый пудинг из формочек, полить муссом – и блюдо готово!

ЯЙЦА

Состав	Количество	РСП
Вода	74,0 г	
Жиры	11,5 г	17%
Белки	12,7 г	21%
Углеводы	0,7 г	0%
Холестерин	570 мг	190%
Витамин А	255 мкг	28%
Витамин B_2	0,44 мг	24%
Витамин B_5	1,3 мг	26%
Витамин B_{12}	0,52 мкг	17%
Витамин D	88 МЕ	22%
Витамин Н	20,2 мкг	40%
Витамин РР	3,6 мг	18%
Холин (B_4)	251 мг	50%
Натрий	134 мг	10%
Фосфор	192 мг	24%
Железо	2,5 мг	14%
Йод	20 мкг	13%
Кобальт	10 мкг	100%
Незаменимые аминокислоты		
Валин	0,77 г	41%
Гистидин	0,34 г	31%
Изолейцин	0,60 г	40%
Лейцин	1,08 г	33%
Лизин	0,90 г	29%
Метионин + цистеин	0,72 г	48%
Треонин	0,61 г	38%
Триптофан	0,20 г	50%
Фенилаланин + тирозин	1,13 г	40%
Энергетическая ценность – 157 ккал		

Яйца – это один из наиболее ценных пищевых продуктов питания. По количеству лецитина они занимают первое место и превосходят даже такие высокопитательные продукты, как икра, коровье масло и молоко.

Медики считают, что в среднем в год человек должен потреблять около 292 яиц. Куриные яйца обладают высокой биологической ценностью и усваиваются организмом почти полностью. Например, усвояемость белка достигает 98%.

Яйца обладают еще одним уникальным среди продуктов животного происхождения качеством – они изначально появляются в собственной «упаковке» – скорлупе. Последняя благодаря своим особенностям обеспечивает достаточно длительное хранение этого замечательного продукта питания.

Цвет яичной скорлупы в норме варьирует от снежно-белого до коричневого. Это определяется генетически так же, как и окраска самих кур. В Южной Америке есть порода кур под названием «араукана», которые несут зеленоватые и голубые яйца. Эти куры заражены ретровирусом, который встраивает в ДНК хозяина ген, приводящий к повышенному содержанию в скорлупе желчного пигмента биливердина, что также никак не влияет на качество самих яиц.

Превращенную в порошок яичную скорлупу можно использовать в качестве полезной пищевой добавки. Чтобы ее приготовить, надо вылить содержимое, скорлупу хорошо вымыть и освободить от пленок, высушить и смолоть в кофемолке.

Яичная скорлупа полезна при остеопорозе, потому что на 90% состоит из карбоната кальция, который необходим для укрепления костей.

Яичную скорлупу нужно употреблять с лимонным соком, для чего непосредственно перед употреблением в порошок из яичной скорлупы нужно добавить лимонный сок. Это приведет к химической реакции, при которой кальций переходит в легкодоступную для организма форму.

МИФЫ

- **Яйца с белой скорлупой полезнее, чем с коричневой.**

На самом деле никаких различий в пользе между яйцами в белой или коричневой скорлупе нет. Просто светлые яйца несут куры европейских пород, а темные — куры азиатских пород.

- **Сырые яйца улучшают голос.**

Многие слышали о том, что знаменитый русский певец Федор Шаляпин поддерживал свой голос с помощью сырых яиц. Он делал гоголь-моголь и выпивал его перед концертом. После этого очень многие стали пить сырые яйца, чтобы улучшить голос. Но на самом деле это миф. С точки зрения медицины на голос сырые яйца никак не влияют.

- **Яйца противопоказаны людям с повышенным уровнем холестерина.**

Раньше считалось, что яйца нельзя есть людям с повышенным холестерином. Но исследования последних десятилетий опровергли это утверждение. Исследование, опубликованное в The European Journal of Nutrition, разрушило миф о вреде яиц. Команда исследователей из University of Surrey под руководством д-ра Брюса Гриффина давала здоровым, но тучным волонтерам, сидящим на низкокалорийной диете, по 2 яйца ежедневно в течение 3 месяцев. В контрольной группе диета была такая же, но употребление яиц было ограничено 3–4 штуками в неделю. В обеих группах волонтеры похудели одинаково, и также у них одинаково уменьшался уровень холестерина, что позволило ученым сделать вывод, что холестерин в яйцах не ответстве-

Употребление яиц противопоказано при холецистите и заболеваниях печени в период обострения, поскольку яйца обладают желчегонным действием. С осторожностью нужно употреблять яйца при склонности к аллергическим реакциям.

нен за повышение холестерина в крови.

На самом деле холестерин, содержащийся в яйцах, – это полезный холестерин: липопротеиды высокой плотности. Он, напротив, снижает уровень вредного холестерина – липопротеидов низкой плотности – в крови.

• **Если в яйце есть капелька крови — оно испорчено.**

Некоторые полагают, что яйцо нельзя есть, если там есть капля крови. Это миф. Капелька крови возникает при формировании яйца, она не приносит вреда, это не говорит, что яйцо испорчено. Такое яйцо можно спокойно употреблять в пищу.

• **В свежем яйце желток должен «булькать».**

Если желток в яйце «булькает» и перекатывается – яйцо долго лежало, а значит, могло испортиться. Если же звуков никаких нет, значит, яйцо свежее.

ПРАВДА

• **Яйца помогают похудеть.**

Яйца содержат много легкоусвояемого белка, а белок ускоряет метаболизм.

• **Чем ярче желток яйца, тем больше в нем полезных веществ.**

Чем ярче желток, тем больше в нем рибофлавина – витамина B_2.

• **Яйца защищают от жирового гепатоза печени.**

В яйцах содержится холин, он является гепатопротектором и липотропным средством. В комплексе с лецитином способствует транспорту и обмену жиров в печени.

• **Яйца полезны для работы мозга.**

В яичном желтке содержится ценный лецитин, недостаток его может вызвать слабоумие, болезнь Паркинсона, рассеянный склероз и прочие нервные заболевания.

• **Яйца улучшают состояние ногтей.**

В среднем яйце содержится около половины суточной нормы биотина – витамина Н. Этот витамин укрепляет ногти и улучшает их состояние.

• **Яйца эффективны для профилактики запоров.**

Яйца обладают желчегонным действием за счет фосфолипидов. Поэтому они улучшают работу кишечника и защищают от запоров.

• **Яйца защищают от кариеса и остеопороза.**

Риск кариеса и остеопороза повышается, если в организме есть дефицит кальция. В яйцах кальция нет, зато есть витамин D – в трех яйцах суточная норма. А ведь именно с его помощью в организме усваивается кальций. Поэтому если уровень витамина D у вас в порядке, то риск развития кариеса и остеопороза у вас снижен.

Яйцо можно пить сырым, можно сварить всмятку, вкрутую, сделать омлет или яичницу. Но есть и другой способ приготовления яиц. Он рекомендуется людям с проблемами желудочно-кишечного тракта, потому что в таком виде желток и белок из яйца усваиваются легче и быстрее.

В низкую кастрюлю или сковороду-сотейник налить 1–1,5 л воды. Посолить и влить уксус. Воду довести до кипения. Скорлупу яйца расколоть и аккуратно выпустить его в маленькую мисочку или большую деревянную или сервировочную ложку. Огонь под кастрюлей убавить до минимального. Мисочку или ложку поднести как можно ближе к воде и, плавно наклонив, дать яйцу соскользнуть в воду. Сразу же проконтролировать, не прилипло ли яйцо ко дну. Для этого осторожно подтолкнуть его ложкой – если яйцо поплывет, значит, все нормально, если оно все же приварилось, аккуратно отделите его от дна. Варить яйцо надо на самом тихом огне от 1 до 4 минут, в зависимости от желаемой густоты желтка. Подавать яйцо-пашот следует сразу, пока оно не заветрилось.

Из яиц можно приготовить азербайджанское национальное блюдо, которое не только будет отличным завтраком, но и защитит ваши сосуды от вредного холестерина! Это – омлет кюкю! Лучше всего его готовить весной, когда на прилавках появляется первая молодая весенняя зелень. Она и послужит начинкой для этого омлета. Зелень – это отличный источник клетчатки, которая помогает выводить вредный холестерин из организма. Кроме того, за счет присутствия в нем зелени, а стало быть, клетчатки, он создает длительное ощущение сытости.

Яйца – 4 шт.
Кинза – 1 пучок
Мята – 1 пучок
Шпинат – 1 пучок
Укроп – 1 пучок
Зеленый лук – 1 пучок
Топленое масло – 1 ч. л.
Грецкие орехи дробленые – 2 ст. л.
Соль

Готовить такое блюдо очень просто. Нарезать всю зелень, смешать с яйцами, посолить и выложить получившуюся смесь на сковороду с разогретым топленым маслом. Добавлять в такой омлет молоко не надо, так как из-за большого количества зелени молоко может свернуться.

Омлет нужно жарить 2–3 минуты на слабом огне и затем перевернуть, чтобы запекся верхний слой. Но лопаткой его будет трудно перевернуть так, чтобы омлет не развалился.

Существует маленькая хитрость! Накройте омлет крышкой меньшего размера, чем сковорода. Придерживая крышку, переверните сковороду – омлет останется на крышке. Затем просто дайте омлету соскользнуть с крышки обратно на сковороду.

Готовый омлет выложить на блюдо, разделить на порционные куски и посыпать дроблеными грецкими орехами.

А еще можно приготовить омлет с... одуванчиками! Не упустите время первых нежных листочков одуванчиков и обязательно попробуйте это блюдо.

Листья одуванчиков – 1 пучок
2–3 см в толщину
Яйца – 3 шт.
Зеленый лук – 3 пера
Натертый твердый сыр – 3 ст. л.
Молоко – 300 мл
Подсолнечное масло – 1 ст. л.
Соль
Черный молотый перец

Первым делом нужно избавить листья одуванчика от горечи. Делается это очень просто. Нужно просто подержать их в холодной подсоленной воде 30 минут, а затем крупно нарезать. Измельчить зеленый лук и вместе с одуванчиками потушить 1–2 минуты на сковороде на медленном огне.

Взбить яйца с молоком, добавить в эту смесь тертый сыр. Посолить, поперчить. Вылить яичную смесь к тушеной зелени. Накрыть крышкой и оставить на медленном огне на 10 минут. Такой омлет с одуванчиками очень полезно есть на завтрак.

КУРИЦА[1]

Состав	Количество	РСП
Вода	62,6 г	
Жиры	18,4 г	27%
Белки	18,2 г	30%
Углеводы	0,0 г	0%
Холестерин	80 мг	27%
Витамин B_5	0,76 мг	15%
Витамин B_6	0,52 мг	26%
Витамин B_{12}	0,55 мкг	18%
Витамин H	10 мкг	20%
Витамин PP	12,5 мг	63%
Холин (B_4)	76 мг	15%
Фосфор	165 мг	21%
Кобальт	12 мкг	120%
Хром	9 мкг	18%
Цинк	2,06 мг	17%
Незаменимые аминокислоты		
Валин	0,88 г	46%
Гистидин	0,49 г	45%
Изолейцин	0,69 г	46%
Лейцин	1,41 г	43%
Лизин	1,59 г	51%
Метионин + цистеин	0,70 г	47%
Треонин	0,89 г	56%
Триптофан	0,29 г	72%
Фенилаланин + тирозин	1,39 г	50%
Энергетическая ценность – 238 ккал		

[1] Состав указан для курицы 1-й категории.

Куры являются самой распространенной домашней птицей в мире: их популяция исчисляется десятками миллиардов особей. Как продукт питания она очень высоко ценится всеми – от обыкновенных граждан до диетологов, поваров и гурманов. Курица доступна по цене, а блюд, которые можно приготовить из одной тушки, просто не перечесть.

На сегодняшний день для многих землян курица как источник

легкоусвояемого животного белка стала несомненным лидером. И россияне – не исключение.

На наших прилавках достаточно большой ассортимент кур от разных производителей. Чтобы приобрести качественный продукт, надо помнить некоторые его отличительные признаки.

Охлажденная курица будет более нежной, чем замороженная. Не покупайте замороженную курицу, в упаковке с которой есть розовый лед. Это говорит о ненадлежащем хранении продукта и его повторной заморозке.

«Синюшность» курицы также говорит о ее неправильном хранении. Нажмите пальцем на мясо курицы. Если ямка исчезнет в течение 30 секунд – курица свежая. Желтизна на куриной коже говорит о порче продукта.

МИФЫ

• **Курица гриль полезнее жареной курицы.**

В курице гриль больше канцерогенов, чем в жареной, потому что она подвергается прямому обугливанию.

• **Куриное мясо снижает риск атеросклероза.**

Существует такой миф. В курице содержится витамин PP – 12,5 мг – 62,5% от суточной нормы. Он расщепляет в организме холестерин, тем самым снижая риск развития атеросклероза. Но также в каждых 100 г курицы содержится 80 мг холестерина. Поэтому курица не является средством профилактики атеросклероза.

ПРАВДА

• **Куриное мясо укрепляет мышцы.**

В курином мясе содержится аминокислота аргинин. Она улучшает выработку гормона роста, который укрепляет мышцы.

• **Куриное мясо полезно для профилактики анемии.**

Хотя железа в курице мало – всего 9% РСП, зато куриное мясо содержит 18% РСП витамина B_{12}, необходимого для нормального кроветворения.

• **Куриное мясо защищает от сахарного диабета.**

В курином мясе содержится 18% РСП хрома. Он регулирует уровень сахара в крови.

• **Курица с соусом карри усваивается лучше, чем без него.**

Соус карри улучшает пищеварение, способствует усиленному отделению желудочного сока. Что, конечно же, благоприятно сказывается на процессе пищеварения и усвоения пищи.

• **Разгрузочные дни на курином мясе эффективны.**

Разгрузочные дни можно проводить на курином мясе. В день можно съедать 1 кг вареной ку-

Курица содержит пурины, поэтому ее нельзя употреблять при подагре.

риной грудки. Из-за большого количества белка ускоряется обмен веществ. А также повышается выработка ферментов, которые разрушают жиры.

• **Куриная грудка полезнее, чем куриные ножки**.

Во-первых, у них разная калорийность – грудка – 114 ккал, ножки – 187 ккал. К тому же в куриной грудке всего 2,5 г жира, а в ножке – 12! То есть куриные ножки повышают риск лишнего веса и атеросклероза. Поэтому лучше есть куриные грудки.

• **Кожа – самая вредная часть курицы.**

Кожа – самая жирная часть курицы. Например, в 100 г куриной грудки с кожей – 172 ккал, а без кожицы – всего 114. Поэтому полезнее есть курицу без кожи.

• **От куриного мяса можно заразиться сальмонеллезом.**

Есть мнение, что заразиться сальмонеллезом можно не только от яиц, но и от курицы, и это действительно так. В курином мясе может содержаться сальмонелла. И если тепловая обработка будет недостаточной, то риск заражения повысится. Поэтому всегда следите, чтобы куриное мясо было полностью приготовлено.

Пищевые свойства и пищевая ценность различных частей курицы несколько различаются. Самой диетической частью курицы по праву считается грудка – в ней всего 114 ккал. Поэтому лучше употреблять именно ее. Например, приготовить курицу без соли!

Куриные грудки – 4 шт.
Брусника – ½ ст. л
Апельсин – 2 шт.
Тимьян
Паприка
Имбирь сушеный
Черный перец

Грудки отбить, натереть имбирем и паприкой и оставить на 5–10 минут. Затем сложить грудки в миску и полить соком одного апельсина. Оставить грудки мариноваться 30 минут. Второй апельсин нарезать кружками.

Затем на каждую грудку положить 1 ст. л. брусники, посыпать тимьяном и свернуть в рулетики. Выложить на дно формы для запекания нарезанные апельсины. Сверху положить рулетики из курицы и залить их апельсиновым соком, в котором они мариновались. Запекать 20–30 минут при температуре 160–180 °С.

Приготовленные таким образом куриные грудки будут вкусными и без соли, а это важно для людей, страдающих от отеков и повышенного давления.

Если вы любите курицу гриль, не покупайте ее в специализированных палатках. Чаще всего там продают курицу, у которой вышел срок годности. Кроме того, курица, приготовленная на гриле, содержит большое количество опасных канцерогенов. Лучше приготовьте дома курицу на соли. Она очень похожа на курицу гриль и по виду, и по вкусу. Зато она гораздо полезнее — в ней будет намного меньше канцерогенов.

Курица — 1,5 кг
Каменная соль — 1 кг

Соль насыпать в форму для запекания слоем 1,5 см и положить на нее курицу. Запекать ее примерно 1,5 часа при температуре 180 °С. И все!

РЫБА И МОРЕПРОДУКТЫ

По данным Росстата за 2013 год, жители нашей страны употребили 444 тысячи тонн рыбы.

Раньше вся морская рыба, попадавшая на наши прилавки, вылавливалась в естественных условиях. В последние десятилетия усиленно развивается индустрия рыборазведения на фермах и в садках.

Есть принципиальные отличия между рыбой, которую разводили на ферме, и рыбой, выросшей в свободном выгуле. Зачастую рыба, выращенная на фермах, перенасыщена жиром и сильнее загрязнена паразитами, чем выловленная в естественных условиях. Кроме того, на фермах широко практикуются всевозможные добавки в корма, в том числе ростовые гормоны и антибиотики.

Бытует еще одно заблуждение — что красная рыба самая полезная. На самом деле это не совсем так.

Сравнение красной и белой рыбы по некоторым показателям

Фактор	Белая	Красная
Белки — необходимы для роста мышечной массы, для обменных процессов организма.	16,0 г	20,0 г
Жиры — какая рыба менее калорийная.	0,6 г	8,1 г
Кальций — укрепляет кости, необходим для нервной системы, участвует в активности надпочечников, гипофиза, половых желез, щитовидной и поджелудочной желез.	2,5% от суточной нормы	1,5% от суточной нормы
Фосфор — укрепляет кости и зубную эмаль, помогает работе почек, необходим для нормальной работы нервной системы.	26,3% от суточной нормы	26,3% от суточной нормы
Омега-3 — нормализует уровень холестерина, укрепляет сосуды, улучшает состояние суставов, защищает нервные клетки, является профилактикой раковых заболеваний.	0,2 г	1,3 г
Витамин B_{12} — защищает от анемии. Увеличивает энергию. Поддерживает нервную систему в здоровом состоянии. Снижает раздражительность. Улучшает концентрацию, память и работоспособность.	53,3% от суточной нормы	0% от суточной нормы

Белая рыба для повседневного питания подходит больше не только потому, что полезней красной, но и потому, что значительно дешевле.

МИФЫ

- **Свежая рыба всегда полезнее, чем замороженная.**

Это не всегда так. Конечно, некоторая часть витаминов разрушается при заморозке, однако свежая рыба быстро портится, что не улучшает ее качества. Так что часто целесообразно и более разумно купить замороженную рыбу, которая, вероятней всего, просто была заморожена с самого начала и не подвергалась дополнительным процедурам. Польза от рыбы в замороженном виде в таком случае будет точно не меньше, чем от рыбы, хранившейся в ненадлежащих условиях, или рыбы, «выдаваемой» за свежую.

- **Хищные виды рыб всегда содержат минимальное количество токсических веществ.**

В хищной рыбе сконцентрировано гораздо больше отравляющих элементов, поскольку на ней заканчивается пищевая цепочка. Многие хищные рыбы могут накапливать в себе запредельное количество ртути. И чем она старше, тем больше ртути накопит. Поэтому не стоит покупать очень крупную хищную рыбу типа тунца, сайды, наваги, хека, нельмы, белуги, горбуши, чавычи. Особенно вредны они для беременных – ртуть может вызвать пороки развития плода.

- **В рыбе нет холестерина.**

О том, что в мясе есть холестерин, знают многие. Считается, что в рыбе холестерина нет вообще. Но это миф. И морская, и речная рыба содержит холестерин. Конечно, его там очень мало. И вреда здоровью он не наносит. Но все-таки он есть.

- **Речная рыба снижает уровень холестерина.**

Многие считают, что речная рыба, как и морская, снижает уровень холестерина. Но это миф. В морской рыбе есть полиненасыщенные жирные кислоты, которые выводят излишек холестерина из организма. А в речной рыбе их нет.

- **Красная рыба в вакуумной упаковке всегда безопасна для здоровья.**

Вакуумная упаковка не гарантирует свежесть и высокое качество продукта (особенно если рыба приготовлена не по ГОСТу, а по ТУ). Красная рыба в такой упаковке может содержать, кроме рыбы и соли (как и должно быть), различные вредные вещества. Такие, как красители, стабилизаторы, фосфаты, очень вредные для здоровья.

- **В морской рыбе не бывает паразитов.**

Многие уверены, что паразиты водятся только в речной рыбе, а в морской их нет, так как вода в океане соленая. Но это не так. Паразиты могут быть и в морской рыбе. Например, анизакиды. Они могут поражать почти все виды морских рыб. И если человек ими заразится, то у него может возникнуть язва кишечника!

• **Рыба горячего копчения полезнее рыбы холодного копчения.**

При копчении образуются канцерогенные вещества. Самое высокое содержание таких веществ – в рыбе горячего копчения. При высоких температурах канцерогены быстрее оседают на коже рыбы и активнее проникают внутрь. При этом наиболее опасна рыба горячего копчения (особенно тонкокожая – сельдь, салака, скумбрия, мойва и т.п.), приготовленная на костре. Рыба горячего копчения, приготовленная в промышленных условиях, будет менее вредна. Наименее опасна толстокожая рыба (лещ, сом, сазан, форель и т.п.) холодного копчения. В ней канцерогены практически не содержатся.

• **Лучше покупать крупную рыбу.**

Многие люди покупают рыбу покрупнее. Во-первых, в ней меньше костей. Во-вторых, на столе она выглядит лучше. Но на самом деле чем крупнее рыба, тем она старше. А чем старше морская рыба, тем больше в ней могло накопиться солей тяжелых металлов, которых так много в современном океане. То же касается и речной рыбы. Ведь во многих реках содержатся различные токсические отходы. Поэтому лучше покупать рыбу помельче.

• **Сушеная рыба полезна для здоровья.**

Не стоит забывать, что в сушеной рыбе содержится огромное количество соли, которая может привести к заболеваниям сердечно-сосудистой системы и суставов. Также сушеную рыбу с осторожностью нужно принимать людям с заболеваниями почек. Не стоит сушеную рыбу покупать с рук. При неправильной технологии соления и сушки может быть риск заражения паразитами. Вывод: сушеную рыбу можно иногда себе позволить, но полезной для здоровья ее вряд ли можно назвать.

ПРАВДА

• **Частое употребление рыбы снижает риск сердечно-сосудистых заболеваний.**

При регулярном употреблении польза от рыбы действительно ощутима. Полиненасыщенные жирные кислоты Омега-3, которые в необходимых количествах содержатся в жирной рыбе холодных северных вод, способствуют предотвращению сердечно-сосудистых заболеваний, уменьшают риск образования тромбов в сосудах и способствуют улучшению кровотока в капиллярах, что снижает риск смерти от сердечных заболеваний. Но необходимо помнить, что в красной рыбе, выращенной в садках, Омега-3 практически не содержится!

• **Съеденная рыба быстрее переваривается в нашем организме, чем мясо или птица.**

Свежая хорошо приготовленная рыба быстро переваривается и не будет задерживаться в организме. Это связано со строением мышечных волокон. Чтобы начать переваривать мышечные белки, организму нужно сначала переварить оболочку мышечного волокна, которая у мяса (например, свинины или говядины) и птицы имеет очень прочную, толстую и трудноперевариваемую оболочку по сравнению с мышечными волокнами рыбы. Этим определяется ее популярность в качестве диетического продукта.

• **При употреблении рыбы всегда есть риск заражения паразитами.**

Употребление сырой, недостаточно прожаренной или слабопросоленной рыбы грозит вероятностью заражения глистами. Не доваривая или недостаточно проморaживая, недостаточно просаливая рыбу, человек становится носителем (окончательным хозяином) гельминтов. Поэтому обязательно подвергайте рыбу термической обработке!

• **Морская рыба полезна для щитовидной железы.**

Существует распространенное мнение, что нужно есть морскую рыбу, чтобы улучшить работу щитовидной железы, и это действительно так. Ведь в морской рыбе содержится много йода, который необходим для производства гормонов щитовидной железы. Много йода содержится в минтае – 100% РСП, окуне – 40% РСП, камбале, тунце, горбуше – около 30% РСП. Поэтому ешьте их, чтобы улучшить работу щитовидной железы.

• **Рыбий жир улучшает здоровье глаз.**

Считается, что рыбий жир улучшает зрение, и это правда. В нем содержатся полиненасыщенные жирные кислоты и витамин А. Эти вещества улучшают зрение и защищают от куриной слепоты.

Желательно, чтобы рыба стала неотъемлемой частью рациона каждого человека, у которого нет на нее аллергии. Лучше всего, если есть возможность приобретать свежую или живую рыбу. Но все-таки для большинства наших граждан самой доступной остается рыба мороженая.

Согласитесь, когда рыба заморожена, сложно определить, свежая она или тухлая. Недобросовестные продавцы нередко этим пользуются и подсовывают нам что ни попадя. Поэтому научитесь правильно выбирать мороженую рыбу. Эти правила просты и помогут оградить вас от приобретения некачественного продукта.

Не покупайте рыбу без головы! Рыба тухнет с головы. Поэтому, как только вы увидели обезглавленную рыбу, насторожитесь. Скорее всего, на заморозку отправилась рыбка не первой свежести.

Осмотрите жабры и глаза – главные показатели качества мороженой рыбы. У мороженой рыбы хорошего качества – светлые выпуклые глаза. Плавники и жаберные крышки должны быть плотно прижаты к телу рыбы. Впалые глаза и оттопыренные жабры говорят об одном – рыба потеряла свежесть задолго до заморозки.

Оцените форму рыбы. Внимательно рассмотрите рыбу со всех сторон. Если она ободранная, покореженная или потерявшая форму, значит, ее неоднократно размораживали и замораживали вновь. Выбирайте хорошо промороженную рыбу, сохранившую форму и не имеющую повреждений.

Оцените цвет. Если рыба правильно заморожена – цвет будет однородным, серебристым, блестящим. Не берите рыбу с белыми пятнами или участками, поменявшими цвет, что может указывать на обморожение или порчу. Если же на брюшке рыбы вы видите желтоватый оттенок – значит, она начинает портиться. К отравлению это не приведет, но рыба будет горчить.

Обратите внимание на вес рыбы. Качественная рыба должна быть весомой. Если замороженная рыба неестественно легкая и поблекшая, значит, в морозилке она провела много времени и усохла. Мясо такой рыбы легко ломается по краям брюшного разреза. У такой рыбы будет пресный вкус.

Еще рыбу часто покупают в засоленном виде. Однако такая рыба может быть напичкана красителями, ароматизаторами и консервантами. Но на самом деле солить рыбу так легко, что многие из вас, узнав, как это делается, наверняка перестанут покупать соленую рыбу в магазинах. Ведь и вкус, и запах, и, главное, цена покупной рыбы будут сильно отличаться в худшую сторону от домашней!

Красная рыба – тушка от 3 кг
Крупная морская соль
Сахар
Укроп

Подойдет любая красная рыба: лосось, семга, кижуч, нерка, горбуша, кета. Главное ведь, не какая это рыба, а какой она свежести. Солить нужно только свежую рыбу. Как это проверить? Во-первых, рыба должна пахнуть... рыбой! Морем, свежестью соленого прибоя, никаких посторонних запахов быть не должно. Во-вторых, при нажатии рыба должна пружинить, след от надавливания пальцем должен быстро исчезать. В-третьих, жабры должны быть темного, насыщенного красного цвета. Только такую рыбу можно и нужно солить.

Можно солить рыбу целиком, но в домашних условиях лучше солить филе. На лист фольги насыпать морскую соль. Соль обязательно должна быть крупной! Тогда при засолке рыба впитает ровно столько соли, сколько нужно, и вы не пересолите рыбу.

На соль выложить филе рыбы. Присыпать ее солью сверху и посыпать щепоткой сахара. Сверху положить крупно нарезанный укроп. Завернуть рыбу в фольгу и убрать в холодильник минимум на сутки.

Соленая рыба укрепляет сосуды, снижает уровень глюкозы, улучшает работу нервной системы, снижает уровень холестерина и относительно малокалорийна – 153 ккал на 100 г.

СКУМБРИЯ

Состав	Количество	РСП
Вода	67,5 г	
Жиры: из них полиненасыщенные	13,2 г 2,99 г	20% 14%
Белки	18,0 г	30%
Углеводы	0,0 г	0%
Холестерин	70 мг	23%
Витамин B_2	0,36 мг	20%
Витамин B_5	0,85 мг	17%
Витамин B_6	0,8 мг	40%
Витамин B_{12}	12 мкг	400%
Витамин Е	1,6 мг	11%
Витамин РР	11,6 мг	58%
Калий	280 мг	11%
Магний	50 мг	13%
Фосфор	280 мг	35%
Йод	45 мкг	30%
Кобальт	20 мкг	200%
Медь	0,21 мг	21%
Фтор	1400 мкг	35%
Хром	55 мкг	110%
Незаменимые аминокислоты		
Валин	1,00 г	53%
Гистидин	0,80 г	73%
Изолейцин	1,10 г	73%
Лейцин	1,60 г	48%
Лизин	1,50 г	48%
Метионин + цистеин	0,80 г	53%
Треонин	0,80 г	50%
Триптофан	0,18 г	45%
Фенилаланин + тирозин	1,40 г	50%
Энергетическая ценность – 191 ккал		

Блюда из скумбрии есть во многих кухнях мира, ведь эта рыба водится практически везде: в Балтийском, Северном, Черном и Средиземном морях, в Атлантическом и Тихом океанах. Она встречается у берегов Северной Америки и у южного побережья Ирландии, а во время летней миграции скумбрия заходит в Белое и Баренцево моря.

В магазины нашей страны скумбрия чаще всего попадает в мороженом, соленом или копченом виде. И если скумбрия горячего или холодного копчения пользуется спросом, то в замороженном виде ее покупают немногие. А зря.

Скумбрия является источником Омега-3 полиненасыщенных жирных кислот. Эти кислоты известны своим свойством снижать уровень холестерина и укреплять стенки сосудов, а значит, скумбрия полезна и для профилактики, и во время лечения сердечно-сосудистых заболеваний. Ешьте скумбрию и защищайтесь от инфаркта и инсульта!

Скумбрия не имеет противопоказаний. А вот копченая скумбрия противопоказана при многих заболеваниях: болезнях ЖКТ, почек и мочевыделительной системы, печени и желчного пузыря.

МИФЫ

• Правда ли, что скумбрия, выловленная весной, будет полезней, чем пойманная осенью?

В весенний период жирность скумбрии меньше 4%. Поздней осенью и зимой ее жирность достигает 30%, такая рыба содержит большее количество ненасыщенных жирных кислот.

• От частого употребления фаршированной скумбрии можно поправиться.

В среднем калорийность фаршированной скумбрии менее 200 ккал на 100 г продукта.

ПРАВДА

• Скумбрия полезна при климаксе.

Фаршированная скумбрия богата магнием и фосфором, которые являются профилактикой остеопороза, часто проявляющегося во время климакса.

• Скумбрия полезна при сахарном диабете.

Полиненасыщенные жирные кислоты семейства Омега-3 способствуют снижению уровня холестерина и триглицеридов в крови, а у больных сахарным диабетом значительно нарушен жировой обмен. Поэтому, нормализуя жировой обмен, жир скумбрии благотворно влияет на течение сахарного диабета. Кроме того, скумбрия богата хромом – 110% РСП, который нормализует уровень сахара в крови.

• Скумбрия помогает уменьшить боль при артрите.

Омега-3, содержащиеся в фаршированной скумбрии, обладают противовоспалительным действием.

• Скумбрия полезна для профилактики заболеваний щитовидной железы.

Скумбрия содержит треть суточной нормы йода, который необходим для производства гормонов щитовидной железы.

• Скумбрия улучшает память.

Скумбрия богата витаминами группы В и кислотами Омега-3, которые необходимы для нормальной работы мозга и в целом нервной системы.

Приготовьте полезное и вкусное блюдо – фаршированную скумбрию.

Скумбрия – 1 шт.
Морковь – 1 шт.
Яйцо – 2 шт.
Желатин – 1 пачка
Брокколи – 300 г
Соль

Морковь и яйца отварить. Скумбрию разделать на филе – получатся два одинаковых пласта, которые нужно немного посолить. Вареную морковь натереть на крупной терке, яйца нарезать кружочками.

На одну половину филе высыпать ровным слоем сухой желатин и выложить слоями морковь и вареное яйцо, каждый слой пересыпая желатином. Накрыть вторым пластом филе, завернуть в термостойкую пищевую пленку, перевязать. Пленку проколоть иголкой в нескольких местах. Опустить получившийся рулет в кипящую подсоленную воду и варить 20–40 минут в зависимости от величины рыбы.

Достать рулет и положить его под пресс до полного остывания. Нарезать рулет ломтиками и подать с отваренной брокколи.

Такое блюдо защитит от атеросклероза, улучшит состояние суставов и укрепит работу нервной системы!

МИНТАЙ

Состав	Количество	РСП
Вода	81,9 г	
Жиры	0,9 г	1%
Белки	15,9 г	27%
Углеводы	0,0 г	0%
Холестерин	50 мг	17%
Витамин РР	4,6 мг	23%
Калий	420 мг	17%
Магний	55 мг	14%
Фосфор	240 мг	30%
Йод	150 мкг	100%
Кобальт	15 мкг	150%
Медь	0,13 мг	13%
Фтор	700 мкг	18%
Хром	55 мкг	110%
Незаменимые аминокислоты		
Валин	0,90 г	47%
Гистидин	0,40 г	36%
Изолейцин	1,10 г	73%
Лейцин	1,30 г	39%
Лизин	1,80 г	58%
Метионин + цистеин	0,75 г	50%
Треонин	0,90 г	56%
Триптофан	0,20 г	50%
Фенилаланин + тирозин	1,30 г	46%
Энергетическая ценность – 72 ккал		

Золотая рыбка, как мы помним из сказки, могла исполнять желания. Так вот, оказывается, существуют и другие волшебные рыбы. Например, рыба минтай! Может быть, она выглядит не так красиво, как золотая рыбка, но зато легко выполняет три желания!

Например, продлить жизнь – это минтаю вполне по силам! В минтае содержатся полиненасыщенные жирные кислоты и витамин РР. Они снижают уровень холестерина в крови, а значит,

Из-за высокого содержания белка минтай противопоказан при заболеваниях почек в период обострения.

минтай защищает от атеросклероза и его последствий – инфаркта и инсульта! Главное, почаще его ешьте.

Второе желание, которое минтай поможет осуществить, – похудеть. Ведь его калорийность очень невелика.

И, наконец, третье желание – сэкономить бюджет. Об этом многие мечтают. Минтай стоит недорого, поэтому и это желание он может выполнить.

МИФЫ

• Икра минтая менее полезна, чем красная.

Хотя икра минтая выглядит менее привлекательно, она так же полезна, как черная и красная. Состав у них примерно одинаковый.

• Минтай полезен для зрения.

В Интернете много пишут о том, что минтай богат витамином А и бета-каротином, которые очень полезны для зрения. Но это не так. Витамина А в минтае всего 1% от суточной нормы, тогда как бета-каротина нет вообще.

ПРАВДА

• Минтай, выловленный в России, самый полезный.

Производителями минтая являются только три страны – Китай, Япония и Россия. Но все-таки самый лучший минтай именно в России. Так как у нас разрешена ловля исключительно взрослых особей минтая. Их средняя длина – около 20 см, и в них максимальное количество полезных веществ. В мелких особях меньше полезных ингредиентов, а именно их часто ловят в Китае и Японии.

• Минтай снижает риск болезней щитовидной железы.

Всего 100 г минтая содержит суточную норму йода, который необходим для выработки гормонов щитовидной железы.

• Минтай улучшает работу сердца.

В его состав входят калий – 17% РСП и магний – 14% РСП. Они укрепляют сердечную мышцу. А также минтай содержит полиненасыщенные жирные кислоты. Они укрепляют сосуды, в том числе и сосуды сердца. Поэтому минтай улучшает работу сердца.

• Минтай снижает риск сахарного диабета.

В 100 г минтая содержится больше суточной нормы хрома – 110% РСП! Хром нормализует уровень сахара в крови и тем самым снижает риск возникновения сахарного диабета.

• Минтай эффективен для профилактики кариеса.

Минтай содержит почти 30% РСП фосфора. Этот микроэлемент укрепляет зубную эмаль, а значит, защищает зубы от кариеса.

Многие не любят минтай из-за сильного рыбного запаха. Но существует простой секрет, который полностью избавит вас от этой проблемы.

Минтай – 4 шт.
Лук – 1 шт.
Лимон – 1 шт.
Морковь – 1 шт.
Белое сухое вино – 1 ст.

Минтай разделать на филе. Лук нарезать полукольцами и замариновать в соке лимона. Морковь почистить и нарезать на брусочки.

В сковороду с антипригарным покрытием выложить минтай, сверху морковь, далее лук. И вылить стакан вина. Спирт выпарится, и останется только привкус винограда, поэтому такое блюдо можно будет есть даже детям!

Тушить на медленном огне до выпаривания вина.

МОЙВА

Состав	Количество	РСП
Вода	66,9 г	
Жиры	18,1 г	27%
Белки	13,6 г	23%
Углеводы	0,0 г	0%
Холестерин	100 мг	33%
Витамин Е	1,5 мг	10%
Витамин PP	3,6 мг	18%
Калий	290 мг	12%
Фосфор	240 мг	30%
Йод	50 мкг	33%
Кобальт	8 мкг	80%
Медь	0,21 мг	21%
Фтор	430 мкг	11%
Хром	55 мкг	110%
Незаменимые аминокислоты		
Валин	0,66 г	35%
Гистидин	0,33 г	30%
Изолейцин	0,57 г	38%
Лейцин	1,30 г	39%
Лизин	1,09 г	35%
Метионин + цистеин	0,58 г	39%
Треонин	0,61 г	38%
Триптофан	0,16 г	40%
Фенилаланин + тирозин	1,06 г	38%
Энергетическая ценность – 217 ккал		

Мойва у нас считается не самой благородной рыбой. И трудно представить, что из нее можно приготовить какие-то необычные блюда. А напрасно. Например, в восточных странах ее любят и даже подают в ресторанах. Ведь она низкокалорийная, а главное, очень полезная!

МИФЫ

• Мойву можно есть каждый день.

Свежая мойва не имеет противопоказаний.

Несмотря на всю пользу мойвы, не стоит забывать о том, что это достаточно жирная рыба. Поэтому злоупотреблять ею не стоит.

ПРАВДА

• **Мелкая мойва полезнее крупной.**

Чем крупнее рыба, тем она старше, а чем старше морская рыба, тем больше в ней могло накопиться солей тяжелых металлов, которых так много в современном океане.

• **Копченая мойва повышает риск развития онкологических заболеваний.**

Самая вредная – копченая мойва. Как и в любой другой рыбе, при копчении в мойве образуются канцерогенные вещества, которые могут спровоцировать рак. Также при копчении не всегда погибают опасные для здоровья человека паразиты.

• **Мойва замедляет старение кожи.**

В мойве содержатся полезные полиненасыщенные жирные кислоты – Омега-3 и Омега-6. Они способствуют выработке коллагена в клетках и делают кожу более упругой.

• **Мойва снижает риск возникновения инсульта.**

Полиненасыщенные жирные кислоты снижают уровень холестерина, способствуют лучшей работе сердца и тем самым предотвращают развитие инсульта.

• **Мойва полезна при сахарном диабете.**

В ней содержится много хрома – 110% РСП, который снижает чувствительность клеток к инсулину. Хром уменьшает потребность в инсулине у больных сахарным диабетом. Поэтому тем, у кого повышен сахар крови, полезно есть мойву.

• **Мойва снижает риск развития заболеваний щитовидной железы.**

В мойве содержится йод – 33% РСП. Йод необходим для синтеза гормонов щитовидной железы. Поэтому мойва – это прекрасное средство для профилактики заболеваний щитовидной железы.

Как правило, мойву употребляют в копченом виде, но она содержит много вредных канцерогенов. Поэтому лучше купите свежую мойву и приготовьте из нее вкусный паштет.

Мойва – 300 г
Лук – 1 шт.
Подсолнечное масло – 1 ч. л.
Сок половинки лимона
Черный молотый перец
Майоран
Розмарин
Соль

Лук нарезать, обжарить на подсолнечном масле до мягкости. Мойву приготовить в пароварке. Затем поместить все ингредиенты в блендер и взбить до получения однородной массы. Паштет готов!

Такой паштет очень полезен для женщин в период менопаузы. Так как мойва приготовлена вместе с костями, то такой паштет будет очень полезен для профилактики остеопороза — очень частого женского заболевания после 40 лет. Ведь в костях мойвы содержится много кальция.

СУДАК

Состав	Количество	РСП
Вода	79,2 г	
Жиры	1,1 г	2%
Белки	18,4 г	31%
Углеводы	0,0 г	0%
Холестерин	60 мг	20%
Витамин B_6	0,19 мг	10%
Витамин Е	1,8 мг	12%
Витамин РР	5,1 мг	26%
Калий	280 мг	11%
Фосфор	230 мг	29%
Кобальт	20 мкг	200%
Медь	0,11 мг	11%
Хром	55 мкг	110%
Незаменимые аминокислоты		
Валин	0,98 г	52%
Гистидин	0,40 г	36%
Изолейцин	0,94 г	63%
Лейцин	1,40 г	42%
Лизин	1,62 г	52%
Метионин + цистеин	0,79 г	53%
Треонин	0,79 г	49%
Триптофан	0,18 г	45%
Фенилаланин + тирозин	1,18 г	42%
Энергетическая ценность — 84 ккал		

Судак — родственник окуня, живущий исключительно в чистых водоемах, в которых к тому же достаточно кислорода для его жизнедеятельности. Это значит, что, покупая судака, вы можете быть уверены в том, что в нем нет лишних фосфатов и прочих примесей, загрязняющих многие наши реки и озера.

МИФЫ

• **Тушку судака нужно натирать солью перед чисткой.**

Многие считают, что все виды рыбы будут чиститься намного легче и быстрее, если их заранее натереть солью. На самом деле этот способ не самый эффективный. Чтобы рыба легче чистилась, лучше всего перед чисткой обдать ее кипятком.

• **Судак полезен для профилактики атеросклероза.**

Считается, что рыба помогает защититься от атеросклероза. Но помогает только жирная рыба. А судак — рыба нежирная. В судаке

Судак не имеет противопоказаний. Из-за высокого содержания белка его не стоит употреблять разве что при заболеваниях почек в период обострения.

нет никаких веществ, которые бы защищали от атеросклероза.

· Судак защищает от заболеваний щитовидной железы.

Судак, конечно, содержит йод, который улучшает работу щитовидки. Но в 100 граммах судака содержится всего 3% РСП йода. Поэтому данная рыба не сможет оказать существенного воздействия на щитовидную железу.

· Свежий судак пахнет тиной.

Молодой судак тиной не пахнет. Этим запахом отличаются только старые особи. Их можно употреблять в пищу, но молодой судак – полезнее.

ПРАВДА

· В судаке могут быть паразиты.

В судаке, как и в любой другой рыбе, могут быть паразиты. Чтобы ими не заразиться, судака нужно готовить не меньше 30 минут.

· Судака можно есть худеющим.

В 100 граммах судака всего 84 ккал. Поэтому его даже нужно есть худеющим!

· Судак эффективен для профилактики сахарного диабета.

В 100 г судака содержится 100% РСП хрома! А этот микроэлемент снижает чувствительность тканей к инсулину и регулирует уровень сахара в крови.

· Судак укрепляет зубы.

Судак содержит фосфор – 29% РСП. А этот микроэлемент укрепляет зубную эмаль.

· Судак улучшает работу нервной системы.

Судак содержит витамин B_6, который улучшает работу нервной системы.

Приготовьте из судака вкусные и полезные котлеты.

Филе судака – 400 г
Шампиньоны – 100 г
Яйцо – 1 шт.
Сок одного лимона
Черный молотый перец
Соль

Филе судака и грибы прокрутить в мясорубке. В полученный фарш добавить яйцо, лимонный сок, специи по вкусу и тщательно перемешать. Из-за добавления лимонного сока котлеты совсем не будут пахнуть тиной. Сформировать котлеты и приготовить их на пару.

А еще из судака можно приготовить окрошку. И не простую! Это рыбная окрошка по рецепту известнейшего собирателя рецептов – историка Вильяма Похлебкина. Его называют кулинарным Менделеевым. По его кулинарным книгам вполне можно изучать историю России, так как в них он описывает не только рецепты, но и историю блюд, историю продуктов.

Поэтому можно не сомневаться в том, что окрошка «по-похлебкински» будет очень вкусной.

Квас – 1 л
Огуречный рассол – 1 ст.
Вареный судак – 200 г
Морковь – 2 шт.
Картофель отварной – 2 шт.
Лук – 1 шт.
Огурцы – 2 шт.
Яйца вкрутую – 3 шт.
Пучок зеленого лука
Сок половины лимона
Черный молотый перец
Сметана

Мелко нарезать судака, картофель, огурцы и яйца, натереть морковь, добавить остальные ингредиенты, перемешать, залить квасом и заправить сметаной. Окрошка готова!

ТРЕСКА

Состав	Количество	РСП
Вода	82,1 г	
Жиры	0,6 г	1%
Белки	16,0 г	27%
Углеводы	0,0 г	0%
Холестерин	40 мг	13%
Витамин B_{12}	1,6 мкг	53%
Витамин Н	10 мкг	20%
Витамин РР	5,8 мг	29%
Калий	340 мг	14%
Фосфор	210 мг	26%
Йод	135 мкг	90%
Кобальт	30 мкг	300%
Медь	0,15 мг	15%
Хром	55 мкг	110%
Незаменимые аминокислоты		
Валин	0,90 г	47%
Гистидин	0,45 г	41%
Изолейцин	0,70 г	47%
Лейцин	1,30 г	39%
Лизин	1,50 г	48%
Метионин + цистеин	0,70 г	47%
Треонин	0,90 г	56%
Триптофан	0,21 г	52%
Фенилаланин + тирозин	1,40 г	50%
Энергетическая ценность – 69 ккал		

Может ли треска заменить семгу по полезным свойствам? Давайте сравним этих рыб по нескольким показателям и посмотрим, кто победит!

Сравнительные показатели семги и трески

ПОКАЗАТЕЛИ	СЕМГА	ТРЕСКА
Среда обитания	выращивают искусственно	растет в естественных условиях
Калорийность	153 ккал	69 ккал
Омега-3	0 г	0,3 г
Йод	0% РСП	90% РСП

Где и как живет рыба — это важный показатель для ее качества. Треска живет в естественных условиях, сама растет и добывает себе еду. Такую треску и доставляют в магазины. А вот семга, которая растет в естественной среде, стоит очень дорого. Поэтому в магазины в основном привозят семгу, выращенную в искусственных водоемах. Ее кормят усилителями роста, а чтобы мясо было более красным, в корм добавляют красители.

В треске в два раза меньше калорий, чем в семге. Поэтому ее можно назвать диетическим продуктом.

Белки — важный показатель. Они необходимы нашему организму, потому что ускоряют обмен веществ и восстанавливают клетки. В семге белков больше, чем в треске. Но всего на 4 г, а это незначительная разница. Так что треска незначительно уступает семге по этому показателю.

В рыбе содержатся необходимые организму полиненасыщенные жирные Омега-3 кислоты. Они улучшают работу сердца. Мы привыкли думать, что больше всего их в семге. Но если семга выращена искусственно, в ней совсем не остается полезных Омега-3 кислот. А вот в треске их хоть и немного, зато точно есть. Значит, и тут треска может заменить семгу!

Чем полезна морская рыба? В ней есть йод. Он необходим для профилактики заболеваний щитовидной железы. В 100 г трески — почти суточная норма потребления йода. А в семге, которая выращена искусственно, его нет совсем. Когда в организме не хватает йода, ухудшается работа щитовидной железы: увеличивается вес, начинается депрессия, выпадают волосы. Но если вы будете есть треску, то ваша щитовидная железа будет работать исправно.

Посудите сами, в треске оказалось больше полезных веществ, чем в семге. К тому же она стоит намного дешевле. Это значит, что треска вполне может заменить семгу в нашем повседневном рационе, а семга будет украшать наш стол в праздничные дни.

Треска не имеет противопоказаний.

МИФЫ

· **Треску лучше не есть пожилым людям.**

Треска содержит большое количество белка, который предотвращает возрастную атрофию мышц.

ПРАВДА

· **Треска полезна при сахарном диабете.**

В 100 г трески содержится более суточной нормы хрома, который снижает чувствительность клеток к инсулину и нормализует уровень сахара в крови.

· **Треска защищает от раннего поседения.**

Треска содержит медь, которая защищает волосы от раннего поседения.

· **Треска полезна для зубов.**

Треска содержит фосфор, который укрепляет зубы.

· **Треска улучшает работу нервной системы.**

Треска содержит большое количество витамина B_{12}, который укрепляет нервную систему.

Из трески можно готовить настоящие деликатесы. Например, тресковый паштет. Этот паштет не только вкусный, но и низкокалорийный, в нем всего 150 ккал.

Филе трески – 500 г
Лук – 2 шт.
Творожный сыр – 250 г
Сливочное масло – 30 г
Соль
Черный молотый перец

Лук нарезать и пассеровать на сливочном масле. Пропустить вместе с треской в мясорубке. Смешать с творожным сыром, посолить, поперчить.

Выложить получившуюся массу в форму для запекания. Запекать полчаса при 180 °С. Охладить паштет в холодильнике. Приятного аппетита!

ЩУКА

Состав	Количество	РСП
Вода	79,3 г	
Жиры	1,1 г	2%
Белки	18,4 г	31%
Углеводы	0,0 г	0%
Холестерин	62 мг	21%
Витамин B_6	0,19 мг	10%
Витамин PP	6,6 мг	33%
Калий	260 мг	10%
Фосфор	200 мг	25%
Кобальт	20 мкг	200%
Медь	0,11 мг	11%
Хром	55 мкг	110%
Незаменимые аминокислоты		
Валин	0,98 г	52%
Гистидин	0,65 г	59%
Изолейцин	0,94 г	63%
Лейцин	1,40 г	42%
Лизин	1,62 г	52%

Состав	Количество	РСП
Метионин + цистеин	0,79 г	53%
Треонин	0,79 г	49%
Триптофан	0,18 г	45%
Фенилаланин + тирозин	1,18 г	42%
Энергетическая ценность – 69 ккал		

В конце XVIII века чистили царицынские пруды. И поймали там щуку. У нее в жабрах было золотое кольцо. А на кольце было написано, что ее посадил в пруд Борис Годунов. А он умер в начале XVII века. Это значит, что щука прожила в пруду целых 200 лет!

На Руси щуку любили и бедняки, и знать. В наше время щука утратила былую популярность. А между тем она очень полезная рыба!

МИФЫ

• **Щука калорийнее горбуши.**

В щуке содержится 84 ккал, в горбуше –140.

• **Щука эффективна для профилактики атеросклероза.**

Для профилактики атеросклероза эффективны только морские рыбы средней и высокой степени жирности, а щука – рыба речная и маложирная.

Щука не имеет противопоказаний.

ПРАВДА

• **Щука укрепляет иммунитет.**

Да, потому что в ней содержатся две важные для иммунитета аминокислоты: треонин – 49% РСП и аргинин – 200% РСП, которые стимулируют работу иммунной системы.

• **Щука полезна для профилактики сахарного диабета.**

В щуке содержится много хрома – 110% РСП, который нормализует уровень сахара в крови.

• **Щука может помочь при анемии.**

В 100 г щуки содержится двойная суточная норма микроэлемента кобальта. Этот микроэлемент восполняет витамин B_{12}. А ведь именно его дефицит – частая причина возникновения анемии.

Многие люди не любят готовить и есть щуку. Ведь даже после приготовления она пахнет речной тиной. Но есть способ приготовить щуку так, чтобы она тиной не пахла.

Отварное филе щуки – 400 г
Рыбный бульон – 300 мл
Молотые сухари – $^{1}/_{2}$ ст.
Лимон – 1 шт.
Растительное масло – 1,5 ст. л.
Молотый мускатный орех
Черный молотый перец
Лавровый лист
Соль

Лимон нарезать кружочками. Сотейник смазать маслом, выложить слой рыбы, сдобрить специями, покрыть кружочками лимона, посыпать молотыми сухарями, добавить лавровый лист и бульон.

Запекать в духовке 20–25 минут на среднем огне.

Лимон, добавленный к щуке, избавляет ее от запаха тины, так как содержит эфирные масла, которые убивают неприятные запахи.

Щука все-таки может быть сказочной, если ее правильно приготовить!

САЙРА (консервированная)[1]

Состав	Количество	РСП
Вода	70 г	
Жиры	2 г	4%
Белки	17,5 г	38%
Углеводы	0 г	0%
Витамин PP	2,9 мг	15%
Сера	175 мг	18%
Фтор	430 мкг	11%
Хром	55 мкг	110%
Энергетическая ценность – 88 ккал		

В советское время эти консервы ничуть не уступали по популярности шпротам. А сейчас сайру немного подзабыли. А зря – ведь она очень полезна. В $^1/_5$ банки консервированной сайры содержится суточная норма Омега-3 жирных кислот! А они обладают многими полезными свойствами:

– снижают артериальное давление за счет уменьшения вязкости крови;

– защищают от стресса – поскольку снижают уровень кортизола;

– снижают риск инфаркта и инсульта – так как снижают уровень холестерина;

– защищают суставы, снимая воспаление, а также полезны при артритах;

– улучшают состояние кожи за счет противовоспалительного действия, полезны при псориазе, экземе, акне.

Чтобы избежать неприятностей, следует проявить внимание при выборе этих консервов.

Внимательно осмотрите саму банку. Она должна быть неповрежденная, без ржавчины и вздутия! Бомбаж или вздутие банок говорит о развитии в них посторонней опасной микрофлоры!

Прямо в магазине потрясите банку. Если сильно булькает – значит, мало рыбы и много масла или бульона. Обратить внимание на вес консервов. Не стоит выбирать слишком легкие банки.

Выбирайте консервы, которые изготовлены по ГОСТу, а не по ТУ! Обратите внимание на место производства конкретных рыбных консервов: будет лучше, если рыбу консервировали сразу же после вылова, тогда и качество должно быть наилучшим. Консервы,

[1] Состав приведен для сайры, бланшированной в масле.

Консервированная сайра противопоказана при гипертонии и заболеваниях почек, так как содержит много натрия.

сделанные «на берегу», особенно в отдаленных от места вылова местах, не вредные, но они часто делаются из замороженной рыбы, и качество их будет значительно ниже.

Обратите внимание на маркировку, выбитую на банке. Код сайры в масле — 931.

При выкладывании из банки рыба не должна разваливаться, масло не должно быть мутным.

МИФЫ

• Консервированная сайра вреднее жареной.

Консервация — это лучше, чем приготовление сайры на плите, так как обработка происходит меньшее время под большой температурой и, следовательно, в сайре сохраняется больше полезных веществ.

ПРАВДА

• Сайра снижает риск сахарного диабета.

В 100 г сайры содержится больше суточной нормы хрома, который нормализует уровень сахара в крови.

• Консервированная сайра полезна при остеопорозе.

При консервировании рыбы ее кости размягчаются, поэтому ее употребляют вместе с ними. В таком виде консервы — источник кальция, который укрепляет кости.

Из консервированной сайры действительно можно приготовить много вкусных блюд. Например, суп-пюре.

Сайра в масле — 1 банка
Картофель — 4 шт.
Морковь — 1 шт.
Лук — 1 шт.
Помидоры — 2 шт.
Укроп — 1 пучок
Петрушка — 1 пучок
Подсолнечное масло — 1 ст. л.
Вода — 2 литра
Лавровый лист
Черный молотый перец
Соль

Лук, картофель, помидоры и морковь нарезать. Лук и морковь пассеровать в сковороде с подсолнечным маслом. Добавить помидоры. Картофель опустить в кастрюлю с кипящей водой, варить примерно 10 минут. Затем добавить овощи, консервированную сайру, лавровый лист и варить суп до готовности. Затем, удалив лавровый лист, измельчить суп с помощью блендера. Подавать суп с измельченной зеленью.

МОРСКОЙ ГРЕБЕШОК

Состав	Количество	РСП
Вода	83,0 г	
Жиры	0,49 г	1%
Белки	12,1 г	20%
Углеводы	3,2 г	1%
Холестерин	24 мг	8%
Витамин B_{12}	1,41 мг	47%
Витамин PP	2,4 мг	12%
Холин (B_4)	65 мг	13%
Натрий	392 мг	30%
Фосфор	334 мг	42%
Селен	12,8 мкг	23%
Незаменимые аминокислоты		
Валин	0,38 г	20%
Гистидин	0,19 г	17%
Изолейцин	0,41 г	27%
Лейцин	0,72 г	22%
Лизин	0,74 г	24%
Метионин + цистеин	0,41 г	27%
Треонин	0,37 г	23%
Триптофан	0,10 г	25%
Фенилаланин + тирозин	0,65 г	23%
Энергетическая ценность – 69 ккал		

Наибольшее количество видов гребешков фауны России обитает в дальневосточных морях. Самые известные из них – приморский промысловый гребешок с белой ребристой раковиной и очень красивый гребешок Свифта. А на Сахалине и Камчатке на большой глубине добывают так называемого беринговоморского гребешка, пожалуй, самого вкусного из всех.

Этот дар моря упоминается еще в Римской поваренной книге Апиция. Когда она написана – спорят до сих пор. Кто говорит, что в IV веке до н.э., кто-то утверждает, что во времена императора Тиберия – это I век н.э. Но одно точно – книге этой, а значит, и первому упоминанию о морском гребешке – более 2000 лет!

Морской гребешок нисколько не утратил свою позицию деликатесного блюда, но при этом стал значительно более доступен всем. Согласитесь, раньше было не так-то легко его транспортировать. А сейчас он лежит на прилавках супермаркетов любого города России.

Высокое содержание белка при низкой калорийности, а также уникальный биохимический состав и способность ускорять метаболизм и давать чувство насыщения делают гребешок особенно полезным для спортсменов, людей, ведущих активный образ жизни, для тех, кто хочет избавиться от лишнего веса.

МИФЫ

- **Морские гребешки богаты Омега-3 жирными кислотами.**

Это миф. Морские гребешки не содержат этих полезных кислот.

Морской гребешок не имеет противопоказаний, но из-за высокого содержания натрия его следует употреблять с осторожностью при гипертонии.

ПРАВДА

• Морской гребешок улучшает работу мозга.

Морской гребешок богат селеном и витамином B_{12}. Оба улучшают работу мозга и укрепляют нервную систему в целом.

• Морской гребешок укрепляет кости.

Морской гребешок содержит 42% РСП фосфора, который необходим для прочности костной ткани.

Из морских гребешков можно приготовить оригинальный салат.

Морские гребешки – 250 г
Томаты черри – 100 г
Салатные листья – 150 г
Апельсин – 1 шт.
Чеснок – 1 зубчик
Бальзамический уксус – 1 ст. л.
Оливковое масло – 2 ст. л.
Сок лимона – 2 ст. л.
Сахар
Черный молотый перец
Соль

Морские гребешки положить в миску, сбрызнуть лимонным соком, посыпать солью и перцем. Перемешать и оставить мариноваться на 30 минут. Чеснок очистить, раздавить лезвием ножа. В сковороде разогреть оливковое масло, положить чеснок и поджаривать несколько минут.

Чеснок удалить и выложить гребешки в сковороду с чесночным маслом. На сильном огне обжарить по 30 секунд с каждой стороны. Выложить и разрезать на 3 части. Салатные листья вымыть, обсушить и крупно порвать руками. Помидоры вымыть и разрезать пополам.

Взбить венчиком в миске оливковое масло, бальзамический уксус, сахар, добавить сок половины апельсина, приправить солью и перцем. Перемешать салатные листья в салатнике, добавить гребешки, заправить получившимся соусом, и великолепный салат готов!

Обычные пельмени очень жирные, и в них много калорий. А с морским гребешком можно приготовить необычные, полезные пельмени. Их энергетическая ценность – 115 ккал.

Мука – 2 ст.
Вода – $^{3}/_{4}$ ст.
Морской гребешок – 500 г
Специи для рыбы
Соль

Из воды, муки и щепотки соли замесить тесто. Раскатать тесто, вырезать стаканом кружки. На каждый кружок положить один кусочек филе морского гребешка, сверху посыпать специями для рыбы и защипать.

По одному опустить пельмени в кипящую воду и варить 10 минут. Воду не солите – лучше посолить готовые пельмени. Так полезнее.

КАЛЬМАР

Состав	Количество	РСП
Вода	76,4 г	
Жиры	4,2 г	6%
Белки	18,0 г	30%
Углеводы	2,0 г	1%
Холестерин	85 мг	28%
Витамин B_1	0,18 мг	12%
Витамин Е	2,2 мг	15%
Витамин РР	7,6 мг	38%
Калий	280 мг	11%
Магний	90 мг	23%
Фосфор	250 мг	31%
Йод	300 мкг	200%
Кобальт	95 мкг	950%
Медь	1,5 мг	150%
Молибден	20 мкг	29%
Цинк	1,8 мг	15%
Незаменимые аминокислоты		
Валин	0,78 г	41%
Гистидин	0,32 г	29%
Изолейцин	0,39 г	26%
Лейцин	1,92 г	58%
Лизин	1,90 г	61%
Метионин + цистеин	0,79 г	53%
Треонин	0,55 г	34%
Триптофан	0,30 г	75%
Фенилаланин + тирозин	0,65 г	23%
Энергетическая ценность – 118 ккал		

Кальмары помогают сохранять силу до глубокой старости. После 30 лет человек начинает терять по 1% мышечной массы в год. Остановить этот процесс помогают кальмары – они являются отличным источником легкоусвояемого белка – строительного материала для наших мышц.

Многие знают, что перед готовкой кальмара нужно обязательно очистить от пленки. Она очень невкусная. Но чистится она очень и очень сложно! Как же быть? Есть способ очистить кальмара буквально за 20 секунд! Для того чтобы быстро очистить кальмара, потребуются кипяток и миска с ледяной водой.

Обдайте кальмара крутым кипятком. Потом очень быстро переложите тушки в ледяную воду. Во-первых, так вы не дадите кальмарам попросту свариться. Во-вторых, от резкого перепада температур пленка почти вся слезет сама. Вам останется, лишь слегка приподнимая ее пальцами, стянуть с тушки. Старайтесь делать это аккуратно, чтобы не порвать пленку.

Перед приготовлением хорошо обсушите тушки.

Кальмары не имеют противопоказаний, но из-за высокого содержания белка могут быть запрещены при заболевании почек в период обострений.

МИФЫ

• **Мясо кальмара нужно варить больше 5 минут.**

Кальмары готовятся очень быстро. В кипящей воде кальмаров варят 1–2 минуты под крышкой. Либо можно варить кальмаров полминуты после закипания, выключить огонь и настоять 10 минут.

ПРАВДА

• **Мясо кальмара лучше покупать замороженным.**

Кальмары непременно должны быть замороженными. Подвергавшиеся разморозке кальмары будут горчить и расползаться при приготовлении, а это, по существу, уже брак, так как нарушены условия хранения. Свежих, только что выловленных кальмаров у нас не продают.

• **Мясо кальмара обязательно должно быть белого цвета.**

Если мясо другого цвета – значит, кальмаров уже размораживали.

• **Мясо кальмара защищает от простуды.**

В кальмарах содержится большое количество белка. Он укрепляет иммунитет и помогает защититься от простуды.

• **Мясо кальмара эффективно для профилактики заболеваний щитовидной железы.**

В кальмарах содержится йод – 200% РСП. Йод необходим для выработки гормонов щитовидной железы.

• **Мясо кальмара защищает от раннего поседения.**

В кальмарах содержится медь – 150% РСП. А этот микроэлемент предохраняет волосы от поседения.

Многие делают салаты с кальмарами, готовят их в качестве закуски. А на праздничный стол можно подать фаршированных кальмаров – они будут и вкусными, и очень полезными!

Кальмары – 4 шт.
Треска – 1 филе
Лук – 1 шт.
Помидоры – 2 шт.
Чеснок – 2 зубчика
Оливковое масло
Зеленый лук
Базилик
Черный молотый перец
Соль

Треску отварить и мелко порубить. Лук пассеровать на оливковом масле до готовности, добавить помидоры, мелко нарезанный чеснок и тушить 1–2 минуты. Смешать треску с тушеными овощами и нарезанной зеленью. Посолить и поперчить.

Кальмары обдать кипятком и сразу же положить на лед. Затем нафаршировать, сколоть края зубочистками и обжарить на сковороде по 1 минуте с каждой стороны.

МОЛОКО И МОЛОЧНЫЕ ПРОДУКТЫ

Обезжиренные молочные продукты. Их считают более полезными, ведь в них нет жира. Но так ли это на самом деле? Обезжиренные молочные продукты — это палка о двух концах. Для одних они вредны, а для других — полезны.

Попробуем разобрать все плюсы и минусы обезжиренных молочных продуктов. Фактически обезжиренные продукты — это продукты-обманщики. Из-за их названия люди начинают думать, что их можно есть сколько угодно и при этом не поправляться, и употребляют обезжиренных продуктов в 2 раза больше!

Кефир 3,2%	**Кефир 1%**
1 стакан – 114 ккал	2 стакана – 148 ккал

Творог 9%	**Творог 0%**
100 г – 157 ккал	200 г – 200 ккал

Сметана 15%	**Сметана 10%**
1 ст. л. – 24 ккал	2 ст. л. – 36 ккал

Нетрудно заметить, что таким образом человек получает больше калорий и на обезжиренных продуктах набирает лишний вес! Поэтому если вы едите обезжиренные молочные продукты, то ешьте их в таком же количестве, как и обычные молочные продукты.

Плюсы и минусы обезжиренных продуктов

Плюсы

• **Меньше калорий.** Обезжиренные молочные продукты сами по себе менее калорийны. Ведь чем меньше жира, тем меньше калорий. Самое главное — соблюдать меру и не есть этих продуктов больше, чем нужно. Об этом мы выше уже упомянули.

• **Меньше холестерина.** В обезжиренных молочных продуктах содержится меньше холестерина. Такие продукты даже снижают уровень холестерина в крови, тем самым защищая нас от атеросклероза и сердечно-сосудистых заболеваний.

Минусы

• **Могут содержать сахар.** В обезжиренные молочные продукты очень часто добавляют сахар, чтобы придать им более приятный вкус, а ведь сахар — это те же лишние калории.

• **Мало витаминов.** В них остается очень мало витаминов A и D, поскольку они жирорастворимые. А раз мало жира, значит, мало и витаминов.

Чтобы избежать минусов, свойственных обезжиренным молочным продуктам, ешьте их в меру и следите, чтобы в их составе не было сахара, а были добавки витаминов. Информацию об этом производители пишут на упаковках.

МОЛОКО[1]

	Молоко коровье 3,6%		Молоко козье 4,2%	
Состав	Количество	РСП	Количество	РСП
Вода	87,3 г		87,3 г	
Жиры	3,6 г	5%	4,2 г	6%
Белки	3,2 г	5%	3,0 г	5%
Углеводы	4,8 г	2%	4,5 г	2%
Холестерин	10 мг	3%	30 мг	10%
Витамин А	32 мкг	4%	63 мкг	7%
Витамин B_{12}	0,4 мкг	13%	0,1 мг	3%
Кальций	120 мг	12%	143 мг	14%
Фосфор	90 мг	11%	89 мг	11%
Молибден	5 мкг	7%	7 мкг	10%
Энергетическая ценность – 65 ккал			– 68 ккал	

Молоко и его многочисленные производные сопровождают человека практически всю жизнь. Начиная с первого глотка материнского молока подавляющее большинство землян в том или ином виде потребляет молочные продукты всю жизнь. Это и неудивительно, так как человек – один из представителей обширнейшего класса живых существ, само название которого – млекопитающие (по латыни – mammalia) – производное от названия этого продукта, и класс этот объединяет всех, кто выкармливает своих детей молоком.

Считается, что козы и коровы находятся в первых рядах списка одомашненных животных и что произошло это как минимум 8000 лет тому назад! Немудрено, что подавляющее число людей любит и употребляет молочные продукты на протяжении всей жизни.

Между тем сегодня немало и тех, кто считает, что у взрослых молоко не усваивается и даже вредит организму, а потому отказываются от этого хорошего продукта.

Действительно, бывает, что молоко не усваивается, НО!!! Лишь у каждого 6-го взрослого человека

[1] Состав приведен для сырого непастеризованного молока.

населения земного шара! У остальных усваивается! Более того, для женщин молоко очень полезно, особенно в период менопаузы.

К сожалению, напуганные молвой, очень многие не пьют молоко, думая, что оно для них вредно. Давайте для начала разберемся, почему вообще возникает непереносимость молока. Дело в том, что у некоторых людей отсутствует фермент, который расщепляет молочный сахар. Из-за этого молочный сахар попадает в толстый кишечник и вызывает сильнейшую диарею.

Чтобы узнать, есть ли непереносимость молока именно у вас, надо утром, натощак, выпить стакан свежего пастеризованного (!!!) молока, того, которое хранится не более двух недель (именно в нем содержится больше всего молочного сахара), после чего ничего не есть 3 часа. Если у вас есть непереносимость молока, в течение этого времени вы можете испытать вздутие живота, боль или тошноту. Неприятные ощущения достаточно быстро пройдут, зато вы будете точно знать, есть или нет непереносимость лактозы именно у вас. Если нет — вы можете спокойно пить молоко и есть любые блюда с его присутствием.

Людям с непереносимостью молоко, конечно же, пить не следует, надо просто заменить молочные продукты кисломолочными. В них молочный сахар уже расщепился, брожения не будет — не будет и непереносимости.

Далеко не всегда молоко, поступающее в продажу, является качественным. Существуют критерии, которым должно отвечать качественное молоко.

Качественное молоко должно быть белого цвета. В летнее время оно может быть с желтоватым оттенком из-за пигментов травы, которую едят коровы. У топленого молока цвет — кремовый. Если же молоко полупрозрачное или голубоватого оттенка, значит, его разбавляли водой либо оно просто испорчено.

Чтобы обнаружить в молоке воду, нужно сделать два простых теста:

1. Налейте тоненькой струйкой молоко в стакан с теплой водой. Если молоко растворяется медленно и образует в воде разводы, похожие на клубы дыма, значит, оно качественное. Если же молоко разбавлено водой, то оно растворится в стакане быстро.

2. Взболтайте молоко. Если оно хорошо пенится, скорее всего, воды в молоке нет. Если же молоко дает мало пены, значит, его разбавили водой.

Раньше производители добавляли в молоко соду, чтобы предохранить его от скисания. Сейчас это делают реже, но все же делают. Чтобы проверить, есть ли в молоке сода, надо процедить часть молока через бумажный фильтр и добавить в фильтрат несколько капель уксусной или лимонной кислоты. Поддельное молоко начнет пузыриться от выделения угле-

Молоко противопоказано при колитах, дуоденитах, при диарее. Не рекомендуется употреблять молоко при фосфатных камнях в почках, а также людям, склонным к отложению в сосудах солей кальция.

кислоты. Не пейте такое молоко! Им можно отравиться!

На прилавках магазинов есть много видов молока — пастеризованное, стерилизованное, цельное, витаминизированное, восстановленное.

Пастеризованное — такое молоко хранится всего 36 часов и сохраняет все полезные свойства. Его можно пить просто так, добавлять в кофе.

Зато оно может храниться 2–3 месяца. Его обычно используют для добавления в каши, тесто и другие блюда.

Витаминизированное — такое молоко делают из обезжиренного молока. Просто в него добавляют разные витамины. В нем, конечно, меньше полезных веществ. Лучше вместо него покупать молоко пастеризованное.

Восстановленное — это молоко восстанавливают из сухого порошка. Пользы в нем минимум. Потому что все витамины и микроэлементы разрушаются.

МИФЫ

• Молоко помогает вылечить простуду.

Молоко полезно от кашля, но простуду оно не вылечивает.

• Молоко усваивается быстрее, чем кефир.

Молоко усваивается организмом на 30% за час, а кефир — на все 90% за то же время.

• Запивать соленые огурцы молоком вредно для здоровья.

С детства нам говорят, что молоком нельзя запивать соленые огурцы или селедку. Но на самом деле это миф. И придумали его люди со слабым желудочно-кишечным трактом. У них такая смесь может вызвать метеоризм и диарею. Если желудок здоров, то никакого вреда организму от молока с огурцами не будет.

• Козье молоко можно пить сырым.

В Интернете много информации о том, что козы не болеют бруцеллезом, и поэтому молоко можно пить без кипячения. Это не так, и козье молоко так же, как и коровье, нужно кипятить.

• Козье молоко не вызывает аллергию.

Увы, но это не так. На козье молоко тоже может быть аллергия.

• Козье молоко может заменить грудное.

Козье молоко не может заменить материнское молоко, так как некоторых витаминов, которые есть в материнском молоке, в козьем молоке нет. Содержание в козьем молоке витамина B_{12} и фолиевой кислоты недостаточно для новорожденного. Козье молоко также является достаточно жирным, и ребенку будет трудно переварить его. В козьем молоке содержится недостаточное количество углеводов для малыша.

ПРАВДА

• Лучше покупать пастеризованное молоко, чем стерилизованное.

Пастеризация – более щадящий способ обработки молока. Температура более низкая, чем при стерилизации, и в молоке сохраняется больше витаминов.

• Молоко может содержать антибиотики.

Это действительно так. Но есть способ выбрать молоко без антибиотиков – отдавайте предпочтение производителям, которые выпускают не только молоко, но и кисломолочные продукты. Дело в том, что молоко с антибиотиками не подходит для производства кисломолочки.

• В сухом молоке есть витамины.

Большая часть витаминов группы В не разрушается.

• Молоко выводит из организма вредные вещества.

Бытует такое словосочетание – «молоко за вредность». Это молоко, которое выдают работникам вредных производств – на химических предприятиях, в некоторых научных лабораториях и на заводах с повышенным уровнем радиации. Оно действительно помогает выводить из организма вредные вещества. Молочный белок – казеин – связывает соли кадмия и свинца и некоторые другие ядовитые соединения и не дает им всосаться в кровь. Следовательно, они выводятся из организма.

• Зеленый чай полезно пить с молоком.

Дело в том, что в зеленом чае содержится очень полезное вещество – галлат эпигаллокатехина, который является сильнейшим антиоксидантом и защищает организм от преждевременного старения и онкологических заболеваний. Это вещество значительно лучше усваивается нашим организмом в присутствии молока. Поэтому молоко помогает получать из зеленого чая в два раза больше эпигаллокатехина.

• Козье молоко полезно при заболеваниях желчного пузыря.

Жиры козьего молока перевариваются без участия желчи, а значит, желчный пузырь лишний раз не перенапрягается. Поэтому при заболеваниях желчного пузыря можно и даже нужно пить козье молоко.

• Молоком нельзя запивать лекарства.

Молоко затрудняет всасывание лекарственных препаратов.

• Молоко полезно для профилактики остеопороза.

В нем содержится кальций – это основной элемент, из которого состоят кости, и значит, для профилактики остеопороза полезно пить молоко. Кроме того, молоко содержит фосфор, полезный для костей. В коровьем и козьем молоке фосфор содержится в одинаковом количестве, а вот кальция в козьем молоке немного больше — 14% РСП, чем в коровьем — 12% РСП.

• **Молоко помогает при бессоннице.**

Молоко содержит триптофан, из которого в нашем организме образуется гормон мелатонин — регулятор суточных ритмов. Поэтому молоко улучшает засыпание.

• **Молоко помогает снижать давление.**

Молоко обладает легким мочегонным действием, выводя лишнюю жидкость из организма.

С молоком можно приготовить очень вкусный сладкий суп, который будет полезен и взрослым, и детям.

Яблоки — 750 г
Молоко — 5 ст.
Сливочное масло — 30 г
Корица — 1 ч. л.
Желток — 1 шт.
Сукралоза

Яблоки очистить от кожуры и косточек, нарезать на небольшие квадратики. Сложить яблоки в толстостенную кастрюлю с растопленным сливочным маслом, добавить сукралозу и корицу и тушить до готовности.

Молоко смешать с яичным желтком и подогреть, постоянно помешивая, не доводя до кипения. Когда молоко нагреется, а яблоки станут мягкими, нужно вылить молоко в кастрюлю с яблоками и перемешать — суп готов!

Такой суп полезен для нервной системы. Он препятствует появлению депрессии, улучшает настроение.

В яблоках содержатся пектины, которые связывают холестерин и вредные вещества в кишечнике. Поэтому такой суп будет препятствовать развитию атеросклероза. В молочном супе много кальция, что поможет укрепить кости.

Суп с яблоками полезен при отеках. В яблоках много калия, а калий вытесняет натрий и выводит лишнюю жидкость. Молочный суп с яблоками улучшит опорожнение кишечника.

Многие не любят козье молоко за неприятный запах. Однако от него легко избавиться. Специфический запах у козьего молока возникает из-за... козла. Если в стаде присутствует козел, то его потовые железы издают сильный неприятный запах. Из-за этого молоко и пахнет неприятно, поскольку молоко обладает способностью впитывать окружающие запахи. Но существует и способ избавления от этого запаха. Для этого достаточно приготовить из козьего молока коктейль с клубникой и мятой, смешав в блендере 0,5 л козьего молока, 100 г клубники и 2 веточки свежей мяты.

КИСЛОМОЛОЧНЫЕ ПРОДУКТЫ

Кисломолочные продукты — это продукты, которые получают из молока коров, коз, овец или других животных. Иногда за основу такого продукта берутся сливки, сыворотка или обезжиренное молоко. Добавляя к ним молочнокислые бактерии, дрожжи и т.п., проводят сквашивание молока и других молочных продуктов, получая кефир, сметану и множество других кисломолочных продуктов.

Обычно сырье, из которого готовят кисломолочную продукцию, предварительно пастеризуют, чтобы исключить возможность развития в ней болезнетворных бактерий. Вот лишь некоторые из них.

КЕФИР. Самый популярный кисломолочный напиток. Его делают из свежего молока с помощью специальных кефирных грибков. Все знают, что кефир улучшает микрофлору кишечника, а еще он снижает уровень холестерина и защищает от рака. НО! Кефир не стоит пить при молочнице. В нем содержатся дрожжевые культуры, которые ухудшают течение заболевания.

СНЕЖОК. Это тот же кефир, только с сахаром или сиропами. Снежок противопоказан при сахарном диабете и ожирении, так как содержит сахар. К тому же сахар увеличивает риск развития молочницы!

БИФИДОК. По сути, это тот же кефир, но со специальными бифидобактериями. Поэтому бифидок — это напиток красоты. Он улучшает микрофлору кишечника, что улучшает состояние кожи.

РЯЖЕНКА. Этот продукт делается путем сквашивания топленого молока. Ряженка — рекордсмен среди кисломолочных продуктов по содержанию кальция и фосфора. Один стакан ряженки покрывает четверть суточной потребности организма в кальции и 20% — в фосфоре, поэтому ряженка очень полезна детям, а также женщинам, особенно в период менопаузы.

ТАН. Этот кисломолочный напиток делают из коровьего или козьего молока. В него добавляют закваску и подсоленную воду. Тан лучше остальных кисломолочных продуктов помогает бороться с похмельем. К тому же он низкокалорийный — всего 22–27 ккал на 100 мл, а это значит, что тан полезно пить тем, кто сидит на диете. Тан не нужно пить людям с повышенным давлением, так как в нем содержится много соли.

КЕФИР[1]

Состав	Количество	РСП
Вода	88,3 г	
Жиры	3,2 г	5%
Белки	2,9 г	5%

[1] Состав указан для кефира 3,2%-ной жирности.

Состав	Количество	РСП
Углеводы	4,0 г	1%
Холестерин	9 мг	3%
Витамин B_{12}	0,4 мкг	13%
Кальций	120 мг	12%
Фосфор	95 мг	12%
Кобальт	1 мкг	10%
Незаменимые аминокислоты		
Изолейцин	0,16 г	11%
Триптофан	0,04 г	10%
Фенилаланин + тирозин	0,30 г	11%
Энергетическая ценность – 59 ккал		

Родиной кефирного грибка является подножие Эльбруса. Именно отсюда с 1867 года он начал распространяться по миру. И главное – приносить людям большую пользу.

Все знают, что он полезен. Но, кроме кефира, на прилавках магазинов все чаще появляется и так называемый кефирный продукт. Чем они различаются?

Кефир изготавливают на основе закваски с использованием только кефирных грибков, в которых присутствует около 20 разных микроорганизмов: молочнокислые стрептококки, уксуснокислые бактерии, дрожжи и др. В настоящем кефире нет сухого молока. Срок годности «живого» кефира не может превышать 14 дней, а содержание в нем молочнокислых бактерий в начале и в конце срока годности строго нормируется – не менее 10^7.

Для приготовления кефирного продукта используют закваску молочнокислых бактерий прямого внесения и дрожжи. Особых требований к его составу и содержанию микроорганизмов нет. Допускается наличие сухого молока, наполнителей и т.п. Для продления срока годности (до 20 дней) кефирный продукт может подвергаться термической обработке. Это убивает все полезные микроорганизмы.

Эти продукты и по-разному влияют на организм. Молочнокислые бактерии, которые есть в кефире, стимулируют выработку бета-глобулина – это белок крови, который укрепляет иммунитет. А дрожжевая закваска кефирного продукта плохо влияет на микрофлору кишечника. В ней нет молочной кислоты, только уксусная. Поэтому кефир полезнее!

Кефир нужно с осторожностью употреблять женщинам, у которых есть склонность к молочнице. Это заболевание вызывают грибки рода кандида, и кефир только способствует их размножению. Даже в этом случае полностью отказываться от кисломолочных продуктов не стоит. Можно пить простоквашу или йогурт.

Кстати, кефир – универсальный продукт для регуляции моторики кишечника. Свежий кефир слабит, а вот «старый» – старше 3 дней – наоборот, крепит.

Как выбрать качественный кефир? Существует несколько простых правил.

Качество кефира можно определить по его консистенции. Вот только для этого лучше покупать его в прозрачной упаковке, чтобы можно было разглядеть. Если кефир взболтать, он должен остаться однородным. Если же вы видите в нем комочки или хлопья, значит, кефир уже начал портиться. Не надо брать кефир, если на его поверхности уже скопилась сыворотка. Значит, он забродил.

При выборе кефира обязательно обращайте внимание на дату его выпуска. С этого момента кефир остается полезным в течение 7–10 дней! После все полезные бактерии погибают. Он становится бесполезным и даже опасным для здоровья. Если же срок годности кефира больше 10 дней, значит, при его производстве не обошлось без консервантов.

Кефир различается по проценту жира: 0%, 1%, 2,5%, 3,2%. Так какой же из них самый полезный? Обычно люди, желающие похудеть, покупают кефир обезжиренный. Он низкокалорийный — всего около 30 ккал. Зато в нем не сохраняется жирорастворимого витамина А. То есть для здоровья он малополезен. Именно поэтому худеющим лучше покупать кефир 1%-ной жирности. Он немного калорийнее (40 ккал), зато в нем содержится витамин А. Такой кефир и похудеть поможет, и пользу здоровью принесет. Кефиры с жирностью 2,5% и 3,2% калорийнее (53 и 59 ккал соответственно) и содержат больше витамина А. Тут уж выбор за вами, что больше нравится по вкусу.

Белка должно быть не меньше 3%! Если же белка меньше, значит, это не кефир, а кефирный напиток.

Существует одна забавная, но верная примета. Считается, что, если пьешь кефир натуральный и качественный, значит, «усы» от него останутся большие и густые. А если кефир некачественный, то «усы» будут тоненькими и прозрачными.

МИФЫ

• **Кефир повышает склонность к алкоголизму у детей.**

В кефире действительно содержится спирт: до 0,07% в однодневном и до 0,88% в трехдневном. В связи с этим кефир, особенно трехдневный, следует с осторожностью употреблять маленьким детям. Но чтобы вызвать алкоголизм, детям нужно ежедневно давать не менее 10 стаканов трехдневного кефира.

• **Кефир может вызывать аллергию.**

Молоко, из которого делается кефир, может содержать в себе большое количество аллергенов, но в процессе сбраживания молока во время приготовления кефира они исчезают.

• **Кефир и простокваша — это одно и то же.**

Нет, кефир готовится с использованием специальной закваски,

Кефир противопоказан при фосфатных камнях в почках, при энтеритах и гастритах с повышенной кислотностью.

простокваша в домашних условиях – это просто молоко, скисшее под воздействием бактерий, попадающих из воздуха. Иногда хозяйки добавляют мякиш хлеба, сыр и т.п. Вкус, а значит, и состав, у домашней простокваши может от раза к разу сильно различаться. Простокваша промышленного производства готовится путем внесения в молоко чистых культур определенных молочнокислых бактерий.

• **Биокефир полезнее обычного кефира.**

Приставка «био» в переводе с латыни обозначает «жизнь», то есть указывает потребителю на наличие в продукте живых форм молочнокислых микроорганизмов. И самый обычный кефир, без приставки «био» в названии, содержит эту самую живую микрофлору, ведь кефир по определению – это и есть молочнокислый продукт, полученный сквашиванием молока путем внесения в него закваски, содержащей молочнокислые микроорганизмы и кефирный грибок. Получается, что фактически название «БИОкефир» – это маркетинговый ход производителя.

• **Кефир нельзя пить водителям.**

Если выпить стакан кефира и тут же измерить уровень алкоголя в выдыхаемом воздухе, он составит около 0,3 промилле. То есть сразу за руль садиться нельзя. Но всего за 15 минут весь кефирный алкоголь уже успевает выветриться. Просто после употребления кефира надо подождать буквально 5–10 минут, и следов алкоголя в выдыхаемом воздухе не останется.

• **В кефире меньше полезных бактерий, чем в йогурте.**

Количество полезных бактерий в кефире и йогурте одинаково – 10^7 КОЕ (количество образующих колонии бактерий в 1 мл).

ПРАВДА

• **Кефир помогает избавиться от похмелья.**

В кефире содержатся органические кислоты, которые очищают организм от продуктов распада алкоголя. И человек с похмельным синдромом начинает чувствовать себя лучше после стакана кефира.

• **Кефир улучшает иммунитет.**

Регулярное потребление кефира улучшает работу лейкоцитов – белых кровяных телец. А именно они отвечают за силу и крепость иммунитета. Поэтому пейте кефир в сезон простуд.

• **Кефир защищает от рака.**

Японские ученые установили, что в кефирных грибках есть полисахарид кефиран, а он оказывает противоопухолевое действие. То есть защищает организм от рака.

· **Кефирные разгрузочные дни эффективны для похудения.**

Кефирные разгрузочные дни действительно эффективны. Напиток обеспечит достаточным количеством жидкости в организме, а также полезными микро- и макроэлементами. При этом калорийность такого разгрузочного дня минимальная.

· **Кефир полезно пить в стрессовых ситуациях.**

Исследователи из Ирландии и Канады проводили исследования и доказали, что молочнокислые бактерии, которые содержатся в кефире, оказывают успокаивающее действие. Также в кефире содержится аминокислота триптофан, из которой образуется «гормон радости» серотонин.

· **Кефир усваивается организмом быстрее, чем молоко.**

Кефир усваивается на 90% за один час, а молоко за это же время всего на 30%.

· **Кефир полезно пить на ночь.**

Неплохо выпить стакан кефира перед сном: это обеспечит нормальное функционирование желудка до утра, а на следующий день перед завтраком у вас будет хороший аппетит. Кроме того, кефир содержит триптофан, из которого образуется регулятор суточных ритмов — мелатонин, улучшающий засыпание.

· **Кефир полезен в профилактике остеопороза.**

В стакане кефира содержится четверть суточной нормы кальция — 240 мг, что составляет 25% РСП, а еще — треть суточной нормы фосфора.

· **Кефир нейтрализует токсины.**

Пристальное внимание ученых привлекли полисахариды, содержащиеся в кефире. Результаты исследований свидетельствуют о том, что кефирная культура обезвреживает имеющиеся в организме токсины. Таким образом, кефир является прекрасным профилактическим средством против продолжительного действия на организм ядовитых веществ. Поэтому курящим людям нужно обязательно включить в свой рацион кефир.

Сейчас в продаже есть много различных питьевых йогуртов, полезность и натуральность которых часто вызывает сомнения. Поэтому готовьте кефирные коктейли самостоятельно. Это отнимет у вас считаные минуты, зато польза будет неоспоримой!

Кефир — 200 мл
Мед — 1 ст. л.
Ягоды — 3 ст. л.

или
Кефир — 200 мл
Банан — 1 шт.
Ванильный сахар — 1 ч. л.
Голубика — 1 ст. л.

Ингредиенты нужно просто взбить в блендере.

Такие кефирные коктейли понравятся и взрослым, и детям, и тем, кто совсем не любит кефир. У них приятный фруктовый вкус. Кроме того, у вас будет широкое поле для творчества — подбирайте ингредиенты на вкус!

А еще кефир можно использовать для приготовления выпечки, например кефирных лепешек.

Кефир — 1 ст.
Обойная мука — 2 ст.
Яйцо — 1 шт.
Соль
Большой пучок разной зелени: укроп, петрушка, зеленый лук, кинза, шпинат

Готовить такие лепешки очень просто. Зелень нужно мелко порубить. Замесить тесто из обойной муки, кефира, яйца и щепотки соли. Поставить тесто в теплое место на 30 минут. Затем разделить тесто на небольшие кусочки и раскатать их в лепешки. Жарить эти лепешки на сухой сковороде.

Как только вы снимете лепешку с огня, положите на одну ее половинку зелень и сложите лепешку пополам.

Такое блюдо должно понравиться любителям шашлыка. Положите на край мангала старый противень и, пока жарится мясо, готовьте лепешки прямо на нем.

Кефирные лепешки — это настоящий энергетик для нервной системы! Ведь и зелень, и обойная мука богаты витаминами группы B, которые помогают работе мозга и улучшают память, повышают работоспособность. А еще такие лепешки содержат калий, который полезен при отеках.

ТИБЕТСКИЙ МОЛОЧНЫЙ ГРИБ

Что же это за чудо, гриб такой, что про него ходят целые легенды?

Во-первых, это вовсе и не гриб, это симбиотическая группа бактерий и микроорганизмов. При попадании в молочную среду эти микроорганизмы начинают взаимодействовать и происходит сквашивание молока.

Всем тем, кто считает, что тибетский гриб спасет их от рака и от множества других болезней, должен сказать, что, по сути, напиток из этого «гриба» — почти тот же кефир. Разве кефир может вылечить нас от всех заболеваний?

Действительно, польза напитка, приготовленного с применением этой закваски, огромна. Он оказывает благотворное влияние на микрофлору кишечника, а это и улучшение иммунитета, и улучшение пищеварения. Если применять этот напиток каждый день на протяжении длительного времени, то, конечно, общее самочувствие у вас улучшится. Но при болях в суставах или от рака, как пишут в Интернете, увы, такой напиток не поможет.

ТАН

Главный национальный напиток многих народов Кавказа – это тан. В нашей стране тан не очень популярен, но стоит пить тан хотя бы раз в неделю. Для этого есть как минимум три веские причины.

Тан улучшает микрофлору кишечника, поскольку содержит 0,75% молочной кислоты, которая препятствует росту вредных бактерий в кишечнике, и микрофлора кишечника нормализуется. Поэтому тан полезен при заболеваниях желудочно-кишечного тракта.

Тан снижает риск сердечно-сосудистых заболеваний, так как в нем содержатся такие микроэлементы, как кальций, магний, фосфор и натрий. Они поддерживают в норме водно-солевой баланс. Это снижает риск развития сосудистых заболеваний.

Тан укрепляет иммунитет за счет того, что содержит бета-глобулины, способствующие увеличению в организме количества лимфоцитов – клеток иммунной системы.

МИФЫ

• **Тан из козьего молока полезнее, чем из коровьего.**

Особенной разницы в полезных свойствах козьего и коровьего молока нет. По составу они схожи, и миф о том, что козье молоко принципиально полезнее коровьего, не имеет под собой оснований.

• **Газированный тан полезнее, чем негазированный.**

Если смотреть по химическому составу, то между этими двумя напитками нет существенной разницы. Также газированные напитки имеют ряд противопоказаний, которых нет у негазированных.

ПРАВДА

• **Тан снимает симптомы похмелья.**

Действительно, тан считается одним из самых лучших напитков для снятия симптомов похмельного синдрома. А все потому, что при употреблении алкоголя в организме нарушается водно-солевой обмен. Нарушения эти приводят к патологии сердечного ритма, ишемии, гипертонии, сердечной недостаточности, поражению функции почек. Соли, входящие в состав тана, способствуют быстрой нормализации водно-солевого обмена в организме, что очень важно при похмелье. Помимо этого, он очищает организм от промежуточных продуктов метаболизма, повышает тонус, снимает синдром

Газированный тан противопоказан при заболеваниях ЖКТ.

мышечной усталости, нормализует аппетит.

• **Тан способствует похудению.**

Тан – низкокалорийный продукт, который легко усваивается организмом. Также он оказывает благотворное влияние на ЖКТ, что способствует лучшему перевариванию пищи и отражается на весе человека.

СМЕТАНА[1]

Состав	Количество	РСП
Вода	77,5 г	
Жиры	15,0 г	22%
Белки	2,6 г	4%
Углеводы	3,6 г	1%
Холестерин	64 мг	21%
Витамин А	103 мкг	11%
Витамин B_{12}	0,4 мкг	13%
Холин (B_4)	124 мг	25%
Энергетическая ценность – 162 ккал		

Этот русский продукт с XVII века и до наших дней является неотъемлемой частью рациона жителей нашей страны. Практически в каждом холодильнике россиян всегда можно найти баночку сметаны.

И есть за что любить сметану. Ведь она не только вкусна, но и полезна! Еще в начале XX века биолог Илья Мечников провел исследования на тему влияния на человеческий организм кисломолочных продуктов и выяснил, что сметана оказывает положительное влияние на органы пищеварения.

Сметана очень полезна для нашего здоровья. Но только если она качественная. К сожалению, в наше время под видом сметаны нам часто продают коктейль из консервантов, загустителей и ароматизаторов. Есть несколько правил выбора и простых тестов, которые позволят вам оградить себя от покупки фальсификатов.

Качественная и натуральная сметана изготавливается только из молочных сливок и закваски, что и должно быть отражено на упаковке. Как должна называться сметана? Как это ни странно прозвучит – именно «сметана». Если на этикетке или упаковке указано не «Сметана», а «Сметанный продукт», «Сметанка», «Сметаночка», значит, вместо натуральной сметаны там содержатся молоко, растительный жир, масло, стабилизаторы, консерванты.

Лучше всего покупать сметану в стеклянных баночках. Там ее можно рассмотреть, и в стекле она лучше хранится. Она, конечно, дорогая. Поэтому можно также покупать сметану в пластиковых упаковках. В картонных упаковках сметану лучше не покупать. Вполне возможно, что она испортится через несколько часов после открытия. Ведь эта упаковка очень легко повреждается.

Настоящая сметана состоит только из сливок и закваски. Если в ней есть другие компоненты –

[1] Состав приведен для сметаны 15%-ной жирности.

молоко, растительный жир, масло, стабилизаторы, консервант Е 202, лучше не покупать эту сметану. Ведь она ненатуральная.

Срок годности натуральной сметаны – не более 10 дней! Если вы видите на упаковке более долгий срок хранения, значит, сметана с добавками – консервантами, стабилизаторами. С такими добавками она вообще может храниться 1–2 месяца.

У качественной сметаны цвет равномерно белый с легким кремовым оттенком. Поверхность у нее должна быть абсолютно гладкой, глянцевой и блестящей. Если же сметана блеклая, матовая, значит, скорее всего, в ней полно загустителей.

Многие считают, что хорошая сметана та, в которой ложка стоит. Но этот показатель качества устарел. Так как многие производители добавляют в сметану загустители и стабилизаторы. И ложка от них стоит без проблем. Поэтому, чтобы проверить качество сметаны, перелейте ее из одной банки в другую. Если она образовывает «горку», от которой медленно отходят «волны», значит, сметана хорошая. Если же она будет ложиться комками, не растекаясь, или сразу станет растекаться – значит, в эту сметану добавлен растительный жир, например вредное пальмовое масло.

Попробуйте сметану на вкус. Если сметана натуральная, то вкус у нее чистый кисломолочный. Резкая кислинка говорит о том, что сметана начинает портиться. Если появился вкус топленого масла, значит, ее сделали с добавкой сухого молока. Если же на языке вы почувствовали жирный привкус – в сметану добавлен растительный жир.

Только из холодильника – натуральная сметана густая, а постоит при комнатной температуре и нагреется – становится более жидкой, текучей, особенно сметана жирностью 10–15%. Это связано как раз с тем, что натуральный молочный жир содержит почти 50% ненасыщенных жирных кислот, которые и придают ему текучесть при комнатной температуре. Сметана, фальсифицированная растительным жиром, и на холоде, и в тепле сохраняет свою густую консистенцию. Это объясняется тем, что растительные заменители молочного жира – это гидрогенизированные насыщенные растительные жиры, которые при температурах от 0 до 40 °С остаются твердыми.

Проверить натуральность сметаны помогут и тесты, которые можно провести в домашних условиях.

Тест 1. В стакане с горячей водой размешайте чайную ложку сметаны. Настоящая и качественная сметана моментально растворится с образованием мелких белых хлопьев – это молочный белок – и мелких белых шариков – это молочный жир. У натуральной сметаны через пару минут все эти шарики и хлопья

Сметана противопоказана при атеросклерозе, при заболеваниях желчного пузыря, при панкреатите.

всплывут наверх. Суррогат же или фальсификат почти не растворятся, а выпадут на дно в виде белого осадка.

Тест 2. Продавите ложкой углубление в сметане и оставьте на ночь. Если на следующий день в углублении скопилась жидкость — сметана не натуральная.

Надеемся, что, применив полученную информацию на практике, вы определите для себя круг добросовестных производителей сметаны и оградите себя и своих близких от употребления некачественных, суррогатных и фальсифицированных продуктов.

МИФЫ

• Сметана содержит больше холестерина, чем сливочное масло.

В 100 г сметаны содержится 64 мг холестерина, а в сливочном масле — около 108 мг.

• Сметана противопоказана при дисбактериозе.

Наоборот, даже полезна, так как в ней содержатся молочные кислоты, улучшающие рост полезной микрофлоры кишечника.

• Сметана — отличный источник кальция.

Сметана содержит лишь 9% кальция. Даже в молоке его содержится больше.

ПРАВДА

• Сметана полезна для профилактики заболеваний печени.

В 100 г сметаны содержится практически четверть от суточной нормы холина. Он обладает гепатопротекторным свойством, ускоряет структурное восстановление поврежденных тканей печени при токсических воздействиях лекарств, вирусов, алкоголя, а также препятствует образованию желчных камней.

• Сметана укрепляет нервную систему.

Сметана богата витамином B_{12}, который улучшает работу нервной системы.

• Сметана полезна для кожи.

Сметана богата витамином А, который защищает кожу от преждевременного старения, а также ускоряет регенерацию клеток кожи и устраняет ее сухость.

• Сметана помогает засыпать.

В сметане содержится триптофан, из которого в организме синтезируется гормон мелатонин, обладающий успокаивающим действием.

Из русской сметаны можно сделать вкусный десерт с итальянским сыром маскарпоне, который можно приготовить самостоятельно.

Сметана 15%-ной жирности – 1,5 кг
Консервированные персики – 1 банка
Печенье – 4 шт.
Мята
Шоколадная крошка

Подготовьте дуршлаг и кастрюлю с чуть большим диаметром, чтобы в нее поместился дуршлаг. Возьмите большой кусок марли и сложите ее пять раз – для получения более плотной структуры. Застелите дуршлаг марлей и выложите в него сметану. Марлю плотно завяжите – сметана должна хорошо уплотниться. Сверху положите тяжелый груз. Это может быть гиря или другой предмет весом 2–4 кг. На трое суток поставьте сметану в холодильник. За это время сыворотка стечет в кастрюлю и получится нежный и вкусный сыр маскарпоне.

Можно приступать к приготовлению десерта. Персики разрезать на четвертинки и положить на дно креманки. Сверху посыпать крошкой раздавленного печенья. Положить 2 ст. л. получившегося сыра маскарпоне. Украсить десерт листиками мяты и шоколадной крошкой.

ЙОГУРТ[1]

Состав	Количество	РСП
Вода	86,3 г	
Жиры	3,2 г	5%
Белки	5,0 г	8%
Углеводы	3,5 г	1%
Холестерин	9 мг	3%
Витамин B_2	0,2 мг	11%
Витамин B_{12}	0,43 мкг	14%
Кальций	122 мг	12%
Фосфор	96 мг	12%
Кобальт	1 мкг	10%
Энергетическая ценность – 68 ккал		

[1] Состав указан для йогурта 3,2%-ной жирности.

Йогурты очень популярны в нашей стране. Этим кисломолочным продуктом завтракают, перекусывают на работе, используют как ингредиент для приготовления различных блюд. Но мало кто знает, что большинство продуктов, на этикетке которых написано «йогурт», ими на самом деле не являются! Это йогуртовые продукты, и они не имеют той пользы, которая содержится в качественном натуральном йогурте. То, что мы покупаем в магазинах, зачастую является смесью из сухого молока, небольшого количества лимонной кислоты, ароматизаторов, консервантов и прочих химических веществ.

Так как же отличить настоящий живой йогурт от его имитаций? Натуральный йогурт должен иметь в составе только молоко и бактериальную закваску, которая называется «болгарская палочка». Содержание молочнокислых бактерий в нем должно быть не менее 10^6 на 1 мл продукта.

Йогурт противопоказан при гастрите с повышенной кислотностью в период обострений.

Натуральный йогурт на вкус кислый. Если йогурт не имеет кислинки, значит, производитель добавил в него сахар и ароматизаторы. Такой продукт уже не имеет права называться натуральным йогуртом.

МИФЫ

· **Магазинный йогурт с фруктами полезнее, чем без фруктов.**

Перед добавлением в йогурт фрукты высушивают или вываривают, а потом «насыщают» химическими ароматизаторами и красителями. И все витамины, и клетчатка из них исчезают. Поэтому покупайте йогурты без различных добавок. Свежие фрукты и ягоды вы можете добавить туда сами!

· **Йогурт на основе живых лактобактерий — самый лучший.**

Иногда производители просто пишут, что продукт изготовлен на основе живых лактобактерий. Это значит, что йогурт, скорее всего, прошел термообработку, поэтому никаких полезных веществ там не осталось. Обязательно должна быть надпись: «Содержание лактобактерий не менее 10^6 на 1 мл продукта». Если лактобактерий меньше, то никакой пользы от йогурта не будет.

· **Йогурт можно есть младенцам.**

Это опасный миф! В отличие от многих других кисломолочных продуктов йогурт содержит большое количество молочной кислоты, которая раздражает стенки желудка маленьких детей. Йогурты — это продукты для взрослых людей.

ПРАВДА

· **Йогурт укрепляет иммунитет.**

В йогурте содержится болгарская палочка. Когда она попадает в кишечник, то начинает выделять ферменты, способствующие росту полезной микрофлоры, а также повышает выработку альфа-интерферона, тем самым укрепляя противовирусный иммунитет.

· **Йогурт эффективен для профилактики молочницы.**

Болгарская палочка снижает количество грибков Candida, а ведь именно эти грибки вызывают кандидоз, то есть молочницу.

· **Йогурт помогает избавиться от неприятного запаха изо рта.**

Это происходит благодаря действию лактобактерий. Японские исследователи установили, что регулярное употребление йогурта снижает в выдыхаемом воздухе уровень сероводорода, являющегося главным источником неприятного запаха. Это происходит за счет нормализации микрофлоры кишечника.

- **Йогурт снижает вредное воздействие радиации.**

Кальций, содержащийся в йогурте, связывает соли тяжелых металлов и выводит их из организма.

Несмотря на то что йогурты в последние годы приобрели большую популярность, их используют преимущественно для прямого употребления. Между тем они очень хороши и как заправка для овощных салатов.

Для большинства людей салат с йогуртом кажется невкусным. Но существует способ сделать из йогурта соусы для салата — вкусные и низкокалорийные! И, кстати, по вкусу они не хуже, чем всеми любимый майонез.

Йогурт — 125 г
Лимонный сок — 2 ст. л.
Сушеный чеснок — 1 ч. л.
Базилик — 2 веточки
Огурец — 1 шт.

Огурец измельчить в блендере, немного отжать мякоть через марлю, чтобы соус не получился очень жидким. Возвратить мякоть огурца в блендер, добавить туда остальные ингредиенты и перемешать. Соус готов!

Еще один вариант салатного соуса можно получить, смешав в блендере 125 г йогурта, по 2 ч. л. зернистой горчицы и меда, черный молотый перец.

ТВОРОГ[1]

Состав	Количество	РСП
Вода	67,8 г	
Жиры	9,0 г	13%
Белки	18,0 г	30%
Углеводы	3,0 г	1%
Холестерин	27 мг	9%
Витамин B_2	0,27 мг	15%
Витамин РР	3,9 мг	20%
Кальций	164 мг	16%
Фосфор	220 мг	28%
Селен	30 мкг	54%
Энергетическая ценность — 169 ккал		

Все мы знаем, что настоящий творог делают из коровьего молока. Но часто для удешевления производства недобросовестные производители изменяют традиционный состав, и пользы в таком продукте практически не остается. Кроме того, подобные имитации творога могут даже нанести вред вашему здоровью! Как обезопасить себя и выбрать качественный и натуральный творог?

Внимательно посмотрите на название продукта. Если написано просто «Творог» — значит, в нем нет никаких примесей и ароматизаторов. Если — «Творожная масса», «Творожок», «Творожочек» и тому подобное, значит, это не

[1] Состав указан для творога 9%-ной жирности.

Из-за высокого содержания белка творог противопоказан при заболеваниях почек в период обострений.

чистый творог, а творожный продукт.

В составе натурального творога должно быть только молоко, закваска или сычужный фермент. Если же вместо молочного жира добавлен пальмовый или кокосовый жир, не покупайте такой творог. Он содержит насыщенные жиры, которые повышают уровень холестерина в крови и провоцируют развитие атеросклероза, тромбоза сосудов, заболеваний сердца, ожирения.

Е 509 – хлорид кальция. В составе творога часто бывает эта добавка. Она увеличивает содержание кальция в твороге и не приносит вреда организму.

Натуральный творог может храниться максимум четверо суток при температуре от +2 до +6 °С. Если указан больший срок хранения – он либо пастеризован, а значит, утратил свои полезные свойства, либо с консервантами.

Цена творога зависит от его состава. Поскольку для приготовления 1 кг творога требуется не менее 3 л молока, то и 1 кг качественного творога ни при каких условиях не может стоить дешевле 3 л молока! Если добавить сюда затраты и прибыль изготовителя, наценки поставщика и продавца, вы всегда сможете примерно рассчитать стоимость килограмма творога. Если же творог дешевый, то, скорее всего, он сделан с добавлением пальмового или кокосового жира, так как эти жиры гораздо дешевле молочного.

Если вы покупаете творог на рынке, то просите у продавца сертификат, где написан состав данного творога. Иначе вы рискуете наткнуться на подделку. Особенно этим грешат различные «фермерские» лавки.

Если творог белый – он натуральный. Если же он желтоватого цвета – значит, он или несвежий, или в нем присутствуют вредные добавки.

Обратите внимание на консистенцию. Качественный творог – однородной структуры. Если творог состоит из нескольких слоев, различных по цвету и консистенции, – значит, продавцы собирали его несколько дней в кадки и бочонки и только потом привезли на продажу. Такой творог может быть испорченным.

Если вы покупаете творог на рынке, то попробуйте его. Если после творога во рту остается неприятное жирное послевкусие, скорее всего, в творог добавлено пальмовое масло.

МИФЫ

• Творог противопоказан при жировом гепатозе печени.

Наоборот, творог полезен при жировом гепатозе! Он содержит незаменимую аминокислоту – метионин, – которая помогает регулировать жировой обмен и уменьшает уровень вредного холестерина в крови.

• Белок из творога усваивается хуже, чем из мяса.

Творог усваивается лучше, чем мясо, так как при створаживании молока белок уже частично разрушается, что уменьшает нагрузку на желудок.

• Творог противопоказан людям с аллергией на молоко.

Если человек не переносит молоко, то совершенно не обязательно, что творог ему противопоказан. Непереносимость молока обусловлена входящим в его состав молочным сахаром. У некоторых людей снижено количество фермента лактазы, который перерабатывает этот молочный сахар. Но при сквашивании молока уровень молочного сахара снижается существенно, потому что именно его молочнокислые бактерии и пожирают первыми. И для людей, которые не переносят молоко, творог и другие кисломолочные продукты, наоборот, являются очень важными и полезными.

ПРАВДА

• Творог помогает похудеть.

Творог содержит много белка – 30% РСП, который ускоряет метаболизм.

• Творог защищает от остеопороза.

Творог содержит кальций и фосфор, которые укрепляют костную ткань.

• Творог повышает настроение.

Творог содержит триптофан, из которого в нашем организме синтезируется «гормон радости» серотонин.

Приготовьте из творога необычный творожный пудинг. Необычный он потому, что его нужно не выпекать, а охлаждать. Причем пудинг будет сладким, но при этом низкокалорийным. Это прекрасный десерт для всех сладкоежек. В 100 г этого пудинга – всего 83 ккал. Это очень мало.

Творог – 400 г
Молоко – 1/2 ст.
Какао-порошок – 2 ст. л.
Желатин – 1 ст. л.
Сукралоза
Ягоды

Желатин развести в стакане воды и оставить на 40 минут. Затем поставить на медленный огонь до растворения желатина. Все ингредиенты: молоко, какао, творог, сукралозу – измельчить блендером до образования однородной массы и в конце ввести растворенный желатин. Разлить массу в формочки, украсить ягодами и поставить застывать в холодильник.

В 100 г этого пудинга всего 83 ккал. Это очень мало.

А еще из творога можно приготовить сырники. Но не сладкие, а необычные — соленые! Соленые сырники в два раза менее калорийны, чем традиционные сладкие. В традиционных — 225 ккал, а в этих всего 107. К тому же они очень полезные!

Обезжиренный творог — 500 г
Яйцо — 2 шт.
Молотые отруби — 4 ст. л.
Зеленый лук — 50 г
Зелень — большой пучок
Соль

Зеленый лук и другую зелень нарезать и смешать все ингредиенты. Вылепить сырники. Чтобы сырники не впитали много жира, возьмите сковороду с антипригарным покрытием и готовьте на растительном масле, распыляемом при помощи пульверизатора. Таким образом, вы нанесете на сковороду очень тонкий слой масла, и сырники не впитают много жира. Остается их только запечь!

Такие сырники укрепляют кости, снижают уровень холестерина и улучшают моторику кишечника, укрепляют память и улучшают работу печени, а также полезны для сердца!

ЖИРЫ

МАСЛО СЛИВОЧНОЕ[1]

Состав	Количество	РСП
Вода	16,0 г	
Жиры: из них полиненасыщенные	82,5 г 2,5 г	123% 11%
Белки	0,5 г	1%
Углеводы	0,8 г	0%
Холестерин	190 мг	63%
Витамин A	622 мкг	69%
Витамин D	1,5 мкг	15%
Энергетическая ценность — 748 ккал		

«Кашу маслом не испортишь», — говорили наши предки. Но они и в самом страшном сне не могли представить, что современное сливочное масло может с легкостью испортить не только кашу, но и здоровье! В магазинах продается огромное количество поддельного сливочного масла. Поэтому надо выбирать его очень внимательно.

Обратите внимание на название масла. На упаковке должно быть написано «сливочное масло». Если же там написано что-то типа «сливочное маслице» или «сливочная масленка», то это уже

[1] Состав приведен для традиционного масла жирностью 82,5%.

не масло, так как в нем наверняка будут растительные жиры. Это нечто среднее между сливочным маслом и маргарином. Называется — спред.

Некоторые думают, что спред полезнее, чем масло, так как его жирность ниже, а значит, оно меньше повышает уровень холестерина. На самом деле это не так. Просто в спреде молочный жир заменен гидрогенизированными растительными жирами. Они содержат огромное количество трансжиров, повышающих уровень холестерина, так как содержат насыщенные жирные кислоты и способствуют образованию холестериновых бляшек в сосудах.

Проверьте жирность масла. По ГОСТу масло бывает пяти видов. У них различается массовая доля жира.

Традиционное сливочное масло	массовая доля жира не менее 82,5%
Любительское сливочное масло	массовая доля жира не менее 80,0%
Крестьянское сливочное масло	массовая доля жира не менее 72,5%
Бутербродное сливочное масло	массовая доля жира не менее 61,5%
Чайное сливочное масло	массовая доля жира не менее 50,0%

Лучше покупать традиционное, любительское или крестьянское масло, потому что в них по ГОСТу нельзя добавлять ничего, кроме соли и пищевого красителя — каротина. А вот в масле бутербродном и чайном могут быть ароматизаторы, консерванты, стабилизаторы и эмульгаторы. Такое масло не принесет здоровью пользу.

Обратите внимание на срок хранения. Срок хранения качественного масла — 30–35 суток при температуре от 0 до 5 °С. Если же заявленный срок больше, то, скорее всего, в масло добавлены консерванты, например сорбит калия. Такое масло не будет вредно для здоровья. Но по вкусу оно будет не очень похоже на натуральное масло.

Для проверки качества масла проведите дома три простых теста.

Положите купленное масло в морозильник. Через час попробуйте его разрезать. Настоящее будет крошиться, а содержащее растительные жиры — легко резаться ножом, как пластилин.

Положите кусочек масла на разогретую сковороду. Настоящее быстро растает, превратившись в ароматную пенку; содержащее добавки растает без пенки и без запаха, а может быть, и с неприятным запахом.

Поместите кусочек масла в горячую воду. Настоящее будет таять равномерно, а от масла с добавками в воде появятся кусочки.

Сливочное масло противопоказано при атеросклерозе, заболеваниях сердца, ожирении.

МИФЫ

• Ожоги полезно смазывать сливочным маслом.

Жировая пленка не дает охладиться пораженному участку, что усилит воспалительный процесс. Нельзя наносить сливочное масло на обожженную кожу!

ПРАВДА

• Сливочное масло помогает при трещинах на пятках.

Трещины на пятках могут быть вызваны авитаминозом. Сливочное масло богато витамином А, который помогает бороться с сухостью кожи.

• Сливочное масло помогает улучшить осанку.

Плохая осанка может свидетельствовать об остеопорозе. Чтобы укрепить костную ткань, необходимо употреблять кальций. Но кальций всасывается в кишечник только при помощи витамина D, которым богато сливочное масло. Таким образом, сливочное масло помогает усвоению кальция!

ПОДСОЛНЕЧНОЕ МАСЛО

Состав	Количество	РСП
Вода	0,1 г	
Жиры: из них полиненасыщенные	99,9 г 65,0 г	149% 295%
Белки	0,0 г	0%
Углеводы	0,0 г	0%
Холестерин	0,0 г	0%
Витамин Е	44 мг	293%
Энергетическая ценность – 899 ккал		

Мало кто знает, что подсолнечное масло полезнее оливкового. Все дело в полиненасыщенных жирных кислотах Омега-6 и в витамине Е. В 100 г подсолнечного масла жирных кислот содержится 65 г – 295% РСП! А в оливковом масле – 12,1 г – 55% РСП. Почти в 5 раз меньше!

Значения для витамина Е составляют 293% – 81% и РСП соответственно.

Чтобы подсолнечное масло приносило максимальную пользу вашему здоровью, его нужно правильно выбрать.

Производители нередко указывают на этикетке: «Масло без холестерина!» На самом деле это их уловка. В подсолнечном масле вообще не может быть холестерина! Он содержится только в продуктах животного происхождения. Поэтому маслу с такой надписью лучше изначально не доверять. Неизвестно, что там еще пытаются замаскировать производители.

В качественном свежем рафинированном подсолнечном масле не должно быть осадка. Если же на дне упаковки есть осадок или масло мутноватое, значит, оно просрочено. Такое масло горчит, а при жарке образует канцерогены. Но имейте в виду, что в нерафинированном подсолнечном масле при хранении может образовываться осадок. Это допустимо!

Всем известно, что в подсолнечном масле содержится витамин Е. Более того, подсолнечное масло – лидер по содержанию этого витамина, но количество витамина Е сильно зависит от степени очистки масла. Чем выше очистка, тем меньше витамина. Больше всего витамина Е в нерафинированном подсолнечном масле. Поэтому именно его и нужно добавлять в салаты! Такое масло замедляет старение. Рафинированное и дезодорированное масла лучше использовать для жарки.

На качественном подсолнечном масле должно быть написано «Подсолнечное масло». Если же написано «Растительное масло», то лучше его не брать. Скорее всего, это смесь разных масел, а значит, производитель пытается что-то скрыть.

Есть один широко рекламируемый способ применения растительного масла. Это так называемая «чистка печени» при помощи растительного масла и лимонного сока. В последние годы этот метод действительно обрел популярность. О нем много пишут в Интернете, его пропагандируют народные целители. Но ни масло, ни лимонный сок печень не очищают!!! Они, напротив, создают сильнейшую нагрузку на печень. Так как вместе с маслом в организм попадает огромное количество жира, и печень вынуждена все это переваривать. Это может привести к жировой дистрофии печени! Не занимайтесь очищением печени народными методами – это вредит ей!

МИФЫ

- **Подсолнечное масло полезно пить натощак.**

В Интернете пишут, что нужно с утра выпивать столовую ложку подсолнечного масла. Якобы это полезно для желудка. На самом деле это миф. Подсолнечное масло никак не влияет на желудок.

- **Подсолнечное масло помогает при ожогах.**

Многие считают, что ожоги и открытые раны надо смазывать подсолнечным маслом. Но это неправда. Масло образует на поверхности раны пленку, и она будет дольше заживать.

Подсолнечное масло не имеет противопоказаний, если не злоупотреблять его количеством.

ПРАВДА

• **Подсолнечное масло нужно хранить в темном месте.**

Многие хранят подсолнечное масло на свету, например рядом с плитой или на подоконнике. Но это неправильно, так как из-за этого в масле разрушается витамин Е. Хранить его лучше в темном месте.

• **Подсолнечное масло калорийнее сливочного.**

Многие уверены, что подсолнечное масло низкокалорийное, и поэтому употребляют его почти без ограничений. На самом деле в подсолнечном масле содержится 899 ккал, а в сливочном масле – 748 ккал.

• **Подсолнечное масло замедляет старение кожи.**

Подсолнечное масло богато витамином Е, который является сильным антиоксидантом. Он борется со свободными радикалами, тем самым замедляя процесс старения кожи.

• **Подсолнечное масло снижает риск инфаркта.**

В подсолнечном масле содержатся полиненасыщенные жирные кислоты, которые уменьшают уровень холестерина. Это защищает наш организм от атеросклероза и его последствия – инфаркта.

ОЛИВКОВОЕ МАСЛО

Состав	Количество	РСП
Вода	0,2 г	
Жиры: из них полиненасыщенные	99,8 г 12,1 г	149% 55%
Белки	0,0 г	0%
Углеводы	0,0 г	0%
Холестерин	0,0 г	0%
Витамин Е	12,1 мг	81%
Энергетическая ценность – 898 ккал		

В нашей стране любят оливковое масло, но качество оливкового масла, поступающего на прилавки российских магазинов, не всегда хорошее. Как же выбирать качественное оливковое масло?

Натуральное оливковое масло делится на несколько видов. Самым полезным и популярным является масло с пометкой «Extra virgin». Его доля – всего 10% от общего количества производства масла. Но сегодня на прилавках вы увидите только его. Это масло наиболее востребовано. Так что же это за масло на прилавках магазинов?

Оливковое масло не имеет противопоказаний, если не злоупотреблять его количеством.

Это подделка. Более дешевые подсолнечное, соевое или рапсовое масла между собой смешиваются и подкрашиваются синтетическим пищевым красителем. Цвет будет таким же, как и у натурального масла.

Поэтому, если вы хотите купить оливковое масло «Extra virgin», покупайте нерафинированное! Вы сможете оценить его натуральность по запаху. Не должно быть неприятных прогорклых ноток. Если вы ощущаете привкус горечи, это указывает на то, что масло долго хранилось, не соблюдались требования к его производству.

Масло при комнатной температуре не должно быть мутным или неоднородным. Но при охлаждении оно должно помутнеть. Зная это свойство, можно проверить оливковое масло на натуральность. Поместите бутылку с оливковым маслом на ночь в холодильник. Если на второй день вы увидите мутность или выпадение осадка – это масло качественное.

МИФЫ

· Полезнее всего жарить на нерафинированном оливковом масле.

При нагревании в растительном масле образуются канцерогены – это относится ко всем видам растительных масел. Для жарки лучше использовать топленое сливочное масло или специальное фритюрное масло. Если все же жарите на растительном, то пользуйтесь очищенным.

ПРАВДА

· Оливковое масло менее полезное, чем подсолнечное.

В 100 г подсолнечного масла полиненасыщенных жирных кислот содержится 65 г – 295% РСП! А в оливковом масле 12,1 г – 55% РСП. Почти в 5 раз меньше! В оливковом масле 81% РСП витамина Е, а в подсолнечном – 293% РСП.

ЛЬНЯНОЕ МАСЛО

Состав	Количество	РСП
Вода	0,2 г	
Жиры: из них полиненасыщенные	99,8 г 67,7 г	149% 308%
Белки	0,0 г	0%
Углеводы	0,0 г	0%
Холестерин	0,0 г	0%
Витамин Е	2,1 мг	14%
Энергетическая ценность – 898 ккал		

Как вы думаете, каким маслом полезнее всего заправлять салат — оливковым, подсолнечным или льняным? В нашей стране на сегодняшний день популярны подсолнечное и оливковое масла. А вот льняное не очень-то пользуется спросом. А зря! Оно обладает тремя волшебными лечебно-профилактическими свойствами.

Льняное масло защищает от атеросклероза. Атеросклероз — это отложение холестерина на стенках сосудов. И если холестериновая бляшка образуется в сосудах сердца, то у человека может развиться инфаркт, если в сосудах мозга — возникает инсульт. Льняное масло помогает все это предотвратить! В нем содержится много полиненасыщенных жирных кислот. Они снижают уровень холестерина в крови, а значит, защищают от атеросклероза!

Полиненасыщенных жирных кислот в льняном масле содержится в 5 раз больше, чем в оливковом. И даже немного больше, чем в подсолнечном.

Льняное масло уменьшает ночную потливость. Потливость часто появляется у женщин в период менопаузы. И все дело снова в полиненасыщенных кислотах. Особенно в линолевой кислоте. Она помогает снизить температуру тела, и человек потеет меньше.

Третье чудесное свойство льняного масла — оно защищает от болезни Альцгеймера. И знаете почему? Это снова полиненасыщенные жирные кислоты, а именно Омега-3 жирные кислоты. Они улучшают работу мозга, замедляют его старение и защищают от болезни Альцгеймера.

МИФЫ

• На льняном масле можно жарить.

Ни в коем случае не жарьте на льняном масле. При нагревании оно мгновенно окисляется. А вот для заправки салатов оно очень подходит!

ПРАВДА

• Льняное масло лучше хранить в холодильнике.

В тепле льняное масло быстро окисляется и становится даже вредным.

• Льняное масло лучше покупать в темной бутылке.

В таком случае оно будет дольше храниться и сохранять свои полезные свойства.

• Льняное масло улучшает состояние волос.

Для улучшения внешнего вида волос льняное масло можно применять для приготовления масок для волос. Но если принимать его

Льняное масло не имеет противопоказаний.

внутрь, то улучшится не только их внешний вид, но и состояние.

• **Льняное масло можно употреблять детям.**

Никаких противопоказаний для этого нет.

• **Льняное масло снижает риск возникновения сахарного диабета.**

В Интернете пишут, что льняное масло защищает от сахарного диабета. И это действительно так. В нем содержится альфа-теоктовая (альфа-липоевая) кислота, которая улучшает чувствительность тканей к инсулину, при этом риск заболеть сахарным диабетом заметно снижается.

• **Льняное масло можно есть беременным.**

Льняное масло не только можно, но и НУЖНО есть беременным. Оно содержит витамин F, который трудно найти в других продуктах питания.

ОТРУБИ[1]

Состав	Количество	РСП
Вода	15,0 г	
Жиры	3,8 г	6%
Белки	16,0 г	27%
Углеводы	16,6 г	6%
Пищевые волокна	43,6 г	218%
Витамин E	10,4 мг	69%
Витамин B_1	0,75 мг	50%
Витамин B_2	0,26 мг	14%
Витамин PP	13,5 мг	68%
Калий	1260 мг	50%
Кальций	150 мг	15%
Магний	448 мг	112%
Фосфор	950 мг	119%
Железо	14 мг	78%
Энергетическая ценность – 165 ккал		

[1] Состав указан для пшеничных отрубей.

Все знают, что отруби очень полезны и для здоровья, и для фигуры. Но оказывается, в наших магазинах очень часто продают не то чтобы вредные, но все-таки не очень полезные отруби, из-за которых можно набрать лишний вес! Поэтому важно выбрать действительно полезные и не ошибиться.

В целом ржаные и пшеничные отруби полезны одинаково. Но все-таки лучше отдавать предпочтение ржаным, так как в них содержится более полезная клетчатка, чем в отрубях пшеничных. Содержание лигнанов – полифенолов с антиоксидантными свойствами – в ржаных отрубях значительно выше.

Отруби сейчас продаются в разных видах – чипсы, таблетки, «палочки». Такая форма им придается за счет муки. То есть это уже не

Отруби противопоказаны при диарее, дивертикулезе кишечника. Отруби не рекомендуется включать в рацион при обострениях гастрита, язвенной болезни, колита и энтеритах инфекционной этиологии.

чистые отруби, а смесь муки и пищевой клетчатки. При этом конечный продукт становится очень калорийным. В 100 г – больше 300 ккал, тогда как калорийность настоящих отрубей на треть ниже и не превышает 220 ккал. Если вы будете часто есть высококалорийные отруби, это может способствовать набору лишнего веса.

В полезных отрубях должно быть минимальное количество муки, и важно, чтобы она была низкого сорта. В такой муке больше клетчатки и меньше углеводов. В идеале муки не должно быть вовсе. Настоящие отруби чаще всего продаются в рассыпчатом виде. Самый простой способ определить количество муки в отрубях – размять, растереть их пальцами. Если есть мука, она остается на пальцах или тарелке.

Рассмотрите отруби вблизи. Если на частичках отрубей осталось совсем мало белой сердцевины – помол качественный. Если отруби толстые, размолоты грубо и на кожуре много сердцевины – помол плохой. А ведь чем хуже помол, тем хуже отруби будут усваиваться.

Отруби можно добавлять куда угодно. Но самые распространенные способы – это добавлять их в салаты, кефир или в котлеты вместо панировочных сухарей.

Суточная норма клетчатки содержится в 40 г отрубей. Но нужно помнить, что и в других продуктах растительного происхождения клетчатка присутствует в большем или меньшем количестве.

При недостатке клетчатки увеличивается вероятность образования камней в желчном пузыре и развития раковых образований. Но и избыток клетчатки тоже может нанести вред здоровью, могут возникнуть тошнота и рвота. Это может случиться, если клетчатки достаточно в рационе, а люди, стараясь следовать модным веяниям, употребляют клетчатку дополнительно. Поэтому перед началом употребления отрубей лучше все-таки посоветоваться со своим врачом.

МИФЫ

· Отруби нельзя есть в сухом виде.

В Интернете пишут, что отруби нельзя есть в сухом виде, иначе может нарушиться работа желудочно-кишечного тракта. На самом деле отруби можно есть сухими. Просто при этом их нужно запивать водой.

ПРАВДА

• **Отруби можно использовать вместо хлеба и муки.**

Например, при приготовлении котлет. Они так же сделают фарш эластичным. И при этом он будет еще очень полезным.

• **Отруби улучшают состояние волос.**

В отрубях содержится большое количество витаминов группы В. А они укрепляют волосы, придают им блеск, то есть улучшают их состояние.

• **Отруби полезно есть женщинам во время ПМС.**

В отрубях содержится больше суточной дозы магния! Во время ПМС у женщин возникает дефицит этого макроэлемента. Поэтому отруби полезно есть во время ПМС.

• **Отруби эффективны для профилактики атеросклероза.**

В отрубях содержится много клетчатки. Она выводит из организма лишний холестерин. Поэтому отруби защищают от атеросклероза.

• **Отруби улучшают работу сердца**.

В отрубях содержатся калий и магний, которые укрепляют сердечную мышцу, улучшая тем самым работу сердца.

• **Отруби улучшают работу нервной системы.**

В отрубях содержатся витамины группы В и витамин РР. Они улучшают работу нервной системы.

• **Отруби укрепляют зубы.**

В отрубях содержится фосфор – 119% РСП. А этот микроэлемент укрепляет костную ткань, в том числе и зубы.

• **Отруби замедляют старение кожи.**

В отрубях содержится витамин Е – 69% РСП. Он – сильнейший антиоксидант, который борется с вредными радикалами, а значит, замедляет старение кожи.

САХАРОЗАМЕНИТЕЛИ

«Белый убийца» – так врачи называют сахар и призывают своих пациентов сокращать его употребление. Но на помощь сластенам приходят многочисленные сахарозаменители. Где их только не обнаружишь: и в газировке, и в печенье, и в леденцах, и в йогуртах, и даже в квашеной капусте! Но как отразится употребление этих продуктов на здоровье человека? Можно ли похудеть, заменяя сахар синтетическими препаратами с нулевой калорийностью? И почему от некоторых сахарозаменителей можно заработать ожирение и повысить риск возникновения рака?

Нужно сказать, что далеко не все, что в обиходе называют сахарозаменителями, ими является.

Сахарозаменители – это различные по своей химической природе вещества, сладость которых по интенсивности не сильно отличается от сладости сахарозы. Она может быть немного больше или чаще даже немного меньше, чем у обычного сахара.

Самый известный сахарозаменитель – фруктоза. Ее сладость больше сладости сахара почти в 2 раза. Сладость ксилита составляет 85% от сладости сахарозы, сорбита – 60%, лактита – 40%, мальтита – 90%. Все это позволяет использовать данные вещества там, где надо не просто придать сладкий вкус продукту, но и добиться определенной концентрации сухих веществ, то есть определенной, неповторимой консистенции продукта.

Подсластители – это также различные по своей химической природе и происхождению вещества, сладость которых в десятки или сотни раз сильнее сладости сахара. Подсластители используют прежде всего из экономических соображений: там, где раньше требовалась тонна сахара-песка, теперь достаточно 5–10 г подсластителя.

Фруктоза при всей своей натуральности вовсе не так уж безвредна. Во-первых, хоть она и усваивается инсулиннезависимо, но метаболизируется в печени, которая излишки фруктозы превращает в жир, и этот процесс идет быстрее, чем в случае с излишками глюкозы. В США именно переход от потребления обычного сахара на кукурузный сироп, содержащий примерно одинаковые количества фруктозы и глюкозы, связывают с эпидемией ожирения и сопутствующих заболеваний. Кроме того, фруктоза не менее калорийна: те же 4 ккал/г, что и у обычного сахара!

Кондитерские изделия для диабетиков на ксилите, сорбите или фруктозе – печенье, мармелад, конфеты – содержат все тот же маргарин, пальмовый или кондитерский жир в большом количестве: обычная жирность конфет – 40–50%, а печенья – 25–28%. Их совсем нельзя назвать диетическими продуктами или продуктами для похудения. И если конфеты и печенье на сахаре были опасны для фигуры, то их аналоги на фруктозе опасны совершенно так же, только потребитель часто об этом не задумывается.

Подсластители активно используются производителями газированной воды, сладостей, йогуртов, творожных десертов, пудингов, жевательных резинок. Нужно сказать, что далеко не все из подсластителей безопасны.

Какие же подсластители опасны для здоровья?

Ацесульфам калия – даже в технологических справочниках для производителей приводятся данные о его канцерогенном действии: рак мочевого пузыря и атрофия яичек у самцов крыс. Те же характеристики присущи группе цикламатов.

Аспартам – он не обладает химической стабильностью в продукте, распадается на составляющие даже при сравнительно невысоких температурах – выше 40 °C – и в кислой среде, а также при длительном хранении. А ведь именно этот подсластитель входит в состав большинства популярных напитков «лайт»! Он также выделяет токсичный метиловый спирт даже от действия солнечного света – постояла бутылка на солнышке, и напиток уже, по сути, содержит некоторое количество ядовитого вещества. А ведь многие пьют такие напитки постоянно – вместо воды или чая! За день может набраться до 3 л жидкости с аспартамом!

Сахарин – также часто используется производителями как ингредиент напитков. Сахарин неоднократно рассматривался экспертами комитета ФАО/ВОЗ по вопросу безопасности его применения, и в результате его допустимое суточное потребление было снижено в 2 раза, а также было официально заявлено, что его ежедневное потребление нежелательно.

Большинство подсластителей для похудения содержат подсластители на основе цикламата и сахарина. Нельзя сказать, что длительное использование подобных подсластителей безопасно для здоровья. Еще один важный момент. Не всегда люди смотрят на упаковку и читают состав продукта. Однако подсластители можно выявить по вкусу!

Несмотря на все вышесказанное, все же есть чем обрадовать приверженцев здорового питания и людей, следящих за фигурой. Существуют и безвредные подсластители. К тому же в отличие от многих сахарозаменителей они не содержат калорий, так как используются в крайне низких дозировках!

К ним относятся:

стевиозид – он выделен и получается из сладкого растения – стевии и по вкусу довольно сильно отличается от сахара. Многие потребители отмечают привкус горечи, «лекарственный» привкус при употреблении этого подсластителя;

сукралоза – химически синтезирована из сахара, поэтому ее вкус очень близок к сахарозе. Это самый изученный подсластитель, который эксперты ФАО/ВОЗ хотят даже исключить из списка пищевых добавок.

Оба эти подсластителя разрешены и для детей, и для беременных, обладают термостойкостью и стабильностью в кислых и щелочных средах, содержат 0 ккал.

Помните, что большинство сахарозаменителей в таблетках не являются безопасной альтернативой сахару, а газированные напитки «лайт» на аспартаме могут представлять опасность для вашего здоровья! А вот сукралоза и стевиозид помогут похудеть и не нанесут вреда вашему организму. Сладкой вам жизни!

Все знают, как дети любят леденцы, но большинство популярных конфет на палочке содержат много сахара, а также вредные красители и ароматизаторы. Мы предлагаем вам альтернативу этим вредным лакомствам – полезный леденец! Он низкокалориен. В одном леденце содержится 24 ккал.

Основой для такого леденца будет изомальт – это низкокалорийный углевод нового поколения. В промышленных масштабах его получают из сахара, но он встречается и в природе – в сахарном тростнике, сахарной свекле и меде. Изомальт на 40–60% менее сладок, чем сахар. Его часто используют при изготовлении кондитерских изделий: шоколада, карамели, мороженого и жевательной резинки. В продаже бывают диетические леденцы на изомальте, но цена на них кусается. В домашних условиях можно их сделать ничуть не хуже! Кроме того, такие леденцы не вызывают кариес. Изомальт повышает слюноотделение, что снижает кислотность. Он не является источником питания для бактерий, которые вырабатывают вредную кислоту во рту, и в отличие от сахара не снижает pH ротовой полости ниже 5,7 в течение 30 минут после его приема.

Они низкокалорийные: 1 г изомальта содержит 2,4 ккал против 4,09 ккал в 1 г сахара.

Подходят для людей с сахарным диабетом, так как организм усваивает изомальт в значительно меньших количествах и медленнее по сравнению с сахаром. Соответственно, уровень сахара и инсулина не изменяется так быстро, как это происходит при приеме сахара.

Изомальт – 100 г
Вишневый сок – 30 мл

Приготовьте силиконовые формочки для леденцов и деревянные шпажки для шашлычков. Острые концы у шпажек обрубите, чтобы не пораниться, и выложите их в формы.

Изомальт подогрейте в ковшике с толстым дном до полного растворения. Затем влейте сок. Постоянно помешивая, варите еще 2–3 минуты на слабом огне. Затем залейте полученную смесь в формы и оставьте в них до полного застывания.

ВОДА

Вода составляет основу нашего тела, и роль ее в организме по значимости занимает второе место после воздуха. Вода есть во всех органах и тканях, где-то больше (мозг – до 75–80%), где-то меньше (кости – 15–30%, жировая ткань – 10–12%). Вода поддерживает все обменные процессы, осуществляет транспортировку питательных веществ ко всем тканям и клеткам тела.

Без пищи любой человек может прожить более месяца, а без воды – всего пару дней. В среднем, когда организм обезвоживается на 10%, наступает физическая и психическая недееспособность, а когда на 20% – наступает смерть. За сутки вода обновляется на 5–6%, а за 10 дней – на 50%.

Именно поэтому качеству воды и питьевому режиму надо всегда уделять самое пристальное внимание.

МИФЫ

• Кипяченая вода более полезная.

Считается, что при кипячении вредные для здоровья вещества из воды исчезают. Однако на самом деле кипячение не уничтожает даже всех микробов, не говоря уже о тяжелых металлах и нефтепродуктах. Поэтому для очищения воды простого кипячения недостаточно. Кроме того, на стенках чайника после кипячения оседают полезные соли кальция и магния. При кипячении водопроводной воды образуются хлорорганические соединения, которые, по мнению медиков, нарушают баланс минеральных веществ в организме и отрицательно сказываются на здоровье.

• Фильтры для воды делают воду безопасной для здоровья.

Используя фильтры, вы очищаете все ту же водопроводную воду, которая обеззаражена хлором и приходит к вам в дом по изношенным водопроводным трубам. Бытовые фильтры обладают невысокой степенью очистки от солей тяжелых металлов и нитратов, что повышает возможность образования хлорорганических соединений в воде, отрицательно влияющих на здоровье. Во многих случаях при использовании водяных фильтров происходит обессоливание воды. При длительном употреблении такой воды нарушается водно-солевой баланс организма.

• Родниковая вода полезна и безопасна.

К сожалению, это часто совсем не так. Многие родники подвергаются негативному воздействию деятельности человека и загрязняются промышленными и бытовыми сточными водами. Прежде чем использовать воду из родника, желательно получить анализ ее химического состава.

• Жажда – лучший индикатор обезвоживания.

Лучший индикатор обезвоживания – цвет мочи. Бледно-желтая или прозрачная моча сигнализирует о достаточном увлажнении. А золотистая или темно-желтая – сигнал к тому, что следует больше пить. Другой способ контроля увлажненности – это частота походов в туалет. Мочеиспускание каждые 2 часа – признак того, что вы употребляете достаточно воды.

• Серебро делает воду полезной.

Серебро действительно обладает антибактериальным эффектом. Однако этот же эффект может уничтожить полезную микрофлору организма и привести к дисбактериозу и диарее.

ПРАВДА

• Постоянное употребление минеральной воды может быть опасно для здоровья.

Бесконтрольное употребление лечебно-столовой минеральной воды может привести к нарушениям водно-солевого баланса в организме и даже к мочекаменной болезни. Сульфатную минеральную воду нельзя пить женщинам в период менопаузы, так как из-за сульфатов плохо всасывается кальций и кости становятся хрупкими.

Где же взять чистую и безвредную воду? Каковы критерии такой воды? Давайте разбираться. Существует несколько показателей качества воды.

Первый показатель – это мера активности ионов водорода в растворе – pH. Если в воде пониженное содержание свободных ионов водорода по сравнению с ионами гидроксида (pH больше 7), то вода будет иметь щелочную реакцию, а при повышенном содержании ионов водорода (pH меньше 7) – кислую. Согласно Санитарным правилам и нормативам (СанПиН), допустимая величина pH питьевой воды – не меньше 6 и не больше 9. Этот показатель важен. Например, людям с гастритом нужно знать, какую воду они пьют, ведь кислая вода при гастрите с повышенной кислотностью может вызывать обострение заболевания.

Следующий показатель – жесткость воды. Это показатель того, как много солей кальция и магния растворено в воде. В настоящее время медики признают, что длительное употребление для питья «мягкой» воды (содержащей недостаточное количество кальция и магния) обуславливает высокую заболеваемость сердечно-сосудистыми болезнями, а «жесткая» (высокоминерализованная) вода способствует возникновению мочекаменной болезни. Человеку полезно пить воду умеренной жесткости – 4–8 ммоль/л. При длительном употреблении воды большей жесткости повышается риск образования камней в почках.

Еще один показатель – содержание железа. Питье воды с большим содержанием железа может вызвать аллергические реакции и расстройства пищеварения. Норма содержания железа в питьевой воде – до 0,3 мг/л. Обратите особое внимание на этот показатель, если у вас дома имеются ржавые потеки на раковине или унитазе.

Последний показатель, о котором знают все, – содержание хлора. Хлор опасен тем, что с разными веществами в воде он образует хлорорганические соединения, многие из которых обладают канцерогенными свойствами, например трихлорметан.

Сейчас в магазинах продают очень много разной бутилированной воды. Многие считают, что пить полезно только ту воду, которая полностью очищена. Так ли это и какую воду пить не нужно? Вопрос на самом деле актуален, особенно летом, когда в жаркую погоду рекомендуется употреблять больше воды. Действительно ли очищенная от всяких примесей вода самая полезная?

Рассмотрим три вида воды – минеральную, обычную из бутылок и дистиллированную.

Начнем с лечебной минеральной. Очень многие пьют ее каждый день. Пьют и не задумываются, что вода эта называется лечебной неспроста! В любой природной воде изначально содержится некоторое количество микроэлементов, солей и минералов. В среднем состав обычной воды таков: минерализация 300–600 мг/л; содержание основных ионов: кальций 25–80, магний 5–20, натрий + калий не менее 20, гидрокарбонаты 50–200, хлориды 15–100, сульфаты не менее 20 мг/л. Воду с таким количеством солей и минералов мы можем смело употреблять ежедневно.

В состав лечебной минеральной воды входят: сульфат – 900–1700, гидрокарбонат – 1000–2000, хлорид – 300–500, кальций – 300–400, магний – <100, натрий + калий – 700–1200, кремниевая кислота – 30–90 мг/л, а ее минерализация достигает 3,2–5,8 г/л.

То есть в лечебной минеральной воде содержание солей и минералов в десятки, а то и в сотни раз выше!

Значит ли это, что и для организма такая вода полезнее во много раз? Нет, это большое и опасное заблуждение! Избыток того или иного вещества в организме нарушает pH крови и мочи. Неправильно подобранная вода может привести к обострению заболеваний. Так, например, людям с проблемами почек противопоказана вода высокой минерализации, так как она может спровоцировать образование и рост камней. Важно знать и природу камней – они бывают разные и требуют разного подхода.

Если пить лечебную минеральную воду каждый день, то можно нанести своему организму вред. Ее можно использовать только как лекарство – по назначению врача!

Прямо противоположный вариант – это питье дистиллированной воды. Дистиллированная вода – это совершенно чистая вода или вода с ничтожно малыми примесями инородных веществ и минеральных солей. Ее производят в специальных дистилляторах путем выпаривания обычной пресной воды с последующей конденсацией пара – дистилляцией. При этом все присутствующие в воде примеси остаются в выпаренном остатке. Таким образом, в дистиллированной воде в отличие от воды обычной, полностью отсутствуют полезные микроэлементы и минеральные соли. Благодаря этому дистиллированная вода отлично растворяет лекарства, но становится не совсем пригодной для постоянного употребления, так как такая вода не только не пополняет организм необходимыми солями и микроэлементами, но и постепенно вымывает их.

Дистиллированная вода не годится для ежедневного употребления!

Таким образом, самый оптимальный вариант на каждый день – это обычная бутилированная вода. Но выбирать эту воду тоже надо с умом. Вы, наверное, удивитесь, но на бутилированную воду есть ГОСТ. Согласно ГОСТу Р 52109-2003 расфасованную воду в зависимости от качества водоподготовки подразделяют на две категории: питьевая вода первой категории и питьевая вода высшей категории.

Вода первой категории безопасна для здоровья, но источник такой воды может быть любым, в том числе и обычный водопровод. А вот вода высшего качества — это вода из родниковых или артезианских подземных источников.

К воде высшей категории требования по качеству выше. В такой воде гораздо ниже содержание токсичных металлов (в воде первой категории натрия — 200, в воде высшей категории — 20 мл/л), нитратов и прочих примесей. Таким образом, вода высшей категории подходит для более длительного употребления, чем дистиллированная. Но из-за глубокой очистки в ней снижено и содержание полезных элементов.

Для ежедневного употребления больше подойдет вода первой категории. Но на прилавках магазинов сейчас просто огромный ассортимент питьевой воды. Как выбрать хорошую качественную воду?

Прежде всего надо внимательно изучить этикетку. Во-первых, этикетка должна быть наклеена ровно и плотно, без пузырей или морщин. На кустарно изготовленную воду этикетки приклеивают вручную.

На этикетке должна быть отражена вся информация: наименование воды с указанием типа, вида и категории; название и местонахождение источника, юридический адрес изготовителя, дата изготовления, минерализация, условия хранения. Если на этикетке информации мало, то велика вероятность того, что перед вами подделка и вместо качественной воды вы получите воду из сомнительного источника.

Кроме того, бутылка не должна быть деформирована, а вода не должна содержать никакого осадка. Обязательно должен быть указан срок годности воды, и он не должен превышать одного года.

Многие покупают также бутилированную газированную воду, а чаще — газированные сладкие напитки. В них содержится очень много сахара, ароматизаторов, красителей и других вредных добавок. То есть они повышают риск ожирения, атеросклероза, аллергии и других заболеваний.

Поэтому лучше готовить газированные напитки самостоятельно. Например, знаменитый напиток тархун и коктейль мохито. Вкусно, быстро и недорого.

Для приготовления газировки вам понадобится сифон. Именно с его помощью можно сделать воду газированной.

МОХИТО – на одну порцию

Мята – 2 веточки
Сок лайма – 1 ст. л.
Мед – 1 ст. л.
Имбирь – 2 тонких кусочка
Колотый лед
Вода в сифоне

В стакан положить мяту, имбирь, сок лайма и мед. Размять толкушкой. Положить лед и налить газированную воду. Украсить бокал веточкой мяты и долькой лайма – безалкогольный и безвредный мохито готов!

ТАРХУН – на одну порцию

Эстрагон – 3–4 ветки
Мед – 1 ст. л.
Сок лайма – 1 ст. л.
Огурец – 2 тонких кусочка
Вода в сифоне

Листья тархуна отделить от веточек и измельчить в блендере вместе с медом и лимонным соком. Смесь должна получиться однородной, без плавающих кусочков зелени. Переложить ее в стаканы, залить газированной водой и тщательно перемешать. Украсить дольками огурца. По вкусу в бокал можно добавить лед.

ЧЕРНЫЙ ЧАЙ

Черный чай – без этого напитка, наверное, каждый житель нашей страны не представляет своей жизни. Но, для того чтобы насладиться вкусом черного чая, необходимо выбрать качественный продукт. На что надо обратить внимание при выборе листового чая?

На пачке чая должны быть указаны две даты: дата сбора чая и дата расфасовки. Чем меньше между ними разница, тем лучше. Например, чай собрали 1 августа, а упаковали 1 сентября 2011 г. Это нормально. Значит, чай собрали, обработали и упаковали очень быстро – он не потерял своих полезных качеств. Если же чай собрали 1 августа, а упаковали 1 декабря, то такой чай брать не стоит. Ведь неизвестно, где и как он хранился пять месяцев. За это время чай мог потерять вкус и полезные свойства.

Влажность – от этого показателя в значительной степени зависит качество чая. Чай должен быть не сухим, но и не влажным. Проверить количество влаги в чае можно с помощью простого теста. Возьмите несколько чаинок и разотрите их между пальцами. Если они с легкостью превращаются в пыль, это плохо. Возможно, чай пересушен. В нем нет ни пользы, ни вкуса! Если чаинки размазываются по пальцам, значит, в них много влаги. Такой чай может заплесневеть и стать вредным для здоровья! Чаинки должны быть упругими и не крошиться – такой чай можно покупать.

Чем сильнее скручены чаинки, тем качественнее проходила обработка чайных листьев. И тем качественнее сам чай. Чаинки должны быть завиты в штопор – их называют проволочными. Если чаинки практически прямые и закручены неплотно, то чай будет завариваться плохо. То есть нужно будет добавлять больше чая, чтобы заварка получилась крепкой. Но он все равно будет менее полезным. Добросовестные производители чая делают в упаковке прозрачное окошко, чтобы можно было оценить его цвет и скрученность.

Срок годности. Многие наверняка замечали, что иногда заварка получается яркой, прозрачной, а иногда мутной. Это очень важный показатель. Если настой прозрачный, значит, чай свежий. Если настой мутный, значит, чай старый, его хранили больше двух лет. Такой чай будет невкусным и бесполезным для здоровья. Поэтому всегда обращайте внимание на срок годности.

Хотя чай является традиционным для России напитком, многие жители нашей страны неправильно его заваривают, а значит, не получают от него максимальную пользу и вкус.

Нельзя настаивать чай долго. Залили кипятком, и через 7–10 минут его нужно пить. В чае содержатся полифенолы – это антиоксиданты. А также гуанин – он мешает усвоению полифенолов. Чем дольше заваривать чай, тем меньше в чае полифенолов.

Не надо заваривать чай кипятком. Температура воды для заварки должна быть около 95 °С, не больше. Иначе все полезные вещества будут тут же разрушены. Конечно, в обычных чайниках сложно нагреть воду до определенной температуры. Но есть простой способ. Можно вскипятить воду и дать ей остыть в течение 2–4 минут.

Не надо пить очень горячий чай. Он обжигает горло, пищевод и желудок. Если часто пить такой обжигающе горячий чай, то клетки в этих органах повреждаются. Могут возникнуть гастрит, язва желудка и даже рак пищевода и горла! Температура чая не должна превышать 55 °С.

Не стоит пить чай на ночь. В нем содержится много кофеина, а кофеин, как известно, возбуждает нервную систему. Поэтому, выпив чаю на ночь, вы просто долго не заснете.

Первое, от чего надо отказаться, – это от чая в пакетиках. На самом деле это вовсе не чай. Прочтите, как он делается, и вы все поймете. Собрав урожай чая, к примеру, на Цейлоне, производители самые крупные и хорошие листья расфасовывают отдельно и продают в упаковках, а в пакетики кладут то, что остается на дне емкостей с собранным и высушенным чаем. То есть чайную пыль, куда входят не только крошка и чайная пыль, но и отходы жизнедеятельности насекомых, и просто пыль, и даже экскременты крыс. Вот эту смесь расфасовывают в маленькие пакетики и продают. Человек пьет такой «настой» и уверен в том, что пьет именно чай. А ведь это вредно для здоровья.

Вместо чайных пакетиков используйте чайное ситечко. Покупаете обычный листовой чай, кладете в ситечко, опускаете в стакан с водой – и получается настоящий вкусный чай. Времени тратится немного больше, но это того стоит, тем более что такое ситечко можно купить в любом магазине.

ЧАЙНЫЙ ГРИБ

В 90-е годы практически в каждом доме подоконник украшала трехлитровая банка с жидкостью и плавающей на ее поверхности таинственной «медузой».

Чайный гриб, японский гриб, морской квас, чайная медуза, медузомицет – это симбиоз дрожжеподобных грибов и уксуснокислых бактерий. Под их воздействием питательная среда (обычно это 4–9%-ный раствор сахара в слабом чае) превращается в кисло-сладкий слегка газированный напиток – «чайный квас» или «чайный гриб».

Этот кисло-сладкий настой был необычайно популярен. Он хорошо утоляет жажду в жаркую погоду. Но далеко не все знают, что чайный гриб является не только вкусным напитком, но и настоящим эликсиром здоровья.

Он может помочь в снижении веса, поскольку богат органическими кислотами, которые ускоряют метаболизм, и организм начинает активнее сжигать калории. Также чайный гриб снижает уровень гормонов лептина и грелина, которые помогают регулировать аппетит. Кроме того, в напитке чайного гриба содержатся ферменты липаза и протеаза, которые способствуют расщеплению жиров и белков и нормализуют обмен веществ.

Чайный гриб:

– снижает давление, так как обладает мочегонным действием, поэтому оказывает гипотензивное воздействие;

– снимает воспаление – поэтому при ангине его полезно пить (антибактериальные свойства гриба помогают убить стрептококк, вызывающий данное заболевание) и несколько раз в день полоскать горло подогретым настоем;

– защищает сосуды и помогает при атеросклерозе, так как настаивается на чае, а в последнем содержатся полифенолы. Они обладают антиоксидантным действием, препятствуют повреждению сосудистой стенки и образованию там холестериновых бляшек;

– помогает вылечить дисбактериоз, поскольку вещества, которые содержатся в чайном грибе, уничтожают вредные бактерии, которые вызывают дисбактериоз. А ведь из-за дисбактериоза нарушается работа кишечника. Это может стать причиной частых запоров и даже развития рака прямой кишки. Поэтому, если у вас нет к нему противопоказаний, выпивайте по полстакана чайного гриба после еды 3–4 раза в день;

– помогает при похмельном синдроме. В результате первичного расщепления алкоголя образуется очень токсичное вещество – ацетальдегид. Лимонная кислота, образующаяся в процессе жизнедеятельности чайного гриба, является катализатором расщепления ацетальдегида, он распадается до воды и углекислого газа, что способствует улучшению самочувствия;

– улучшает состояние кожи, так как органические кислоты, входящие в состав напитка, и его антибактериальные свойства делают чайный гриб отличным средством для ухода за шелушащейся, пораженной грибком кожей. Также он помогает при ожогах, обморожениях, фурункулах и инфицированных ранах. Его используют при аллергических высыпаниях, а также экземе и псориазе. Обычно при этом берется «крепкий» настой гриба 7–10-дневной выдержки. С ним делаются примочки, компрессы, промывания поврежденных участков кожи. Часто такой настой используют в виде растворов. То есть разводят кипяченой водой в соотношении 1:1.

МИФЫ

• Чайный гриб можно пить натощак.

Чайный гриб вызывает повышенное отделение желудочного сока. И если пить его натощак, то желудочный сок будет раздражать стенки желудка, что рано или поздно приведет к гастриту или, еще хуже, к язве.

ПРАВДА

• Чайный гриб полезен при переедании.

В чайном грибе содержится много органических кислот. Они усиливают выработку желудочного сока и ферментов. При этом пища расщепляется быстрее. Для того чтобы уменьшить тяжесть в желудке при переедании, выпейте полстакана чайного гриба сразу после еды.

• Чем дольше настаивается чайный гриб, тем он полезнее?

Действительно, чем дольше хранится чайный гриб, тем он становится полезнее. Например, в 15-дневном настое чайного гриба обнаружено 0,65 мг витамина С, а в 6-месячном – 4,4 мг.

• Чайный гриб полезен для профилактики сахарного диабета?

Есть такое мнение, что чайный гриб полезен для профилактики сахарного диабета. Это – правда. Так как органические кислоты, которые содержатся в чайном грибе, стимулируют обмен веществ. А чем лучше работает обмен веществ, тем ниже риск развития сахарного диабета.

• Чайный гриб помогает избавиться от перхоти?

Есть такое мнение, что чайный гриб способен избавить от перхоти, если мыть им голову, и это правда. В нем содержатся вещества, которые убивают грибки, живущие на поверхности кожи. В том числе и те грибки, которые являются причиной возникновения перхоти.

ЧАЙ ЗЕЛЕНЫЙ

Многие слышали, что зеленый чай очень полезен, так как он снижает риск онкологических заболеваний. Но не все знают, что его противораковые свойства можно удвоить.

Для приготовления 1 л зеленого чая нам понадобится 6,5 ч.л. листового зеленого чая, 1 л воды, нагретой до 70–80 °С, и сухой заварочный чайник. Если вода будет горячее, то чай потеряет много полезных свойств и аромат.

Процесс приготовления прост. Кладем чай в чайник, заливаем водой, ждем 1–2 минуты. Дольше заваривать не нужно, иначе чай станет горьким. Чтобы усилить защитные свойства зеленого чая против рака, нужно добавлять туда молоко – ¼ стакана на 200-мл стакан.

Все дело в том, что в зеленом чае содержится вещество эпигаллокатехин галлат. Когда мы пьем зеленый чай, то он попадает в организм и начинает бороться с раковыми клетками. Если же в чай добавить молоко, то эпигаллокатехин галлат связывается с молочным белком, и борьба в организме с раковыми клетками усиливается в 2 раза!

МИФЫ

· **Чем плотнее скручены листья зеленого чая, тем он полезнее.**

В Интернете пишут, что чем сильнее скручен чай, тем крепче будет настой. Слабо скрученный зеленый чай – нежнее, мягче и ароматнее. Но на пользу напитка скрученность листьев никак не влияет.

· **Зеленый чай полезно пить при язве.**

Зеленый чай усиливает выработку желудочного сока. Поэтому его нельзя пить при язве. Ведь он может обострить заболевание.

· **Зеленый чай полезно пить на ночь.**

В зеленом чае содержится кофеин. Он стимулирует работу нервной системы. То есть если выпить зеленый чай на ночь, то потом вы можете не заснуть. Поэтому на ночь зеленый чай пить не следует.

ПРАВДА

· **Зеленый чай помогает похудеть.**

Зеленый чай содержит полифенолы и кофеин. Они стимулируют окисление жиров и ускоряют метаболизм. А значит, помогают похудеть.

· **Зеленый чай снижает риск возникновения глаукомы.**

В зеленом чае содержатся катехины, которые предотвращают окислительные процессы. В том числе и в сетчатке глаза. А это снижает риск развития глаукомы.

· **Зеленый чай снижает риск повторного инфаркта.**

Ученые Американской кардиологической ассоциации провели исследование и выяснили, что зеленый чай снижает риск повторного инфаркта.

· **Зеленый чай улучшает работу нервной системы.**

В нем содержится витамин PP. А он эффективно улучшает работу нервной системы.

КАКАО

Состав	Количество	РСП
Вода	5,0 г	
Жиры	15,0 г	22%
Белки	24,3 г	41%
Углеводы	10,2 г	4%
Пищевые волокна	35,3 г	177%
Витамин B_2	0,2 мг	11%
Витамин PP	6,8 мг	34%
Калий	1509 мг	60%
Кальций	128 мг	13%
Магний	425 мг	106%
Фосфор	655 мг	82%
Железо	22 мг	122%
Энергетическая ценность – 289 ккал		

Какао – это напиток, который ассоциируется с детством. Такой ароматный, такой сладкий и такой вкусный. Но какао – это не просто вкусно. Какао обладает свойствами, которые продлевают жизнь! По сути, это напиток долгожителей. Ниже вы узнаете, сколько нужно пить какао, чтобы прожить как можно дольше.

Швейцарские кардиологи называют его сладким аспирином. И рекомендуют выпивать чашку какао в день всем людям после 40 лет. Оказалось, что биоактивные соединения – флавоны, – входящие в состав какао, уменьшают склеивание тромбоцитов, а значит, защищают от тромбов, то есть действуют в точности так же, как аспирин.

Исследования показали, что при регулярном употреблении какао общий уровень холестерина снижается! При этом снижается он за счет увеличения хорошего холестерина и уменьшения плохого – липопротеидов низкой и очень низкой плотности. А ведь именно плохой холестерин – главная причина развития атеросклероза! Получается, что какао поможет защититься от этого опасного заболевания, а также от его последствий – инфаркта и инсульта!

Если у вас нет противопоказаний, пейте по 1–2 чашки какао в день, чтобы продлить свою жизнь.

МИФЫ

· **Какао полезнее пить с молоком.**

Некоторые считают, что лучше пить какао с молоком. Якобы так лучше усваиваются все его полезные вещества. На самом деле молоко никак не влияет на усвояемость полезных веществ, содержащихся в какао-бобах. Просто многим какао с молоком кажется вкуснее.

· **Какао помогает избавиться от целлюлита.**

Считается, что обертывание из какао-масла и какао-порошка помогает избавиться от целлюлита. На самом деле это не так. Все полезные вещества из какао не могут проникнуть под кожу и разрушить целлюлит.

· **Какао полезно для профилактики анемии.**

В какао содержится железо, а дефицит железа – одна из причин анемии. Но! Из растительных продуктов железо не усваивается.

· **Какао способствует набору лишнего веса.**

Существует мнение, что напиток из какао довольно калорийный. Но это не так. Калорийность одной чашки какао – в среднем всего 102 ккал. Плюс количество насыщенных жиров в порции составляет всего 0,3 г (для сравнения: в 100 г шоколада – 20 г насыщенных жиров). Поэтому на диете не страшно позволить себе чашечку какао.

· **Какао можно хранить в одном шкафчике с кофе и чаем.**

Дело в том, что какао-порошок имеет свойство быстро впитывать посторонние запахи. Поэтому не стоит хранить какао вместе с душистым чаем или кофе – тогда какао не потеряет свой аромат.

ПРАВДА

· **В какао больше кофеина, чем в кофе.**

В 100 г какао около 230 мг кофеина, а в 100 г кофе – 100–150 мг. Поэтому вместо кофе по утрам для бодрости можно пить и какао.

· **Какао эффективно для профилактики остеопороза.**

В какао содержится фосфор – 82% РСП и кальций – 13% РСП. А он, как известно, укрепляет кости, чем защищает от остеопороза.

· **Какао помогает уменьшить кашель.**

В какао, как и в шоколаде, содержится вещество теобромин. А оно действительно помогает уменьшить кашель.

· **Какао укрепляет сердце.**

В какао содержится магний – 106% РСП, который укрепляет сердечную мышцу.

КИСЕЛЬ

Ягодный кисель – древний русский напиток, который любят и дети, и взрослые. Наши предки делали кисель очень густым – это был практически студень, который резали ножом. Для приготовления киселя муку промывали водой, в воду попадал крахмал из муки, затем его сквашивали (отсюда, скорее всего, и пошло его название) и на этой воде варили кисель. Муку для приготовления киселя можно было промыть несколько раз. Естественно, уже к четвертому заходу крахмала из муки намывалось мало. Чего уж и говорить о седьмом! Отсюда и появилось это выражение. Лишь в XIX веке появился картофельный крахмал, и процедура приготовления киселя стала более простой и удобной.

Говорят, что кисель очень полезен. Но не многие знают, что для этого его нужно приготовить особым способом. Ведь при варке большинство витаминов в ягодах разрушается.

Какие же летние ягоды лучше всего подойдут для киселя?

Черная смородина, в ягодах которой содержится в пять раз больше витамина С, чем в лимоне. Витамин С укрепляет иммунитет и помогает организму противостоять негативным воздействиям.

Малина, богатая салициловой кислотой, которая разжижает кровь, очень полезна при заболеваниях сердца, варикозном расширении вен и тромбофлебите, защищает от инфарктов и инсультов.

Облепиха, содержащая бета-каротин — антиоксидант, улучшает состояние кожи.

Чтобы сохранить полезные вещества, содержащиеся в ягодах и исчезающие при тепловой обработке, надо прибегнуть к небольшой хитрости.

На 3 л этого напитка возьмите 3 ст. л. картофельного крахмала. Разведите его небольшим количеством холодной воды, а затем залейте в кипящую воду и, помешивая, доведите до загустения.

Ягоды отдельно растолките в миске. Когда кисель остынет, заправьте его соком ягод. Таким образом, вы не потеряете полезные вещества. Если будет слишком кисло, можно добавить немного сукралозы для сладости.

МИФЫ

- **От ягодного киселя можно набрать лишний вес.**

Хоть в киселе и присутствует картофельный крахмал, но его там очень мало. Кисель не способствует набору лишнего веса и даже помогает похудеть! Он обволакивает стенки желудка, надолго формирует чувство сытости и имеет низкую калорийность. А органические кислоты, содержащиеся в ягодном киселе, ускоряют обмен веществ.

- **Кисель из кукурузного крахмала более полезен, чем из картофельного.**

Разницы между крахмалами никакой: они обладают одинаковой пищевой ценностью.

- **Кисель восстанавливает хрящевую ткань.**

Есть такое мнение: раз густой, значит, полезен для хрящей. Но это миф.

- **Крахмал, имеющийся в киселе, выводит токсины из организма.**

Можно услышать или прочесть в Интернете, что входящий в состав киселя крахмал запускает процесс интенсивного выделения из организма солей, преимущественно хлористого натрия, и что крахмал способен поглощать и выводить из организма и другие накопившиеся в нем вредные вещества. Это не так.

ПРАВДА

- **Ягодный кисель защищает от дисбактериоза.**

Ягодный кисель богат органическими кислотами, которые помогают справиться с дисбактериозом.

• Ягодный кисель может снизить уровень холестерина в крови.

В ягодном киселе содержится пектин, который помогает выводить вредный холестерин из организма.

• Ягодный кисель помогает выводить из организма токсические вещества.

Пектин, содержащийся в ягодном киселе, источником которого являются ягоды, может выводить свинец и стронций.

• Кисель можно готовить без крахмала.

Некоторые заменяют крахмал пектином. Пектин не хуже крахмала придает киселю нужную консистенцию.

• Чем гуще кисель, тем больше в нем калорий.

Это действительно так, потому что в нем больше основного компонента – крахмала.

• Кисель защищает желудок.

Попадая в желудок, кисель буквально обволакивает его и не дает желудочному соку разъедать ткани, то есть защищает наш желудок от гастрита!

Существует рецепт киселя, который особенно полезен для женщин!

Красная рябина – 300 г
Картофельный крахмал – 3 ст. л.
Вода – 6 ст.
Лимонная кислота – ¼ ч.л.
Сукралоза

Рябину измельчить в блендере. Через марлю выдавить сок и поставить его в холодильник. Мякоть рябины положить в кастрюлю и залить горячей водой, добавить сукралозу, лимонную кислоту. Довести до кипения, затем процедить, добавить крахмал и снова довести до кипения. В готовый остывший кисель добавить рябиновый сок и перемешать.

Рябиновый кисель очень полезен для женщин, так как рябина содержит арбутиновую кислоту, которая обладает хорошим мочегонным средством и защищает всех женщин от очень распространенного и неприятного заболевания – цистита! Тарелка рябинового киселя раз в неделю позволит минимизировать риск возникновения цистита.

ПРОДУКТЫ, КОТОРЫЕ ДОЛЖНЫ БЫТЬ В РАЦИОНЕ В УМЕРЕННОМ КОЛИЧЕСТВЕ

ФРУКТЫ И ЯГОДЫ

Многие считают, что фрукты – просто кладезь витаминов, поэтому их можно есть на завтрак, обед и ужин. Да, фрукты действительно богаты полезными веществами так же, как и сахаром! Причем тем самым, который наиболее быстро откладывается в жир, – фруктозой. Поэтому фрукты и ягоды стоит есть часто, но не злоупотреблять ими.

АБРИКОСЫ

Состав	Количество	РСП
Вода	86,2 г	
Жиры	0,1 г	0%
Белки	0,9 г	2%
Углеводы	9,0 г	3%
Пищевые волокна	2,1 г	11%
Витамин А	133 мкг	15%
Бета-каротин	1600 мкг	32%
Витамин С	10 мг	11%
Ванадий	25 мкг	62%
Калий	305 мг	12%
Кремний	5 мг	17%
Кобальт	2 мкг	20%
Марганец	0,22 мг	11%
Медь	0,14 мг	14%
Энергетическая ценность – 44 ккал		

В горах между Индией и Пакистаном живет племя хунза. Говорят, что средняя продолжительность жизни в этом племени – 95 лет. Сами жители этого племени считают, что долгожителями они стали благодаря абрикосам!

Действительно, абрикосы обладают определенными лечебно-профилактическими свойствами. Они защищают почки от различных заболеваний: в 100 граммах свежих абрикосов содержится 305 мг калия, что составляет 12%

Абрикосы не рекомендуется употреблять при язвенной болезни желудка и двенадцатиперстной кишки, гастрите с повышенной кислотностью. Употребление абрикоса при панкреатите, патологиях печени следует ограничить. Также абрикосы не стоит есть кормящим женщинам, так как из-за них могут возникнуть проблемы с пищеварением и аллергические реакции у младенца.

от рекомендуемой суточной потребности. Калий выводит из организма лишнюю жидкость, что облегчает работу почек, а также помогает снижать артериальное давление. Абрикосы замедляют старение, так как в них содержится витамин А, который борется со свободными радикалами и восстанавливает клетки кожи. Абрикос содержит микроэлемент ванадий, который усиливает чувствительность к инсулину и тем самым снижает риск развития сахарного диабета.

Поэтому при возможности съедайте каждый день по 2–3 абрикоса. И тогда вы улучшите работу почек, замедлите старение и защититесь от сахарного диабета.

МИФЫ

• Мягкие абрикосы полезнее твердых.

При покупке абрикосов, наоборот, выбирайте плоды потверже – в них лучше сохраняются полезные вещества и витамины, мягкий абрикос может быть переспелым и не таким полезным. Кроме того, на мягком абрикосе могут быть помятости и темные пятна, в которых идет активный процесс брожения, – употребление таких абрикосов может привести к отравлению.

• Абрикосовое варенье лучше варить с косточками.

В косточках абрикоса содержится синильная кислота. При длительном хранении варенья она может высвободиться из косточек и вызвать отравление.

• Абрикосы могут стать причиной диареи.

Сами абрикосы не могут стать причиной диареи, так как в них содержатся дубильные вещества. Эти вещества обладают крепящими свойствами. Если же вы плохо помоете абрикос, то микробы могут вызвать расстройство кишечника.

• Сушеные абрикосы полезнее свежих, поскольку содержат намного больше витаминов: например, в свежих абрикосах витамина Е всего лишь 7% РСП, тогда как в сушеных – около 40%!

Тот, кто так считает, забывает, что цифры во всех подобных таблицах приводятся из расчета на 100 г продукта, а в свежих абрикосах около 76% приходится на долю воды, тогда как в сушеных – всего 17%. Содержание же многих ингредиентов скорее может только снизиться при неправильной сушке и хранении.

ПРАВДА

· **Абрикосы лучше хранить в холодильнике.**

Многие хранят абрикосы при комнатной температуре. Но лучше в холодильнике. В ГОСТе Р 50519-93 написано, что собранные абрикосы лучше сразу охладить. В холодильнике ваши абрикосы пролежат дольше и лучше сохранят свои полезные свойства.

· **Абрикосы помогают избавиться от перхоти.**

Дефицит витамина А – одна из причин сухости кожи и, как следствие, перхоти. В абрикосе содержится 32% от РСП бета-каротина, который в организме преобразуется в витамин А.

· **Абрикосы полезны при анемии.**

В абрикосах содержится 20% от РСП кобальта, который способствует кроветворению. Поэтому абрикосы полезно есть для профилактики малокровия.

· **Абрикосы помогают снизить уровень холестерина.**

В абрикосах содержится 10% от РСП пектина – вещества, которое обладает абсорбирующими свойствами и помогает выводить вредный холестерин из организма. Поэтому абрикосы очень полезны для сосудов и защищают их от образования холестериновых бляшек. Кстати, пектин также помогает выводить токсины и соли тяжелых металлов.

· **Абрикосы можно есть людям с сахарным диабетом.**

Хотя многие считают, что в абрикосах много сахара и людям с сахарным диабетом лучше не употреблять эти плоды, на самом деле 2–3 абрикоса в день можно съедать смело. В 100 г абрикосов 1 хлебная единица (ХЕ). В 100 г примерно 4 шт. абрикосов. Примерная норма для одного приема пищи для диабетиков – 7 ХЕ. Поэтому несколько абрикосов вреда не принесут.

· **Абрикосы полезны для зрения.**

В них содержится 15% РСП витамина А, который поддерживает ночное зрение путем образования пигмента, называемого родопсин, способного улавливать минимальный свет, что очень важно для ночного зрения. Он также способствует увлажнению глаз, особенно уголков, предохраняя их от пересыхания и последующего травмирования роговицы.

Попробуйте оригинальный гарнир к мясу из абрикосов.

Абрикосы – 8 шт.
Сливочное масло – 30 г
Сахар – 2 ч. л.
Розмарин – 1 веточка
Корица
Гвоздика

На сковороде растопить сливочное масло, добавить специи и листики розмарина, сахар. Обжарить абрикосы с каждой стороны по 3 минуты.

АНАНАС

Состав	Количество	РСП
Вода	85,3 г	
Жиры	0,2 г	0%
Белки	0,4 г	1%
Углеводы	11,5 г	4%
Пищевые волокна	1,2 г	6%
Витамин С	20 мг	22%
Калий	321 мг	13%
Энергетическая ценность – 52 ккал		

Ананасы вопреки распространенному мнению растут не на пальмах, а на полях. Так же, как и кукуруза. Удивительно, но этот фрукт в XVIII – XIX веках не только с успехом разводили в оранжереях России, но и даже поставляли за границу! Чудо-фрукты квасили и делали из них заправку для борща, а также тушили и использовали в качестве гарнира к мясу.

Ананасы укрепляют иммунитет и помогают справиться с последствиями стресса, поскольку богаты витамином С. Также ананасы содержат калий, который полезен при отеках. Ананасы полезно употреблять при тромбофлебите, поскольку бромелайн, содержащийся в ананасе, разжижает кровь и снижает риск образования тромбов.

МИФЫ

· Ананасы сжигают жир.

Подобное чудодейственное свойство приписывают ананасу из-за большого количества бромелайна. Но на самом деле бромелайн свертывает белки и не имеет никакого отношения к распаду жиров.

· Ананасы снижают уровень холестерина.

В ананасах содержатся пищевые волокна, которые в принципе способствуют выведению холестерина из кишечника. Но в ананасе их слишком мало – лишь 6% от РСП.

· В 100 г ананаса содержится суточная норма витамина С.

Суточная норма витамина С составляет 90 мг, а в 100 г ананаса в зависимости от сорта, места и условий выращивания и хранения содержится всего от 20 до 30% РСП. При консервировании содержание этого витамина падает до 7–10% РСП. Чтобы надежно восполнить ананасом суточную норму витамина С, придется съесть почти килограмм!

· Ананасы надо хранить в холодильнике.

Ананас содержит большое количество органических кислот, которые раздражают слизистые оболочки, поэтому их не рекомендуется употреблять при стоматите, хейлите, гастрите с повышенной кислотностью и язвенной болезни желудка и двенадцатиперстной кишки.

Ананас лучше не есть беременным женщинам, так как при беременности увеличивается выделение желудочного сока. Это приводит к изжоге и тошноте. Ананас за счет кислот лишь усилит эти состояния.

Ананас не нужно хранить в холодильнике. При температуре ниже +7 °C плоды темнеют, портятся и приобретают водянистый вкус.

• **Хороший ананас должен иметь сильный сладкий запах.**

Спелый, не испорченный ананас имеет несильный приятный сладковатый запах. Очень сильный запах плода может указывать на то, что плод перезрел или испорчен. Откажитесь от покупки фрукта с мягкими участками, темными «глазками», кислым или алкогольным запахом.

• **Ананасы уменьшают аппетит.**

Ананасы, наоборот, усиливают аппетит. Все дело в органических кислотах, которые стимулируют отделение желудочного сока.

ПРАВДА

• **Ананасы могут вызвать кариес.**

Органические кислоты, которыми богат ананас, разрушают зубную эмаль, и это может стать причиной кариеса или ускорить развитие уже имеющегося. Поэтому после употребления ананаса необходимо почистить зубы или по крайней мере прополоскать рот водой.

• **Ананасы помогают при укачивании.**

Ананас имеет кисловатый вкус и приятный аромат, которые перебивают ощущение тошноты и отвлекают от него.

В летнюю жару побалуйте себя полезным фруктовым льдом из ананаса. В отличие от фруктового льда из магазина, домашний фруктовый лед не будет содержать вредных химических добавок.

Ананас – 1 шт.
Персик – 3 шт.
Банан – 4 шт.
Сукралоза

Из ананасов выжать сок, бананы размять вилкой, персики измельчить до состояния пюре в блендере. Ингредиенты соединить, добавить сукралозу по вкусу. Разлить по формочкам, воткнуть палочки и отправить в морозильную камеру до полного застывания на 6–8 часов.

АПЕЛЬСИН

Состав	Количество	РСП
Вода	86,8 г	
Жиры	0,2 г	0%
Белки	0,9 г	2%

Состав	Количество	РСП
Углеводы	8,1 г	3%
Пищевые волокна	2,2 г	11%
Витамин С	60 мг	67%
Кобальт	1 мкг	10%
Энергетическая ценность – 43 ккал		

История апельсина насчитывает более четырех тысяч лет. Когда оранжевые цитрусы появились в России, они сразу стали любимцами. В Одессе даже существует памятник апельсинам. По легенде, одесситы преподнесли императору Павлу I несколько тысяч оранжевых плодов для того, чтобы он выделил деньги на строительство торгового порта в их городе. Вплоть до середины XIX века апельсины в нашей стране были редкой экзотикой, ну а в наше время их можно с легкостью купить в любом магазине.

Из высушенных апельсиновых корок раньше и варенье варили, и цукаты делали, и вместо чая заваривали. Но в наше время это опасно, поскольку часто апельсины обрабатывают опасными химикатами: воском – чтобы они блестели, дифенилом – чтобы не испортились во время транспортировки, красителями – чтобы апельсины были яркими.

Как же быть, если нужно использовать саму кожуру, например для варенья, цукатов или просто натереть цедру? Для этого нужно избавиться не только от налета веществ, но и от воска. Апельсин нужно потереть с мылом щеткой или жесткой стороной губки. При этом можно использовать соду. После такого мытья апельсин нужно ошпарить кипятком и обсушить.

Апельсины очень полезны для здоровья. Благодаря высокому содержанию органических кислот апельсины обладают желчегонным действием и способны выводить из организма соли мочевой кислоты. Также апельсины содержат фитонциды – это природные антибиотики, которые обладают антимикробным, противовоспалительным и иммуностимулирующим действием.

МИФЫ

• **Апельсиновый сок полезно пить на завтрак.**

С Запада к нам пришла такая традиция – пить на завтрак апельсиновый сок, но это вредно. По утрам в желудке и так повышена кислотность, а в апельсинах содер-

Из-за высокого содержания органических кислот апельсины противопоказаны при заболеваниях ЖКТ, а также при сахарном диабете, поскольку содержат много сахара.

жится много органических кислот. Если съесть апельсин натощак, то кислотность в желудке еще больше повысится. В итоге может возникнуть гастрит и даже язва.

• **Апельсиновый сок утоляет жажду.**

Многие думают, что апельсиновый сок хорошо утоляет жажду. Однако это не так. В апельсинах есть сахар (8 г на 100 г), из-за которого снова захочется пить. Поэтому лучше выпить просто стакан воды.

• **Апельсиновый сок помогает избавиться от целлюлита.**

Апельсин действительно содержит вещество синефрин, которое ускоряет метаболизм. Но в соке апельсина его нет. Синефрин содержится только в кожуре. Есть польза от апельсинового масла. И то его следует применять в комплексе процедур, таких как диета и массаж.

• **Апельсины лучше хранить при комнатной температуре.**

Многие хранят апельсины просто на кухне. Однако так они пролежат всего неделю. В холодильнике апельсины хранятся целый месяц и дольше сохраняют свои полезные свойства.

• **Апельсин помогает похудеть.**

Нет, в нем слишком много сахара – 16% от РСП.

ПРАВДА

• **В апельсине больше витамина С, чем в лимоне.**

В апельсине 60% РСП, а в лимоне – всего 44%.

• **Апельсин замедляет старение кожи.**

Апельсин – источник витамина С, который улучшает выработку коллагена – белка, делающего нашу кожу упругой.

• **Апельсин защищает женщин от инсульта и инфаркта.**

В организме женщины есть гормоны эстрогены. Нормальный уровень этих гормонов поддерживает женскую сердечно-сосудистую систему в хорошем состоянии. Но в печени эстрогены разрушаются под действием фермента цитохрома. Биофлованоиды, содержащиеся в апельсине, блокируют цитохром, и разрушение эстрогена замедляется.

• **Апельсин эффективен для профилактики рака.**

В апельсине много витамина С, а это мощный антиоксидант, который препятствует развитию раковых клеток.

• **Апельсин повышает риск развития кариеса.**

В апельсинах содержатся органические кислоты. Они способствуют разрушению зубной эмали. Поэтому не стоит есть апельсины очень часто. После употребления нужно прополоскать рот, а лучше почистить зубы.

• **Апельсин можно есть при повышенной температуре.**

В состав апельсина входят фитонциды. Они обладают антимикробным и противовоспалительным действием. Поэтому апельсины хорошо помогают снизить температуру и укрепить иммунитет.

Не выкидывайте апельсиновые корки! Попробуйте полезный морс из апельсинов.

Апельсины – 10 шт.
Вода – 500 мл
Корица
Сукралоза

С апельсинов счищаем цедру – кожицу без белых волокон, выжимаем сок. Кожуру варим с сукралозой и щепоткой корицы 5 минут. Остужаем. Наливаем отжатый сок. Таким образом мы получим напиток, сохранивший всю пользу апельсина.

АРБУЗ

Состав	Количество	РСП
Вода	92,6 г	
Жиры	0,1 г	0%
Белки	0, 6 г	1%
Углеводы	5,8 г	2%
Пищевые волокна	0,4 г	2%
Энергетическая ценность – 27 ккал		

Арбуз – это бахчевое растение из семейства тыквенных, то есть арбуз – это тыквина, ложная ягода. Название «арбуз» произошло от слова «харбюза» – что означает «огромный огурец». Арбуз был известен еще 4 тыс. лет назад в Египте. Его изображения найдены на древнеегипетских гробницах. Из Египта арбуз попал в Аравию, Палестину, Сирию, а затем в Среднюю Азию. В России он впервые появился примерно в VIII–X веках в Поволжье, но широкое распространение получил только в начале XVII века. Тогда арбузы употребляли только в виде вымоченных, вываренных долек с солью и острыми пряностями.

Известно, что продавцы арбузов часто обманывают покупателей – продают несладкие, незрелые арбузы. Но, как оказалось, это мелочи жизни. В наше время начали продавать... поддельные арбузы!!! И они не просто поддельные, но и вредные! Представьте, что продавцу привезли неспелые арбузы, а продать их нужно. Не выбрасывать же? В таком случае продавец вкалывает в него краситель Понсо 4R или Е 124, и арбуз становится красным. Эти красители – канцерогены, которые могут стать причиной развития онкологических заболеваний, бронхиальной астмы и аллергии. Плюс для сладости добавляют сахарный раствор. Отличить такой арбуз на глаз невозможно, но проверить арбуз на красители можно дома. Надо отрезать кусочек мякоти, погрузить его в стакан с холодной водой. Если вода порозовела – арбуз подкрашен. Ни в коем случае не ешьте его. Вы можете очень сильно отравиться.

Как же выбрать хороший арбуз?

Внешний вид

Первое, на что нужно обратить внимание, — это трещины, даже если они очень маленькие. Продавец может предложить вам такой арбуз подешевле. Но ни в коем случае не соглашайтесь!!! Не покупайте арбузы с трещиной на кожуре. Потому что туда могли попасть опасные бактерии и паразиты. Например, кишечная палочка или лямблии. И если вы съедите такой арбуз, то рискуете очень сильно отравиться. Помните также, что нельзя просить надрезать арбуз или покупать его в таком виде. Пресловутый треугольник — это открытая дверь для микробов. Они тоже любят сладкое и при такой жаре очень быстро размножаются. Пока вы донесете арбуз домой, внутри будет полно микробов.

Вес и размер

Хороший и спелый арбуз должен быть большим, но при этом легким! Потому что в процессе созревания его плотность уменьшается, и он становится более рыхлым. Если же арбуз маленький и тяжелый, значит, он еще не дозрел. В недозревшем арбузе содержится в 2,5 раза больше нитратов, чем в спелом, то есть примерно 200 мг на 1 кг арбуза. Опасность нитратов в том, что часть их превращается в нитриты, которые не дают гемоглобину переносить кислород. Из-за этого нарушается обмен веществ, страдают центральная нервная система, иммунитет, печень. Особенно восприимчивы к нитритам дети.

Кожура

Кожура у арбуза должна быть гладкой и блестящей. Качество ягоды можно проверить, если провести ногтем по кожуре. Если ее верхний слой легко снимется, значит, арбуз хороший, если нет, значит, арбуз еще не дозрел. Тусклая корка — признак перезревшего арбуза, а значит, он потерял свои полезные свойства.

Шрамики

Многие считают, что так называемые «шрамики» на арбузе — это признак плохого арбуза, который чем-то поцарапали. На самом деле это не так. Эти «шрамики» образуются при созревании, когда арбуз лежит на веточках. И они как раз свидетельствуют о спелости ягоды.

Хвостики

Считается, что если у арбуза сухой хвостик — значит, он дозрел. На самом деле сухой хвостик — не показатель. Ведь арбуз могли срезать недозревшим, а хвостик засох по дороге. Поэтому обращайте внимание не на хвостик, а на переход от хвостика к арбузу. Именно он должен быть сухим.

Пятно

При выборе арбуза обратите внимание на пятно на боку. Это пятно появляется, потому что именно на этом месте арбуз лежал при созревании. Если пятно большое и белое, значит, арбуз мерз, ему не хватало солнца и тепла. Такой арбуз несладкий и наверняка водянистый. Если же пятно небольшое и желтое, значит, арбуз спелый и сладкий.

Звук

Всем известный способ – похлопать и постучать по арбузу. Звенеть будет зеленый плод, а спелый арбуз должен звучать глухо. Правильное простукивание происходит так: арбуз кладется на ладонь левой руки, а правая рука делает рикошетирующие шлепки сверху вниз, снизу вверх. Звук должен отдаваться в левой руке.

Сертификат

Хороший арбуз – это арбуз с документами. Вся ввозимая продукция обязательно имеет сертификат соответствия. Отечественные арбузы из Астрахани, Волгограда, Ростова и других южных городов должны иметь декларацию соответствия. Если таких документов нет, то лучше в таком месте арбуз не покупать.

МИФЫ

• **Арбузы, продающиеся у дорог, всегда вредны для здоровья.**

Считается, что арбузы, купленные на дороге, впитывают в себя выхлопные газы автомобилей. Но это не так. Максимум – вредные вещества могут оседать на кожуре арбуза. Внутрь они не проникают. Но лучше все же такие арбузы не покупать – мало ли что продают продавцы. Могут быть арбузы с пестицидами...

• **Арбуз улучшает потенцию.**

Одно время ученые утверждали, что арбуз благотворно влияет на мужскую потенцию благодаря тому, что в арбузе содержится аминокислота цитруллин, которая способствует расслаблению и расширению сосудов подобно препаратам, используемым для лечения эректильной дисфункции. Но на сегодняшний день пока не удается с уверенностью сказать, сколько нужно употреблять этой аминокислоты для терапевтического эффекта. Известно лишь, что в арбузах ее содержится не очень много – 150 мг на 10 арбузов средней величины.

• **В арбузе много витамина С.**

Арбуз противопоказан при диарее и мочекаменной болезни.

В арбузе содержится всего 7 мг витамина С на 100 г продукта – это 8% РСП.

• **Арбуз способствует возникновению отеков.**

Наоборот, он их снижает. Арбуз обладает мощным мочегонным действием, а значит, снижает отеки, вызванные, например, сердечными заболеваниями.

• **Арбуз полезен беременным.**

В Интернете много информации, что арбуз полезен беременным. Считается, что в нем много фолиевой кислоты, которая полезна для развития плода. Но в арбузе ее всего 2% РСП (8 мкг на 100 г). К тому же на поздних сроках у женщин и так постоянное желание сходить в туалет – плод давит на мочевой пузырь. Есть арбуз в таких условиях совершенно некстати.

ПРАВДА

• **Арбуз полезен для профилактики гипертонии.**

Арбуз содержит аминокислоту цитруллин, который в процессе метаболизма превращается в аргинин и участвует в образовании оксида азота. Оксид азота влияет на тонус сосудистой стенки, расслабляет сосуды, тем самым расширяя их, что приводит к снижению давления. Плюс нельзя забывать о мочегонном свойстве арбузов, что также способствует снижению артериального давления.

• **Арбуз снижает риск развития онкологических заболеваний.**

Арбуз занимает одно из первых мест среди овощей и фруктов по содержанию ликопина (до 7,2 мг на 100 г). Это антиоксидант, который предотвращает развитие рака. Поэтому ешьте больше арбузов для профилактики рака.

• **Арбуз помогает снизить температуру при простуде.**

Арбуз – отличное средство при простуде и воспалениях, так как он на 98% состоит из воды. Его мочегонные свойства помогают сбить высокую температуру и снять жар. В состоянии озноба и лихорадки 1,5–2 кг арбузной мякоти заменит обильное питье.

Попробуйте освежающий салат из арбуза.

Арбуз – 1 половина
Сыр фета – 150 г
Красный лук – 1 небольшая луковичка
Маслины – 50 г
Оливковое масло – 3 ст. л.
Бальзамический уксус – 1 ст. л.
Мед – 1 ч. л.
Петрушка
Мята
Базилик
Кедровые орешки
Соль
Черный перец

Половину арбуза и фету порезать на кубики, лук нарезать тонкими полукольцами, маслины порезать на половинки. Зелень мелко порубить. Перемешать ингредиенты в глубокой миске. Приготовьте заправку — смешайте оливковое масло, бальзамический уксус, мед, соль, перец. Заправьте салат, перемешайте, украсьте кедровыми орешками. Подавать салат можно прямо в кожуре от половины арбуза.

БАНАНЫ

Состав	Количество	РСП
Вода	74,0 г	
Жиры	0,5 г	1%
Белки	1,5 г	3%
Углеводы	21,0 г	7%
Пищевые волокна	1,7 г	9%
Витамин B_6	0,38 мг	19%
Витамин С	10 мг	11%
Калий	348 мг	14%
Магний	42 мг	11%
Энергетическая ценность – 96 ккал		

Поскользнуться на банановой кожуре очень легко, а вот в Индии это неприятное свойство банановых шкурок используют, чтобы легче спускать на воду корабли. Для этого спуск просто намазывают раздавленными бананами. Для спуска одного корабля нужно примерно 20 тыс. бананов.

Покупая бананы, смотрите, чтобы на кожуре не было пятен. Бананы можно покупать недозревшими — они спокойно дозреют дома. Ускорить созревание бананов можно, положив их вместе с яблоками — они выделяют газ этилен, который стимулирует процессы созревания. Никогда не храните бананы в холодильнике, так как они чернеют при низких температурах.

Многие считают, что бананы не обязательно мыть перед едой, потому что они окружены кожурой. Но это заблуждение. Пока вы чистите банан, вы держите его в руках, соответственно, этими же руками пачкаете потом и сам банан.

Содержащееся в бананах вещество эфедрин при систематическом употреблении улучшает деятельность центральной нервной системы, и это непосредственно влияет на общую работоспособность, внимание и настроение.

МИФЫ

• В бананах содержится столько же крахмала, сколько и в картошке.

Один из мифов, связанных с бананами, гласит, что их нельзя есть худеющим, потому что в них много крахмала, как в картошке. Но это неправда. В 100 г бананов содержится 2 г крахмала, а в 100 г картофеля — 15 г крахмала!

• Бананы могут вызвать заворот кишок.

Это миф. В 1930-е годы в нацистской Германии бананы были объявлены «непатриотичным» фруктом. В рамках этой кампании немецкие доктора выступали

Бананы способствуют сгущению крови, по этой причине их нельзя употреблять в больших количествах людям, страдающим тромбофлебитом.

с «предупреждениями о вредности» банана, употребление которого якобы приводит к «завороту кишок». Многие до сих пор так думают.

• **Банан — чемпион по содержанию калия среди фруктов.**

Считается, что в бананах очень много калия, но это миф. В 100 г бананов содержится всего 348 мг на 100 г — 14% РСП. Например, в 100 г зелени петрушки в 2 раза больше калия: 800 мг — 32% РСП.

ПРАВДА

• **Бананы можно есть тем, кто хочет похудеть.**

Есть мнение, что тем, кто хочет похудеть, бананы есть нельзя, потому что они очень сладкие. В банане средней величины всего 96 ккал и почти нет жиров. Именно поэтому бананы советуют употреблять при диетах для похудения.

• **Бананы полезны при гастрите.**

Банан уникален тем, что это единственный фрукт, который можно употреблять в сыром виде, не вызывая обострений язвенной болезни и хронического гастрита. Эти плоды нейтрализуют кислоту, поэтому спасут и от изжоги.

• **Бананы полезно есть при диарее.**

Бананы полезны при диарее, так как они нормализуют функции толстой кишки, поглощая излишнее количество воды.

Из бананов можно приготовить вкусные и полезные десерты. Два из них мы вам и предлагаем.

Банановый манник

Бананы — 3 шт.
Яйцо — 2 шт.
Манная крупа — 2 ст. л.
Шоколад — 50 г
Йогурт — 200 г
Сукралоза

Яйца взбить блендером. Бананы нарезать маленькими кусочками и добавить в блендер к яйцам, чтобы получилась однородная смесь. Добавить в смесь манную крупу и тщательно перемешать.

Готовить манник удобно в современной пароварке. Форму для риса необходимо застелить пищевой пленкой, чтобы было удобнее доставать манник. Вылить в форму приготовленную смесь. Сверху накрыть пищевой пленкой. Налить в пароварку воду и готовить манник на пару 30 минут.

Пока манник готовится и остывает, необходимо сделать сладкий крем. Йогурт смешать с сукралозой, натереть шоколад. Остывший манник покрыть слоем крема, посыпать сверху шоколадом. Манник готов!

Бананы, запеченные с творогом

Бананы – 4 шт.
Творог – 200 г
Йогурт – 1 ст.
Яйцо – 2 шт.
Мед – 4 ч. л.
Сахарная пудра – 1 ст. л.
Сок половинки лимона

Бананы разрезать вдоль пополам, уложить в форму, смазанную маслом, сбрызнуть соком лимона. Творог протереть, добавить йогурт, яйца, мед, перемешать до получения однородной массы. Творожную массу уложить на бананы и запечь их в духовке при температуре 180 градусов в течение 10 минут. При подаче выложить бананы на блюдо и посыпать сахарной пудрой. Подавать с медом.

ВИНОГРАД

Состав	Количество	РСП
Вода	80,5 г	
Жиры	0,6 г	1%
Белки	0,6 г	1%
Углеводы	15,4 г	5%
Пищевые волокна	1,6 г	8%
Бор	365 мкг	18%
Ванадий	10 мкг	25%
Кремний	12 мг	40%
Кобальт	2 мкг	20%
Энергетическая ценность – 72 ккал		

Упоминания о виноградной лозе часто встречаются в произведениях искусства и в мифах. Эта культура была знакома человечеству еще со времен Древнего Египта. И по сей день виноград остается очень популярным – по разным оценкам, в мире насчитывается не менее 10 000 сортов винограда.

В зависимости от сорта содержание сахара и полезных веществ колеблется.

Белый виноград без косточек – кишмиш – содержит 20 г сахаров на 100 г ягоды. Это самый сладкий виноград. Он содержит мало калия и обладает высокой калорийностью – около 100 ккал на 100 г винограда.

Белый виноград с косточками содержит самое меньшее количество сахара среди всех сортов винограда – всего 10 г на 100 г ягоды. Но калия там также недостаточно.

Красный виноград с косточками содержит около 14 г сахаров и больше калия, чем в белом винограде, – 203 мг на 100 г винограда.

Черный виноград содержит также около 14 г сахаров, но калия там больше всего – 225 мг на 100 г продукта. Тем не менее это все равно мало – 100 г черного винограда содержат всего 8–9% от РСП калия.

Но у винограда есть другие полезные свойства. Даже есть такое понятие, как «ампелотерапия» – лечение виноградом, и не только ягодами, но и листьями, древеси-

Людям, больным диабетом, язвенной болезнью желудка, хроническими колитами, виноград в больших количествах противопоказан. Виноград содержит большое количество глюкозы, которая вызывает холестаз — задержку выхода желчи. Поэтому тем, кто страдает заболеваниями желчного пузыря, виноград противопоказан.

ной и всем, что можно взять у этого растения.

Полезнее есть виноград с косточками, поскольку он содержит больше всего антоцианов — веществ, которые защищают наш организм от воздействия свободных радикалов. 200 граммов красного винограда в день поможет существенно снизить риск онкологических заболеваний.

МИФЫ

• **От большого количества винограда можно опьянеть.**

Есть такой миф, что если съесть много винограда, то можно опьянеть, так как в желудке он начинает бродить, как в бочке вина. Но это только миф. Потому что в желудке есть желудочный сок, который ограничивает процесс брожения.

• **Виноград полезен для профилактики анемии.**

Считается, что виноград защищает от анемии, так как содержит три витамина: фолиевую кислоту, витамин К и витамин Р. Они эффективно защищают от малокровия. Но их в винограде очень мало. Поэтому при анемии виноград бесполезен.

• **Виноград помогает вылечить простуду.**

В винограде содержится витамин С, который ускоряет выздоровление от простуды. Но его там очень мало – 6 мг – 6% РСП. Поэтому вылечить простуду виноград не поможет.

ПРАВДА

• **Виноград может стать причиной лишнего веса.**

В винограде содержится много сахаров – до 20 г на 100 г, и если есть виноград каждый день, то может появиться лишний вес. Кроме того, углеводы в винограде представлены моносахарами, которые очень легко усваиваются и откладываются в жир.

• **Красный виноград полезнее белого.**

Только в красных сортах винограда присутствуют полифенолы. Они замедляют старение, обновляют клетки печени и нормализуют давление. А в белом их нет.

• **Виноград улучшает работу головного мозга.**

В винограде содержится фруктоза (8 г) и глюкоза (8 г). Эти вещества действительно улучшают работу головного мозга.

• **Виноград можно есть при гастрите.**

В винограде содержатся органические кислоты, которые теоретически могут даже спровоцировать приступ гастрита. Но! В винограде этих кислот не очень много. Поэтому при гастрите есть его можно.

• **Виноград повышает потенцию.**

Виноград богат бором — веществом, которое помогает как можно дольше сохранять половую функцию и у мужчин, и у женщин.

• **Виноград полезен при кашле.**

Ягоды винограда обладают отхаркивающим действием.

• **Виноград может вызвать кариес.**

Виноград содержит много сахаров и органические кислоты, которые воздействуют на эмаль зубов, вызывая развитие кариеса. Органические кислоты вызывают поверхностную деминерализацию зубов, поэтому рекомендуется после употребления винограда полоскать рот. Стоматологи утверждают, что двух глотков чая после винограда достаточно, чтобы обезопасить ваши зубы.

• **Виноград замедляет старение.**

Во-первых, подобное свойство приписывают винограду потому, что он содержит вещества-антиоксиданты — флавоноиды. Во-вторых, виноград содержит фитонцид ресвератрол, который также является мощным антиоксидантом.

Приготовьте полезный салат с виноградом.

Виноград — 100 г
Сельдерей — 3 стебля
Яблоки — 2 шт.
Салатные листья — 1 пучок
Рубленый миндаль — 1 ст. л.
Йогурт — 4 ст. л.
Лимонный сок — 2 ст. л.
Соль
Черный молотый перец

Яблоки и сельдерей нарежьте кубиками, порвите салатные листья. Заправьте салат йогуртом и лимонным соком, солью и перцем. Сверху посыпьте рубленым миндалем. Такой салат улучшит моторику кишечника, снизит уровень холестерина и снабдит организм большим количеством витаминов!

ВИШНЯ

Состав	Количество	РСП
Вода	84,4 г	
Жиры	0,2 г	0%
Белки	0,8 г	1%
Углеводы	10,6 г	4%
Пищевые волокна	1,8 г	9%
Витамин С	15 мг	17%
Ванадий	25 мкг	63%
Калий	256 мг	10%
Кобальт	1 мкг	10%
Медь	0,1 мг	10%
Хром	7 мкг	14%
Энергетическая ценность — 52 ккал		

Вишня противопоказана людям, страдающим язвенной болезнью желудка и двенадцатиперстной кишки, а также гастритами с повышенной кислотностью.

Родиной вишни считается Черноморское побережье Кавказа и Крыма, откуда она попала в Рим и распространилась по всей Европе. В Россию вишня попала в середине XIV века, а уже в XV веке она наравне с яблоней становится деревом, воспеваемым сказаниями, стихами и песнями.

Чтобы не только насладиться вкусом вишни, но и получить все полезные свойства этой ягоды, ее необходимо правильно выбрать. Как ее обычно выбирают? Чтобы она не была кислой, чтобы у нее был хороший запах. Но выбирать вишню нужно еще и по цвету.

Красная и розовая вишня – сочная, но кислая и быстрее портится.

Темно-бордовая вишня – самая сладкая, и именно в такой вишне содержится больше всего антиоксидантов, которые и защищают от рака. Поэтому покупайте темно-бордовую вишню. Она не только слаще, но и полезнее.

Вишню можно использовать для борьбы с жирными волосами. Маски для волос из вишни нормализуют деятельность сальных желез за счет органических кислот (1,6 г на 100 г), которые содержатся в ягоде. И волосы становятся менее жирными.

Мало кто знает, но у вишни есть одно очень полезное для всех свойство: в ней содержится мелатонин, а именно он улучшает наш сон и помогает бороться с бессонницей! Мелатонин защищает нас от рака и замедляет старение! Выпейте вечером 1 стакан вишневого сока, и тогда ни бессонница, ни ее последствия не будут вам страшны.

МИФЫ

- **Вишня вредна для беременных.**

Вишня не вредна для здоровья беременных, если ее употреблять в умеренных количествах. Беременным можно съедать в день не более 1 кг вишни.

- **Вишня снижает уровень сахара в крови.**

В Интернете много пишут о том, что вишня снижает уровень сахара в крови. Но это не так. Она его даже повышает, так как содержит много сахаров. Снизить уровень сахара в крови может только лекарственный экстракт вишни.

- **Вишню можно есть натощак.**

Нежелательно есть вишню натощак. Дело в том, что органические кислоты (1,6 г на 100 г), которые в ней содержатся, раздражают стенки пустого желудка, и может возникнуть гастрит.

• Вишня повышает уровень гемоглобина в крови.

На самом деле в 100 г вишни всего 18 мг железа, а это только 2,8% РСП, что слишком мало для существенного повышения уровня гемоглобина в крови. К тому же железо из растительной пищи практически не усваивается.

ПРАВДА

• Вишня полезнее черешни.

Да, потому что в вишне содержится больше витаминов и минеральных веществ. В ней есть витамины B_9, B_6, B_5, а в черешне их нет. Витаминов B_1 и B_2 в вишне в три раза больше, чем в черешне. В вишне также больше магния. Кроме того, в черешне в отличие от вишни нет таких элементов, как цинк, медь, хром, бор, ванадий.

• Вишня замедляет старение кожи.

В ней содержится витамин С, который стимулирует синтез коллагена и замедляет старение кожи.

• Вишню можно есть при запорах.

Действительно, вишня оказывает слабительное действие, а значит, при запорах она незаменима.

• Вишня помогает избавиться от отеков.

Вишня содержит калий, который помогает выводить лишнюю жидкость из организма.

• Вишня может стать причиной развития кариеса.

Да, потому что в ней содержатся органические кислоты. Они разрушают эмаль зубов, и может развиться кариес. Поэтому после употребления вишни нужно прополоскать рот водой или почистить зубы.

• Вишневые плодоножки можно употреблять в пищу.

Из вишневых плодоножек делают отвар, который полезно пить при заболеваниях суставов и мочекаменной болезни. Потому что он оказывает мягкое мочегонное действие.

• Вишня защищает от атеросклероза.

В вишне содержится пектин, который связывает плохой холестерин и выводит его из организма, а чем меньше уровень холестерина в крови, тем ниже риск развития атеросклероза. Для профилактики этого заболевания нужно съедать 150 граммов вишни в день.

• Вишня полезна при тромбофлебите.

В вишне содержатся особые вещества – кумарины. Они понижают свертываемость крови, что снижает риск образования тромбов.

• Вишня защищает от рака.

В вишне содержатся антиоксиданты, например антоциан, которые препятствуют перерождению клеток и их мутации, а значит, защищают от рака. Кроме того, вишня содержит антиоксидант мелатонин.

• Вишневое варенье с косточками полезнее, чем без косточек.

Миф о том, что варенье с косточками опасно, родился

из-за содержания в вишневых косточках синильной кислоты. Но во время длительной варки синильная кислота, содержащаяся в косточках, разрушается. Кроме того, изготовление варенья без косточек требует манипуляции с каждой ягодой для удаления косточек, что увеличивает соприкосновение мякоти ягод с кислородом, который разрушает некоторые полезные вещества.

Насладитесь вкусом и полезными свойствами вишни — приготовьте шербет.

Вишня — 500 г
Банан — 1 шт.
Сукралоза

Просто измельчите ингредиенты блендером. Поставьте в морозильную камеру до полного застывания. Перед подачей еще раз взбейте шербет при помощи блендера. В 100 г такого шербета лишь 55 ккал. Он в 4,5 раза менее калориен, чем пломбир.

ГРАНАТ

Состав	Количество	РСП
Вода	78,0 г	
Жиры	1,2 г	2%
Белки	0,7 г	3%
Углеводы	14,7 г	5%
Пищевые волокна	4,0 г	20%
Витамин B_9	38 мкг	10%
Витамин С	10,2 мг	11%
Витамин К	16,4 мг	14%
Медь	0,16 мг	16%
Энергетическая ценность – 83 ккал		

Родиной граната являются горные районы Ирана или, по другой версии, Аравийский полуостров. Жители Древней Греции считали, что плод граната был воссоздан из крови Диониса, бога плодородия и виноделия. В Древнем Риме гранат называли зернистым яблоком. Яблоком его до сих пор называют и на других языках: по-немецки Granatapfel, по-итальянски melograno (от apfel, mela — яблоко). Итальянцы считают, что именно гранат был тем райским яблоком, которым соблазнилась Ева.

Как же выбрать полезный и вкусный гранат?

Во-первых, отдайте предпочтение гранатам, которые выращивались недалеко от вашего региона. Например, из Ташкента партия гранатов может доехать до места реализации за пару суток, а из Турции — иногда даже за несколько недель. Чем дольше гранаты пролежали после сбора, тем меньше в них сохранилось полезных свойств.

Во-вторых, выбирайте тяжелые гранаты. Сочный гранат будет всегда тяжелее, чем его подсохший собрат.

В-третьих, выбирайте гранаты с сухой коркой. Гранаты с сырой кожурой – недозревшие. Но смотрите, чтобы на сухой корке не было коричневых пятен – они говорят о том, что гранат начал гнить.

И, в-четвертых, не покупайте гранаты, в завязях – «макушках» – которых есть зеленые участки, такие гранаты были сорваны недозревшими. Коричневый цвет завязи говорит о том, что гранат сорвали уже созревшим, и он будет гарантированно сладким.

На российских прилавках недавно появились гранаты без косточек из Израиля и Узбекистана. Может быть, это генно-модифицированный продукт? На самом деле гранат без косточек не имеет никакого отношения к генной инженерии. Он был выведен методом селекции, то есть выборкой из общей массы особей с желаемыми показателями. На самом деле даже гранат «без косточек» имеет косточки, просто они очень маленькие и мягкие.

Маски из граната помогут избавиться от проблем жирной кожи, потому что содержат органические кислоты. Они очищают кожу и снижают выработку кожного сала.

Гранат – это очень полезный фрукт. В нем есть витамин B_9, который улучшает работу нервной системы и укрепляет память, витамин С, повышающий иммунитет и улучшающий состояние кожи, а также витамин К, который сгущает кровь и предотвращает внутренние кровотечения и кровоизлияния.

МИФЫ

• Гранат полезен при анемии.

Это очень распространенный миф. На самом деле в гранате очень мало железа, а главное, оно практически не усваивается организмом человека.

• Гранат содержит много витамина С.

Многие думают, что в гранате много витамина С. Но он не является одним из лидеров по содержанию этого витамина. Гранат содержит только 10% витамина С от РСП.

• Гранат улучшает состояние зубов.

Наоборот, ухудшает. Потому что содержит много кислот (1,8 г на 100 г), которые разрушают зубную эмаль. После употребления граната нужно обязательно прополоскать рот водой.

• Косточки граната могут вызвать аппендицит.

На самом деле косточки никак не могут вызвать воспаление аппендикса. Кроме того, являясь грубой клетчаткой, они стимулируют работу толстого кишечника, избавляя от запоров.

ПРАВДА

• Тонкие перегородки граната можно употреблять в пищу.

В них содержится много танинов, они полезны при диарее,

Гранат содержит большое количество органических кислот, поэтому его нельзя употреблять при язвенной болезни желудка и двенадцатиперстной кишки, а также при гастрите с повышенной кислотностью. Также от употребления гранатов стоит воздержаться людям, страдающим заболеваниями поджелудочной железы.

а также могут стать противоядием при отравлении солями свинца и других тяжелых металлов.

· **Гранат полезен для сердца.**

Гранат обладает мочегонным действием, снижает давление, а значит, действительно полезен для сердца и сосудов.

· **Гранат полезен при дисбактериозе.**

Органические кислоты, содержащиеся в гранате, улучшают микрофлору кишечника.

· **Гранат укрепляет сосуды.**

Гранат содержит танины, которые укрепляют сосудистые стенки.

· **Женщинам полезно есть гранат с косточками.**

В косточках граната содержится витамин Е и фитоэстрогены, которые улучшают состояние женской репродуктивной системы.

Как люди чаще всего едят гранат? Очищают и едят либо пьют гранатовый сок. Но мало кто знает, что из граната можно приготовить очень вкусный и очень полезный соус к мясу — «Наршараб», а также использовать его для приготовления салатов, например салата «Узбекистан».

Соус «Наршараб»

Гранаты
Сахар
Кориандр
Лавровый лист
Базилик
Корица

Гранаты очистить от кожуры и внутренних перегородок, после чего выжать из семян сок. Затем сок следует выпаривать на водяной бане на медленном огне 1–2 часа. Сок должен испариться до 20% от первоначального объема и загустеть до консистенции нежирной сметаны. В готовый соус добавляют по вкусу сахар, кориандр, базилик, корицу, лавровый лист и оставляют томиться еще 5–7 минут.

Салат «Узбекистан»

Гранат без косточек — 1 шт.
Отварная говядина — 200 г
Зеленая редька — 1 шт.
Лук — 1 шт
Вареные яйца — 3 шт.
Укроп — 1 пучок
Сметана — 4 ст. л.
Соль
Черный молотый перец

Говядину, яйца и редьку нарезаем тонкими брусочками. Лук режем тонкими полукольцами. Редьку и лук замачиваем на 30 минут в холодной воде с добавлением 1 ч. л. столового уксуса, чтобы нейтрализовать горечь. Чистим гранат. Отжимаем редьку и лук, смешиваем с остальными ингредиентами, заправляем сметаной, солим, добавляем нарезанный укроп и перемешиваем.

Салат «Узбекистан» содержит триптофан, который полезен при нарушениях сна и мигрени. Говядина, входящая в состав салата, содержит много железа и повышает гемоглобин. Салат «Узбекистан» замедляет появление морщин, поскольку богат витамином С, который стимулирует синтез коллагена. Также этот салат содержит лецитин, который способствует восстановлению клеток печени.

ГРУША

Состав	Количество	РСП
Вода	85,0 г	
Жиры	0,3 г	0%
Белки	0,4 г	1%
Углеводы	10,3 г	4%
Пищевые волокна	2,8 г	14%
Кремний	6 мг	20%
Кобальт	10 мкг	100%
Медь	0,12 мг	12%
Энергетическая ценность – 47 ккал		

Груша пришла к нам из доисторической эпохи. Родина ее точно не установлена. Но упоминания о культивации этой культуры встречались уже в Древней Греции, за 1000 лет до н.э. Интересно, что в Европе до XVII века груши ели только вареными. Ведь считалось, что свежие груши – ядовиты. К счастью, на дворе век XXI и время заблуждений прошло. Ведь груша является очень полезным фруктом! Есть по крайней мере три причины, чтобы съедать хотя бы по одной груше в день.

Во-первых, груша содержит клетчатку, которая снижает уровень холестерина в крови и препятствует образованию камней в желчном пузыре, улучшает моторику кишечника и дает длительное чувство сытости.

Во-вторых, груша содержит суточную норму кобальта, который необходим для образования гормонов щитовидной железы, а ведь эти гормоны регулируют в организме все жизненно важные процессы. Также кобальт помогает нашему организму хорошо и быстро усваивать железо, которое необходимо нам для синтеза гемоглобина и улучшения кроветворения.

И, в-третьих, груша – это отличный выбор среди фруктов для тех, кто следит за фигурой. В одной груше содержится всего около 50 ккал. В отличие от яблока груша не повышает аппетит. Ведь в ней содержится совсем немного органических кислот, которые усиливают выделение желудочно-

Груши противопоказаны при колитах, язвенной болезни желудка и двенадцатиперстной кишки. Сладкие сорта груши нельзя употреблять при сахарном диабете.

го сока. К тому же она в отличие, например, от винограда не так резко повышает уровень сахара в крови. Поэтому ее можно без опасения есть диабетикам и пожилым людям.

МИФЫ

· **Груша предотвращает анемию.**

Бытует мнение, что груша полезна при анемии, потому что в ней содержится много железа, но это миф – в груше всего 2,3 мг железа при норме 10–18 мг в сутки. К тому же из растительной пищи железо не усваивается.

· **Грушу лучше есть без кожуры.**

Именно в кожуре груши содержится основная часть ценной клетчатки в виде пектина.

· **Мягкие груши более полезны, чем жесткие.**

Нет. Твердые груши более полезны для десен, они укрепляют десны, зубы. Более мягкие груши содержат больше фруктозы и сильнее повышают уровень сахара в крови. Твердые груши содержат больше клетчатки.

· **Груша противопоказана при нарушениях функций поджелудочной железы.**

Из тех сахаров, которые содержатся в груше, большинство представлены фруктозой, которая не требует для своего усвоения инсулина и, соответственно, не создает нагрузку на поджелудочную железу.

ПРАВДА

· **Грушу нельзя есть натощак.**

В груше есть каменистые клетки, которые воздействуют на наш кишечник подобно наждачной бумаге и раздражают его слизистую оболочку. Поэтому грушу нужно есть только через 30–60 минут после еды, чтобы пища успела обволочь слизистую кишечника.

· **Груша помогает бороться с депрессией.**

В груше содержатся эфирные масла, которые снимают напряжение, улучшают настроение и выводят из депрессии.

· **Груша полезна при заболеваниях мочевыделительной системы.**

Она обладает легким мочегонным действием, а потому полезна при заболеваниях почек.

· **Груша полезна для суставов.**

Груша содержит кремний, который необходим для восстановления хряща.

Попробуйте легкий салат из груши с адыгейским сыром.

Груша – 2 шт.
Адыгейский сыр – 150 г
Руккола – 50 г
Кедровые орехи – 1 ст. л.
Оливковое масло
Соль

Грушу нарезать на толстые ломтики и обжарить на гриле по 1 минуте с каждой стороны. Адыгейский сыр нарезать кубиками. Смешать ингредиенты в салатнике и заправить оливковым маслом. Посолить и посыпать сверху кедровыми орешками. Такой салат улучшит моторику кишечника и избавит от запоров.

ДЫНЯ

Состав	Количество	РСП
Вода	90,0 г	
Жиры	0,3 г	0%
Белки	0,6 г	1%
Углеводы	7,4 г	3%
Пищевые волокна	0,9 г	5%
Витамин С	20 мг	22%
Кобальт	2 мкг	20%
Энергетическая ценность – 35 ккал		

Мало кто знает, но ближайший родственник дыни – огурец. В арабских странах дыню использовали для гаданий – узоры на кожуре этой ложной ягоды напоминали арабам священные письмена. Раньше дыню назначали в качестве восстановительного средства для истощенных больных, поскольку она содержит углеводы в легкоусвояемой форме.

Хотя в средней дыне содержится около 20 мг витамина С, что составляет 22% от РСП этой ягоды, рекордсменом по содержанию витамина С является дыня сорта канталупа – она содержит около 27 мг этого витамина, то есть до 41% от РСП! Сорт канталупа ведет свою историю от времен Крестовых походов. Считается, что католические монахи преподнесли папе римскому дыни и их семена, привезенные ими из Армении, а папа отправил семена для дальнейшего выращивания в свое имение в Канталупии. В наши дни этот сорт дынь широко распространен по всему миру.

Чтобы дыня принесла максимальную пользу для вашего здоровья и при этом была сладкой и вкусной, ее необходимо правильно выбирать. Считается, что дыня «девочка» вкуснее, чем дыня «мальчик». «Девочкой» называют дыню с толстым стеблем и крупным следом от цветка. У «мальчиков» – тонкий стебель и небольшой след от цветка. Но это на самом деле не важно. На вкус они одинаковы. С биологической точки зрения делить эти плоды по половому признаку – абсурд.

Определить спелость дыни можно с помощью простого теста. Для этого надо поскрести корку дыни в любом месте. Если без

Дыню не рекомендуется употреблять при язвенной болезни желудка и двенадцатиперстной кишки, а также при панкреатите. Дыня имеет высокий гликемический индекс и легкоусвояемые сахара, поэтому она противопоказана при сахарном диабете. Кормящим матерям также нельзя употреблять дыню, поскольку у ребенка это может вызвать повышенное газообразование и колики.

особых усилий удается добраться до зеленой кожицы – перед нами спелая дыня.

При выборе дыни обратите внимание на носик. Это то место, где у дыни был цветок. Он должен быть чуть-чуть мягким. Если носик очень мягкий, значит, дыня уже перезрела, если твердый – недозрела.

Еще одно правило выбора дыни – пошлепать по ней ладонью.

Если звук у дыни при шлепке звонкий, значит, она еще не дозрела, а если глухой, значит, спелая. Правильное простукивание производится так: дыня кладется на ладонь левой руки, а правая рука делает рикошетирующие шлепки. Звук должен отдаваться в левой руке.

МИФЫ

· Дыня – тяжелый продукт для желудка.

На самом деле дыня вообще не переваривается в желудке, а сразу проходит через него в тонкий кишечник, где и происходит ее переваривание.

· Дыня может вызвать запоры.

Дыня содержит клетчатку, которая стимулирует перистальтику кишечника и тем самым избавляет от запоров.

ПРАВДА

· Дыня полезна для профилактики атеросклероза.

Дыня содержит клетчатку, которая помогает выводить вредный холестерин из организма.

· Дыня полезна при мочекаменной болезни.

Дыня обладает мочегонным действием и помогает вымывать песок из почек и мочевыводящих путей.

· Дыня полезна при подагре.

Дыня за счет мочегонного действия помогает выводить соли мочевой кислоты из организма.

Попробуйте необычный салат из дыни.

Дыня – 1 шт.
Авокадо – 2 шт.
Мята – 1 пучок
Апельсин – 1 шт.
Лимон – 1 шт.
Кедровые орехи – 2 ст. л.
Оливковое масло – 3 ст. л.
Соль
Перец

Дыню и авокадо очищаем и нарезаем на ломтики, мяту измельчаем. Делаем заправку для салата: выжимаем сок из апельсина и лимона, смешиваем его с оливковым маслом, солью и перцем. Заправляем наш салат, посыпаем кедровыми орешками.

КИВИ

Состав	Количество	РСП
Вода	83,3 г	
Жиры	0,4 г	1%
Белки	0,8 г	1%
Углеводы	8,1 г	3%
Пищевые волокна	3,8 г	19%
Витамин С	180 мг	200%
Калий	300 мг	12%
Энергетическая ценность – 47 ккал		

Киви – это европейское торговое и кулинарное наименование дальневосточного плодового растения актинидии китайской (Actinidia chinensis), так называемого «китайского крыжовника». Дикорастущая актинидия имела массу плода всего 30 г и была привезена в Новую Зеландию в начале XX века. Культурная крупноплодная разновидность этого растения была выведена в Новой Зеландии; она отличается от исходного вида не только многократно увеличившейся массой плода – 100 г и более, но и лучшими вкусовыми качествами.

Свое всем известное название – киви – растение получило за сходство формы его опушенного плода с телом новозеландской практически бескрылой птички киви, которая является эмблемой этой страны.

Возделывается киви главным образом в Китае и других странах Дальнего Востока, а также акклиматизировано в Европе (Франция, Италия, другие страны Средиземноморья), в Новой Зеландии и США.

С 1992 г. киви впервые стали ввозить в Россию, сначала на рынки и в магазины Москвы и Санкт-Петербурга, а затем и всей страны.

Многие хранят киви при комнатной температуре. Но это неправильно, потому что таким образом киви будет свежим не больше 3 дней. Если же хранить плоды в холодильнике, то они не испортятся целый месяц!

Сок киви тонизирует, подтягивает и омолаживает кожу. Все благодаря органическим кислотам, поэтому его можно использовать в косметических масках для жирной кожи.

Плоды киви обладают рядом полезнейших свойств.

Во-первых, киви замедляет старение кожи. По этой причине его должна есть каждая женщина! Дело в том, что киви – один из лидеров по содержанию витамина С: в 100 г киви содержится 180 мг этого витамина, что составляет две суточные нормы! Витамин

Киви противопоказано при гастритах с повышенной кислотностью, панкреатите, язвенной болезни желудка и двенадцатиперстной кишки.

С улучшает выработку белка коллагена, а именно коллаген делает кожу упругой. По сути, киви – это молодильный фрукт.

Во-вторых, киви снижает уровень холестерина. В нем содержится 3,8 г клетчатки – 19% РСП, а ведь именно клетчатка выводит излишки холестерина из организма, тем самым снижая его уровень. Чем меньше холестерина, тем ниже риск атеросклероза, инфаркта и инсульта.

А еще киви защищает от рака кожи. Ведь в плодах киви содержится 135 мкг меди, что возмещает 13,5% суточной потребности нашего организма в этом элементе. Медь участвует в образовании организмом меланина, который защищает кожу от воздействия ультрафиолетовых лучей. Чем больше меланина в организме, тем ниже риск возникновения рака кожи.

Чтобы замедлить старение кожи, снизить уровень холестерина и защититься от рака кожи, достаточно съедать 2–3 киви в день!

МИФЫ

• **Киви можно есть с кожурой.**

Есть мнение, что киви можно не очищать, а есть с кожурой. Но это не так. На кожуре киви есть ворсинки, которые могут раздражать слизистую кишечника, из-за чего его работа нарушится. Может возникнуть диарея.

• **Киви защищает от простуды.**

В киви содержится много витамина С – в 100 г – две суточные нормы. Из-за этого многие считают, что киви эффективно защищает организм от простуды. Но на самом деле это не так. Доказано, что витамин С не является профилактическим средством от простуды, зато он на 10% ускоряет выздоровление. Поэтому, если вы простудились, обязательно ешьте киви.

• **Киви можно есть натощак.**

Из-за того, что в киви содержатся органические кислоты (0,1 г на 100 г), его не следует есть натощак. Кислоты усиливают отделение желудочного сока и вызывают раздражение стенок пустого желудка, что повышает риск возникновения гастрита.

ПРАВДА

• **Киви помогает избавиться от лишнего веса.**

В киви содержится всего 47 ккал на 100 г. Кроме того, в нем содержатся органические кислоты (0,1 г на 100 г), которые способствуют лучшему и быстрому перевариванию пищи.

• **Киви уменьшает отеки.**

Киви содержит 12% от РСП калия, который обладает мочегонным действием и за счет этого уменьшает отечность, а кроме того, предотвращает аритмию и снижает повышенное давление.

• **Киви полезен для зрения.**

Киви богато витамином С, который защищает хрусталик глаза от воздействия свободных радикалов, что служит хорошей профилактикой катаракты.

• **Киви полезно есть курильщикам.**

Киви нужно есть курильщикам каждый день! В нем содержится две суточные нормы витамина С. Именно его дефицит возникает у всех курильщиков.

За счет большого количества органических кислот киви разрушает жесткий коллагеновый белок и размягчает мясо. Кроме того, такое мясо значительно легче переваривается. Попробуйте замариновать мясо на ночь по нашему рецепту.

Говядина – 2–3 кг
Киви – 4 шт.
Чеснок – 4 зубчика
Лук – 2 шт.
Розмарин – 1 веточка
Черный молотый перец
Соль

Киви размять в пюре и смешать с мелко нарубленным чесноком, луком и розмарином. Добавить соль и перец. Мясо натереть полученной смесью, положить в полиэтиленовый пакет и оставить на ночь в холодильнике. Перед приготовлением сотрите с мяса маринад и выпекайте в духовке при температуре 180 °С.

КЛУБНИКА

Состав	Количество	РСП
Вода	91,0 г	
Жиры	0,3 г	0%
Белки	0,7 г	1%
Углеводы	5,8 г	2%
Пищевые волокна	2,0 г	10%
Витамин С	58,8 мг	65%
Марганец	0,39 мг	20%
Энергетическая ценность – 41 ккал		

Вряд ли найдется хоть один человек, который не знает, что это за ягода. Многие выращивают ее сами на приусадебных и садово-огородных участках. Последние годы она почти круглогодично представлена на магазинных прилавках, по крайней мере в больших городах.

Это вкусная и полезная ягода, но, к сожалению, довольно много людей, у которых на клубнику аллергия. Поэтому сначала расскажем, как сделать клубнику менее аллергенной. Для этого иногда бывает достаточно просто промыть ее и ошпарить кипятком. Если рассмотреть ягоду клубники под увеличением, мы увидим на ее поверхности поры, по форме напоминающие соты. В этих порах накапливается пыльца, которая и вызывает аллергию. Когда же

Клубнику не рекомендуется употреблять людям, страдающим заболеваниями ЖКТ. Входящие в состав клубники органические кислоты — салициловая и щавелевая — при контакте со слизистой оболочкой желудка могут вызвать обострения таких заболеваний, как гастрит, гастродуоденит, язвенная болезнь желудка и двенадцатиперстной кишки. Кроме того, даже при использовании вышеуказанного способа аллергикам нужно есть клубнику с очень большой осторожностью.

мы обдаем ягоды кипятком, большее количество пыльцы уничтожается. Это очень хороший прием, и, возможно, он поможет многим читателям без вреда для своего здоровья полакомиться этой замечательной ягодой.

Очень полезны листья клубники. Их нужно собрать, высушить, а потом приготовить отвар. 2 ст. л. сухих листьев залить 0,5 л кипятка. Настаивать 2–3 часа, затем процедить. Такой настой обладает мочегонным, противовоспалительным, обезболивающим действием, а значит, его можно применять при мочекаменной болезни, астме, экземе, угрях, стоматите, ангине.

Существует несколько секретов, как выбрать спелую и сладкую клубнику, которую вырастили без всякой химии. Выбирайте ярко-красную клубнику. Темно-красные ягоды уже на пороге перезревания и порчи. А еще темно-красный цвет может означать, что клубника росла на нитратах. Клубника с белыми кончиками – недозревшая. Обратите внимание на хвостик клубники – он должен быть зеленым и не пожухлым. Выбирайте клубнику, семечки которой находятся в углублениях. Выпуклые семечки говорят о том, что ягода не дозрела.

МИФЫ

• **Большая клубника содержит много нитратов.**

Многие считают, что если клубника большая, значит, она выращена с помощью нитратов. На самом деле это не так. Нитраты могут быть в ягодах любого размера, в зависимости от того, где и как они выращивались, а размер ягоды зависит от ее сорта.

• **Клубнику можно есть натощак.**

Клубника усиливает выработку желудочного сока. И если есть ее на голодный желудок, то повышается риск возникновения гастрита!

• **Клубника полезна при анемии.**

В Интернете пишут, что клубника полезна при анемии. Ведь в ней есть фолиевая кислота, которая нужна при этом заболевании. Но это не так. Фолиевой кислоты там очень мало. В 100 г – всего 5% РСП.

• **Клубника может усилить воспаление суставов.**

Напротив, клубника содержит большое количество салициловой кислоты, которая способствует уменьшению воспаления в суставах.

ПРАВДА

• **Клубника помогает избавиться от неприятного запаха изо рта.**

Клубника обладает сильными противовоспалительными и антимикробными свойствами. Все благодаря антиоксидантам – особым фенольным веществам, которые называются «флавоноиды».

• **В клубнике витамина С больше, чем в лимоне.**

В 100 г лимона – 40,0 мг, а в 100 г клубники – 60 мг. По содержанию аскорбиновой кислоты клубника уступает лишь черной смородине.

• **Клубника предотвращает появление морщин.**

В клубнике много витамина С – 65% РСП. Он способствует выработке коллагена – белка, который предотвращает появление морщин.

• **Клубника помогает при дисбактериозе кишечника.**

В больших количествах клубника становится источником полисахаридов. В союзе со щавелевой и салициловой органическими кислотами она способствует нормализации состава микрофлоры кишечника, что приводит к уменьшению проявлений дисбактериоза.

• **Клубника может стать причиной мочекаменной болезни.**

Виноват все тот же оксалат кальция, который образуется при реакции кальция и щавелевой кислоты. Если клубнику съесть без молочных продуктов и при этом не запивать водой или соком, опасные кристаллы оксалата попадают в почки и начинают расти. А это отличный фундамент для мочекаменной болезни. Лучше есть клубнику в комплексе с молочными продуктами.

Свежая клубника, клубника со сливками, клубника, протертая с сахаром, клубничное варенье – всем знакомые способы употребления и заготовки этой замечательной ягоды. Мы же хотим научить вас готовить клубничный суп. Да-да, бывает и такое!

Клубника – 150 г
Молотые овсяные хлопья – ½ ст.
Молоко – 1 литр
Сукралоза

Овсяные хлопья отварить в молоке до готовности, измельчить в блендере клубнику. Как только овсяные хлопья сварятся, добавляем в них измельченные ягоды, сукралозу и все перемешиваем. Наш клубничный суп готов. Его можно есть как горячим, так и холодным. С наступлением сезона клубники такое блюдо можно есть каждый день. Оно не приедается и поможет вам быть красивыми и здоровыми!

КЛЮКВА

Состав	Количество	РСП
Вода	87,0 г	
Жиры	0,1 г	0%
Белки	0,4 г	1%
Углеводы	7,6 г	3%
Пищевые волокна	4,6 г	23%
Витамин С	13,3 мг	15%
Марганец	0,36 мг	18%
Энергетическая ценность – 46 ккал		

Научное ботаническое название клюквы – «оксикокус», что в переводе означает «кислая ягода». Клюква широко распространена в тундровой и лесной зонах России. Это типичное болотное растение.

Собирают клюкву обычно в три срока. В сентябре ягоды твердые, но при долгом хранении постепенно дозревают и размягчаются. Залитая холодной водой клюква может храниться всю зиму, поскольку богата бензойной кислотой, являющейся великолепным консервантом. Клюква, собранная поздней осенью, после первых заморозков, – наиболее вкусная и кислая. Ее хранят в замороженном виде, но после оттаивания она быстро портится. Перезимовавшая в естественных условиях клюква, собираемая ранней весной, более сладкая, но для длительного хранения непригодна.

В сельской местности на севере России для хранения клюквы до сих пор часто используют деревянные бочонки, в которых ягоды просто заливают водой. В городских условиях хранить клюкву можно, заморозив в морозильной камере, где она может храниться весь год. Если заморозка будет быстрой, то ягода практически не потеряет свои полезные свойства.

МИФЫ

• В клюкве больше витамина С, чем в картофеле.

В картофеле 20 мг витамина С на 100 г – 22% РСП, а в клюкве 13,3 мг на 100 г – 15% РСП.

• Свежая клюква полезнее, чем замороженная.

При заморозке клюква практически не теряет своих полезных свойств. Поэтому она точно так же полезна, как и свежая.

• Клюква защищает от цистита.

Многие путают клюкву с брусникой, которая содержит большое количество бензойной кислоты, которая защищает органы мочевыделения от воспалений. А вот клюква такими свойствами не об-

Клюкву противопоказано употреблять при гастритах с повышенной кислотностью, при язвенной болезни желудка и двенадцатиперстной кишки.

ладает. Зато она может помочь в лечении уже имеющегося цистита за счет своего мочегонного действия.

• **Клюква с сахаром помогает при лечении простуды.**

Только клюквенный морс и помогает вылечиться от простуды, поскольку он обладает мочегонным эффектом и помогает организму справиться с интоксикацией. Варенье и клюква в сахаре таким свойством не обладают.

ПРАВДА

• **Клюква снижает риск онкологических заболеваний.**

В клюкве содержатся катехины. Эти вещества являются сильнейшими антиоксидантами, которые защищают от рака.

• **Клюква защищает сосуды.**

Клюква содержит бетаин, который препятствует появлению в организме гомоцистеина — вещества, которое повреждает стенки сосудов.

• **Клюква эффективна для профилактики атеросклероза.**

В клюкве содержатся пектины. Они снижают уровень холестерина в крови. Значит, можно сказать, что клюква эффективна и для профилактики атеросклероза.

• **Клюква препятствует возрастной атрофии мышц.**

Урсоловая кислота, которая содержится в клюкве, замедляет и предотвращает возрастную атрофию мышц.

Клюкву чаще всего в народе используют для приготовления морса. Он полезен при простуде, поскольку обладает мочегонным действием. Из-за этого вирусы и бактерии вымываются из организма, и простуда проходит быстрее.

Но как же приготовить морс так, чтобы максимально сохранились полезные свойства клюквы? Многие сразу заливают подготовленные целые ягоды кипятком. При этом они лопаются, и многие содержащиеся в них полезные вещества от высокой температуры разрушаются.

Чтобы клюквенный морс принес максимальную пользу, его вообще не надо заваривать! Готовьте морс правильно:

Клюква — 300 г
Холодная кипяченая вода — 1 л
Сукралоза

Ягоды нужно размять и залить холодной водой. Добавить сукралозу по вкусу. Настаивайте клюкву в течение 1 часа, затем отожмите через марлю, и ваш морс готов!

В таком морсе сохранится максимальное количество полезных веществ, и он эффективно поможет вам при простуде. К тому же есть исследования, показавшие, что если человек, принимающий антибиотики, употребляет клюкву, то действие лекарственных средств может усилиться в несколько раз.

ЛИМОН

Состав	Количество	РСП
Вода	87,8 г	
Жиры	0,1 г	0%
Белки	0,9 г	2%
Углеводы	3,0 г	1%
Пищевые волокна	2,0 г	10%
Витамин С	40 мг	44%
Медь	0,24 мг	24%
Энергетическая ценность – 34 ккал		

Родина лимона – Индия, Китай и тихоокеанские тропические острова. В Россию лимон был завезен более ста лет назад из Турции. В селе Павлово-на-Оке, неподалеку от Нижнего Новгорода, гостили турецкие купцы и угощали хозяев лимонами. Из лимонных косточек жители стали выращивать лимонные деревья в домашних условиях. За сезон снимали с одного дерева по 10–15 плодов. С этого времени увлечение комнатным садоводством стало распространяться по всей России.

Как правильно выбирать лимон? Не покупайте лимоны с зелеными пятнышками – они недозревшие и будут горчить. Выбирайте лимоны с блестящей кожурой. Лимоны с матовой кожурой – недозревшие. А лимоны с впадинками, трещинами, черными точками – перезревшие. Лимон на ощупь должен быть жестким. Если лимон мягкий, значит, он либо перезрелый, либо хранился в ненадлежащих условиях – его роняли, сдавливали.

Лимон обладает антибактериальными свойствами, поэтому его можно использовать в быту – время от времени протирайте разделочные доски кусочком лимона. Он не даст развиваться колониям бактерий на поверхности деревянных досок.

С помощью лимона можно сделать пилинг, который очистит вашу кожу, сделает ее нежной и бархатной. Чтобы приготовить лимонную массу для пилинга, нам понадобится $^1/_2$ стакана молока, 1 ч.л. лимонного сока, 1 ст. л. молотой овсянки. Все ингредиенты мы перемешиваем, наносим смесь на лицо и массируем 1 минуту.

Лимон может помочь в защите от простуд. Во время эпидемии гриппа и ОРВИ нужно три раза в день жевать лимонную дольку вместе с коркой, так как именно в корке лимона содержатся эфирные масла, которые обладают ан-

Лимон противопоказано употреблять при язвенной болезни, при гастритах с повышенной кислотностью, при панкреатите, колитах. Не стоит употреблять лимон людям со склонностью к изжоге.

тимикробным действием и тем самым защищают от простудных заболеваний.

МИФЫ

· **Лимон – лидер среди фруктов по содержанию витамина С.**

Многие уверены, что в лимоне очень много витаминов. По содержанию витамина С лимон далеко не лидер – 40 мкг на 100 г – 44,4% РСП. Например, в хрене, смородине, киви, не говоря о шиповнике, витамина С гораздо больше. Даже в капусте витамина С содержится больше!

· **Лимон помогает в лечении секущихся волос.**

Бытует мнение, что лимонная кислота и витамин С очень полезны для волос. Они укрепляют структуру волоса. Но ни витамины, ни другие вещества не впитываются в волосы, а значит, и не улучшают их состояние.

· **Горячий чай с лимоном более полезный, чем теплый.**

В горячей воде разрушаются многие витамины, в том числе и витамин С. Кладите лимон в уже подостывший чай.

· **Лимонным соком полезно «чистить» печень.**

Существует распространенная рекомендация выпивать по утрам натощак стакан воды с лимонным соком. Но это миф, причем очень вредоносный! Во-первых, печень сама по себе является фильтром для всего организма, поэтому никакие «чистки» ей не нужны. А во-вторых, употребление сока лимона натощак может вызвать эрозивный гастрит.

· **Лимонный сок полезен при заболеваниях зубов и десен.**

В Интернете на этот счет существует множество рекомендаций: полоскания лимонным соком, чистка соком зубов и использование кожуры для натирания десен. На самом деле лимон очень богат органическими кислотами, которые разрушают эмаль зубов и раздражают слизистую оболочку рта. После употребления лимона нужно обязательно прополоскать рот!

ПРАВДА

· **Лимон полезен при подагре.**

Лимонный сок уменьшает синтез мочевой кислоты в организме.

· **Кофе с лимоном полезнее обычного кофе.**

Лимон в кофе нейтрализует действие кофеина. Поэтому такой кофе можно пить гипертоникам.

· **Лимон улучшает работу нервной системы.**

Лимон богат медью, которая является основным компонентом защитного внешнего покрытия нервных волокон – коллагена.

· **Разрезанный лимон теряет полезные вещества.**

Витамин С, содержащийся в лимоне, разрушается под воздействием света и воздуха. Поэтому старайтесь употребить оставшуюся часть лимона как можно быстрее.

К рыбе можно приготовить замечательный витаминный соус из лимона.

Лимон – 2 шт.
Петрушка – 1 большой пучок
Чеснок – 3 зубчика
Топленое масло – 5 ст. л.
Соль

Перед приготовлением тщательно, не менее 3 минут, протрите лимоны жесткой щеткой с мылом, чтобы удалить с их поверхности парафин и другую химию. Натрите на мелкой терке цедру лимона, затем разрежьте лимоны пополам и выжмите из них сок. Выскребите ложкой мякоть из одного отжатого лимона. Листья петрушки и чеснок мелко порубите и положите в миску. В небольшом ковшике растопите топленое масло, вылейте его на петрушку с чесноком и перемешайте. Вылейте туда лимонный сок и посолите. Такой соус нужно готовить непосредственно перед подачей блюда.

МАЛИНА

Состав	Количество	РСП
Вода	84,7 г	
Жиры	0,5 г	1%
Белки	0,8 г	1%
Углеводы	8,3 г	3%
Пищевые волокна	3,7 г	19%
Витамин С	25 мг	28%
Кобальт	2 мкг	20%
Марганец	0,21 мг	11%
Медь	0,17 мг	17%
Молибден	15 мкг	21%
Энергетическая ценность – 46 ккал		

Первые плантации малины на Руси были заложены Юрием Долгоруким, о чем есть упоминание в летописях. Сегодня трудно себе представить садовый, дачный или приусадебный участок, расположенный в средней полосе России, на котором не было бы кустов малины.

Эта ягода обладает очень полезными свойствами.

Малина защищает от инфарктов и инсультов, поскольку она помогает от образования тромбов и атеросклероза. Малина содержит салициловую кислоту, которая препятствует свертыванию крови. Поэтому малину полезно есть людям, у которых повышен риск тромбообразования, особенно женщинам после 40 лет. Также малина содержит пищевые волокна, которые помогают выводить вредный холестерин из организма, а значит, защищают его от образования атеросклеротических бляшек в сосудах – одной из самых частых причин инсультов и инфарктов.

Малина омолаживает кожу! Во-первых, в ней содержится практически треть РСП витамина С, улучшающего выработку белка коллагена, который делает нашу кожу упругой. Во-вторых, малиной можно делать пилинг. Для этого нужно взять 6–7 ягод, размять их руками и нанести на кожу. Затем аккуратно помассировать лицо 1–2 минуты и смыть остатки малины теплой водой. Мелкие косточки малины снимут омертвевшие

Малина не рекомендуется людям, страдающим мочекаменной болезнью и подагрой. Людям с сахарным диабетом не стоит забывать о содержащихся в малине сахарах — их там 8,5 г на 100 г. Ягода противопоказана при бронхиальной астме, поскольку содержит гистаминовые вещества и является аллергеном.

клетки кожи, а салициловая кислота поможет убить все микробы и бактерии на коже.

Малина уменьшает боль в суставах! И все дело снова в содержании салициловой кислоты. Она обладает противовоспалительным эффектом, что способствует уменьшению суставной боли.

Кроме самой ягоды очень полезными свойствами обладает и лист малины. Например, протирание лица настоем из листьев малины помогает избавиться от прыщей, так как он обладает противомикробными и противовоспалительными свойствами, а также содержит дубящие вещества. Чай из малинового листа обладает потогонным, жаропонижающим и обезболивающим действием. Также за счет содержания салициловой кислоты чай из малинового листа полезен при воспалениях суставов.

МИФЫ

• **Чай с малиной нужно принимать одновременно с аспирином.**

В малине содержится салициловая кислота, которая так же, как и аспирин, обладает не только жаропонижающим действием, но и разжижает кровь. Значит, если вы выпьете малиновый чай и примете аспирин, то действие лекарства усилится и возможна передозировка. Помните также, что малина не сможет заменить таблетку аспирина – содержание салициловой кислоты в ней в разы меньше.

• **Малиновые косточки могут спровоцировать аппендицит.**

Малиновые косточки очень малы, чтобы вызвать воспаление аппендикса, так что можно есть их без опаски. Хотя миф такой широко распространен.

• **Малиновое варенье полезнее замороженной ягоды.**

Как правило, для заморозки используют свежую ягоду, которую недавно сорвали, – это значит, в ней сохраняются почти все полезные вещества. В варенье же ягода подвергается высокой температурной обработке, и вся польза из нее практически исчезает. Поэтому во время простуды полезнее есть замороженную малину, чем малиновое варенье.

• ***Желтая малина полезнее красной.***

Каждый сорт хорош по-своему, одно из преимуществ желтой малины – ее можно есть аллергикам, так как в клетках желтой малины минимальное содержание антоциана – аллергенного красящего вещества. Но в красной малине выше содержание полезных кислот. Поэтому отдать приоритет ни одной из них нельзя.

• **Опасно есть малину с червячками.**

Если в малине есть червячки, значит, это экологически чистый продукт, он выращивался без применения вредной «химии». Червячков, конечно, лучше не есть, но если вдруг съели – не переживайте, они не принесут вреда.

ПРАВДА

• **В малине содержится больше витамина С, чем в клюкве.**

В малине – 25 мг на 100 г (28% РСП), а в клюкве – почти в два раза меньше – всего 15 мг.

• **Малина полезна при дисбактериозе.**

В малине содержатся органические кислоты (1,5 г на 100 г). Они замедляют рост патогенных бактерий в кишечнике. Поэтому при дисбактериозе полезно есть малину.

• **Малину можно есть при подагре.**

Бытует такое мнение, что в малине много пуринов и ее нельзя есть при подагре. Но это не так, в малине всего 9 мг пуринов на 100 г продукта – это немного. Поэтому, если вы любите малину, ешьте на здоровье.

• **Малина выводит из организма токсины.**

В ней содержатся пектины, которые за счет своих желирующих свойств способствуют выведению и токсинов, и солей тяжелых металлов.

• **Малина повышает риск развития кариеса.**

В ней содержатся органические кислоты, которые повреждают зубную эмаль, значит, повышают риск развития кариеса.

• **Сушеная малина сохраняет все полезные свойства свежей.**

А в некоторых моментах даже превосходит. Например, в сушеной малине содержится больше той самой салициловой кислоты, которая хорошо помогает при простудных заболеваниях.

• **Дикая малина полезнее садовой.**

Потому что в лесной малине концентрация полезных веществ выше, чем в садовой.

• **Малина помогает избавиться от запоров.**

Потому что в малине содержатся пищевые волокна – клетчатка (3,7 г на 100 г – 18,5% РСП). Она улучшает перистальтику кишечника и избавляет от запоров.

Попробуйте простой, но очень полезный и быстрый десерт из малины:

Малина – 250 г
Йогурт – 100 г
Сукралоза

Ягоды малины заморозить, а затем взбить в блендере с йогуртом и сукралозой. Напомним, что сукралоза – это безопасный для здоровья заменитель сахара, который содержит 0 ккал, но слаще сахара в 600 раз! Поэтому добавлять сукралозу нужно совсем чуть-чуть, на кончике ножа.

Чтобы малина приносила вам пользу, в сезон этой ягоды нужно съедать ее по 100 г каждый день и не полениться заготовить из ее листьев малиновый «чай». Делать его нужно в несколько этапов.

1) Сначала листья нужно завялить. Для этого их рассыпают слоем не толще 5 см и оставляют на день. Для равномерной сушки листья надо периодически ворошить, но не давайте им пересыхать, чтобы они не теряли эластичности.

2) Затем, растирая между ладоней, скрутите листья в небольшие веретенообразные колбаски. Они должны потемнеть от выделяющегося сока.

3) Теперь настает время наши листья ферментировать. Для этого укладываем их слоем в 5 см в эмалированную миску, накрываем мокрой тканью и ставим в теплое место на 6–12 часов для созревания. Чем выше температура, тем процесс ферментации идет быстрее. Чтобы понять, заферментировались ли ваши листья, понюхайте их. Они должны пахнуть не травой, а цветами или фруктами.

4) После ферментирования листья нужно мелко нарезать и разложить слоем в 1–1,5 см на противне с пергаментной бумагой. Сушим их при температуре 100 °С около часа. А после расфасуйте готовый чай по баночкам и наслаждайтесь им всю зиму!

Многие скажут: «Такой сложный процесс! Можно просто засушить листья и заваривать... И будет то же самое». Но не тут-то было! Именно в процессе ферментации в листьях образуются дубильные вещества, которые очень хорошо укрепляют стенки сосудов, а значит, защищают от атеросклероза и различных заболеваний сердца.

МАНДАРИН

Состав	Количество	РСП
Вода	88,0 г	
Жиры	0,2 г	0%
Белки	0,8 г	1%
Углеводы	7,5 г	3%
Пищевые волокна	1,9 г	10%
Витамин С	38 мг	42%
Энергетическая ценность – 38 ккал		

Мандарин – всем хорошо известный оранжевый ароматный плод – растет на одноименных кустарниках или деревьях, принадлежащих к роду цитрусовых, выделяясь среди других его представителей тем, что плоды его относительно невелики – 4–6 см в диаметре, имеют тонкую кожуру, которая легко отделяется от мякоти. Последняя у некоторых сортов даже бывает отделена от кожуры

Мандарины противопоказаны при гастрите с повышенной кислотностью, язвенной болезни желудка и двенадцатиперстной кишки, колите, панкреатите.

воздушным слоем так, что почти ее не касается.

На территории бывшего СССР мандарины выращивают в основном на Черноморском побережье: в Абхазии и в районе Сочи, которые считаются самыми северными в мире районами культивирования этого растения. Созревают мандарины в ноябре-декабре, поэтому у многих запах мандаринов ассоциируется с главным зимним праздником — Новым годом.

Хотя мандарин традиционно считается новогодним фруктом, но и весной, в период авитаминоза, он незаменим. Ведь в мандаринах сохраняется больше витамина С, чем, например, в яблоках и картофеле.

Из мандариновых корок получается неплохой чай — не только вкусный, но и полезный, так как даже в сухой корке мандарина содержатся эфирные масла. Эти эфирные масла действуют сродни ингаляции, заставляя откашливаться, и обладают противомикробным эффектом. Мандариновые корки высушивают, измельчают, смешивают с чаем (1 ст. л. на 200 г черного чая) и используют полученную смесь как обычный чай.

МИФЫ

• **Мандарины полезно есть с утра.**

Мандарины содержат большое количество органических кислот, которые раздражают стенки желудка и могут вызвать обострение гастрита.

• **Мандарины полезно есть вечером.**

Мандарины богаты сахарами — 10,6 г на 100 г продукта. Это 21% от РСП! Поэтому мандарины на ночь могут привести к набору лишнего веса. Лучше всего есть мандарины днем.

• **Мандарины можно есть в любом количестве.**

По той же причине — высокому содержанию сахара — рекомендуется есть не более 3–4 мандаринов в день.

• **В мандарине больше витамина С, чем в апельсине.**

Мандарин содержит 38 мг витамина С, что составляет 42% от РСП, а в апельсине содержится 60 мг — 67% РСП!

ПРАВДА

• **Мандарин улучшает обмен веществ.**

Мякоть и кожура мандарина содержат синефрин, который уско-

Из-за высокого содержания сахара мандарины не рекомендуется употреблять при сахарном диабете. Также мандарины не стоит есть людям, склонным к аллергическим реакциям.

ряет метаболизм и способствует разрушению жировой ткани.

· **Мандариновый сок убивает микробов.**

Мандарин содержит фитонциды, которые обладают антибактериальным свойством.

· **Мандарины полезны при дисбактериозе.**

Мандарины содержат органические кислоты, которые способствуют улучшению микрофлоры кишечника.

Приготовьте витаминный салат с мандаринами, который укрепит иммунитет.

Мандарины – 4 шт.
Стебли сельдерея – 4 шт.
Имбирь – кусок размером 5–6 см
Морковь – 1 шт.
Оливковое масло – 2 ст. л.
Соль

Морковь и имбирь натереть на терке. Стебли сельдерея нарезать дольками. Дольки мандаринов очистить от пленки. Смешать ингредиенты и заправить оливковым маслом и солью. Такой салат ускорит метаболизм, повысит иммунитет, улучшит состояние кожи и избавит от отеков.

ОБЛЕПИХА

Состав	Количество	РСП
Вода	83,0 г	
Жиры	5,4 г	8%
Белки	1,2 г	2%
Углеводы	5,7 г	2%
Пищевые волокна	2,0 г	10%
Витамин А	125 мкг	14%
Бета-каротин	1500 мкг	30%
Витамин С	200 мг	222%
Витамин Е	5 мг	33%
Энергетическая ценность – 82 ккал		

Эту ягоду древние греки называли «лоснящейся лошадью». Они заметили, что лошади, которые паслись в зарослях колючего кустарника, поедая золотистые ягоды, становились упитанными, а их грива и шкура начинали блестеть. Поэтому облепиху начали использовать как лекарство для больных и истощенных лошадей. Тогда же древние эскулапы решили, раз уж эта ягода помогает лошадям, то может помочь и людям, и стали лечить облепихой воинов и спортсменов.

В России облепиху начали выращивать в Санкт-Петербургском ботаническом саду в начале XIX века, а в начале 90-х годов врачи обнаружили полезные свойства облепихового масла. И случился самый настоящий «облепиховый бум». В аптеках записывались в очередь на получение этого средства, а расход облепихового масла подлежал особому учету. Масло облепихи было дефицитом! И в наше время люди продолжают пользоваться целебными свойствами облепихи. Многие садоводы обязательно сажают на своем участке пару кустиков.

Как сохранить облепиху на зиму? Протертая с сахаром облепиха имеет небольшой срок хранения. Можно сварить варенье, но при этом часть витаминов под воздействием температуры разрушится. При варке содержание витамина С уменьшается почти в 4 раза. Поэтому лучший способ сохранить облепиху на зиму — это заморозка! При этом ягода не утрачивает своих полезных свойств.

Отличными лечебными свойствами также обладает облепиховое масло — оно помогает заживлять раны и эрозии на слизистой. Так, облепиховое масло наружно применяется при лечении геморроя, стоматитов, эрозии шейки матки и других заболеваниях.

МИФЫ

• **Облепиха помогает вылечить близорукость.**

В облепихе содержатся бета-каротин и витамин А, известный своим благотворным действием на зрение. Он укрепляет сетчатку, способствует профилактике «куриной слепоты», но на близорукость не влияет.

• **Облепиховое масло помогает при ожогах.**

Это один из самых распространенных мифов — ожог нельзя мазать никаким маслом. Масло создает на ожоге пленку, рана не «дышит», и на ней образуются микробы.

• **Облепиха помогает похудеть.**

В облепихе содержатся Омега-7 жирные кислоты, регулирующие жировой обмен. Это вещество препятствует накоплению жировой массы, но не приводит к похудению.

• **Облепиха ухудшает состояние сосудов.**

Облепиха содержит рутин, который укрепляет стенки сосудов.

• **Облепиха может вызвать запор.**

Облепиха содержит пищевые волокна, которые улучшают перистальтику кишечника. А облепихо-

Облепиху противопоказано есть при холецистите, поскольку она обладает сильным желчегонным действием. Из-за высокого содержания органических кислот не стоит есть облепиху при заболеваниях ЖКТ.

вое масло обладает слабительным действием.

ПРАВДА

• **Облепиха эффективна для профилактики болезни витилиго.**

Кумарины, содержащиеся в плодах облепихи, повышают светочувствительность пигмента, что важно при лечении лейкодермии (болезнь витилиго – это образование больших пятен обесцвеченной, белой кожи на шее, руках и других местах).

• **Облепиха полезна для профилактики атеросклероза.**

Пищевые волокна, содержащиеся в облепихе, выводят из организма вредный холестерин и защищают сосуды от атеросклеротических бляшек. Также в облепихе содержится бета-ситостерин, который снижает уровень холестерина в крови.

• **Облепиха повышает настроение.**

Облепиха содержит серотонин, который также вырабатывается у человека в головном мозге и отвечает за чувство удовольствия.

• **Облепиха продлевает молодость кожи.**

Облепиха богата витамином А и бета-каротином, которые улучшают регенерацию клеток кожи. Также облепиха содержит более двух суточных норм витамина С, который улучшает синтез коллагена, делающего нашу кожу упругой.

• **Облепиха помогает быстрее выздороветь при простуде.**

По той же самой причине – высокому содержанию витамина С.

Из замороженной облепихи всегда можно приготовить замечательный напиток, который повысит настроение, укрепит иммунитет, улучшит состояние ногтей и волос.

Готовится он очень быстро и просто.

Облепиха – 100 г

Кефир – 500 мл

Сахар – 2 ст. л.

Взбить в блендере все компоненты, процедить напиток через сито, чтобы избавиться от косточек, и ваш коктейль готов! Стакан такого коктейля на завтрак – и ваш организм весь день находится под защитой!

ПЕРСИК

Состав	Количество	РСП
Вода	86,1 г	
Жиры	0,1 г	0%
Белки	0,9 г	2%
Углеводы	9,5 г	3%
Пищевые волокна	2,1 г	11%
Бета-каротин	500 мкг	10%
Витамин С	10 мг	11%
Калий	363 мг	15%
Кремний	10 мг	33%
Хром	14 мкг	28%
Энергетическая ценность – 45 ккал		

Персики противопоказаны при заболеваниях ЖКТ, поскольку содержат органические кислоты.

В старину на Востоке считали, что лучшая вода для заваривания чая – та, что стекла с лепестков цветка персика, когда на них тает запоздалый весенний снег. Возможно, во многом это поверье определено необыкновенной красотой цветущих персиковых деревьев.

Долгое время считалось, что родиной персика является Иран, в древности – Персия. Но ученые выяснили, что персик распространился по всему миру из Китая. В китайской литературе о культуре персика упоминалось за 1000 лет до его появления в Иране. В Европе в первый раз дерево персика было посажено в Италии в середине I столетия.

В отличие от гладкого яблока персик покрыт нежным пушком. То есть, по сути, это очень волосатый фрукт. С одной стороны, вроде бы ничего страшного, но с другой – из-за этой растительности он накапливает на своей поверхности в 10 раз больше грязи и бактерий, чем гладкие фрукты.

Если вы помоете его не очень хорошо, то у вас повысится риск заражения паразитами и кишечной инфекцией. Кроме того, на кожице персика оседает пыльца, что может вызвать проблемы у людей, склонных к аллергии.

Поэтому очень важно мыть персики правильно. Для этого нужно замочить их на 5 минут в холодной воде. За это время вся грязь отлипнет, а потом персики нужно тщательно промыть со щеточкой под струей холодной воды.

Молотые косточки персиков часто используют в составе скрабов для кожи.

МИФЫ

• **Мягкие персики полезнее твердых.**

Плотность персика никак не влияет на количество полезных веществ. Мягкие персики, наоборот, могут быть перезрелыми, а значит, менее полезными. Поэтому покупайте как мягкие, так и твердые плоды.

• **Персики полезнее нектаринов.**

Персики и нектарины одинаково полезны. Состав витаминов и полезных веществ в них практически одинаковый. Так что это дело вкуса.

• **Персики помогают похудеть.**

В Интернете много информации, что персики эффективны для похудения – в них всего 45 ккал на 100 г. Однако в персиках содержатся органические кислоты, которые способствуют выделению желудочного сока и возбуждают аппетит.

ПРАВДА

· **Персики полезны для профилактики сахарного диабета.**

В персиках содержится хром – 28% РСП. Хром регулирует уровень сахара в крови и полезен для профилактики сахарного диабета.

· **Персики улучшают работу сердца.**

В персиках содержится калий – 15% РСП, который улучшает ритм сердца, а значит, защищает от аритмии и тахикардии. Кроме того, калий выводит лишнюю жидкость из организма, что помогает снизить давление и уменьшить нагрузку на сердце.

ЯБЛОКИ

Состав	Количество	РСП
Вода	86,3 г	
Жиры	0,4 г	1%
Белки	0,4 г	1%
Углеводы	9,8 г	3%
Пищевые волокна	1,8 г	9%
Витамин С	10 мг	11%
Калий	278 мг	11%
Кобальт	1 мкг	10%
Медь	0,11 мг	11%
Энергетическая ценность – 47 ккал		

В Англии считают, что одно яблоко в день защищает человека от болезней. И это утверждение не лишено основания. Яблоки действительно помогают сохранить здоровье.

Яблоки – одни из немногих фруктов, которые присутствуют на прилавках наших магазинов круглогодично. К сожалению, большинство из них – импортные. Очень красивые и блестящие, они остаются такими месяцами. Для увеличения срока хранения их обрабатывают различными химическими веществами, в том числе консервантом дифенилом.

Если опустить такое яблоко в горячую воду, мы увидим на ее поверхности маслянистую пленку. Это потому, что дифенил является побочным продуктом переработки нефти. Доказано, что дифенил обладает канцерогенным эффектом, а также содержит в своем составе токсичные химические вещества, которые наносят урон сердечно-сосудистой и нервной системам человека, а также почкам и печени.

В нашей стране применение данного консерванта запрещено, а в Евросоюзе – нет! Поэтому не забывайте тщательно, со щеткой и мылом, мыть такие яблоки.

Яблоки лучше хранить в холодильнике. Зачастую яблоки хранят при комнатной температуре. Согласно ГОСТу 27819-88 яблоки лучше хранить в холодильнике. Так они дольше пролежат и сохранят полезные свойства.

МИФЫ

· **Красные яблоки калорийнее зеленых.**

Яблоки содержат органические кислоты, которые стимулируют выработку желудочного сока, что может привести к приступу гастрита. По этой же причине не стоит употреблять яблоки людям, страдающим язвенной болезнью, панкреатитом, колитом.

В 100 г яблок любого цвета содержится около 47 ккал. Цвет значения не имеет.

· **Зеленые яблоки полезнее красных.**

Мнение о том, что зеленые яблоки полезнее красных, – миф. В их химическом составе никакой существенной разницы нет. Поэтому и зеленые, и красные яблоки одинаково полезны.

· **Яблоки восполняют дефицит железа.**

Бытует мнение, что яблоки богаты железом и полезны при железодефицитной анемии. Но дело в том, что железа в яблоках мало. К тому же железо из продуктов растительного происхождения не усваивается. Поэтому яблоки бесполезны при анемии.

· **Яблочные огрызки полезны для здоровья.**

Есть люди, которые считают, что яблоко полезно съедать целиком. Но это опасный миф. В яблочных огрызках есть перегородки, которые наравне со шкурками семян могут травмировать стенки кишечника.

· **Яблоки теряют полезные свойства при запекании.**

Многие думают, что термическая обработка убивает полезные вещества. Но это не совсем так. Конечно, содержание витамина С уменьшится, а вот количество пектина на 100 г конечного продукта станет даже выше, поскольку выпарится часть воды.

· **Грызть яблоки полезно для зубов.**

Многие думают, что яблоки очищают зубы. На самом деле яблоки могут их испортить! В яблоках содержатся органические кислоты, которые разрушают зубную эмаль. Плюс в среднем сладком яблоке может быть до 4 ч.л. сахара. Это благодатная почва для развития бактерий в полости рта. Поэтому после употребления яблок нужно как минимум прополоскать рот, а лучше почистить зубы.

ПРАВДА

· **Яблоки замедляют появление седых волос.**

В яблоках содержится медь. Этот микроэлемент защищает от преждевременного поседения волос.

· **Яблоки лучше есть без кожуры.**

Считается, что в кожуре яблок содержится больше полезных веществ. Но в настоящее время кожуру яблок обрабатывают ядохимикатами, чтобы они не мялись и дольше сохраняли свежий вид. Эти вещества очень опасны для организма. Поэтому магазинные яблоки лучше есть очищенными. А вот если яблоки с вашего сада-огорода и вы уверены в их экологической чистоте — смело ешьте их с кожурой, ведь в ней содержится много пектина.

• **Яблоки укрепляют иммунитет.**

В яблоках содержится довольно много различных органических кислот — яблочная, лимонная, винная. Эти кислоты укрепляют иммунитет.

• **Яблоки снижают уровень холестерина.**

В яблоках много пектина, который выводит лишний холестерин из организма и тем самым защищает сердечно-сосудистую систему от атеросклероза — главной причины инфарктов и инсультов.

• **Яблоки улучшают переваривание пищи.**

В яблоках много органических кислот. Они облегчают переваривание пищи. Отсюда и пошла традиция запекать гуся с яблоками, так как гусь — это очень жирная птица. Яблоки помогут его перевариванию.

Приготовьте из яблок легендарную белевскую яблочную пастилу. Она невероятно вкусная. Поверьте, понравится и вам, и вашим детям. Ее готовили с начала XIX века в городе Белев Тульской области. Также ее называют прохоровской пастилой по имени купца Амвросия Прохорова. В 1858 году он заложил большой яблоневый сад, а в 1888 году открыл сушильню для переработки яблок, где и стал производить пастилу. И эта пастила стала одной из самых известных в России!

Яблоки сорта антоновка — 2 кг
Яичный белок — 2 шт.
Сахар — 1 ст.
Сахарная пудра — 3 ст. л.

Из яблок удалите сердцевинки и запеките до готовности в духовке. Готовые яблоки измельчите блендером до состояния пюре. Добавьте к ним ½ стакана сахара и взбивайте до тех пор, пока пюре не посветлеет и не увеличится в объеме. В отдельной глубокой кастрюле взбейте белки, добавляя туда оставшуюся половину стакана сахара по 1 ч. л. К взбитым белкам добавьте пюре и еще раз взбейте. Пару столовых ложек этой смеси оставьте для того, чтобы потом промазать пастилу.

Выложите получившуюся яблочную смесь на противень, накрытый пергаментной бумагой, слоем 2–3 см. Сверху посыпьте сахарной пудрой и 4–5 часов выпекайте в духовке при температуре 90 °С.

Полученный пласт разделите на 2 куска. Один из них намажьте оставшимся пюре, закройте сверху вторым и подсушите в духовке еще 1–2 часа. Затем остудите пастилу и нарежьте на кирпичики. Хранить такую пастилу лучше в пергаменте в темном сухом месте.

В 100 г такой домашней пастилы — всего 85 ккал, а это значит, что такой пастилой можно иногда лакомиться даже худеющим!

Из яблок можно также приготовить вкусные и полезные чипсы.

Яблоки — 2 шт. (выбирайте твердый и хрустящий сорт)
Вода — 200 мл
Лимон — 1 шт.
Сахар — 150 г

Растворите сахар в кипящей воде и остудите получившийся сироп. Добавьте в него сок лимона, чтобы предотвратить потемнение яблок.

Из яблок вырежьте сердцевину, нарежьте круглыми тонкими дольками, например при помощи капустной терки. Нарезанные яблоки обмакните в сиропе и выложите на противень, покрытый бумагой для выпечки. Поставьте яблоки в духовку на 5–6 часов при температуре 80–90 °C.

В середине готовки переверните чипсы на другую сторону. Остывшие чипсы станут хрустящими.

Снизить калорийность таких чипсов можно, приготовив их без сахара. В этом случае перед помещением в духовку подержите яблоки в воде с лимонным соком.

Гаму́ла — это старинное русское блюдо из яблок, похожее на шарлотку. Но в обычной шарлотке много муки, а в гамуле — всего 1 ст. л. Поэтому она намного полезнее. В 100 г гамулы всего 77 ккал.

Яблоки — 1 кг
Мед — 2 ч.л.
Мука — 1 ст. л.
Ягоды
Сахарная пудра

Яблоки запечь в духовке и протереть их сквозь сито. В яблочное пюре добавить муку и мед, перемешать и выложить в форму, на которую постелен пергамент. Выпекать в духовке 1 час при температуре 80–100 °C. Готовую гамулу остудить, украсить ягодами и сахарной пудрой.

СУХОФРУКТЫ

Чернослив, курага, сушеные яблоки и груши — о пользе сухофруктов говорят многие! Ими часто рекомендуют заменять конфеты, а также советуют их употреблять как источник витаминов зимой. Но действительно ли в засушенных фруктах остается какая-то польза? Давайте попробуем в этом разобраться.

На самом деле сухофрукты — это, конечно же, полезный продукт. Но! Некоторые свойства фруктов при высушивании теряются. Например, в сухофруктах становится в два раза меньше витамина С, чем в исходном сырье. Кроме того, в них увеличивается количество сахаров. И далеко не все сухофрукты могут принести пользу нашему здоровью. Некоторые сухофрукты могут быть даже опасны!

ЧЕРНОСЛИВ

Состав	Количество	РСП
Вода	25,0 г	
Жиры	0,7 г	1%
Белки	2,3 г	4%
Углеводы	57,5 г	20%
Пищевые волокна	9,0 г	45%
Витамин Е	1,8 мг	12%
Калий	864 мг	35%
Магний	102 мг	26%
Фосфор	83 мг	10%
Энергетическая ценность – 256 ккал		

Если при хранении на воздухе сухофрукты покрываются разводами и белым налетом, это говорит о том, что они содержат сульфиты, чаще всего сульфит натрия – его добавляют производители для обработки против заплесневения недосушенного чернослива. Считается, что сульфит натрия в минимальных количествах не опасен для организма человека, но все же эта добавка может вызывать расстройства желудка. Кроме того, при его чрезмерном поступлении в организм происходит разрушение витаминов B_1 и Е. Детям не рекомендуется употребление продуктов с добавлением сульфита натрия.

Чтобы придать черносливу сочный вид, производители часто используют глицерин, который может вызвать диарею.

Чернослив богат калием, который выводит лишнюю жидкость из организма, что полезно при повышенном артериальном давлении и отеках. Также чернослив содержит большое количество витамина Е, который является мощным антиоксидантом – замедляет старение и защищает от онкологических заболеваний.

КУРАГА

Состав	Количество	РСП
Вода	20,0 г	
Жиры	0,3 г	0%
Белки	5,2 г	9%
Углеводы	51,0 г	18%
Пищевые волокна	18,0 г	90%
Витамин А	583 мкг	32%
Бета-каротин	3500 мкг	70%
Витамин B_2	0,2 мг	11%
Витамин Е	5,5 мг	37%
Витамин РР	3,9 мг	20%
Калий	1717 мг	69%
Кальций	160 мг	16%
Магний	105 мг	26%
Фосфор	146 мг	18%
Энергетическая ценность – 232 ккал		

Качественная курага должна быть твердой – при постукивании об стол издавать ясный звук. Если курага мягкая, это означает, что в нее были добавлены те же сульфиты или диоксид серы, а также гидрогенизированные жиры. Это делается для улучшения внешнего вида сухофруктов и продления срока хранения.

Слишком яркая окраска кураги говорит о том, что она изготовлена с применением сульфитов! Это опасно, потому что соединения серы могут спровоцировать астму, проблемы с желудком и органами дыхания. Гидрогенизированные жиры приводят к образованию холестериновых бляшек в сосудах.

Качественная курага – отличный источник калия. В 100 г кураги содержится практически 70% от его суточной нормы! Также курага богата витамином А, который является антиоксидантом и улучшает состояние кожи.

ЯБЛОКИ СУШЕНЫЕ

Состав	Количество	РСП
Вода	20,0 г	
Жиры	0,1 г	0%
Белки	2,2 г	4%
Углеводы	59,0 г	20%
Пищевые волокна	14,9 г	75%
Калий	580 мг	23%
Кальций	111 мг	11%
Фосфор	77 мг	10%
Энергетическая ценность – 253 ккал		

При неправильном хранении сушеные яблоки очень часто, особенно во влажном воздухе, покрываются очагами черной плесени. Перед покупкой следует внимательно осмотреть места под загнутыми краешками дольки – там, где видна кожица яблока. Плесень выделяет токсины, которые вызывают отравление. Некоторые виды плесени могут спровоцировать аллергическую реакцию и проблемы с дыханием.

Качественные сушеные яблоки – это отличный источник пищевых волокон.

ГРУША СУШЕНАЯ

Состав	Количество	РСП
Вода	24,0 г	
Жиры	0,6 г	1%
Белки	2,3 г	4%
Углеводы	62,6 г	22%
Пищевые волокна	6,0 г	30%
Калий	872 мг	35%
Кальций	107 мг	11%
Магний	66 мг	17%
Фосфор	92 мг	12%
Энергетическая ценность – 270 ккал		

Под видом натуральной сухой груши часто продают цукат – грушу, сваренную в сахарном сиропе. Пользы в таком продукте практически никакой, а содержание сахара – как в шоколадных конфетах!

Натуральная же сушеная груша – отличный источник калия и магния. Калий помогает избавиться от отеков и снизить давление, а магний улучшает работу сердца.

ЯГОДЫ ГОДЖИ

О ягодах годжи ходят легенды, многократно тиражируемые на просторах Интернета. Говорят, что по пользе для здоровья с ягодами годжи не сравнится ни одна ягода или фрукт на земле. Их считают китайским секретом долгожительства. Существует поверье, что ягоды годжи необходимо постоянно употреблять – тогда иммунитет будет железным и никогда не будешь болеть. Но действительно ли они являются панацеей?

На самом деле ягоды годжи – не что иное, как дереза обыкновенная. Растут эти ягоды не только в Китае, но и в России, как в естественных условиях, так и в культуре. Никаких уникальных веществ в составе этих ягод не выявлено. Кроме того, было проведено всего три более-менее значимых исследования свойств ягод годжи, и все они были проведены только на мышах и кроликах. Народная медицина приписывает ягоде годжи самые разнообразные и уникальные свойства – считается, что годжи помогает похудеть, укрепляет иммунитет и даже защищает от рака. Однако Британская диетическая ассоциация заявляет о том, что клинических исследований недостаточно, чтобы утверждать все это. Ягода настолько мало изучена, что до сих пор нет данных о ее точном химическом составе!

С начала нынешнего века продукты из дерезы начали активно, можно даже сказать – агрессивно, рекламировать как панацею от всех болезней сначала в Северной Америке, а потом и по всему миру. Докатилась эта «мода» и до России.

Цена ягод годжи доходит до 3000 рублей за килограмм. Но есть хорошо известный всем россиянам продукт, который в 7 раз богаче витамином С и в разы дешевле. Это – шиповник.

Кроме того, ягода годжи содержит оксалаты, которые приводят к образованию камней в почках, поэтому ягоды годжи следует упо-

Сухофрукты не рекомендуется употреблять при избыточном весе, сахарном диабете, диарее. Кормящим матерям не рекомендуется употреблять курагу и чернослив, поскольку они могут вызвать у младенцев колики.

Сухофрукты лучше употреблять после термической обработки, поскольку она снижает токсичность химических добавок. Лучший вариант — сварить из сухофруктов полезный компот.

треблять в строго ограниченном количестве!

Предлагаем вашему вниманию рецепт, в котором сахар заменен медом и добавлена корица, которая поможет снизить риск простудных заболеваний:

Вода – 3 л
Сухофрукты – 2 ст.
Корица – 1 палочка
Мед

Сухофрукты тщательно промыть и положить в кипящую воду, варить с палочкой корицы 2 минуты под крышкой. Мед добавляем уже в готовый подостывший компот, поскольку в горячей жидкости все полезные свойства меда теряются.

ОРЕХИ И СЕМЕНА

МИНДАЛЬ

Состав	Количество	РСП
Вода	4,0 г	
Жиры: из них полиненасыщенные	57,7 г 12,8 г	86% 58%
Белки	18,8 г	31%
Углеводы	13 г	4%
Пищевые волокна	7,0 г	35%
Витамин B_1	0,25 мг	17%
Витамин B_2	0,65 мг	36%
Витамин B_6	0,3 мг	15%
Витамин B_9	40 мкг	10%
Витамин Е	3,8 мг	205%
Витамин РР	6,2 мг	31%
Калий	748 мг	30%
Кальций	273 мг	27%
Магний	234 мг	59%
Фосфор	473 мг	59%
Железо	4,2 мг	23%
Марганец	1,92 мг	96%
Медь	0,14 мг	14%
Цинк	2,12 мг	18%
Незаменимые аминокислоты		
Валин	0,94 г	49%
Гистидин	0,48 г	44%
Изолейцин	0,67 г	45%
Лейцин	1,28 г	39%
Лизин	0,47 г	15%
Метионин + цистеин	0,69 г	46%
Треонин	0,48 г	30%
Триптофан	0,13 г	33%
Фенилаланин + тирозин	1,54 г	55%
Энергетическая ценность – 609 ккал		

В древние времена миндаль считался культовым деревом. Упоминания о миндале есть в Библии – в рассказе о жезле Аарона, который зацвел и принес плоды миндаля, что являлось символом одобрения Аарона Богом. Римляне осыпали новобрачных миндалем как символом плодородия. В то время миндаль считался деликатесом, потому что его разведение не было так распространено, как в наше время.

В VI веке миндаль начали выращивать в Крыму. В остальные районы России миндаль попадал в качестве заморского продукта вместе с инжиром, изюмом, грецкими орехами и использовался как лакомство у состоятельных людей.

Сейчас миндаль продается повсеместно. Но выбрать качественный миндаль – целая наука.

Миндаль в герметичной упаковке гораздо качественней, чем тот, который продается на развес. Ведь он меньше подвергается воздействию влаги, а значит, не прогоркает и не портится.

Если вы выбираете жареный миндаль, купите тот, который был обжарен «всухую» – без масла. Также внимательно почитайте состав, убедитесь, что отсутствуют дополнительные компоненты, такие как сахар, кукурузный сироп и особенно консерванты.

МИФЫ

• **Горький миндаль полезен для здоровья.**

Горький миндаль – это недозревший миндаль. А в нем содержится ядовитая синильная кислота, которая вызывает сильнейшее отравление. Из горького миндаля делают миндальное масло. Если купленный миндаль горчит – лучше его не есть!

• **Миндаль улучшает зрение.**

Такое утверждение часто встречается в Интернете. Давайте разберемся. В миндале содержится витамин B_2 (0,65 мг на 100 г – 36% от суточной нормы). Но этот витамин лишь защищает сетчатку глаз от избыточного воздействия УФ-лучей. А вот на остроту зрения никак не влияет.

ПРАВДА

• **Миндаль снижает риск развития атеросклероза.**

В миндале содержится много полиненасыщенных жирных кислот – 58% РСП. Известно, что они снижают уровень холестерина и предотвращают развитие атеросклероза.

• **Миндаль полезно есть женщинам во время ПМС.**

В миндале содержится магний, а во время ПМС у женщин возникает дефицит этого микроэлемента. Поэтому миндаль полезно есть во время ПМС.

• **Из-за миндаля может появиться лишний вес.**

Миндаль – орех калорийный – 609 ккал на 100 г. Поэтому если

Миндаль следует употреблять с осторожностью при склонности к аллергическим реакциям и при ожирении.

есть его каждый день по 100 г, то лишний вес точно появится.

• **Миндаль помогает снять стресс.**

Магний, который содержится в миндале, обладает антистрессовым и антидепрессантным действием. Также миндаль содержит триптофан – сырье для «гормона радости» серотонина.

• **Миндаль защищает сердце от инфарктов.**

Ведь он содержит 59% РСП магния, а именно этот макроэлемент укрепляет сердечную мышцу, улучшает работу сердца и защищает его от опасных заболеваний.

• **Миндаль замедляет старение кожи.**

В нем содержится больше двух суточных норм витамина Е – 205%! Витамин Е – сильнейший антиоксидант, который борется с вредными радикалами, тем самым защищая нашу кожу от старения. И вообще замедляет процессы старения. Поэтому человек дольше остается молодым, здоровым и красивым.

• **Миндаль защищает от сахарного диабета.**

В нем содержится марганец – 96% РСП. Этот микроэлемент регулирует уровень сахара в крови и помогает вырабатывать инсулин.

Чтобы улучшить работу сердца, замедлить старение и защититься от сахарного диабета, достаточно съедать 5–6 орешков миндаля в день!

А можно приготовить очень вкусное и полезное миндальное молоко. Причем особенно оно полезно для женщин! Миндальное молоко отлично хранится в холодильнике или без него намного дольше, чем обычное коровье.

Миндаль сырой – 200 г
Холодная вода – 5 стаканов
Ваниль – 1 стручок
Мед – 1 ч. л.

Миндаль залить 3 стаканами воды и оставить на ночь. Утром воду слить. При желании орехи можно отшелушить, обдав предварительно кипятком. Но можно этого и не делать, тогда молоко будет бежевого цвета.

Миндаль, стручок ванили и мед залить 2 стаканами воды и взбить в блендере в течение минуты. Дать полученной смеси настояться 20 минут и процедить ее через марлю. Перелить в стеклянную банку и хранить в холодильнике не более 5 дней.

Оставшуюся от миндальных орехов мякоть можно использовать в кулинарных и косметических целях. Например, для приготовления марципановых конфет или постного овсяного печенья, добавлять в смузи, десерты. На миндальном молоке можно варить кашу, делать блины и пироги. Или пить миндальное молоко прямо с мякотью.

Из мякоти можно делать увлажняющие маски для лица, шеи и рук. Для этого надо смешать в миске миндальную мякоть с медом или сметаной и наносить на кожу на 10–15 минут. Затем смыть водой, а лучше просто стереть влажным полотенцем или салфеткой.

МУСКАТНЫЙ ОРЕХ

Состав	Количество	РСП
Вода	6,2 г	
Жиры	36,3 г	54%
Белки	5,8 г	10%
Углеводы	28,5 г	10%
Пищевые волокна	20,8 г	104%
Витамин B_1	0,35 мг	23%
Витамин B_9	76 мкг	19%
Калий	350 мг	14%
Кальций	184 мг	18%
Магний	183 мг	46%
Фосфор	213 мг	27%
Железо	3,04 мг	17%
Марганец	2,9 мг	145%
Медь	1,03 мг	103%
Цинк	2,15 мг	18%
Энергетическая ценность – 525 ккал		

Родина мускатного дерева – крошечный архипелаг Банда, входящий в индонезийскую группу Молукkских островов. В древности мускатный орех очень высоко ценился. Прибыли арабских купцов, которые закупали его в Индии и на Яве и перепродавали, доходили до 1000%. С конца XII века мускатный орех стал очень популярен в Европе. Это была пряность богатых и состоятельных людей. Тогда верили, что мускатный орех наделяет своего обладателя чудодейственной приворотной силой, и носили орешек как амулет.

Сейчас мускатный орех используют как специю, которую многие хозяйки добавляют в выпечку, горячие овощные и мясные блюда, соусы. Но мало кто знает, что мускатный орех – это специя непростая. Он может стать причиной серьезных проблем со здоровьем.

Мускатный орех может стать причиной нарушения работы мозга. В нем содержатся такие вещества, как элемицин, миристицин, сафрол. Они раздражающе действуют на нервную систему человека и могут вызвать расстройства психики, нарушение координации движений, помутнение рассудка.

Мускатный орех может стать причиной болезней печени и почек. Эфирные масла, которые входят в состав мускатного ореха, выделяются из организма преимущественно с желчью и мочой. Они раздражающе действуют на ткани печени и почек, вызывая воспаление. Таким образом мускатный орех может вызвать холецистит и жировой гепатоз печени.

Мускатный орех может стать причиной заболеваний желудочно-кишечного тракта, так как он усиливает выделение желудочного сока. Из-за этого может нарушаться пищеварение, а также возник-

Мускатный орех противопоказан при язвенной болезни желудка и двенадцатиперстной кишки. Его нельзя употреблять детям.

нуть такие болезни, как дисбактериоз, гастрит, колит, язва.

При употреблении в больших количествах мускатный орех вызывает повышение температуры, сильное покраснение глаз, жажду.

Но таким опасным мускатный орех становится, когда человек съедает больше 8 г мускатного ореха в день. А это целых два ореха!

Если вы едите его мало — не более 1 г в день, — никаких проблем не возникнет.

МИФЫ

• **Мускатный орех улучшает половую функцию.**

Мускатный орех содержит много марганца (2,9 мг на 100 г — 145% от суточной нормы), который полезен для половых желез. Однако этой пряности нельзя съедать в сутки больше 1 г, а значит, он никакого влияния на половые функции не окажет.

• **Мускатный орех лучше покупать в виде порошка.**

Лучше покупать целый орех, потому что в нем дольше сохраняются его свойства. А порошок очень быстро выветривается.

• **Мускатный орех помогает при аритмии.**

В Интернете есть такой способ: кусочек мускатного ореха (с булавочную головку) тщательно и медленно прожевать и проглотить — это снимет приступ аритмии. Но это миф. Мускатный орех не поможет при аритмии, а его передозировка может даже усилить приступ.

• **Мускатный орех укрепляет иммунитет.**

Мускатный орех не обладает иммуностимулирующим действием.

ПРАВДА

• **Мускатный орех стимулирует рост волос.**

Эфирные масла мускатного ореха обладают местным раздражающим действием, усиливая приток крови к коже головы.

• **Мускатный орех в небольших количествах не противопоказан беременным.**

В Интернете есть информация, что мускатный орех может стать причиной выкидыша и пагубно сказаться на развитии плода. Это действительно так. Эфирные масла, которые содержатся в мускатном орехе, могут попасть в плод и повредить его нервную систему. Но небольшое количество раз в неделю не окажет негативного эффекта.

• **Мускатный орех лучше есть на ужин.**

Эта пряность в небольших количествах благодаря эфирным маслам (11 г на 100 г) успокаивает нервную систему и расслабляет организм.

Мускатный орех отлично подходит к мясным и рыбным блюдам. Попробуйте добавить эту специю в пельмени, не простые, а праздничные!

Многие удивятся, ведь пельмени традиционно считаются вредным блюдом. Вы будете удивлены, но правильно приготовленные пельмени – это очень сбалансированный продукт, и они будут очень актуальны на праздничном столе.

В идеально сбалансированном рационе должно содержаться около 30% белков, 20% – жиров и порядка 50% углеводов. А праздничные пельмени полностью соответствуют этим требованиям: 12,5 г белка, 9,2 г жира и 17,0 г углеводов на 100 г блюда.

Все зависит от состава пельменей. Калорийность наших пельменей – всего 197 ккал. Но для этого должны быть соблюдены три условия.

1. Пельмени должны быть домашними – так вы проконтролируете натуральность состава пельменей и количество муки в готовом продукте – тесто для пельменей нужно раскатывать очень тонко.

2. Начинка пельменей должна быть из нежирного мяса – мякоть говядины, индейки, курицы, рыба.

3. Пельмени должны быть достаточно большими, чтобы сохранилось наилучшее соотношение «тесто – мясо».

Мука – 1 ст.
Вода – 1/3 ст.
Яйцо – 1 шт.
Говядина – 200 г
Индейка – 200 г
Лук – 1 шт.
Чеснок – 2 зубчика
Зелень
Черный молотый перец
Мускатный орех
Соль

Замесить крутое тесто из муки, воды, яйца и щепотки соли. Вымешивать тесто, пока оно не перестанет липнуть к рукам. Лук и зелень мелко порубить, добавить фарш из говядины и индейки, приправить черным перцем и мускатным орехом, посолить. Вымешать фарш.

Тесто раскатать как можно тоньше, нарезать на кружки, положить начинку, защипнуть края, положить в кипящую подсоленную воду и варить до готовности.

СЕМЕНА ПОДСОЛНЕЧНИКА[1]

Состав	Количество	РСП
Вода	1,2 г	
Жиры: из них полиненасыщенные	49,8 г 32,9 г	74% 149%
Белки	19,3 г	32%
Углеводы	13,0 г	4%

[1] Состав указан для семечек, жаренных без масла и соли.

Состав	Количество	РСП
Пищевые волокна	11,1 г	55%
Витамин B_2	0,25 мг	14%
Витамин B_5	7,04 мг	141%
Витамин B_6	0,8 мг	40%
Витамин B_9	237 мкг	59%
Витамин Е	26,1 мг	174%
Витамин РР	11,96 мг	60%
Холин (B_4)	55,1 мг	11%
Калий	850 мг	34%
Магний	129 мг	32%
Фосфор	1155 мг	144%
Железо	3,8 мг	21%
Марганец	2,11 мг	106%
Медь	1,83 мг	183%
Селен	79,3 мкг	144%
Цинк	5,29 мг	44%
Незаменимые аминокислоты		
Валин	1,12 г	59%
Гистидин	0,54 г	49%
Изолейцин	0,97 г	65%
Лейцин	1,41 г	43%
Лизин	0,80 г	26%
Метионин + цистеин	0,80 г	53%
Треонин	0,79 г	49%
Триптофан	0,30 г	75%
Фенилаланин + тирозин	1,56 г	56%
Энергетическая ценность – 582 ккал		

Первыми подсолнечник начали культивировать индейцы. Они готовили из семян своеобразный концентрат в виде шариков и использовали его во время длительных переходов и на охоте, а также выпекали из семян хлеб.

В Европу подсолнечник попал в XVI веке, а до России добрался в XVIII столетии.

Сейчас все знают, как полезны семечки. Но, оказывается, если есть их неправильно, они могут ударить по вашему здоровью! Поэтому предлагаем проверить, правильно ли вы щелкаете семечки.

Калорийность – это первая опасность семечек. Сколько семечек обычно съедает человек за один раз? Ну, примерно стакан – граммов 200. Кажется, что немного. Но на самом деле это 1200 ккал! То есть 65% от суточной нормы!

А ведь стакан – это далеко не предел. Некоторые могут сразу граммов 500 съесть – а это уже 3000 ккал, то есть почти 1,5 суточные нормы! Поэтому если вы часто едите семечки, то может появиться лишний вес. Чтобы не навредить своему здоровью, съедайте в день не более $^1/_3$ стакана семечек.

Если грызть семечки зубами, то частицы шкурки будут попадать в желудочно-кишечный тракт и вызывать механические повреждения слизистой. Это может привести к синдрому раздраженного кишечника.

Семечки могут стать причиной пародонтита. Это неприятное заболевание, при котором десны воспаляются и очень сильно болят. Это может привести к выпадению зубов! Когда человек грызет семечки, то шелуха может впиться в десну. Из-за этого там возникнет воспаление и разовьется пародонтит.

Семечки могут спровоцировать стоматит. Когда человек чистит семечки во рту зубами, то он может повредить слизистую полости рта. В ранку попадают бактерии со шкурки семечки. Возникает воспаление и нагноение, то есть стоматит. Чтобы избежать травмирования десен и слизистой рта, очищайте семечки руками или с помощью маникюрных ножниц.

Кстати, о микробах. Был проведен анализ 10 образцов семечек, купленных на рынке и в магазине. Абсолютно на всех образцах семечек были обнаружены микробы — стрептококк, стафилококк и другие. Но на рыночных семечках их оказалось в два раза больше.

Это неудивительно. На рынке семечки обычно продаются немытые и без упаковки. Поэтому на них скапливается большее количество микробов. Именно такие семечки повышают риск развития стоматита и пародонтита.

В магазинах семечки продают в герметичных упаковках. К тому же крупные производители контролируют количество микробов во время производства. Поэтому на их поверхности вредных микробов меньше.

Лучше покупать семечки в магазинах, а купленные на рынке желательно вымыть и прокалить на сухой сковороде.

Еще одна причина покупать семечки в магазине — контроль качества. Крупные производители стараются контролировать качество, не допустить попадания в продажу некачественных семечек, так как это отразится на их репутации. А ведь семечки могут содержать тяжелые металлы, например кадмий. Он может вызвать отравление и поражение центральной нервной системы. Все дело в том, что многие поля подсолнечника расположены вдоль автомобильных дорог, трасс. Вредные выхлопы оседают и проникают в почву, а оттуда впитываются в растения. Такие подсолнухи должны идти максимум на корм скоту. Но мелкие производители могут закупать такие семечки по низкой цене и отпускать в продажу.

МИФЫ

• **Семечки могут стать причиной аппендицита.**

Существует мнение, что постоянное употребление семечек может вызвать аппендицит. Но это неправда. Разумеется, если глотать семечки не очищенными от скорлупы, то можно заработать аппендицит. А если семечки очищать от скорлупы, то аппендицит не грозит.

• **Семечки лучше покупать очищенными.**

Семена подсолнечника противопоказаны при язвенной болезни желудка и двенадцатиперстной кишки, колитах, гастритах. Из-за высокой калорийности не рекомендуется употреблять семечки людям, страдающим от ожирения.

В наше время в магазинах продаются уже очищенные семечки. Конечно, это удобно. Ведь не надо их чистить и тратить время. Но! При хранении очищенные семечки больше контактируют с воздухом, что приводит к окислению полезных жиров и потере витаминов.

• Белые семечки или черные семечки с белыми прожилками являются генно-модифицированными.

Некоторые думают, что это генно-модифицированный сорт, что они вредны. На самом деле они растут на подсолнухе другого сорта. Белые семечки более крупные, и у них ярко выраженный ореховый вкус. Вот и все отличия – никакого вреда в них нет. А полезны они точно так же, как и обычные черные.

ПРАВДА

• Семечки помогают бросить курить.

Психологи утверждают, что во время щелканья семечек у человека успокаиваются нервы, заняты руки и рот. Что особенно важно для людей, которые бросают курить. Но нужно понимать, что семечки действуют лишь как вспомогательный фактор. Более того, при неумеренном употреблении они могут вызвать увеличение веса.

• Семечки замедляют старение.

В семечках содержится 174% РСП витамина Е. Он является мощным антиоксидантом и замедляет старение.

• Семечки помогают избавиться от перхоти.

В семечках содержатся витамины группы В, которые уменьшают количество перхоти, улучшают состояние кожи и волос. А если перхоти нет – являются отличным средством ее профилактики.

• Семечки могут привести к кариесу.

Когда человек чистит семечки во рту зубами, то острый угол семечки может повредить зубную эмаль. Из-за этого повышается риск развития кариеса.

• Семечки предотвращают запоры.

В семечках содержатся пищевые волокна, то есть клетчатка (55% РСП), которая улучшает перистальтику кишечника и помогает избежать запоров.

• Семечки эффективны для профилактики атеросклероза.

В семечках содержатся полиненасыщенные жирные кислоты.

Они снижают уровень холестерина. А значит, семечки полезны для профилактики атеросклероза.

· **Семечки улучшают работу сердца.**

В семечках много магния – 32% РСП, который укрепляет миокард и улучшает работу сердца.

· **Семечки полезны при депрессии.**

Семечки содержат 75% РСП триптофана – аминокислоты, из которой в организме синтезируется серотонин – «гормон радости».

Семечки подсолнечника часто входят в состав мюсли, которые продаются в магазинах. Казалось бы, это полезный завтрак. Но действительно ли это так? Так ли он полезен на самом деле?

Завтрак должен содержать четверть от суточной нормы жиров, белков и углеводов.

Белки	Жиры	Углеводы
15,0 г	15,0 г	75,0 г

И готовые мюсли, употребляемые на завтрак с йогуртом, подходят под это требование больше, чем многие другие виды завтраков.

Белки	Жиры	Углеводы
11,5 г	13,2 г	65,2 г

Мюсли с натуральным йогуртом получаются одним из наиболее сбалансированных завтраков. Если бы не состав магазинных мюсли.

Помимо белков, жиров и углеводов, здесь могут быть и ароматизаторы, и эмульгаторы, и, что самое неприятное, пальмовое масло, о вреде которого последнее время достаточно много известно. Оно вызывает ожирение.

Как получить полезный и сбалансированный завтрак? Ответ прост: приготовить мюсли самостоятельно и добавить в них очень полезные и богатые витаминами сублимированные фрукты!

Сублимированные фрукты – это обычные фрукты, которые подвергаются сублимационной сушке. Сублимированные фрукты в процессе сушки не подвергаются нагреву, при котором фрукты могут терять до 50% биологически активных веществ.

Сублимация фруктов – достаточно сложная технология, требующая точного соблюдения технологических параметров, а также наличия свежего качественного сырья. Сразу после заморозки фрукты подвергаются вымораживанию влаги без ее перехода в жидкое состояние. При этом не происходит разрушения природных ароматических веществ, и фрукты на 100% сохраняют свои вкусовые свойства и структуру. Для восстановления первоначального состояния их достаточно залить теплой водой и оставить для набухания на 10–15 минут, после чего можно готовить любые блюда, как из свежих фруктов.

Приготовить мюсли самим достаточно просто. Вам понадобятся орехи, овсяные хлопья, семечки подсолнечника, отруби, конечно же, сублимированные фрукты и один из молочных продуктов — кефир, натуральный йогурт или молоко. Смешайте все ингредиенты по вкусу.

Домашние мюсли улучшат моторику кишечника, поднимут настроение, укрепят нервную систему и будут полезны для кожи и волос.

ТЫКВЕННЫЕ СЕМЕЧКИ[1]

Состав	**Количество**	**РСП**
Вода	5,2 г	
Жиры: из них полиненасыщенные	49,1 г 21,0 г	73% 95%
Белки	30,2 г	50%
Углеводы	4,7 г	2%
Пищевые волокна	6,0 г	30%
Витамин B_1	0,27 мг	18%
Витамин B_5	0,75 мг	15%
Витамин B_9	58 мкг	14%
Витамин E	2,18 мг	15%
Витамин PP	14,59 мг	73%
Холин (B_4)	63 мг	13%
Калий	809 мг	32%
Магний	592 мг	148%
Фосфор	1233 мг	154%
Железо	8,82 мг	49%
Марганец	4,54 мг	227%
Медь	1,34 мг	134%
Селен	9,4 мкг	17%
Цинк	7,81 мг	65%
Незаменимые аминокислоты		
Валин	1,58 г	83%
Гистидин	0,78 г	71%
Изолейцин	1,28 г	85%
Лейцин	2,42 г	73%
Лизин	1,24 г	40%
Метионин + цистеин	0,94 г	63%
Треонин	1,00 г	63%
Триптофан	0,58 г	145%
Фенилаланин + тирозин	2,83 г	101%
Энергетическая ценность – 559 ккал		

[1] Состав указан для высушенных семян тыквы.

Тыквенные семечки люди стали употреблять в пищу более 5000 лет назад. Ацтеки не только постоянно имели их в своем рационе, но и использовали в качестве лекарственного средства. Китайцы считали тыквенные семена отличным средством от депрессии.

В настоящее время семечки тыквы используют для приготовления различных блюд: как добавка к супам, как ингредиент салатов, вторых блюд, сладостей.

Тыквенные семечки не так популярны, как подсолнечные. А зря, ведь у них есть три уникальных свойства, которые продлевают людям жизнь!

Тыквенные семечки защищают сердце и сосуды. Они содержат линоленовую кислоту. Эта полиненасыщенная жирная кислота уменьшает уровень холестерина, а значит, снижает риск атеросклероза и его главных последствий – инфаркта и инсульта. Кроме этого, линолевая кислота улучшает кровообращение, обладает кардиопротекторным и антиаритмическим действием.

Семена тыквы замедляют старение. В них содержится 15% РСП витамина Е, мощнейшего антиоксиданта, который борется со свободными радикалами и замедляет процесс старения клеток, в том числе и клеток кожи.

Тыквенные семечки защищают от рака. В них содержится много цинка и селена, которые являются сильными антиоксидантами и эффективно борются с раковыми клетками.

МИФЫ

• В тыквенных семечках больше фосфора, чем в любом виде рыбы.

Тыквенные семечки содержат 1233 мг фосфора на 100 г продукта – это почти в 10 раз больше, чем в горбуше (128 мг), и почти в 5 раз больше, чем в кете (236 мг), треске (250 мг) и семге (243 мг). Но эти данные приводятся из расчета на 100 г продукта. А сравнивать 100 г сухих чищеных семян тыквы с сырой рыбой, в которой около 80 г воды, – некорректно. В тыквенных семечках и рыбе при перерасчете на сухое вещество содержание фосфора примерно одинаково.

• Тыквенные семечки лучше покупать на развес.

Лучше покупать тыквенные семечки в упаковках от производителя. На таких семечках гораздо меньше вредных бактерий, которые могут вызвать стоматит и другие неприятные заболевания.

• Тыквенные семечки полезнее, чем семечки подсолнечника.

Нельзя однозначно сказать, какие семечки полезнее – тыквенные или подсолнечника. Например, в тыквенных содержится больше цинка, а в семечках подсолнечника – больше витамина Е. Поэтому и те и другие полезны. Просто по разным причинам.

• Тыквенные семечки эффективны для лечения простатита.

В Интернете пишут о том, что если принимать смесь меда и измельченных тыквенных семечек,

Семена тыквы противопоказаны при язвенной болезни желудка и двенадцатиперстной кишки, колитах, гастритах. Из-за высокой калорийности не рекомендуется употреблять тыквенные семечки людям, страдающим ожирением.

то можно вылечить простатит. Это миф, потому что простатит возникает из-за инфекции. А ни мед, ни тыквенные семечки вылечить ее не могут. Нужны специальные препараты. А вот в профилактике этого заболевания тыквенные семечки помогут, так как содержат большое количество цинка, полезного для мужской репродуктивной системы.

• Тыквенные семечки очищают организм от паразитов.

На самом деле действительно в тыквенных семечках содержится вещество кукурбетин, которое токсично лишь для некоторых видов гельминтов. Кроме того, оно не является для них стопроцентным ядом, оно их просто на некоторое время парализует. Поэтому назвать тыквенные семечки средством против паразитов нельзя. В наше время есть масса нетоксичных для человека препаратов, которые помогут вам избавиться от паразитов гарантированно и быстро.

ПРАВДА

• Тыквенные семечки повышают иммунитет.

В 100 г тыквенных семечек содержится 7,81 мг цинка – это больше половины – 65% – суточной нормы для организма взрослого человека. Цинк повышает сопротивляемость организма вирусам и бактериям, то есть укрепляет иммунитет.

• Тыквенные семечки защищают от депрессии.

В них содержится 145% РСП триптофана, который в организме синтезируется в «гормон удовольствия» серотонин.

• Тыквенные семечки вредны для зубной эмали.

Если очищать тыквенные семечки от шкурки зубами, можно повредить зубную эмаль, что повысит риск возникновения кариеса.

• Тыквенные семечки помогают бороться с тошнотой.

Тыквенные семечки помогают бороться с тошнотой, когда человек очищает их руками. Ведь при этом занимается мелкой моторикой. Внимание переключается. И тошнота проходит. Так что, если вас укачивает в транспорте, возьмите с собой горсть тыквенных семечек и очищайте их.

• Тыквенные семечки ускоряют рост волос.

В тыквенных семечках содержится 65% РСП цинка, а этот макроэлемент ускоряет рост не только волос, но и ногтей.

• Тыквенные семечки благотворно влияют на умственную деятельность.

В них присутствуют почти все витамины группы В и селен, которые улучшают работу нервной системы, укрепляют память и повышают работоспособность.

Приготовьте домашние козинаки с тыквенными семечками.

Тыквенные семечки – 100 г
Кунжут – 100 г
Семена подсолнечника – 100 г
Миндаль – 100 г
Сахар – 100 г
Вода – 100 мл

Сахар высыпать в глубокую толстостенную сковороду. Добавить воду и довести до полного растворения сахара.

В это время в блендере немного измельчить миндаль и тыквенные семена – они слишком крупные, и их тяжело будет грызть в козинаках.

Все семена и орехи добавить к сиропу и тщательно перемешать. Выложить в форму, выстланную пекарской бумагой. Разровнять и утрамбовать лопаткой. Оставить в темном прохладном месте на 2–3 часа до полного застывания.

ФИСТАШКИ[1]

Состав	Количество	РСП
Вода	1,9 г	
Жиры: из них полиненасыщенные	44,8 г 13,5 г	67% 61%
Белки	20,9 г	35%
Углеводы	19,5 г	7%
Пищевые волокна	9,9 г	50%
Витамин B_1	0,7 мг	47%
Витамин B_2	0,23 мг	13%
Витамин B_5	0,51 мг	10%
Витамин B_6	1,12 мг	56%
Витамин B_9	51 мкг	13%
Витамин E	2,42 мг	16%
Витамин K	13,2 мкг	11%
Витамин PP	6,11 мг	31%
Холин (B_4)	71,4 мг	14%
Калий	1007 мг	40%
Кальций	107 мг	11%
Магний	109 мг	27%
Фосфор	469 мг	59%
Железо	4,03 мг	22%
Марганец	1,24 мг	62%
Медь	1,29 мг	129%
Селен	10 мкг	18%
Цинк	2,34 мг	19%
Незаменимые аминокислоты		
Валин	1,26 г	66%
Гистидин	0,51 г	46%
Изолейцин	0,93 г	62%
Лейцин	1,60 г	48%
Лизин	1,20 г	39%
Метионин + цистеин	0,70 г	47%
Треонин	0,70 г	44%
Триптофан	0,28 г	70%
Фенилаланин + тирозин	1,61 г	58%
Энергетическая ценность – 567 ккал		

[1] Состав приведен для фисташек, обжаренных без масла и соли.

Фисташки, как и остальные орехи, не стоит в больших количествах употреблять людям с избыточным весом. Противопоказаны фисташки при язвенной болезни, гастритах, колитах.

В пищу фисташковые орехи используют более 2500 лет. Возделывают фисташки в Греции, Сирии, Иране, Испании, Италии, США, Турции и других странах. Урожай собирают в конце июля – начале августа. Орехи сушат на солнце, после чего их можно хранить до года.

Фисташки имеют высокую питательную ценность – содержат 67% РСП жиров, а также 35% РСП белков. За это на Востоке фисташку называют деревом жизни.

В фисташках содержатся полиненасыщенные жирные кислоты и холин. Эти вещества снижают уровень холестерина в крови. А значит, фисташки защищают от атеросклероза и его последствий – инфаркта и инсульта.

Фисташки могут помочь похудеть. Если до основного приема пищи в течение 10 минут есть фисташки, по одному очищая орехи от скорлупы, и уже только потом есть основное блюдо, то в обед вы съедите меньше, что будет способствовать снижению веса. Дело в том, что чувство насыщения наступает примерно через 20 минут после начала еды. После фисташек вы потратите на основное блюдо всего 10 минут и просто не успеете съесть много.

Но также помните о том, что фисташки – высококалорийный продукт. Увлечение этими орешками может, наоборот, привести к появлению лишних килограммов. Без ущерба для фигуры можно съедать не более половины стакана неочищенных фисташек в день!

МИФЫ

• **Фисташки могут стать причиной головной боли.**

В Интернете пишут о том, что если съесть больше 100 г фисташек, то может разболеться голова. Но это миф. В фисташках не содержится никаких веществ, которые могут вызвать головную боль.

• **Фисташки улучшают потенцию.**

В Интернете пишут, что мужчинам нужно съедать 50 г фисташек в день, чтобы улучшить потенцию. Но это типичный миф. В фисташках нет веществ, которые могли бы улучшить потенцию.

• **Фисташки улучшают остроту зрения.**

Бытует мнение, что фисташки улучшают остроту зрения, так как в них находятся вещества лютеин и зеаксантин. Но этих веществ в фисташках так мало, что никакого улучшения зрения ждать не приходится.

• **Фисташки полезны при анемии.**

Слух о том, что фисташки полезны при малокровии за счет высокого содержания железа, — миф. Железо в растительных продуктах находится в трудноусвояемой форме, а значит, фисташки при анемии не помогут.

ПРАВДА

• **Фисташки улучшают моторику кишечника.**

По содержанию клетчатки фисташки безусловные рекордсмены среди орехов — 50% РСП в 100 г фисташек! Клетчатка улучшает моторику кишечника и избавляет от запоров.

• **Фисташки эффективны для профилактики остеопороза.**

В фисташках содержится фосфор — 59% РСП, кальций — 11% РСП и магний — 27% РСП. Эти вещества необходимы для строения костей и повышают плотность костной ткани.

• **Фисташки защищают от раннего поседения.**

В фисташках содержится больше суточной потребности меди — 129% РСП! Медь защищает волосы от раннего поседения.

• **Фисташки улучшают работу сердца.**

В фисташках содержится 40% РСП калия и 27% РСП магния, которые укрепляют сердечную мышцу, защищают от аритмии и уменьшают количество лишней жидкости в организме, снижая тем самым нагрузку на сердце.

Фисташки могут отлично дополнить необычное блюдо — лапшу ширатаки с овощами. Готовится такая лапша из муки, которую получают из клубней растения аморфофаллус коньяк. Она популярна в Японии, ее часто рекомендуют для диетического питания. И не зря. Лапша ширатаки содержит много клетчатки, ее гликемический индекс равен нулю, а значит, ее употребление не повышает уровень сахара в крови. К тому же она очень низкокалорийная — всего 9 ккал на 100 г.

Сама лапша ширатаки практически не имеет вкуса, поэтому ее готовят с соусами и добавками. Отличный вариант — приготовить ее с овощами.

Лапша ширатаки — 300 г
Лук — 1 шт.
Морковь — 1 шт.
Помидоры — 2 шт.
Фасоль стручковая — 150 г
Чеснок — 2 зубчика
Сушеная сладкая паприка — 1 ч. л.
Куркума — 1 ч. л.
Фисташки — 30 г
Соевый соус — 2 ст. л.
Петрушка
Соль

Готовить это блюдо очень легко. Лапша ширатаки хранится в рассоле, поэтому перед приготовлением ее необходимо промыть. После этого отправить лапшу на 3 минуты вариться в кипящей воде. Пока лапша варится, нарезать овощи. Сначала на подсолнечном масле обжарить лук и чеснок. Затем добавить остальные ингредиенты. Тушить 5 минут.

Лапшу откинуть на дуршлаг, добавить к овощам и тушить, помешивая, 2 минуты. Готовое блюдо посыпать дроблеными фисташками.

Калорийность этого блюда составляет всего 33 ккал. Оно помогает похудеть – сочетание низкокалорийной лапши с низкокалорийными овощами позволяет не только получить полноценное блюдо с минимумом калорий, но и благодаря обилию клетчатки надолго создать ощущение сытости. Кроме того, стручковая фасоль помогает снижать уровень сахара в крови благодаря содержанию аргинина.

Лапша ширатаки с овощами снижает холестерин – большое количество клетчатки помогает выводить холестерин из организма и защищает сосуды от атеросклеротических бляшек.

Также это блюдо защищает от рака – ликопин в помидорах, витамины А и Е обладают выраженной антиоксидантной активностью.

ГРИБЫ

Сравнительные характеристики некоторых лесных грибов

Вид грибов	Белок, г	Витамин PP, мг	Витамин B_2, мг
Сыроежка	1,7	6,4	0,30
Подосиновик	3,3	9,0	0,45
Подберезовик	2,1	6,3	0,22
Опенок	2,2	10,3	0,38
Лисичка	1,5	4,9	0,35
Белый гриб	3,7	5,0	0,30

Каждый год на территории нашей огромной страны наступает грибной сезон. Кто-то их собирает, кто-то покупает. Но и те и другие очень часто рискуют своей жизнью.

Не собирайте грибы рядом с полем или автомобильными дорогами – это очень важное правило, о котором не знают многие грибники. На поле используют удобрения, которые через какое-то время с почвенной влагой распространяются на прилегающие территории. Например, в лес, если он рядом. А грибы отличаются повышенной способностью к аккумулированию различных химических веществ как из почвы, так и из воздуха. И если грибы росли неподалеку от полей или от дороги с интенсивным движением, ими можно отравиться.

Расстояние от поля или дороги до места сбора грибов должно быть не менее 100 м.

Многие люди считают, что грибы бывают ядовитыми и съедобными. Но бывают еще и условно-съедобные. К ним относятся сморчки, волнушка розовая, груздь черный, рядовка фиолетовая, опенок осенний и некоторые другие. Опытные грибники и профессионалы об этом знают, а вот начинающие – нет.

Эти грибы называются условно-съедобными, так как содержат яды. И если их пожарить просто так, то эти яды останутся. В результате можно очень сильно отравиться и даже умереть.

Условно-съедобные грибы нужно тщательно мыть, а потом отваривать в течение 2–3 часов. Только в таком случае все яды исчезнут и вы не отравитесь.

Надо помнить, что все грибы очень быстро портятся, поэтому перебирать их и очищать следует незамедлительно по приезде из леса домой и сразу приступать к готовке. Специалисты утверждают, что отваривать грибы нужно не позднее 3–4 часов после их сбора.

Первым делом необходимо протереть грибы сухой тряпочкой. Затем острым ножом следует удалить потемневшие части с гриба, а также очистить ножку от оставшейся грязи и пыли, то есть просто соскоблить ее верхний слой. У маслят и сыроежек со шляпок следует снять пленку. Если грибы сильно загрязнены или червивые, лучше положить их на пару часов в холодную подсоленную (2 ст. л. соли на 1 л) воду. Но трубчатые грибы, особенно подберезовики и маслята, замачивать в воде нельзя – они как губка впитывают воду и в процессе приготовления превращаются в кашу.

МИФЫ

• **Если грибы червивые, значит, они точно съедобные.**

Есть такое мнение, но это миф. И в ядовитых, и в съедобных грибах могут жить черви.

• **Во время лечения антибиотиками нельзя есть грибы.**

Наоборот, можно! В грибах содержится много витамина B_5 (в белых – 2,7 мг на 100 г – 54% РСП, в шампиньонах – 2,1 мг на 100 г – 42% РСП). Этот витамин ослабляет вредное действие антибиотиков, поддерживает иммунитет.

• **Белые грибы — самые полезные.**

В них больше белка, чем в других лесных грибах, но содержание витамина PP в них в 2 раза меньше, чем в опятах, а витамина B_2 меньше, чем в подосиновиках.

ПРАВДА

• **Грибы полезны для профилактики сахарного диабета.**

У них очень низкий гликемический индекс – 10. Это значит, что грибы не повышают резко уровень глюкозы в крови и не перегружают поджелудочную железу.

• **Грибы помогают избавиться от лишнего веса.**

Потому что они низкокалорийны – 17–25 ккал на 100 г. А также грибы долго перевариваются, за счет чего надолго создают чувство сытости.

Грибы противопоказаны при хронических заболеваниях ЖКТ, почек и печени, так как являются тяжелой пищей. Также грибы не стоит давать детям до 6 лет.

• **Грибы не стоит есть на завтрак.**

Потому что это довольно тяжелая пища, они трудно перевариваются. К тому же в грибах содержится много триптофана, который обладает снотворным действием. Грибы полезнее есть в обед или на ужин.

• **Грибы улучшают работу нервной системы.**

Грибы содержат витамины группы B, которые необходимы для нормальной нервной системы.

«Икра черная, икра красная, икра заморская баклажанная...» — эту крылатую фразу знают, наверное, все. Этот список, кстати, можно продолжить... Ведь существует икра, которую можно найти в лесу. Это замечательное блюдо русской кухни — грибная икра.

Грибная икра может преобразить любое блюдо. Ею можно нафаршировать яйца, делать с ней салаты, бутерброды и тарталетки, готовить из нее соус для спагетти, использовать в качестве начинки для пирога.

Грибы — 1 кг
Лук — 2 шт.
Морковь — 1 шт.
Растительное масло — 3 ст. л.
Черный молотый перец
Соль

Грибы положить в подсоленную воду и варить 30–40 минут. Во время варки обязательно нужно снимать пену. Для вкуса можно положить в воду лавровый лист, перец горошком и бутон гвоздики. Когда грибы осядут на дно — они готовы. Пока грибы варятся, нужно нарезать кольцами лук, кружочками морковь и пассеровать их на сковороде с растительным маслом.

Грибы откинуть на дуршлаг, чтобы стекла вся вода. Провернуть грибы и лук с морковью через мясорубку, перемешать с перцем и солью, и грибная икра готова!

Если заготавливать такую икру впрок, то на каждую пол-литровую банку надо добавить 1 ст. л. уксуса. Также можно разложить икру по контейнерам и заморозить в морозилке.

ШАМПИНЬОНЫ

Состав	Количество	РСП
Вода	91,0 г	
Жиры	1,0 г	1%
Белки	4,3 г	7%
Углеводы	0,1 г	0%
Пищевые волокна	2,6 г	13%
Витамин B_2	0,45 мг	25%
Витамин B_5	2,1 мг	42%
Витамин PP	5,6 мг	28%
Калий	530 мг	21%
Фосфор	145 мг	14%
Йод	18 мкг	12%
Кобальт	15 мкг	150%
Хром	13 мкг	26%
Энергетическая ценность – 27 ккал		

Не все ходят собирать грибы в лес. Многие предпочитают покупать их в магазине — там круглогодично продаются шампиньоны. Это самые популярные грибы в нашей стране. К сожалению, недобросовестные продавцы иногда продают грибы не очень качественные. Чтобы не дать себя обмануть, научитесь выбирать самые свежие шампиньоны, руководствуясь следующими критериями.

Шампиньоны должны быть розоватыми или белыми. У свежих грибов всегда есть своеобразный матовый блеск. Если гриб несвежий, он темнеет. Такие шампиньоны лучше не покупать.

У хороших шампиньонов шляпка упругая, и она должна быть закрыта. Если же шляпка уже мягкая, значит, шампиньон не первой свежести.

Свежие шампиньоны пахнут, как ни удивительно, грибами. Если же вы почувствуете неприятный несвежий запах, значит, шампиньоны неправильно хранили. Скорее всего, они уже испорчены.

Выбирая шампиньоны, обязательно потрогайте их рукой. Качественные грибы — упругие. Сожмите несильно гриб — если он упругий, значит, свежий. Если же вы берете гриб в руку, а он разваливается, значит, его неправильно хранили. Этот гриб несвежий.

Размер шампиньонов выбирайте в зависимости от того, какое блюдо с их участием вы собираетесь приготовить. Маленькие — для маринования, салата, украшения блюд. Средние — для начинок пирогов, пиццы, сэндвичей, на супы, для гарнира. Крупные шляпки — для фарширования, запекания. На качество и вкус грибов размер никак не влияет.

МИФЫ

- **Свежие шампиньоны нужно замачивать перед приготовлением.**

Замачивать шампиньоны нельзя, так как они впитают воду и станут безвкусными и водянистыми.

- **Замороженные шампиньоны нужно обязательно размораживать перед приготовлением.**

Если вы не собираетесь фаршировать или резать грибы, то лучше готовить их сразу замороженными. Так как при этом в них сохранится больше полезных веществ.

- **Шампиньоны эффективны для профилактики рака.**

В Интернете пишут, что шампиньоны снижают риск развития рака. Но это не так. В них не со-

Шампиньоны, как и любые другие грибы, противопоказаны при хронических заболеваниях ЖКТ, почек и печени, так как являются тяжелой пищей. Также не стоит давать шампиньоны детям до 6 лет.

держится никаких веществ, которые бы защищали от этого заболевания.

• **Шампиньоны выводят из организма тяжелые металлы.**

Вывести тяжелые металлы из организма может пектин. Но в шампиньонах его нет.

ПРАВДА

• **Во время лечения антибиотиками полезно есть шампиньоны.**

В них содержится много витамина B_5 (2,1 мг – 42% РСП). Он ослабляет вредное действие антибиотиков, поддерживает иммунитет.

• **Шампиньоны защищают от инфаркта.**

Шампиньоны содержат витамин РР (больше 40% РСП). Этот витамин помогает выводить холестерин из организма, тем самым предотвращая атеросклероз и заболевания, которые он вызывает. В том числе и инфаркт.

• **Шампиньоны снижают риск сахарного диабета**.

У шампиньонов низкий гликемический индекс. За счет чего они снижают риск возникновения сахарного диабета. Но помните, это не панацея.

• **Шампиньоны нужно мыть.**

В Интернете есть информация, что шампиньоны нельзя мыть. Потому что при мытье они впитывают влагу и меняют вкус. Но это миф! Их не надо замачивать, а мыть, как и другие грибы, обязательно. Потому что на них могут быть паразиты и вредные микробы.

• **Шампиньоны полезны для кроветворения.**

Одна из причин анемии – дефицит витамина B_{12}. А в грибах содержится микроэлемент кобальт (6 мкг на 100 г – 150% РСП). Он способствует выработке этого витамина, а значит, защищает от анемии.

Попробуйте приготовить шампиньоны, тушенные с горчицей. Это блюдо не только вкусное, но также помогает похудеть и защищает от простуды! В целом этот рецепт очень творческий. В нем нет строгих ингредиентов, все делается по вкусу.

Шампиньоны – 700 г
Острая горчица – 4 ст. л.
Лук – 1 шт.
Подсолнечное масло – 1 ст. л.

Лук пассеровать 1–2 минуты, добавить нарезанные грибы, перемешать и через 3–4 минуты добавить горчицу. Тушить еще 2–3 минуты, и грибы готовы!

Ингредиенты можно варьировать. Можно добавить побольше лука или грибов. Можно поменьше тушить или, наоборот, подольше. Как говорится, на вкус и цвет товарищей нет.

Такое блюдо из шампиньонов помогает похудеть, так как у грибов низкий гликемический индекс, поэтому чувство насыщения будет длиться дольше. А горчица ускоряет обмен веществ. То есть тоже помогает похудеть быстрее.

Ну и, конечно же, из шампиньонов можно приготовить жюльен — пожалуй, самое популярное блюдо из грибов. Но в одной его порции содержится 365 ккал! Поэтому те, кто следит за фигурой, жюльен не едят.

Не стоит отказываться от жюльена! Просто приготовьте его по специальному низкокалорийному рецепту. Его вкус не изменится, калорийность уменьшится — всего 145 ккал, а пользы даже прибавится.

Шампиньоны — 300 г
Йогурт — 3 ст. л.
Сыр — 200 г
Лук — 1 шт.
Мука — 1 ст. л.
Подсолнечное масло — 1 ст. л.
Черный молотый перец
Соль

Мелко нарезать шампиньоны и лук, сыр натереть. Обжарить лук на растительном масле. Затем добавить к нему грибы и тушить, пока не выкипит вся жидкость.

Пока грибы готовятся, нужно сделать соус. На сухой сковороде слегка обжарить муку, добавить йогурт, соль и перец по вкусу. Довести получившуюся смесь до кипения.

Когда грибы приготовятся, добавить соус, разложить получившуюся смесь по формочкам и посыпать сверху тертым сыром. Запекать в духовке на среднем огне 15 минут.

Жюльен хорошо есть во второй половине дня. Дело в том, что в 100 г сыра содержится 0,66 г аминокислоты триптофан, а это 165% РСП. Известно, что триптофан влияет на выработку в мозге гормона сна мелатонина, и, съев жюльен вечером, вы легче уснете.

ИМБИРЬ[1]

Состав	Количество	РСП
Вода	78,9 г	
Жиры	0,8 г	1%
Белки	1,8 г	3%
Углеводы	15,7 г	5%
Пищевые волокна	2,0 г	10%
Калий	415 мг	17%
Магний	43 мг	11%
Марганец	0,23 мг	12%
Медь	0,23 мг	23%
Энергетическая ценность — 80 ккал		

«Рогатый корень» — так называли этот продукт в древности. В арабских сказках «Тысяча и одна ночь» ему приписывалась способность зажигать страсть, в Европе в Средние века с его помощью пытались спастись от чумы, а на Руси его любили за вкус — сбитни, квас,

[1] Корень, сырой.

Имбирь противопоказан при заболеваниях печени и желчного пузыря, поскольку стимулирует выработку желчи. Также не стоит употреблять имбирь при гипертонии и кровотечениях. Из-за жгучего вкуса нельзя применять имбирь при гастрите, холецистите, панкреатите, а также при обострениях цистита и пиелонефрита.

пряники и хлеб готовили с этим корнем.

Выбирая имбирь, не покупайте сморщенные кусочки и корни с темными пятнами – это старый имбирь. Старый корень имбиря покрыт нитями, утолщениями, на нем могут быть глазки, похожие на картофельные.

Хранить имбирь лучше в холодильнике.

МИФЫ

• Имбирь помогает сбить высокую температуру.

Поскольку имбирь ускоряет все процессы в организме, при высокой температуре его употреблять нельзя. Зато имбирь хорошо помогает избавиться от симптомов простуды вне периода лихорадки.

• Имбирь повышает потенцию.

Есть такое мнение, что употребление имбиря приводит к ускорению циркуляции крови, а это стимулирует потенцию. Имбирь действительно ускоряет кровоток, но на потенцию это никак не влияет.

• Имбирь полезен при целлюлите.

Бытует мнение, что имбирь может избавить от целлюлита. Но это миф. Имбирь никакого влияния на целлюлит не оказывает.

ПРАВДА

• Имбирь полезен при головных болях.

Гингерол, содержащийся в имбире, обладает противоспазмолитическим действием.

• Имбирь защищает от простуды и гриппа.

Имбирь полезен при простуде, потому что в нем содержится гингерол (1,5 г на 100 г), вещество, которое придает ему остроту. Оно обладает хорошими противовоспалительными свойствами. Имбирь полезен при кашле, насморке – он обладает отхаркивающим и противовоспалительным действием, является потогонным средством. Поэтому при простуде пейте чай с имбирем 3–4 раза в день.

• Имбирь помогает справиться с укачиванием.

Ученые из американской Научно-исследовательской лаборатории фитотерапии в Солт-Лейк-Сити провели эксперимент с 36 добровольцами, страдавшими от укачивания. Оказалось, что по эффективности порошок имбирного корня превосходит известные фармакологические препараты от укачивания. Чтобы вас не укачивало, перед поездкой съешьте дольку свежего корня имбиря либо возьмите с собой в дорогу чай с имбирем.

• **Имбирь снижает риск развития рака.**

Ученые медицинской школы Мичиганского университета провели эксперимент и пришли к выводу, что корень имбиря снижает риск рака кишечника. Оказалось, что имбирь снижает воспалительные процессы в кишечнике, а как известно, образование раковых полипов тесно связано с хроническими заболеваниями.

• **Имбирь защищает от кариеса.**

Эфирные масла имбиря (1,5–3 г на 100 г) обладают противомикробным действием. И если пожевать после еды кусочек имбиря, то риск возникновения кариеса снизится.

• **Имбирь снижает уровень холестерина в крови.**

Имбирь улучшает кровоснабжение организма, влияет на ускорение жирового и холестеринового обмена. И за счет этого не позволяет развиться атеросклерозу.

Один из самых частых способов использования корня имбиря – приготовление чая от простуды. Но его нужно приготовить правильно, чтобы сохранить в нем все полезные свойства.

Имбирь – кусок корня 6–7 см
Лимонный сок – 50 мл
Мед – 1 ч. л.
Вода – 500 мл

Корень имбиря натереть на терке, сложить в заварочный чайник и залить кипятком. Настаивать в течение 10–15 минут. Лимонный сок и мед добавляйте в уже подостывший чай – так вы сохраните полезные свойства этих ингредиентов.

Из корня имбиря можно готовить не только напитки, но и вкусные и полезные конфеты.

Имбирь – 50 г
Миндаль – 200 г
Финики – 100 г
Апельсин – 1 шт.
Какао-порошок
Кунжут

Финики залить горячей водой и оставить на 10 минут. Затем вынуть из фиников косточки и пропустить финики через мясорубку. С имбиря соскоблить кожицу и натереть корень на мелкой терке. Также на мелкой терке натереть цедру апельсина. Из апельсина выжать сок – 3 ст. л. Миндаль мелко порубить в кофемолке. Смешать ингредиенты и сформировать из них конфеты, а затем обвалять их в какао и кунжуте, предварительно прокаленном на сухой сковороде до золотистого цвета.

Самое популярное и полезное блюдо из имбиря на сегодняшний день – это маринованный имбирь.

Имбирь – 3 корня
Уксус – $^1/_4$ ст.
Красное вино – $^1/_3$ ст.
Сахар – 3 ст. л.

Смешать вино и сахар. Полученную смесь довести до кипения, постоянно помешивая, пока не растворится сахар. Имбирь нарезать кусками и отварить в воде в течение минуты. Затем просушить имбирь и нарезать его тонкими ломтиками. В кастрюлю с вином и сахаром долить уксус и положить туда имбирь. Все тщательно перемешать и убрать кастрюлю на 3 дня в холодильник.

РЕДЬКА[1]

Состав	Количество	РСП
Вода	88,0 г	
Жиры	0,2 г	0%
Белки	1,9 г	3%
Углеводы	6,7 г	2%
Пищевые волокна	2,1 г	11%
Витамин С	29 мг	32%
Калий	357 мг	14%
Энергетическая ценность – 36 ккал		

[1] Состав указан для черной редьки.

Изображение редьки встречается в настенной живописи египтян. Это свидетельствует о том, что ее культивировали еще в незапамятные времена. Из семян редьки в Древнем Египте изготовляли растительное масло, а корнеплоды употребляли в пищу. Золотую редьку древние греки приносили в качестве дара богу Аполлону. Гиппократ ценил лечебные свойства редьки и находил пользу от приема этого корнеплода внутрь при лечении легочных заболеваний и водянки живота.

В Россию редька попала из Азии. Она была обязательным ингредиентом известного русского кушанья – тюри. Редьку называли в народе покаянным овощем. Дело в том, что больше всего редьки съедалось в «покаянные дни» – во время семинедельного Великого поста – это едва ли не единственный овощ, который сохранялся до весны.

Самое популярное использование редьки – приготовление редьки с медом от последствий простудных заболеваний, особенно от кашля. Черную редьку моют, срезают верхушку, как крышечку. Выскабливают в середине выемку и кладут туда мед, после чего закрывают крышечкой и оставляют на 5–6 часов. Потом содержимое выемки принимают по 1 ч. л. 3 раза в день после еды.

Мед содержит большое количество полезных аминокислот и микроэлементов. Они укрепляют иммунитет. Помимо этого, мед

Редька противопоказана при язвенной болезни, гастритах, колитах, дуоденитах и других воспалительных заболеваниях желудка и кишечника. Редька содержит большое количество горчичных масел, которые сильно раздражают слизистую оболочку желудка и кишечника.

смягчает слизистую горла. Редька же содержит большое количество горчичных гликозидов. Они обладают бактерицидными свойствами и помогают нашему иммунитету бороться с микробами.

Редька содержит большое количество пуринов, поэтому она противопоказана при подагре.

При заболеваниях печени, гепатитах и циррозе редька также противопоказана, так как ее эфирные масла обладают раздражающим действием и могут усилить воспалительный процесс.

По этой же причине редька противопоказана при холецистите и желчнокаменной болезни.

Редька противопоказана при заболеваниях сердца: постинфарктном кардиосклерозе, аритмии, стенокардии, поскольку она содержит алкалоиды – синигрин и глюкорапанин, которые приводят к нарушению ритма сердца.

Также редька противопоказана при пиелонефрите и гломерулонефрите.

МИФЫ

• Зеленая редька полезнее черной.

И в той и в другой редьке есть свои плюсы. В черной редьке больше эфирных масел, в то время как в зеленой больше фитонцидов. Так что каждая редька хороша по-своему.

• Редька защищает от воздействия змеиного яда.

В народе говорят, что, если змея ужалит человека, евшего до этого редьку, с человеком ничего не произойдет. Но это миф. Надо, не теряя времени, обратиться за врачебной помощью.

• Редька полезна при дисбактериозе.

Редька содержит горчичные гликозиды, способные убивать микробов. Но если дисбактериоз уже есть (диарея, вздутие живота, тяжесть или запоры), то редька только ухудшит состояние – гликозиды приведут к гибели всех оставшихся бактерий, в том числе и полезных. А вот для профилактики дисбактериоза редька полезна.

ПРАВДА

• Редька снижает уровень холестерина.

Благодаря тому что в ней содержится клетчатка, которая абсорбирует излишки холестерина из кишечника.

• Редька уменьшает отеки.

Она обладает мочегонным эффектом, поскольку в ней много

калия, который выводит жидкость из организма.

• **Редьку полезно есть во время застолий.**

Редька обладает сокогонным эффектом, в ней много эфирных масел, а также большое количество органических кислот, которые снимают тяжесть жареной и жирной пищи. Поэтому, готовя блюда на праздник, обязательно сделайте салат из редьки.

• **Редька полезна для кожи.**

Она содержит витамин С, который стимулирует синтез коллагена, благодаря которому кожа остается упругой.

Из редьки можно приготовить салат, полезный при анемии.

Редька зеленая – 1 шт.
Вареная говядина – 300 г
Сок лимона – 1 ч. л.
Оливковое масло – 1 ст. л.
Петрушка
Кедровые орехи
Соль

Редьку натереть на терке, говядину нарезать полосками, петрушку мелко порубить. Все ингредиенты перемешать, посолить, заправить маслом и лимонным соком – и салат готов.

Говядина – один из основных источников железа, которое необходимо при анемии. Редька богата витамином С, который усиливает поглощение железа, преобразуя трехвалентное железо в двухвалентное, то есть в его лучше усваиваемую форму. Вдобавок он защищает двухвалентное железо от окисления до трехвалентного.

Этот салат также способствует укреплению иммунитета, стимулирует перистальтику кишечника и улучшает состояние сосудов, что служит профилактикой атеросклероза.

МЯСО

Заморозка и разморозка мяса

Как правильно размораживать мясо? Казалось бы, вопрос простой. И ответ на него знает каждая хозяйка: достал мясо из морозилки, положил на тарелку, и через несколько часов можно его готовить. Но ученые доказали, что так мясо размораживать нельзя – у него портится вкус. К тому же при этом пропадает масса полезных свойств.

Когда мясо замораживается, то под воздействием низкой температуры его клетки лопаются. И из них вытекает внутриклеточная жидкость, а с ней и ферменты. Они сразу замерзают. Но когда мясо размораживают, то размораживаются и эти ферменты. Они сразу же начинают разрушать все полезные вещества, которые находятся в мясе. И чем дольше идет разморозка, тем больше полезных веществ пропадает.

Как же тогда нужно размораживать мясо? Самое лучшее – это, если рецепт позволяет, не размораживать мясо перед готовкой. Например, если вы хотите сделать стейк в аэрогриле — не ждите, пока кусок разморозится, сразу кладите его в аэрогриль. Если хотите сделать суп, то сразу в замороженном виде начинайте отваривать мясо. В таком случае его полезные свойства сохранятся по максимуму.

А если вы хотите мясо нафаршировать, отбить или замариновать, посыпать специями, тогда его придется разморозить. Но сделать это лучше в микроволновке в специальном режиме разморозки. В этом случае разрушится меньше полезных веществ и мясо останется вкусным. Если нет микроволновки, то можно сделать это и в духовке, но при температуре не выше 60 °С, так как при более высокой температуре белок начинает сворачиваться.

А как лучше замораживать мясо? Делайте это теми порциями, которыми вы потом из него будете готовить. Хотите сделать стейк — порежьте мясо стейками. Хотите сделать суп — порубите его на мелкие кусочки. Потому что большой кусок мяса дольше замораживается, а это значит, что в нем лопнет больше клеток и разрушится больше полезных веществ. Замораживайте и размораживайте мясо правильно!

МИФЫ

• Мясо повышает риск заболеть раком.

Есть мнение, что мясо повышает риск развития рака. Но это не доказано. Ученые из Южной Америки проводили исследования и выяснили, что из-за мясных блюд риск рака у людей повышается. Но скорее всего, не из-за мяса, а из-за специй, которые люди используют при готовке (соль, перец).

• Вегетарианство полезно.

В наше время многие становятся вегетарианцами. Они считают мясо вредным. И заменяют его молоком и орехами. Но только в мясе содержится достаточное количество витамина B_{12} и железа! И их заменить невозможно ничем. А ведь при дефиците железа и витамина B_{12} возникает анемия! У вегетарианцев она бывает очень часто. Поэтому мясо есть нужно!

ПРАВДА

• На завтрак полезно есть мясо.

Многие считают, что на завтрак нужно есть кашу или яйца. А вот мясо — нет. Якобы оно слишком жирное. На самом деле мясо мясу рознь. На завтрак можно съесть постный отварной кусок говядины. В нем мало жира, зато много белка. А он ускоряет обмен веществ на целый день.

• Мясо с кровью — вредно.

Многие считают мясо с кровью не только очень вкусным, но и полезным. На самом деле это не так. В мясе могут содержаться паразиты. Например, трихинеллы. Они такие маленькие, что их даже не увидишь невооруженным глазом! Чтобы избавиться от паразитов, нужно готовить мясо не меньше 2 часов. Тогда все паразиты погибнут. А мясо с кровью готовится гораздо быстрее. Поэтому от него можно заразиться паразитами!

ГОВЯДИНА[1]

Состав	Количество	РСП
Вода	64,5 г	
Жиры	16,0 г	24%
Белки	18,6 г	31%
Углеводы	0,0 г	0%
Холестерин	80 мг	27%
Витамин B_5	0,5 мг	10%
Витамин B_6	0,37 мг	19%
Витамин B_{12}	2,6 мкг	87%
Витамин PP	8,2 мг	41%
Холин (B_4)	70 мг	14%
Калий	326 мг	13%
Фосфор	188 мг	24%
Железо	2,7 мг	15%
Кобальт	7 мкг	70%
Медь	0,18 мг	18%
Молибден	11,6 мкг	17%
Хром	8,2 мкг	16%
Цинк	3,24 мг	27%
Незаменимые аминокислоты		
Валин	1,03 г	54%
Гистидин	0,71 г	65%
Изолейцин	0,78 г	52%
Лейцин	1,48 г	45%
Лизин	1,59 г	51%
Метионин + цистеин	0,70 г	47%
Треонин	0,80 г	50%
Триптофан	0,21 г	52%
Фенилаланин + тирозин	1,45 г	52%
Энергетическая ценность — 218 ккал		

[1] Состав приведен для говядины 1-го сорта.

Все считают говядину низкокалорийным мясом. Но на самом деле разные части говядины могут сильно различаться по калорийности. Некоторые части различаются более чем в 2 раза!

Филе (вырезка) без жира	189 ккал
Лопатка	208 ккал
Окорок	308 ккал
Оковалок	380 ккал
Грудинка	405 ккал
Ребрышки	446 ккал

МИФЫ

• **Говядина вредна для пожилых людей.**

Говядина полезна пожилым людям. Говядина богата аминокислотами, которые предотвращают возрастное истощение мышечной массы.

• **Говядина противопоказана людям с повышенным уровнем холестерина.**

Вырезка говядины без жира, которая варилась со сменой бульо-

Говядина имеет высокое содержание пуринов, поэтому она противопоказана при подагре.

на, может употребляться людьми с повышенным холестерином.

ПРАВДА

• **Говядину лучше отваривать, чем жарить.**

Во время варки из говядины выделяются в воду многие вредные вещества, такие как холестерин и гипоксантин, который обладает токсичностью. А говядина, обжаренная на масле, не только сохраняет эти вещества, но и впитывает в себя лишний жир и канцерогены.

• **Говядина полезна при анемии.**

Говядина содержит железо и витамин B_{12} в легкоусвояемой форме.

• **Говядина улучшает работу мозга.**

Говядина богата витаминами группы В, которые улучшают работу нервной системы.

• **Говядина повышает иммунитет.**

Говядина содержит аргинин и глутамин. Аргинин стимулирует работу вилочковой железы, которая вырабатывает клетки иммунной системы — Т-лимфоциты. Глутамин участвует в синтезе бетаглобулинов, которые также необходимы для поддержания иммунитета. И наконец, говядина богата цинком, который обладает иммуномодулирующим свойством.

• **Говядина помогает в профилактике сахарного диабета.**

Говядина содержит 16% РСП хрома, который регулирует уровень сахара в крови.

Существует огромное количество рецептов с говядиной — от салатов до супов и вторых блюд. Попробуйте приготовить еще одно популярное блюдо с этим мясом — пельмени. Причем за счет правильных ингредиентов эти пельмени будут не вредными, а полезными!

Для теста вместо обычной муки возьмите обойную муку — в ней содержится больше клетчатки, и пельмени с тестом из такой муки будут лучше перевариваться.

Обойная мука — 200 г
Мука высшего сорта — 50 г
Растительное масло — $^1/_2$ ст. л.
Яйцо — 1 шт.
Вода — 100 мл

На столе смешайте оба вида муки. Выложите муку горкой и сделайте в ней небольшое углубление. Аккуратно влейте туда яйцо, воду и растительное масло. Перемешайте, постепенно собирая муку со всех сторон, до тех пор, пока не получится крутое тесто. Затем вымесите тесто руками, пока оно не станет однородным.

Вместо обычного фарша (говядина + свинина) нужно сделать другой, не менее вкусный, но гораздо более полезный. В таком фарше, в отличие от традиционного, содержится меньше жиров и больше полезных витаминов и микроэлементов.

Говядина – 200 г
Кролик – 200 г
Индейка – 200 г
Чеснок – 3 зубчика
Лук – 1 шт.
Укроп
Петрушка
Черный молотый перец
Соль

Все ингредиенты пропустить через мясорубку. Тесто раскатать как можно тоньше. Вылепить пельмени. Пельмени следует делать крупными, тогда в них мяса будет больше, чем теста, значит, они будут менее калорийными.

СВИНИНА[1]

Состав	Количество	РСП
Вода	72,8 г	
Жиры	5,6 г	8%
Белки	20,8 г	35%
Углеводы	0,0 г	0%
Холестерин	75 мг	25%
Витамин B_1	0,39 мг	26%
Витамин B_2	0,27 мг	15%
Витамин B_5	1,74 мг	35%
Витамин B_6	0,58 мг	29%
Витамин B_{12}	1,01 мкг	34%
Витамин PP	6,73 мг	34%
Холин (B_4)	87,3 мг	17%
Калий	338 мг	14%
Фосфор	204 мг	26%
Селен	34,8 мкг	63%
Цинк	3 мг	25%
Незаменимые аминокислоты		
Валин	1,08 г	57%
Гистидин	0,90 г	82%
Изолейцин	1,02 г	68%
Лейцин	1,77 г	54%
Лизин	1,93 г	62%
Метионин + цистеин	0,81 г	54%
Треонин	0,93 г	58%
Триптофан	0,22 г	55%
Фенилаланин + тирозин	1,66 г	59%
Энергетическая ценность – 142 ккал		

Свинину любят многие. Но вот едят ее не все. А почему? Да потому что свинину считают очень жирным и излишне калорийным мясом.

Многие думают, что свинина настолько калорийна, что лучше от нее совсем отказаться. Но

[1] Состав приведен для филейной части без кости, зачищенной от жира.

ведь свинина – это не просто кусок жира. В одних частях свиной туши содержится больше 600 ккал, а в других – чуть больше 100. Просто нужно знать, что это за части, и уметь их выбирать.

Грудинка	630 ккал	подходит для жаркого, супов, борщей
Ребрышки	502 ккал	чаще всего жарят на костре
Спинная часть (корейка)	384 ккал	подходит для шницелей, отбивных котлет с косточкой, шашлыков, жаркого, эскалопов
Лопаточная часть	325 ккал	подходит для жаркого, тушения, котлетного фарша, супов и борщей
Окорок	305 ккал	можно зажарить или тушить целиком
Шейка	267 ккал	подходит для жаркого, жарки на гриле и тушения
Рулька и голяшка	234 ккал	обычно варят
Вырезка	142 ккал	подходит для жаркого, эскалопов, гуляшей, шашлыка, супов

МИФЫ

• **В свинине больше холестерина, чем в говядине.**

Если сравнить 100 г говяжьей и свиной вырезки, то в свинине холестерина будет 75 мг, а в говядине 80 мг.

• **Шашлык из свинины полезнее, чем из баранины.**

Для приготовления шашлыка баранина предпочтительней свинины, потому что ее жиры более тугоплавкие. А значит, при жарке вредная горелая корочка с канцерогенами будет образовываться значительно медленнее.

• **Употребляя свинину, можно заразиться свиным гриппом.**

Через свинину им заразиться нельзя. Это миф.

ПРАВДА

• **Свинина полезна для работы мозга.**

В свинине содержится много витаминов группы В и селен. Известно, что эти вещества оказывают благотворное влияние на работу мозга и нервной системы.

• **В свинине больше фосфора, чем в горбуше.**

В 100 г свинины содержится 204 мг фосфора, а в 100 г горбуши – 200 мг.

• **Свинина повышает настроение.**

Свинина содержит 55% РСП триптофана – аминокислоты, из которой в нашем организме синтезируется «гормон радости» серотонин.

• **Свинина полезна при себорее.**

Свинина содержит пурины, поэтому ее нельзя употреблять при подагре. Также не следует употреблять свинину при атеросклерозе.

Свинина содержит цинк, который помогает против перхоти.

ФАРШ МЯСНОЙ

Один из самых распространенных и востребованных мясных полуфабрикатов, призванных экономить время и силы в наш стремительный век, – это, конечно же, мясной фарш. Но он же и один из наиболее опасных для нашего здоровья, если неправильно приготовлен и неправильно хранится.

Кроме того, в наше время продавцы стараются сэкономить и продают под видом фарша перемолотые обрезки, сухожилия и хрящи, есть которые просто невозможно. Поэтому давайте учиться выбирать хороший качественный фарш, который делают из настоящего мяса.

Оцените цвет! Если фарш красный, значит, в нем больше говядины. Если розовый, то больше свинины. В любом случае цвет фарша должен быть ярким, а его поверхность – блестящей. Если же фарш сероватый, с матовой поверхностью, значит, он уже испортился. Покупать его не нужно. Если в фарше есть какие-то темные пятна – его сделали из несвежего мяса.

Потрогайте фарш! Чтобы определить качество фарша, потрогайте его. Он должен быть однородным по составу. Если видите белые пятна в фарше, постарайтесь их потрогать. Если они мягкие – это жир. В этом ничего страшного нет. А вот если они жесткие – это хрящи и сухожилия. Такой фарш делали из мяса с костями. Лучше его не покупать.

Проверьте сок! Фарш должен выделять сок. Если сока нет или его мало, значит, кроме мяса, в фарш добавляли сухожилия и хрящи.

Ярко-красный, в меру прозрачный сок – свидетельство того, что перед вами свежий фарш. Темный, густой и мутный сок говорит о том, что фарш уже испортился.

Понюхайте фарш! Качественный продукт имеет характерный мясной запах, без посторонних примесей. Если у фарша резкий запах приправ или чеснока, это может значить, что их специально добавили, чтобы заглушить неприятный запах. Поэтому покупать такой продукт не стоит.

С говяжьим фаршем можно приготовить необычную, но очень полезную шаурму!

Говяжий фарш – 400 г
Тонкий лаваш – 1 шт.
Лук – 1 шт.
Огурец – 1 шт.
Помидор – 1 шт.
Кинза – 1 пучок
Натуральный йогурт – 100 г
Растительное масло – 1 ст. л.
Чеснок – 2 зубчика
Специи

Обжариваем головку лука на растительном масле, добавляем фарш и тушим до готовности. В это время режем огурцы и помидоры, а также зелень. Смешиваем с готовым фаршем.

Затем нужно сделать соус: в йогурт добавляем давленый чеснок, любые специи (соль, перец, паприка, карри, хмели-сунели и т.п.). Смесь мяса и овощей заворачиваем в тонкий лаваш, сверху поливаем соусом. Можно просто макать шаурму в этот соус. Попробуйте!

СЫРЫ

Этот продукт известен человечеству более 7000 лет. Его воспевал Гомер в своей «Одиссее», древние египтяне помещали его в гробницы фараонов, а римляне привозили из завоевательных походов не только драгоценности, но и целые телеги этого лакомства. И в наше время этот продукт есть практически в каждом доме. Речь идет о сыре. Согласитесь, многие просто не могут жить без этого продукта!

При выборе сыра в магазине нужно быть внимательным. Ведь этот популярный продукт часто подделывают. И вместо вкусного натурального сыра можно купить странную смесь из растительных масел, красителей и консервантов. Далеко не всегда то, что на вкус кажется натуральным, является им на самом деле.

Если сыр залежался на складе, то его консистенция будет слишком мягкой, из кусочков лежалого сыра будет выделяться жир, это особенно заметно, когда он расфасован в вакуумную упаковку, на полиэтилене появятся жирные разводы.

Надавите на кусок сыра. Если из него вытекает жидкость – сыр просрочен.

При покупке сыра на развес нужно внимательно осмотреть головку сыра. Она должна быть равномерно окрашена. Если вы заметите, что в центре продукт имеет желтый цвет, а по краям белесый, значит, была нарушена технология производства или правила хранения. От покупки такого продукта лучше воздержаться.

Если есть возможность, хорошо бы пощупать головку сыра: свежий сыр высокого качества немного пружинит, а в самом центре сердцевина мягкая.

Посмотрите на края сыра. Именно по ним главным образом определяется качество продукта. Когда на корке сыра находится много трещин, то на его поверхности может образоваться плесень. Поэтому, выбирая сыр, нужно обращать внимание именно на его поверхность, которая не должна быть заметно влажной, пересохшей и/или потрескавшейся.

Еще нужно посмотреть на дырочки-глазки. Хаотичный рисунок разных по форме и размерам глазков свидетельствует о том, что при изготовлении применялось некачественное молоко.

Изучите состав. В состав натурального продукта должны входить только молоко, закваска молочнокислых микроорганизмов и сычужный фермент или другие свертывающие молоко препараты – ферменты, но только животного происхождения. В составе сыра допускаются соль и хлористый кальций.

Часто в поддельных сырах используют микробные ферменты. Они обычно бывают трансгенными, и такие сыры часто не требуют созревания – такой продукт никак нельзя назвать натуральным.

Так называемые «легкие» сыры, изготовленные по интенсивной технологии, не являются натуральными. В процессе производства некоторая часть молока, входящего в состав сыра, заменяется более дешевыми растительными жирами. Помните: покупая так называемый «легкий» сыр, вы приобретаете суррогат из вредных растительных жиров, но платите за него как за натуральный продукт!

Даже в обычные сыры нечестные производители добавляют растительные жиры, например вредное пальмовое масло. Но существует тест, который поможет выявить подделку.

Отрежьте кусочек сыра и оставьте его при комнатной температуре на несколько часов. Если он стал на ощупь влажным, значит, в нем присутствуют растительные масла.

В мире существует более 500 видов и более 2000 сортов сыра. Однако до сих пор нет их единой классификации. В разных странах выпускают сыры с одинаковыми названиями, но по разным технологиям. Все они настолько различны по форме, цвету, вкусу и запаху, что удовлетворят любые запросы.

Несмотря на огромное количество наименований сыров, из всего этого многообразия можно выделить приблизительно лишь 25 главных видов сыра. По способу выработки (их и того меньше) они подразделяются на плавленые, твердые, полутвердые, мягкие, рассольные и сыры с плесенью. Итак, давайте выберем самый полезный сыр из 5 номинантов на это звание, достаточно хорошо известных в России, – это сыр российский, сыр адыгейский, пармезан, фета и сыр с плесенью. Сравним их по трем показателям – количеству жиров, белков и соли (в граммах на 100 г сыра).

Жиров должно быть мало, чтобы не повышать риск ожирения и атеросклероза. Белков больше – потому что белок ускоряет обмен веществ. Соли также должно быть меньше, потому что чем больше соли, тем больше отеков. Да и давление может повыситься.

	Российский	Адыгейский	Пармезан	Фета	С плесенью
	2-е место	1-е место	3-е место		
Жиры	29,5	19,8	25,8	21,2	27,5
Белки	23,2	19,8	35,7	4,0	20,5
Соль	0,8	0,5	1,6	1,1	1,3

Победителем стал сыр адыгейский! В нем мало жиров и соли. По белку он существенно уступает лишь пармезану, зато по двум другим показателям он уверенно лидирует!

На втором месте сыр российский. В нем достаточно много жиров и соли. Но зато и много белков, что хорошо.

На третьем месте — твердый сыр пармезан. В нем многовато жиров и очень много соли. Но зато и много белка.

БРЫНЗА[1]

Состав	Количество	РСП
Вода	52,0 г	
Жиры	19,2 г	29%
Белки	22,1 г	37%
Углеводы	0,4 г	0%
Холестерин	52 мг	17%
Витамин А	175 мкг	19%
Витамин РР	5 мг	25%
Кальций	630 мг	63%
Натрий	1200 мг	92%
Фосфор	375 мг	47%
Энергетическая ценность – 262 ккал		

[1] Состав указан для брынзы из коровьего молока 19,2%-ной жирности.

Болгария, Румыния, Венгрия, Словакия, Хорватия... Как вы думаете, что объединяет все эти страны? Нет, не только то, что все они находятся в Восточной Европе. Эти страны объединяет любовь к вкусному сыру — к брынзе, относящейся к группе рассольных сыров.

МИФЫ

• **Цвет качественной брынзы — исключительно белый.**

Брынза может быть от белого до светло-желтого цвета. Все зависит от качества молока.

• **Брынза нормализует флору кишечника.**

Брынза не содержит бифидобактерий.

• **Брынза эффективна для профилактики катаракты.**

Брынза содержит 19% РСП витамина А. Но чтобы полностью покрыть суточную потребность в этом витамине, надо было бы съедать ежедневно по 500 г брынзы! Вряд ли стоит это делать...

ПРАВДА

• **Хранить брынзу лучше в рассоле.**

Хранить сыр лучше всего в его родном рассоле. Если рассола нет,

Брынза противопоказана при гипертонии и заболеваниях почек.

сыр необходимо плотно завернуть в фольгу или пленку. Так он будет дольше храниться.

· **Брынза способствует укреплению зубов.**

Брынза содержит 47% РСП фосфора – макроэлемента, необходимого для укрепления зубов.

· **Брынза полезна для женщин в период менопаузы.**

В период менопаузы у женщин снижается уровень кальция и повышается риск остеопороза. Брынза содержит кальций – 63% РСП, а значит, укрепляет кости и защищает их от переломов.

· **Брынза улучшает работу нервной системы.**

Брынза содержит витамин PP – 25% РСП. Этот витамин улучшает работу нервной системы.

· **Брынза содержит столько же белка, сколько и говядина.**

И брынза, и говяжья вырезка содержат 37% РСП белка.

Брынзу, безусловно, любят и в России. Но та, что продается в магазинах, – очень соленая. Да и стоит недешево. Поэтому стоит научиться готовить брынзу дома.

Молоко пастеризированное – 1 л
Соль гипонатриевая – 100 г
Вода – 1 л
Йогурт – 200 мл
Хлористый кальций – 10 мл

Гипонатриевая соль – соль с пониженным содержанием натрия. Хлористый натрий можно купить в аптеке.

Поставить молоко кипятиться, а в это время взбить миксером йогурт и хлористый кальций. Добавить эту смесь в закипающее молоко и варить 3 минуты.

Процедить смесь через марлю, отжать и положить под пресс на 2–3 часа.

Развести соль в 1 л воды и поместить в этот рассол получившийся творог прямо в марле. Поставить на 5 дней в холодильник.

СЫР АДЫГЕЙСКИЙ

Состав	Количество	РСП
Вода	56,0 г	
Жиры	19,8 г	30%
Белки	19,8 г	33%
Углеводы	1,5 г	1%
Холестерин	54 мг	18%
Витамин А	213 мкг	24%
Витамин B_2	0,3 мг	17%
Витамин PP	5,7 мг	29%
Кальций	520 мг	52%
Натрий	470 мг	36%
Фосфор	360 мг	45%
Энергетическая ценность – 264 ккал		

Адыгейский сыр содержит скрытую соль, поэтому его не стоит употреблять при гипертонии и заболеваниях почек.

Вообще сыр – продукт далеко не безвредный. В нем содержится много жиров и соли, значит, от него можно поправиться. Плюс сыр может повысить давление. Но сыр сыру рознь. И как мы видели выше, адыгейский – один из самых полезных.

Родиной адыгейского сыра являются предгорья и горные районы Кавказа. Там и сегодня коренные горцы не садятся за стол, если на нем нет хорошего куска свежего сыра, который они традиционно сочетают с зеленью и вином. Этот сывороточный сыр относится к мягким. Он родственник брынзы, феты, моцареллы, рикотты, маскарпоне.

Адыгейский сыр имеет творожистую консистенцию и выраженный вкус простокваши. Когда-то его готовили исключительно из овечьего молока, но в современном производстве адыгейского сыра используют также самое высококачественное коровье, которое заквашивают с применением сычуга или болгарской палочки. Далее сыр проходит два этапа температурной обработки – теплом и, уже в формах, холодом. На последнем этапе уже готовый продукт посыпают солью.

МИФЫ

• Адыгейский сыр обязательно должен быть белого цвета.

Он может быть разнообразных кремовых оттенков, цвет зависит от качества исходного молока.

• Адыгейский сыр должен быть мягким.

Снаружи адыгейский сыр должен быть упругим. Мягкость допускается только внутри.

• В составе адыгейского сыра должна быть уксусная кислота.

В составе адыгейского сыра должно быть только молоко, сычужный фермент, сыворотка и соль. Если в состав сыра входит уксус, то покупать его не стоит.

• Адыгейский сыр можно есть худеющим.

В адыгейском сыре содержится 264 ккал на 100 г. Поэтому худеющим его лучше не есть.

ПРАВДА

• Адыгейский сыр полезен для профилактики остеопороза.

В адыгейском сыре содержится много кальция – 520 мг – 52% РСП. Поэтому он укрепляет кости, а значит, защищает от остеопороза.

• Адыгейский сыр защищает от кариеса.

В адыгейском сыре содержится 360 мг фосфора – 45% РСП. А этот макроэлемент укрепляет зубную эмаль и защищает от кариеса.

• **Адыгейский сыр полезен в профилактике онкологических заболеваний.**

Адыгейский сыр содержит 24% РСП витамина А, который является сильным антиоксидантом.

• **Адыгейский сыр можно есть детям.**

Никаких противопоказаний нет.

• **Адыгейский сыр лучше хранить в герметичной упаковке.**

Адыгейский сыр моментально впитывает посторонние запахи, его следует хранить отдельно от других продуктов. Лучше поместить деликатный продукт в стеклянную посуду с плотно закрывающейся крышкой.

Адыгейский сыр можно есть с вкусным соусом, который ускорит метаболизм и подчеркнет вкус этого сыра. Просто смешайте 2 ст. л. яблочного повидла с 1 ч. л. острой горчицы. Приятного аппетита!

РОССИЙСКИЙ СЫР

Состав	Количество	РСП
Вода	41,0 г	
Жиры	29,5 г	44%
Белки	23,2 г	39%
Углеводы	0,0 г	0%
Холестерин	88 мг	29%
Витамин А	274 мкг	30%
Витамин B_2	0,3 мг	17%
Витамин B_{12}	1,5 мкг	50%
Витамин РР	6,1 мг	31%
Кальций	880 мг	88%
Натрий	810 мг	62%
Фосфор	500 мг	63%
Цинк	3,5 мг	29%
Энергетическая ценность – 364 ккал		

Российский сыр еще со времен СССР — один из самых популярных на территории России сыров. Раньше он выпускался по ГОСТу и на всей территории страны делался по единой рецептуре. Теперь это не так. Но существует несколько признаков, которые помогут вам отличить настоящий российский сыр от подделки.

Цвет хорошего свежего сыра — бледно-желтый. Если же цвет слишком светлый, значит, в нем повышено содержание соли или он сделан из нежирного молока. А если цвет ярко-желтый, то, возможно, в него добавили красители.

В составе хорошего сыра должно быть пастеризованное молоко, сычужный фермент, закваска молочнокислых бактерий и хлористый кальций. Если в нем присутствуют другие добавки, то лучше не покупать такой сыр.

Российский сыр имеет высокое содержание натрия, поэтому его следует с осторожностью употреблять при гипертонии и заболевании почек.

Не приобретайте слишком дешевый сыр – скорее всего, это подделка.

У качественного свежего сыра края ровные и гладкие. Если они потрескались и крошатся – значит, сыр несвежий. Поверхность среза должна быть сухой. Если же она липкая и маслянистая, значит, сыр неправильно хранился в магазине.

Хороший сыр пахнет молоком и имеет чуть солоноватый запах. Если же сыр пахнет аммиаком, значит, был нарушен процесс изготовления. Не покупайте такой сыр.

Качественный сыр – приятного вкуса, с легкой кислинкой. Если сыр очень кислый – он уже испорчен.

В супермаркетах сыр нарезают на тонкие кусочки и заворачивают в пищевую пленку. На таких нарезках хранится не один десяток бактерий. Поэтому хранить ее можно не больше двух дней. Если вы покупаете кусочек сыра в заводской вакуумной упаковке, то проверьте ее герметичность. Она должна быть цельной, без дырочек.

МИФЫ

· **Российский сыр улучшает зрение.**

Этот миф возник из-за того, что российский сыр богат витамином А – молва ошибочно приписывает этому витамину свойство повышать остроту зрения. Но это не так – витамин А улучшает состояние сетчатки глаза и помогает в профилактике катаракты, но на остроту зрения не влияет.

· **Российский сыр полезен во время диеты.**

Российский сыр высококалорийный и содержит много жиров, во время диеты его не стоит употреблять.

ПРАВДА

· **Российский сыр полезен для профилактики остеопороза.**

В российском сыре содержится много кальция – 88% РСП. Поэтому он укрепляет кости, а значит, защищает от остеопороза.

· **Российский сыр защищает от перхоти.**

В 100 г российского сыра содержится 29% РСП цинка, дефицит которого приводит к появлению перхоти.

· **Российский сыр полезен для зубов.**

Российский сыр содержит 63% РСП фосфора, который укрепляет зубную эмаль.

Российский сыр часто добавляют в различные блюда, что увеличивает их калорийность.

Но иногда стоит себя побаловать вкусной едой, например лазаньей. В нашей стране лазанья не очень популярна. Кто-то не умеет ее готовить, а кто-то считает ее слишком калорийной – в 200 г этого блюда 336 ккал. Но можно приготовить и низкокалорийную лазанью, которая не повредит вашей фигуре. В аналогичной порции такой лазаньи будет всего 172 ккал.

Листы для лазаньи – 4 шт.
Шампиньоны – 250 г
Лук – 1 шт.
Кабачок – 1 шт.
Помидоры – 2 шт.
Российский сыр – 50 г
Растительное масло – 1 ст. л.
Черный молотый перец
Соль

Листы для лазаньи – это основа блюда. Делаются они из такого же теста, что и пельмени. Только тесто нужно нарезать листами и заранее сварить.

Для приготовления начинки все ингредиенты мелко нарезать. Сначала обжарить грибы, затем добавить туда все остальные овощи, соль и черный перец по вкусу. В это время можно натереть сыр и разогреть духовку.

Теперь нужно сложить лазанью в форме для запекания: на 1 лист выложить 2 ст. л. начинки. Затем снова лист и снова начинка. Сверху посыпать лазанью тертым сыром. Запекать 20 минут в духовке при температуре 180 °С.

СЫР С ПЛЕСЕНЬЮ

Сыр с плесенью – вреден или нет? Многие уверены, что вреден. Ведь как плесень может быть безопасной? На самом деле все не так просто.

Плесень плесени рознь. Если мы говорим о заплесневелом куске сыра – это одно. Но есть сыр с так называемой благородной плесенью – это другое. Если взять на анализ плесень с обычного твердого сыра, например российского, и голубую плесень из так называемого «сыра с плесенью», можно понять, отличаются ли эти виды плесени.

На российском сыре мы найдем плесень Аспергиллус флавус. Это плесневый грибок из рода аспергилл. Такая плесень очень опасна! Она вызывает такое заболевание, как аспергиллез. При этом могут поражаться различные органы. Но чаще всего это бронхи и легкие. Может возникнуть легочная недостаточность!

А на сыре с плесенью содержится голубая плесень рода пенициллиум! Она целенаправленно используется при производстве подобных сыров. И эта плесень не вредна, а даже полезна! Чтобы плесень попала в сыр, ее туда вводят с помощью уколов, и внутри плесень равномерно распределяется. Эта плесень даже полезна для нашего кишечника! Ведь она является естественным источником пенициллина – антибиотика, который уничтожает бактерии.

Сыр с плесенью нельзя употреблять при аллергии на пенициллин и при склонности к кандидозам. Сыр с плесенью содержит много животных жиров, а значит, повышает уровень холестерина. Поэтому он противопоказан людям с заболеваниями сердечно-сосудистой системы и при гипертонии. Данный вид сыра противопоказан детям и беременным женщинам, так как в нем могут содержаться бактерии — возбудители листериоза.

МИФЫ

· **Сыр с плесенью защищает кожу от солнечных ожогов.**

Есть такое мнение, что сыр с плесенью повышает образование в коже пигмента меланина. Он защищает от ожогов. Но это миф. Сыр с плесенью на образование меланина никак не влияет.

ПРАВДА

· **Сыр с плесенью можно есть каждый день.**

Но не больше 30 г. Так как может возникнуть устойчивость к антибиотикам. Они просто перестанут на вас действовать.

· **Сыр с плесенью улучшает память.**

В сыре с плесенью содержится незаменимая аминокислота фенилаланин. Она улучшает настроение, снимает боль, улучшает работу мозга и, соответственно, память.

· **Сыр с плесенью эффективен для профилактики кариеса.**

В сыре с плесенью содержится антибиотик пенициллин. А он защищает зубы от кариеса.

· **Сыр с плесенью может вызвать обострение пищевой аллергии.**

Плесневые грибки – очень аллергенный компонент. И они могут вызвать обострение пищевой аллергии.

· **Сыр с плесенью нужно хранить отдельно от других сыров.**

Сыр с плесенью имеет сильный запах. И поэтому остальные сыры могут просто им пропахнуть.

ПРОДУКТЫ, КОТОРЫЕ ДОЛЖНЫ БЫТЬ ОГРАНИЧЕНЫ В РАЦИОНЕ

ОЛИВКИ
(консервированные)

Состав	Количество	РСП
Вода	75,3 г	
Жиры	15,3 г	23%
Белки	1,0 г	2%
Углеводы	0,5 г	0%
Пищевые волокна	3,3 г	16%
Витамин Е	3,81 мг	25%
Натрий	1556 мг	120%
Медь	0,12 мг	12%
Энергетическая ценность – 145 ккал		

История свидетельствует, что уже к III веку до н.э. человечество знало, как приготовить масло из оливок. Самые древние ископаемые оливки датируются 2000 годом до н.э. С 2475 г. до н.э. оливковые деревья стали культивироваться, оливковое масло становится объектом торговли жителей Крита с другими странами.

Олива в древности считалась не только плодоносным деревом, но и священным символом. Листья оливкового дерева символизировали мир, достаток и победу. Ветвь оливы изображена на денежных единицах многих стран: турецкой и итальянской лире, франках. Венец из оливковой ветви возлагался на голову победителей спортивных состязаний.

Оливки не только вкусный, но и полезный продукт. Они защищают от атеросклероза, поскольку содержат полиненасыщенные жирные кислоты, которые снижают уровень холестерина в организме и препятствуют возникновению атеросклеротических бляшек.

Также оливки защищают от рака молочной железы. Масло оливок содержит вещества, которые снижают в организме уровень эстрогена, повышенное количество которого увеличивает риск развития рака именно молочных желез.

Еще оливки защищают от сахарного диабета. В них содержится альфа-липоевая кислота, которая снижает уровень сахара

Оливки обладают желчегонным действием, поэтому они противопоказаны при холецистите. Не рекомендуется добавлять оливки в рацион детей. Поскольку оливки перенасыщены натрием — 120% от суточной нормы! — они противопоказаны при гипертонии.

в крови и улучшает чувствительность тканей к инсулину.

МИФЫ

• Оливки улучшают потенцию.

Есть такое мнение, что оливки полезны для потенции. Но это миф. Они никак на нее не влияют.

• Оливки в стеклянной банке полезнее, чем в жестяной.

Особого значения тип упаковки не имеет. Единственное различие — в стеклянной банке можно сразу увидеть дефекты оливок, а в жестяной этого не видно.

• Оливки без косточек полезнее, чем оливки с косточками.

Полезней есть оливки с косточкой. Дело в том, что в слое, окружающем косточку, содержится максимальная концентрация полезных веществ. При изготовлении оливок без косточек косточки удаляются вместе с этим слоем.

• Чтобы получить максимальную пользу от оливок, нужно также проглатывать их косточки.

Хотя для большинства людей проглоченные косточки безвредны, у тех, кто страдает спаечной болезнью, запорами и вялым кишечником, они могут стать той «точкой роста», вокруг которой сформируется безоар — инородное тело в желудке или кишечнике. Это может вызвать проблемы с пищеварением, вплоть до кишечной непроходимости. У некоторых сортов оливок косточки имеют острые концы и могут поранить слизистую.

• При термической обработке оливки теряют все свои полезные свойства.

Большинство витаминов, содержащихся в оливках, устойчиво к нагреванию.

• Сырые оливки можно употреблять в пищу.

Не стоит! Дело в том, что сырые оливки очень твердые и имеют горький вкус. Для того чтобы они стали съедобными, оливки обрабатывают щелоком или консервируют в рассоле или морской соли. Это делается для того, чтобы избавиться от олеуропеина — вещества, которое выделяется из оливок или листьев оливы.

ПРАВДА

• Оливки помогают похудеть.

Полиненасыщенные жирные кислоты, содержащиеся в оливках, притупляют чувство голода и ускоряют липидный обмен, что способствует похудению.

• **Оливки способствуют заживлению кожи при порезах.**

Линолевая кислота и витамин Е, содержащиеся в оливках, стимулируют регенерацию тканей при порезах, ожогах и ускоряют заживление ран. Поэтому ешьте оливки, когда вы порезались или обожглись.

• **Оливки снижают риск инфаркта.**

Полиненасыщенные жирные кислоты, содержащиеся в оливках, улучшают обмен холестерина в организме и способствуют нормализации вязкости крови, что снижает риск образования тромбов. Витамин Е (25% РСП), который содержится в оливках, укрепляет стенки кровеносных сосудов. Ученые подсчитали, что регулярное употребление оливок на 70% снижает риск возникновения инфаркта.

• **В консервированных оливках больше соли, чем в консервированных маслинах.**

В 100 г консервированных оливок содержится 1556 мг натрия, что составляет 120% РСП, а в 100 г маслин – 735 мг, 57% РСП.

• **Оливки замедляют старение.**

В оливках содержится тиоктовая кислота (альфа-липоевая), которая является сильнейшим антиоксидантом, замедляющим старение.

• **Оливки и маслины – это одно и то же.**

На самом деле маслины – это те же плоды оливкового дерева. Цвет плодов зависит от степени зрелости и от способа заготовки оливок. Интересно, что маслинами их называем только мы. Исстари оливу у нас величали масличным деревом, отсюда и пошли «маслины». На родине это черные (black olives) и зеленые оливки (green olives).

Из оливок можно приготовить вкусную бутербродную пасту.

Оливки – 200 г
Укроп – 2 веточки
Базилик – 3 веточки
Оливковое масло – 1 ст. л.
Сок половины лимона
Черный молотый перец

Все ингредиенты измельчить в блендере. Пасту лучше всего намазывать на гренки из черного хлеба.

СВИНОЕ САЛО

Состав	Количество	РСП
Вода	5,7 г	
Жиры: из них полиненасыщенные	92,8 г 9,7 г	139% 44%
Белки	1,4 г	2%
Углеводы	0,0 г	0%
Холестерин	90 мг	30%
Витамин Е	1,7 мг	11%
Энергетическая ценность – 841 ккал		

Что можно чаще услышать о сале? Оно вкусное, но оно вредное – так считают многие. Гово-

Сало противопоказано при заболеваниях печени и желчного пузыря, а также при панкреатите. Из-за высокой калорийности сало нельзя употреблять людям с ожирением.

рят, что сало вредно для печени, приводит к лишним килограммам, и вообще, что может быть хорошего в таком количестве жира.

Но в последние годы все чаще появляются публикации о том, что сало защищает от атеросклероза. Действительно ли это так?

На самом деле в сале в большом количестве находится витамин F. Он представляет собой соединения трех важных кислот – линолевой, линоленовой и арахидоновой.

В нашем же организме линолевая, линоленовая и арахидоновая кислоты снижают уровень холестерина. Они регулируют липидный обмен в сторону снижения холестерина, так как замедляют его синтез. В результате уровень холестерина снижается.

Что же получается, столько лет сало считали вредным, а теперь его можно есть сколько угодно? Нет, конечно. Несмотря на то что в сале есть эти полезные кислоты, в нем также содержится большое количество холестерина. В 100 г сала – 90 мг холестерина. И холестерин перевешивает все полезные свойства этих кислот. Поэтому, если вы съедите полкило сала за один раз, может стать плохо печени и поджелудочной железе, так как для переваривания жиров нужно большое количество желчи и фермента липазы.

Поэтому в норме можно съедать не более 30 г сала в день!

Будьте аккуратны при выборе сала. Если оно розового цвета – это говорит о том, что в нем осталось небольшое количество крови. Поскольку свиньи болеют иногда различными паразитарными заболеваниями, то чем больше в сале частиц крови или мяса, тем выше риск заразиться этими болезнями.

МИФЫ

• Шкварки менее вредны, чем сало.

При жарке сало теряет часть своих свойств, приобретая взамен канцерогены – окисленные жиры. Поэтому шкварки из свиного сала вреднее самого сала.

ПРАВДА

• В сале могут содержаться паразиты.

Многие считают, что паразиты могут содержаться только в мясе. Но это не так. В сале они тоже могут быть.

• Свиное сало усваивается лучше, чем баранье.

Свиное сало плавится при температуре около 37 °C, что примерно равно температуре нашего тела, а баранье – при температуре 50 °С, именно поэтому блюда с бараньим жиром ни в коем случае нельзя запивать холодными напитками.

• **Сало замедляет опьянение.**

Обволакивая желудок, сало мешает моментальному всасыванию алкоголя через желудок. Алкоголю ничего не остается, как проходить дальше, в кишечник, где он все равно впитается, но уже постепенно.

• **Употреблять сало лучше с острой приправой.**

Потому что, например, горчица, хрен или аджика стимулируют работу поджелудочной железы, улучшая тем самым процесс переваривания сала.

• **Жарить на сале полезнее, чем на растительном масле.**

Масло имеет более низкую температуру плавления, поэтому при жарке в таком масле образуется больше канцерогенов, и, поскольку масло является жидким, оно легче и больше впитывается в продукты. А сало лишь образует жирную пленку, не давая блюду прилипать. Кроме того, во время готовки на сале образуется меньше канцерогенов.

СУБПРОДУКТЫ

КУРИНОЕ СЕРДЦЕ

Состав	Количество	РСП
Вода	72,0 г	
Жиры	10,3 г	15%
Белки	15,8 г	26%
Углеводы	0,8 г	0%
Холестерин	310 мг	103%
Витамин B_1	0,26 мг	17%
Витамин B_2	1,07 мг	59%
Витамин B_6	0,28 мг	14%
Витамин PP	9,3 мг	47%
Калий	260 мг	10%
Фосфор	178 мг	22%
Железо	5,6 мг	31%
Кобальт	12 мкг	120%
Медь	0,31 мг	31%
Молибден	10 мкг	14%
Хром	9 мкг	18%
Цинк	3 мг	25%
Незаменимые аминокислоты		
Валин	0,97 г	51%
Гистидин	0,32 г	29%
Изолейцин	0,74 г	49%
Лейцин	1,50 г	45%
Лизин	0,88 г	28%
Метионин + цистеин	0,63 г	42%
Треонин	0,68 г	43%
Триптофан	0,30 г	75%
Фенилаланин + тирозин	1,15 г	41%
Энергетическая ценность – 159 ккал		

Куриная грудка считается одним из самых диетических продуктов – это знают все. Зато не-

Куриные сердечки противопоказаны при подагре, атеросклерозе, панкреатите.

которые другие части курицы традиционно считаются вредными.

100 человек попросили ответить на вопрос о том, какие части курицы – куриные крылышки, куриные ножки или куриные сердечки – наиболее вредны для нашего здоровья. Результат оказался таков: 53% – куриные крылышки, 46% – куриные ножки, 1% – куриные сердечки.

Может показаться, что этот единственный голос – самый верный, поскольку жареные куриные ножки в пересчете на 100 г содержат 93 мг холестерина, жареные куриные крылышки – 84, а жареные куриные сердца – 310 мг! В три с лишним раза больше по отношению к куриным конечностям!

Однако куриное сердце содержит 31% РСП железа в самой лучшей для усвоения форме, а значит, оно даст отпор анемии.

Также в сердечках содержится большое количество триптофана – 75% РСП. Поэтому куриные сердечки отправят в нокаут депрессию!

В них же – 59% РСП витамина B_2, который улучшает состояние кожи: полезен при дерматитах, себорее, трещинах в уголках губ, экземах, то есть куриное сердце поможет при заболеваниях кожи.

Чтобы получить от куриных сердечек только пользу, нужно просто правильно их приготовить. Во-первых, их надо разрезать вдоль пополам и как следует промыть под холодной водой, тщательно удаляя все остатки крови. Во-вторых, обрезать жир, если он есть. В-третьих, сначала отварить, слить воду, промыть в холодной воде и только после этого приступать к их готовке.

МИФЫ

• Куриные сердечки могут влиять на снижение потенции.

Куриные сердечки содержат 25% РСП цинка. Цинк для потенции очень важен, недостаток этого микроэлемента в организме способен привести к эректильной дисфункции в молодом возрасте, потому что из-за нехватки цинка снижается уровень тестостерона.

• Светлый цвет куриных сердечек говорит об их свежести.

Свежие куриные сердечки должны быть насыщенного бордового цвета, цвета мяса.

ПРАВДА

• Куриные сердечки помогут перелому быстрее срастись.

Куриное сердце богато фосфором, который укрепляет костную ткань.

• **Куриные сердечки улучшают пищеварение.**

Куриные сердечки богаты витамином PP, нормализуют работу кишечника, содействует образованию желудочного сока, стимулируют работу поджелудочной железы.

• **При заболеваниях кожи куриные сердечки более полезны, чем куриные желудки.**

Витамина B_2 и витамина А в куриных сердечках больше, чем в желудках.

• **Куриное сердце поможет избавиться от боли в мышцах после физической нагрузки.**

Куриное сердце богато белками, в частности валином, лейцином и изолейцином, которые помогают восстанавливать мышечную ткань.

Приготовьте шашлычки из куриных сердечек — они защитят от анемии, поднимут настроение, увеличат потенцию.

Куриные сердечки очищенные и отваренные — 500 г
Соевый соус — 5 ст. л.
Лимонный сок — 2 ст. л.

Перемешать все ингредиенты и оставить мариноваться на 3–6 часов. Затем нанизать сердечки на шампуры и запекать в аэрогриле до готовности.

Лучше всего нанизывать сердечки срезами вниз. Таким образом во время запекания с них дополнительно стечет весь лишний жир.

ГОВЯЖЬЯ ПЕЧЕНЬ

Состав	Количество	РСП
Вода	71,7 г	
Жиры	3,7 г	6%
Белки	17,9 г	30%
Углеводы	5,3 г	2%
Холестерин	270 мг	90%
Витамин А	8283 мкг	920%
Бета-каротин	1000 мкг	20%
Витамин B_1	0,3 мг	20%
Витамин B_2	2,19 мг	122%
Витамин B_5	6,8 мг	136%
Витамин B_6	0,7 мг	35%
Витамин B_9	240 мкг	60%
Витамин B_{12}	60 мкг	2000%
Витамин С	33 мг	37%
Витамин Н	98 мкг	196%
Витамин РР	13 мг	65%
Холин (B_4)	635 мг	127%
Калий	277 мг	11%
Фосфор	314 мг	39%
Железо	6,9 мг	38%
Кобальт	19,9 мкг	199%
Марганец	0,32 мг	16%
Медь	3,8 мг	380%
Молибден	110 мкг	157%
Хром	32 мкг	64%
Цинк	5 мг	42%
Незаменимые аминокислоты		
Валин	1,25 г	66%
Гистидин	0,85 г	77%
Изолейцин	0,93 г	62%

Состав	Количество	РСП
Лейцин	1,59 г	48%
Лизин	1,43 г	46%
Метионин + цистеин	0,76 г	51%
Треонин	0,81 г	51%
Триптофан	0,24 г	60%
Фенилаланин + тирозин	1,66 г	59%
Энергетическая ценность — 127 ккал		

Достаточно взглянуть на таблицу, чтобы понять, что печень — настоящий кладезь витаминов, микро- и макроэлементов при невысокой калорийности. К сожалению, в говяжьей печени содержится слишком много холестерина. Что повышает риск развития атеросклероза. Поэтому злоупотреблять ею тоже не стоит.

Зато печень повышает гемоглобин, так как содержит много железа и витамина B_{12}, которые полезны при анемии.

Печень укрепляет нервную систему, поскольку содержит большое количество витаминов группы В, которые укрепляют память и повышают работоспособность. Также печень богата холином, который необходим для нормальной работы мозга.

Печень улучшает состояние кожи, так как богата витамином А, который улучшает регенерацию кожи, помогает при сухости кожи и, как антиоксидант, замедляет ее старение.

Печень укрепляет сосуды — содержит витамин РР, который укрепляет стенки сосудов.

А еще говяжья печень повышает потенцию, поскольку богата цинком, который нормализует мужскую половую функцию.

Но для того чтобы получить все эти полезные свойства печени, необходимо правильно ее выбрать.

Свежая печень имеет светло-коричневый однородный цвет. Она должна быть блестящей. Если печень очень темная — это печень старого животного. Либо она несвежая. Если же печень слишком светлая, значит, ее неправильно хранили.

Посмотрите на кровь, которая вытекает из печени. Если она алая, то продукт свежий. Если же цвет ближе к коричневому, то эта печень несвежая.

Обратите внимание на запах. У свежей печени запах сладковатый и приятный. Если же запах у печени кислый, то, скорее всего, ее неправильно хранили и она испортилась.

В печени не должно быть много прожилок, пленочек и пузырьков. Их должны удалять при обработке, так как после приготовления они станут жесткими и нарушат структуру печенки.

Посмотрите на оболочку печени. На ней не должно быть никаких вкраплений, отметин, неровностей, особенно белого цвета. Если видите белые вкрапления, это могут быть паразиты.

Говяжью печень не рекомендуется употреблять при атеросклерозе. Она противопоказана при подагре и других заболеваниях суставов.

Из говяжьей печени часто делают паштеты, а еще чаще – покупают их готовыми в магазине. Главное – не ошибиться с выбором при покупке.

Обращайте внимание на упаковку. Если вы планируете хранить паштет долгое время, скажем, полгода или год, то следует выбирать паштет в жестяных банках. Такой паштет может храниться до двух лет, а вот в пластиковых банках или упаковках из фольги – только от 14 до 30 суток. Если срок годности превышает один месяц, значит, в паштет добавлены консерванты.

Цвет хорошего паштета должен быть светло-коричневым или слегка сероватым, но никак не розовым! Структура паштета должна быть однородной.

Паштет является замечательной средой для размножения бактерий, в том числе патогенных. Поэтому покупать развесной паштет с прилавка может быть очень опасным.

Наличие в паштете крахмала можно выявить при помощи йода. Капните одну капельку на паштет. Если она посинеет – значит, в паштет добавлен крахмал.

Зачастую в составе паштета может оказаться не совсем то, что должно быть. А вот какой состав должен быть у настоящего качественного паштета из печени, если он приготовлен по ГОСТу: не менее 55% печени. Разрешено добавлять до 10% мозгов, до 30% – масла сливочного/жира и специи (лук, перец, соль, допустимо добавление сахара).

МИФЫ

• В говяжьей печени накапливаются токсины.

Действительно, печень является биохимической фабрикой организма животного. Но накапливаться в ней ничего не может по простой причине – все вредные вещества и продукты жизнедеятельности клеток выделяются из печени вместе с желчью.

• Говяжью печень нельзя есть беременным.

В Интернете пишут, что беременным нельзя есть говяжью печень. Но это миф! Говяжья печень содержит железо и витамин B_{12}, которые, наоборот, очень полезны для беременных!

• Говяжья печень повышает шансы мужчины стать отцом.

Это миф. Никаких свойств, влияющих на мужскую репродуктивную функцию, в говяжьей печени нет.

• Говяжья печень полезна для пожилых людей.

Говяжья печень содержит экстрактивные вещества, которые

замедляют обмен веществ и приводят к накоплению в организме мочевой кислоты, что может грозить развитием подагры. Поэтому пожилым людям стоит употреблять говяжью печень в ограниченном количестве.

ПРАВДА

• **Говяжья печень улучшает состояние волос.**

Говяжья печень – один из лидеров по содержанию витаминов группы В. Как известно, именно эти витамины укрепляют структуру волос и улучшают их рост.

• **Говяжью печень можно есть женщинам в критические дни.**

В критические дни полезно есть говяжью печень, поскольку она нормализует уровень гемоглобина в крови, а в критические дни он уменьшается. Поэтому в эти дни съедайте хотя бы по 2 небольших кусочка печенки в день.

• **Говяжья печень укрепляет кости.**

Говяжья печень содержит фосфор, который необходим для строительства костной ткани.

• **Говяжья печень полезна для профилактики сахарного диабета.**

Говяжья печень содержит 64% РСП хрома, который регулирует уровень сахара в крови.

Некоторые люди едят говяжью печень полусырой, быстро обжаривая ее с двух сторон. Они говорят, что она вкуснее, чем сухая, хорошо прожаренная печенка. Другие уверены, что такая полусырая печень очень вредна для здоровья. Кто же прав?

С точки зрения содержания витаминов и железа полусырая говяжья печень действительно полезнее.

Полезные вещества	Жареная	Тушеная	Полусырая
Холин, мг	279	518	593
Витамин B_{12}, мкг	26,4	49,0	54,5
Железо, мг	3,3	5,7	6,3

Что касается паразитов, то в жареной и тушеной печени при высокотемпературной обработке они погибают. А вот в полусырой печени вполне могут остаться, и, съев такую печень, вы можете заразиться печеночной двуусткой. Этот паразит вызывает заболевание печени – фасциолез, что заканчивается развитием гепатита!

При жарке говяжьей печени существенно снижается количество полезных веществ и повышается уровень канцерогенов. Поэтому лучше всего печень тушить до полной готовности! Например, в молоке.

Говяжья печень – 500 г
Молоко – 200 мл
Зелень
Черный молотый перец
Соль

Печень хорошо промыть несколько раз под проточной водой. Затем залить ее молоком и оставить на 3 часа. После этой процедуры печень станет мягкой и без горечи.

Вынуть печень из молока, положить в форму для запекания, посолить, поперчить и залить ее молоком, в котором она замачивалась. Запекать 40 минут в духовке при температуре 180 °С. Перед подачей посыпать нарезанной зеленью.

ГОВЯЖИЙ ЯЗЫК

Состав	Количество	РСП
Вода	68,8 г	
Жиры	12,1 г	18%
Белки	16,0 г	27%
Углеводы	2,2 г	1%
Холестерин	150 мг	50%
Витамин B_2	0,3 мг	17%
Витамин B_5	1,98 мг	40%
Витамин B_{12}	4,7 мкг	157%
Витамин РР	7,7 мг	39%
Калий	255 мг	10%
Фосфор	224 мг	28%
Хлор	251 мг	11%
Железо	4,1 мг	23%
Молибден	16 мкг	23%
Хром	19 мкг	38%
Цинк	4,84 мг	40%
Незаменимые аминокислоты		
Валин	0,85 г	45%
Гистидин	0,62 г	56%
Изолейцин	0,77 г	51%
Лейцин	1,22 г	37%
Лизин	1,37 г	44%
Метионин + цистеин	0,64 г	43%
Треонин	0,71 г	44%
Триптофан	0,18 г	45%
Фенилаланин + тирозин	1,18 г	42%
Энергетическая ценность – 173 ккал		

Из говяжьего языка можно приготовить много разных блюд: салатов, закусок, горячих блюд. Многие используют говяжий язык как замену колбасы. Но большинство людей все же не решаются приготовить этот субпродукт самостоятельно – кажется, будто его очень трудно готовить. На самом деле достаточно соблюсти несколько простых правил, и тогда язык будет мягким, вкусным и принесет организму максимальную пользу.

Перед варкой необходимо замочить язык в воде на 1 час. Так будет проще очищать его от загрязнений. После вымачивания хорошо проскоблите язык ножом и промойте в холодной воде.

Готовить язык нужно в большой кастрюле, так как при варке он увеличивается в размере. Лучше окунать язык в уже кипящую воду.

Поварив язык 10–15 минут, необходимо заменить воду – в нее выварилась большая часть вредного холестерина. И в этом слу-

Говяжий язык содержит пурины, поэтому он противопоказан при подагре. Говяжий язык богат холестерином, поэтому его нельзя употреблять при атеросклерозе. Также не рекомендуется употреблять говяжий язык при заболеваниях печени и желчного пузыря, панкреатите, хронических заболеваниях желудка и кишечника.

чае бульон на второй воде вполне можно будет использовать для приготовления супа.

Снова положите язык в кипящую воду и варите язык до готовности – 2–4 часа. Готовность говяжьего языка можно узнать, проколов его кончик – если язык легко прокалывается, это свидетельствует о том, что он отварился до готовности.

Чтобы вареный язык не был жестким, солите его только в конце приготовления, вместе с солью в воду можно добавить лавровый лист и черный перец – так язык получится более ароматным.

МИФЫ

· Чтобы говяжий язык легко чистился, его нужно окунуть в теплый раствор лимонной кислоты.

Горячий говяжий язык прямо из кастрюли надо сразу переложить в обычную холодную воду, только это поспособствует отслоению кожицы.

· Говяжий язык противопоказан при заболеваниях суставов.

Говяжий язык богат цинком, который уменьшает воспаление.

· Капельки крови на говяжьем языке говорят о том, что он начал портиться.

Капельки крови на языке – это признак его свежести.

ПРАВДА

· Говяжий язык улучшает память.

Говяжий язык содержит витамины группы B, которые улучшают работу нервной системы в целом и память в частности.

· Говяжий язык полезен при анемии.

Говяжий язык богат железом в легко усвояемой форме, а также витамином B_{12}.

· Говяжий язык улучшает состояние волос.

Говяжий язык содержит витамины группы B и цинк, которые улучшают состояние волос и кожи головы.

· Говяжий язык полезен в профилактике сахарного диабета.

Говяжий язык содержит хром, который регулирует уровень сахара в крови.

В давние времена именно говяжий язык был обязательным ингредиентом русской окрошки.

Продолжайте следовать этой традиции и сегодня! Ведь в современной колбасе, на которую со временем заменили язык, чего только нет: токсичный нитрит натрия, усилитель вкуса глутамат натрия, ароматизаторы, соя, кожа, хрящи! По сути, колбаса — тот продукт, который делает окрошку вредной. Поэтому готовьте этот традиционный холодный суп с вкусным и полезным говяжьим языком.

Отваренный говяжий язык — 1 шт.
Огурец — 2 шт.
Редис — 8 шт.
Зеленый лук — 1 большой пучок
Вареные яйца — 3 шт.
Укроп — 1 пучок
Квас — 2 л
Соль
Сметана

Мелко нарезать все ингредиенты. Лук положить в кастрюлю и перетереть с солью, добавить все остальные ингредиенты, перемешать, залить квасом и подавать со сметаной.

МЯСНЫЕ ПРОДУКТЫ

МЯСНАЯ ТУШЕНКА

Этот продукт знаком всем нам с детства. Он выручает нас в походах или просто, когда необходимо приготовить что-то на скорую руку. Но если раньше выбор тушенки ограничивался двумя-тремя видами, то сейчас в любом магазине можно насчитать их более десяти. Какой же тушенке надо отдать предпочтение?

Обратите внимание на состав. В настоящей тушенке, произведенной по ГОСТу, должно быть всего 6 ингредиентов. Это мясо (87%), жир (10%), лук, черный перец, лавровый лист и соль. В качественной говяжьей тушенке доля белка и жира — по 16–17 г на 100 г, калорийность — около 220 ккал. Если тушенка содержит больше калорий — значит, она перенасыщена жиром.

Казалось бы, стоит отдать предпочтение тушенке в стеклянных банках — в них же видно содержимое. Тем не менее однозначно лучше железная, она прочнее, не пропускает солнечные лучи, дольше сохраняет стерильность. Именно поэтому на длительное хранение тушенку закладывают только в железные банки.

Обратите внимание на консистенцию мяса. В качественной тушенке мясо должно легко делиться на волокна. Если мясо в банке больше похоже на фарш или имеет однородную структуру, то вполне вероятно, что в этом продукте не мясо, а соя. Помните, что по ГОСТу каждый кусочек мяса должен весить не менее 30 г.

Посмотрите на название. Как ни парадоксально, настоящая тушенка не может называться «тушенкой». Настоящая качественная тушенка, сделанная по ГОСТу, имеет название «говядина (конина, свинина) тушеная». Поэтому если вы купили банку с надписью «Тушенка», то этот продукт может не оправдать ваших ожиданий.

Максимальный срок хранения тушенки по документам – 5 лет. Это при условии, что она хранится в жестяной банке, густо смазанной солидолом. Конечно, просрочка не всегда отрицательно скажется на продукте, известны случаи, когда тушенку использовали и через 50 лет после изготовления, но все-таки даже армейские склады под конец срока годности стараются избавиться от старых банок.

КОЛБАСА ВАРЕНАЯ

«Докторская колбаса» – устоявшееся название мясного изделия, производившегося с 1936 года. Однако в настоящее время по оригинальной рецептуре практически не производится, а известное название используется в чисто маркетинговых целях.

Распоряжение о начале производства нового сорта колбасы было издано указом наркома пищевой промышленности Анастаса Микояна. Эта колбаса предназначалась как лечебное питание больным с признаками последствий перенесенного длительного голода. Или, как тогда написали, «... больным, имеющим подорванное здоровье в результате Гражданской войны и царского деспотизма». Рецепт «поправки здоровья» содержал в 100 кг колбасы 25 кг говядины высшего сорта, 70 кг полужирной свинины, 3 кг яиц и 2 кг коровьего молока. Как утверждается, название произошло от поговорки «то, что доктор прописал».

Вот как выглядит состав вареной колбасы по ГОСТу сегодня – это свинина, говядина, куриные яйца или меланж, сухое молоко, специи и нитрит натрия. Покупайте вареную докторскую колбасу только с таким составом!

Ингредиенты в описании состава по закону всегда должны располагаться в порядке их количественного убывания. Поэтому обратите внимание на то, чтобы говядина и свинина шли во главе списка.

МИФЫ

- **Вареная колбаса в натуральной оболочке полезнее, чем в искусственной.**

Оболочка колбасы никак не влияет на ее качество. Однако срок хранения колбасы в натуральной оболочке в 12 раз меньше, чем в искусственной (в искусственной – 60, в натуральной – 5 дней). Поэтому лучше покупать колбасу именно в натуральной оболочке, так как при этом меньше риск того, что она окажется просроченной.

- **Вареная колбаса калорийнее копченой.**

В 100 г вареной колбасы содержится 257 ккал, а в 100 г копченой колбасы – 461 ккал. Поэтому если хотите съесть бутерброд с колбасой, то лучше выбирайте колбасу вареную.

Вареную колбасу не рекомендуется употреблять при острых заболеваниях ЖКТ, панкреатите, атеросклерозе. Вареная колбаса противопоказана при подагре.

• **В составе вареной колбасы обязательно должна быть мука.**

На самом деле муки в составе вареной колбасы быть не должно. Ее туда добавляют недобросовестные производители в качестве загустителя. Покупать такую колбасу не стоит. Потому что из-за нее повышается риск ожирения.

• **Вареную колбасу можно есть при гипертонии.**

Вареная колбаса достаточно соленый продукт, что вредно при гипертонии. Это грозит задержкой жидкости в организме и, как следствие, повышением артериального давления.

• **Вареная колбаса противопоказана при заболеваниях ЖКТ.**

Вареная колбаса хорошего качества не противопоказана при заболеваниях ЖКТ. Однако во всем нужно знать меру.

• **В вареной колбасе больше холестерина, чем в свинине.**

В 100 г вареной колбасы содержится 50 мг холестерина, а в 100 г свинины – 80 мг.

• **Вареная колбаса способствует развитию онкологических заболеваний.**

Существует мнение, что из-за того, что в вареной колбасе содержится нитрит натрия (около 0,005 мг на 100 г), она может спровоцировать развитие онкологических заболеваний. Но это миф. Чтобы нитрит натрия отравил организм, нужно съедать по 25 кг колбасы каждый день.

ПРАВДА

• **В вареной колбасе есть витамины.**

Существует мнение, что в колбасе не содержится витаминов. Но это – миф, небольшое количество витаминов есть в колбасе. Ведь она делается из мяса, в котором их много.

• **Вареную колбасу можно есть каждый день.**

Многие считают, что вареная колбаса, как и любая другая, вредна. Но вареная колбаса – это палка о двух концах. С одной стороны, она вредная. А с другой стороны, ее можно есть каждый день. Ученые из Университета Цюриха провели исследование среди 450 тысяч человек и выяснили, что безопасная суточная норма вареной колбасы – 40 г!

При желании можно научиться готовить домашнюю вареную колбасу, которая будет менее вредной и не менее вкусной!

Говядина – 500 г
Свинина – 250 г
Шпик – 50 г
Сахар – ½ ч. л.
Соль – 1 ст. л.

Черный молотый перец — ¼ ч.л.
Чеснок — 2 зубчика
Крахмал — 2 ст. л.
Вода — 50 г
Уксус — ½ ч. л.
Натуральная оболочка — 1 шт.

Чтобы приготовить фарш, мясо нужно разрезать на куски по 100–200 г, добавить 1 ч. л. соли и прокрутить мясо в мясорубке. Добавить в фарш все остальные ингредиенты, включая воду, и тщательно перемешать фарш ложкой.

Используя специальную насадку для мясорубки или кулинарный шприц, заполнить оболочку фаршем. После этого оставить колбасу на 1–2 часа в холодильнике. Фарш в оболочке слипнется и плотно утрамбуется.

По истечении этого времени приступить к варке — вода в кастрюле должна полностью закрывать колбасу. Обычно толстые батоны варятся часа два, а тонкие — около 50 минут. Чтобы определить, готова ли колбаса, нужно проткнуть ее ножом или вилкой. Если жидкость вытекает прозрачная или белая, значит, колбаса уже готова. После варки колбасу нужно держать в холодильнике.

СОСИСКИ

Сосиски были чрезвычайно популярны в советские времена, и сейчас они пользуются огромным спросом. Но вот качество этого продукта сильно изменилось. От современных сосисок даже наши усатые питомцы часто воротят нос, а считается, что кошки никогда не будут есть некачественный продукт.

Как же выбрать хорошие сосиски? Вот несколько критериев, которые вам помогут.

Хорошие сосиски не увеличиваются в размере. Если сосиски разбухли во время варки или лопнули, значит, в них содержится много манной крупы, крахмала или свиной шкурки.

Качественные сосиски нежно-розового цвета. Ярко-розовый цвет сосисок говорит о том, что они содержат много красителя. Или, что хуже, нитрита натрия — тогда сосиски могут нанести серьезный вред здоровью. Эта добавка очень токсична. Серый цвет сосисок, вкрапления белого цвета также говорят об их низком качестве. Обратите внимание на воду при варке — если она окрасилась в розовый цвет, значит, в сосиски добавили краситель.

Качественные сосиски не имеют потеков бульона или жира под оболочкой. Их присутствие говорит о нарушении технологического процесса или условий хранения.

Сосиски после нажатия должны быстро восстанавливать свою форму. Если же они легко разламываются при сгибании, значит, производитель добавил большое количество крахмала.

МИФЫ

• **Купленные на рынках и с рук «фермерские» сосиски**

Сосиски противопоказаны при подагре, ожирении, панкреатите и острых заболеваниях ЖКТ.

более натуральные и полезные, чем магазинные.

Особенно не стоит покупать сосиски на лотках в теплое время года. Дело в том, что в каждую колбасную продукцию, содержащую в составе говядину или свинину в любом количестве, добавляется нитрит натрия. Он является веществом высокой токсичности, на самих предприятиях подлежит строгому учету и отчетности. Ведь смертельная доза для человека составляет от 2 до 6 г! Нитрит натрия может вызвать серьезные отравления. При хранении сосисок при более высоких температурах, чем указано на упаковке, нитрит натрия образует канцерогенные нитрозамины. Поэтому нельзя покупать сосиски в летний период времени на лотках, с рук, в не оборудованных холодильным оборудованием магазинчиках и палатках.

Также надо обращать внимание на то, как вы храните сосиски дома: принесли из магазина и сразу убирайте их в холодильник.

• **Сосиски в натуральной оболочке хранятся дольше, чем в вакуумной упаковке.**

Если сосиски имеют натуральную оболочку, храниться они могут не больше 72 часов. Оболочка из прозрачного целлофана позволяет хранить мясной продукт всего двое суток. Но чаще в качестве покрытия используют полиамидную пленку, которая позволяет продлить срок годности до восьми дней. В вакуумной упаковке сосиски могут храниться до 15–20 суток.

ПРАВДА

• **При помощи обычного йода можно выявить некачественные сосиски.**

Этот «фокус» знаком всем еще со школы. При контакте с крахмалом йод изменяет свой цвет, а значит, таким образом можно выявить в сосисках вместо заявленного «100% мяса» крахмал, пшеничную муку и другие крахмалосодержащие компоненты, которые на самом деле не допускаются по ГОСТу.

ХОЛОДЕЦ

В Румынии это блюдо называют «пифти», в Польше – «галарета», в Латвии – «галертс». А у нас – холодец.

Многие считают холодец лекарством для больных суставов. С одной стороны, это действительно так, но с другой – нет.

В холодце содержится вещество хондроитин, который помогает восстановить ткань разрушенного сустава. Но дело в том, что в холодце хондроитина ничтожно

Холодец противопоказан при подагре, атеросклерозе, острых заболеваниях ЖКТ.

мало. Чтобы он подействовал на суставы, нужно съедать 10 кг холодца в день.

С другой стороны, в холодце есть пролиновая и оксипролиновая кислоты. Они обладают противовоспалительным действием. Поэтому восстановить суставы холодец не сможет, а вот при воспалении он будет полезен. Для этого нужно съедать 100–200 г холодца в день.

МИФЫ

• **Холодец и заливное — это одно и то же блюдо.**

Холодец становится желеобразным за счет того, что в него добавляют желатин. А в заливное при готовке желатин не добавляется. Поэтому эти два блюда совершенно различны.

• **Холодец улучшает состояние кожи.**

Существует мнение, что холодец положительно влияет на состояние кожи, потому что в нем содержится коллаген. Но это миф, потому что коллаген не усваивается организмом из пищи.

• **Холодец калорийнее докторской колбасы.**

Их калорийность одинакова – порядка 250–260 ккал.

ПРАВДА

• **Холодец полезно есть с хреном или горчицей.**

Холодец мясное блюдо, сложноусвояемое. А хрен или горчица улучшают пищеварение, стимулируя выработку желудочного сока.

• **Холодец полезно есть при похмелье.**

В холодце содержится глицин (0,3 г на 100 г), который снижает тягу к спиртному. А желатин, содержащийся в холодце, помогает выводить из организма токсические продукты распада этилового спирта.

• **Холодец влияет на скорость заживления переломов.**

Холодец содержит хрящевой гидролизат, который является «строительным материалом» для хрящевой и костной ткани и отлично помогает при восстановлении после перелома.

• **Холодец укрепляет иммунитет.**

Холодец содержит вещества мукополисахариды. Они улучшают работу иммунных клеток, а значит, и укрепляют иммунитет.

• **Холодец полезен при железодефицитной анемии.**

В холодце содержится железо (4,1 мг – 22,8% от суточной нормы) и медь (104,6 мг – 10,5% от суточной нормы). Известно, что эти два микроэлемента крайне важны для нормального уровня гемоглобина.

СЕЛЬДЬ[1]

Состав	Количество	РСП
Вода	61,3 г	
Жиры	19,5 г	29%
Белки	17,7 г	30%
Углеводы	0,0 г	0%
Холестерин	90 мг	30%
Витамин B_2	0,3 мг	17%
Витамин B_5	0,85 мг	17%
Витамин B_6	0,4 мг	20%
Витамин B_{12}	10 мкг	333%
Витамин D	1200 МЕ	300%
Витамин PP	7,8 мг	39%
Калий	310 мг	12%
Фосфор	280 мг	35%
Энергетическая ценность – 248 ккал		

Слабосоленая атлантическая сельдь содержит в 100 г 4800 мг натрия, что составляет 369% РСП!

Раньше селедка считалась несъедобной рыбой из-за того, что она очень горчила и пахла при приготовлении. И только когда голландский рыбак Уильям Якоб Бейкельс придумал у этой рыбы удалять жабры, которые давали основную горечь, и засаливать, селедку полюбили. После этого селедка стала одним из самых популярных продуктов в Голландии.

Интересен тот факт, что чем селедка жирнее, тем она полезнее. Дело в том, что селедка содержит полиненасыщенные жирные кислоты, которые очень полезны для организма.

Селедка – это самая популярная закуска в нашей стране. Селедка с луком, селедка под шубой, селедка в винном или горчичном соусе. Сотни рецептов. Но сначала надо не ошибиться с правильным выбором, иначе можно остаться без любимой закуски.

Жабры – первое и главное, на что нужно смотреть при выборе любой рыбы вообще и селедки в частности. У качественной селедки жабры упругие, темно-красного цвета. Если жабры сельди разваливающиеся, коричневого цвета, то, скорее всего, срок ее хранения давно истек. А если жабр нет вообще, то это тревожный знак – такую селедку брать нельзя.

Глаза. По глазам рыбы можно определить степень ее засолки. Если вы любите несоленую – выбирайте сельдь, у которой красные глаза. У нее обычно и жирность выше. Чем светлее глаза, тем более соленая селедка на вкус. Если глаза у рыбы мутные, значит, она уже метала икру, поэтому истощена. Вкус такой сельди будет плохой.

Если рассол мутный, значит, селедка в нем не первой свежести. Если рассол прозрачный – значит, все нормально.

Чешуя у качественной селедки должна быть синевато-стального цвета. Если на ней есть коричневые полосы – значит, селедка несвежая или ее неправильно хра-

[1] Состав приведен для свежей сельди атлантической.

Свежая сельдь не имеет противопоказаний. А соленую сельдь нельзя употреблять при гипертонии, сердечно-сосудистых заболеваниях, болезнях почек, гастрите с повышенной кислотностью.

нили. Белый налет на чешуе тоже свидетельствует о неправильном хранении. Значит, ее передержали в соли и хранили при температуре выше необходимой.

Если на селедке есть ссадины, трещины и порезы, скорее всего, селедку несколько раз размораживали и условия хранения этой рыбы были ненадлежащими.

Определить пол селедки можно по округлости рта. Круглый ротик — самка, у которой, скорее всего, будет еще и икра. Вытянутый узкий — самец. Самцы, хоть и без икры, жирнее и вкуснее самок.

МИФЫ

· **Тихоокеанская селедка полезнее атлантической.**

Это миф. Содержание полезных веществ у этих рыб практически одинаковое.

· **В сельди не бывает паразитов.**

В сельди могут быть паразиты, как и в любой другой рыбе.

ПРАВДА

· **Селедка полезна в профилактике остеопороза.**

В 100 г сельди содержатся три суточные нормы витамина D, который необходим для усвоения кальция. Также сельдь содержит фосфор.

· **Сельдь улучшает состояние сосудов.**

Сельдь содержит полиненасыщенные жирные кислоты и витамин PP, которые укрепляют стенки сосудов.

· **Сельдь укрепляет нервную систему.**

Сельдь богата витаминами группы B, которые необходимы для нормальной работы нервной системы.

Приготовьте из сельди вкусное блюдо — форшмак.

Филе сельди — 2 шт.
Лук — 1 шт.
Яйцо — 2 шт.
Кислое яблоко — 1 шт.
Лимонный сок — 2 ст. л.
Сливочное масло — 100 г

Все ингредиенты прокрутить в мясорубке. Рекомендуется употреблять форшмак с гренками из черного хлеба.

ПЕЧЕНЬ ТРЕСКИ

Состав	Количество	РСП
Вода	26,4 г	
Жиры	65,7 г	98%
Белки	4,2 г	7%

Состав	Количество	РСП
Углеводы	1,2 г	0%
Холестерин	250 мг	83%
Витамин А	4400 мкг	489%
Витамин B_2	0,41 мг	23%
Витамин B_6	0,23 мг	12%
Витамин B_9	110 мкг	28%
Витамин D	4000 МЕ	1000%
Витамин Е	8,8 мг	59%
Витамин РР	2,7 мг	14%
Магний	50 мг	13%
Натрий	720 мг	55%
Фосфор	230 мг	29%
Железо	1,9 мг	11%
Кобальт	65 мкг	650%
Марганец	0,21 мг	11%
Медь	12,5 мг	1250%
Молибден	14 мкг	20%
Энергетическая ценность – 613 ккал		

Этот продукт употребляли еще древние скандинавы. Они считали, что он помогает им видеть в темноте!

В печени трески содержится огромное количество витамина D – 10 суточных норм! Главной функцией витамина D в организме является обеспечение всасывания кальция из продуктов питания. Также в печени трески большое количество витамина А – 489% РСП. Витамин А необходим для роста костей и для здоровья кожи и волос.

Печень трески помогает снизить вероятность возникновения тромбов. У каждого человека в крови есть особые клетки – тромбоциты. Именно они отвечают за свертывание крови. Но после 40 лет кровь у людей зачастую становится более густой и тромбоциты начинают склеиваться. В итоге может образоваться тромб. По статистике, 8,5 млн людей ежегодно умирают от тромбоза! Печень трески содержит гепарин, который разжижает кровь и мешает тромбоцитам склеиваться и образовывать тромбы, снижая риск инфаркта и инсульта.

МИФЫ

• **Если подвергать печень трески тепловой обработке, она утратит свои полезные свойства.**

При тепловой обработке печень трески сохраняет свои полезные свойства.

• **Печень трески – диетический продукт.**

Печень трески содержит 613 ккал и 98% жиров на 100 г, поэтому она никак не может считаться диетическим продуктом.

• **Печень трески полезна для печени.**

Так как это жирный продукт, то печени она пользы не принесет.

• **Печень трески улучшает потенцию.**

Никаких веществ, улучшающих потенцию, в печени трески нет.

Печень трески содержит много натрия, поэтому ее не стоит употреблять при гипертонии. Печень трески не следует употреблять при холецистите и желчнокаменной болезни.

ПРАВДА

• Печень трески может заменить прием рыбьего жира.

Собственно, печень трески является источником рыбьего жира и вследствие этого имеет очень высокую степень жирности.

• Печень трески помогает бороться с атеросклерозом.

Все дело в том, что в печени трески содержатся полиненасыщенные жирные кислоты Омега-3 (17,5 г на 100 г – 875% от суточной нормы), они отвечают в организме за понижение уровня холестерина и делают мембраны наших кровяных клеток более эластичными. Она рекомендуется в пищу больным атеросклерозом и диабетом.

• Печень трески полезна при восстановлении после переломов.

В печени трески содержится витамин D – 1000% РСП, без которого не усваивается микроэлемент кальций, а ведь он очень важен при восстановлении после переломов.

• Печень трески предохраняет от раннего поседения.

Всего 1 ч. л. печени трески снабдит организм суточной нормой меди, а ведь дефицит этого элемента – одна из причин раннего поседения.

Может показаться несколько странным предлагаемое сочетание – творог и печень трески. На первый взгляд – да. Но именно это сочетание сделает кости крепкими. Ведь творог является хорошим источником кальция, а печень трески – источником витамина D, который поможет кальцию усвоиться.

Печень трески – 1 банка
Творог – 200–300 г
Укроп
Петрушка
Кинза
Соль

Из банки с печенью слить лишнее масло, размять печень вилкой, затем смешать с творогом и мелко нарезанной зеленью. После этого тщательно взбить в блендере, добавив немного соли. И полезная закуска готова!

Кстати, ее можно использовать и как маску для лица, которая поможет разгладить морщины и устранить сухость кожи.

МУКА И МУЧНЫЕ ИЗДЕЛИЯ

МУКА

	Мука высшего сорта		Мука обойная	
Состав	**Количество**	**РСП**	**Количество**	**РСП**
Вода	14,0 г		14,0 г	
Жиры	1,3 г	2%	2,2 г	3%
Белки	10,8 г	18%	11,5 г	19%
Углеводы	69,9 г	24%	61,5 г	21%
Пищевые волокна	3,5 г	18%	9,3 г	47%
Витамин E	1,5 мг	10%	3,3 мг	22%
Витамин B_1	0,17 мг	11%	0,41 мг	27%
Витамин B_5	0,3 мг	6%	0,9 мг	18%
Витамин B_6	0,17 мг	8%	0,55 мг	28%
Витамин B_9	27,1 мкг	7%	40 мкг	10%
Витамин PP	3 мг	15%	7,8 мг	39%
Калий	122 мг	5%	310 мг	12%
Магний	16 мг	4%	94 мг	24%
Фосфор	86 мг	11%	336 мг	42%
Железо	1,2 мг	7%	4,7 мг	26%
Кобальт	1,6 мкг	16%	4 мкг	40%
Марганец	0,57 мг	29%	2,46 мг	123%
Медь	0,1 мг	10%	0,4 мг	40%
Молибден	12,5 мкг	18%	22 мкг	31%
Цинк	0,7 мг	6%	2 мг	17%
Энергетическая ценность – 334 ккал			– 312 ккал	

Существует несколько видов муки – они зависят от степени очистки зерна.

ВЫСШИЙ СОРТ. Принято считать, что лучшая мука – это мука с маркировкой «Высший сорт». Но это палка о двух концах. Конечно, именно из муки высшего сорта выпечка получается лучше всего. Но так как мука высшего сорта полностью очищена от зерновых оболочек, то в ней остается очень мало клетчатки, калия, магния, витаминов группы B. То есть для здоровья такая мука малополезна.

ПЕРВЫЙ СОРТ – эта мука более полезная, так как очищается меньше. В ней остается много кальция, фосфора и магния. Из нее лучше всего готовить пироги – они будут вкусными и дольше останутся свежими. А вот торты и булочки из муки первого сорта будут не очень вкусными и пышными.

ВТОРОЙ СОРТ – мука перемолота вместе с оболочками зерна. Поэтому все витамины и минералы в ней присутствуют целиком! Но тесто из нее получается не слишком пышным, подходит медленно, а изделия быстро черствеют. Из такой муки хорошо печь блины и блинчики, вафли, а также готовить пельмени и вареники.

ОБОЙНАЯ МУКА – мука делается из нешлифованного зерна, с которого оббита шелуха. Это самая полезная мука! Благодаря тому что в этой муке полностью сохранен зародышевый слой и оболочки, эта мука содержит максимальную концентрацию витаминов. Из такой муки не получится пышных бисквитов, но ею можно заменять часть муки высшего сорта в рецептах. Из обойной муки можно готовить блины, лепешки, печенье.

Чтобы выбрать качественную муку, существует немало секретов. Например, качество муки можно определить на ощупь! Чтобы проверить качество муки, нужно потереть ее между пальцами. Качественная мука должна равномерно рассыпаться. Если же мука слипается в руках, образует комочки, значит, она хранилась в помещениях с высокой влажностью. Такая мука потеряла свои хлебопекарные свойства. Тесто из нее получится тяжелым, а выпечка будет непропеченной.

Прежде чем купить муку, обратите внимание на дату помола. Мука, которую смололи меньше месяца назад, для выпечки не подходит. По технологии она должна «дозреть». Иначе выпечка окажется не очень вкусной. И тесто будет плохим. Поэтому покупайте ту муку, у которой со дня помола прошло больше месяца. Но если прошло больше трех месяцев, обязательно просеивайте ее через сито. Иначе тесто получится не клейким.

Цвет качественной муки – белый с кремовым оттенком. Если же цвет муки потемневший, значит, она неправильно хранилась. Если оттенок красноватый, значит, в муку добавили отруби. Об этом обязательно должно быть написано на упаковке. Если оттенок муки голубоватый, значит, ее сделали из недозревших зерен. Лучше такую муку не покупать, так как тесто и выпечка получатся горьковатыми.

Если хотите дополнительно проверить свежесть муки, смешайте чайную ложку муки и чайную ложку воды. Если мука не поменяла цвет, значит, она свежая. Если мука потемнела, значит, мука некачественная и выпечка получится плоской и пресной.

МИФЫ

· **Обойную муку нельзя применять при атеросклерозе.**

Обойная мука содержит практически в 3 раза больше пищевых волокон, чем мука высшего сорта. А пищевые волокна помогают выводить холестерин из организма. Значит, наоборот, при атеросклерозе стоит отдать предпочтение обойной муке.

ПРАВДА

· **Обойная мука переваривается медленнее, чем мука высшего сорта.**

А значит, расщепление углеводов будет происходить медленнее, и они меньше будут откладываться в жиры.

· **В выпечке мука сохраняет больше полезных свойств, чем в отварных изделиях.**

При отваривании большая часть полезных веществ из муки выварывается в воду.

· **Обойная мука полезна для кожи.**

Обойная мука содержит 22% РСП витамина Е, который является антиоксидантом и улучшает состояние кожи.

Как только не используют муку: лепят пельмени, пекут торты... У каждой хозяйки есть как минимум сотня рецептов использования этого продукта. А еще из муки можно приготовить вкусный кекс. И он будет намного полезнее магазинного!

Например, в 100 г покупного кекса может быть до 436 ккал! Это половина суточной нормы калорий для женщин. А в самодельном кексе — всего 230 ккал. Поэтому такой кекс можно есть даже тем, кто сидит на строгой диете. Перебарщивать, конечно, не стоит, но иногда можно себя побаловать.

Мука обойная — 200 г
Мука высшего сорта — 100 г
Банан — 4 шт.
Ананас — 1 половинка
Грецкие орехи — 200 г
Сахар — 200 г
Молотая корица — ½ ч. л.
Сода — ½ ч.л.
Стручок ванили
Цедра одного апельсина
Сахарная пудра — 70 г
Сливочное масло — 30 г
Сливочный сыр — 100 г

В миску просеять муку, насыпать сахар, корицу и соду. Бананы размять вилкой или прокрутить в блендере, ананас нарезать на мелкие кусочки. Добавить в тесто орехи, пюре из бананов и кусочки ананаса. Аккуратно все перемешать. Форму для кекса смазать маслом, выложить тесто и поставить запекаться при температуре 180 °С примерно на 25–30 минут.

В это время нужно сделать глазурь. Сливочное масло растопить в сковороде, высыпать сахарную пудру, цедру апельсина, мелко нарезанный стручок ванили, сливочный сыр и перемешать.

Готовый кекс остудить и покрыть сверху глазурью – готово!

Такой кекс будет полезен для профилактики атеросклероза и улучшит работу мозга.

ХЛЕБ БЕЛЫЙ

В магазинах продается огромное количество разнообразных видов белого хлеба. Глаза разбегаются: батоны, караваи, хлеб с отрубями, хлеб с семечками. Какой же самый полезный?

МИФЫ

· Хлеб с семечками – самый полезный.

Семечки богаты жирами – они дают большое количество калорий. Батон с семечками может иметь до 1500 ккал!

· Свежий хлеб полезнее подсушенного.

Свежий хлеб обладает большим сокогонным эффектом, а также может вызвать газообразование в кишечнике, поэтому при заболеваниях ЖКТ рекомендуется употреблять только подсушенный хлеб.

ПРАВДА

· Хлеб с отрубями полезнее обычного батона.

Хлеб с отрубями содержит клетчатку, которая полезна при атеросклерозе, улучшает моторику кишечника, а главное, снижает гликемический индекс батона с отрубями. А в обычном батоне, который выпекается из муки высшего сорта, клетчатки практически нет, а его гликемический индекс высокий – 70–80 ГИ.

· Хлеб улучшает состояние нервной системы.

Хлеб содержит витамины группы В, которые необходимы для нормальной работы нервной системы.

· Хлеб с отрубями полезен для сердца.

Он не только содержит клетчатку, которая снижает холестерин, а значит, защищает сердце от инфаркта. Хлеб с отрубями также содержит магний, укрепляющий сердечную мышцу.

В хлебе из магазина чего только нет: эмульгаторы, красители, загустители, ароматизаторы, стабилизаторы! А главное – хлеб печется из муки высшего сорта, в которой практически не остается ничего полезного, все витамины удаляются. В домашнем хлебе не только нет никаких вредных добавок, на нем можно даже похудеть! Его гликемический индекс намного ниже, чем у обычного батона из магазина. У магазинного ГИ – 70, а у домашнего – 40! Его калорийность – 220 ккал.

Обойная мука – 2 ст.
Ржаные отруби – 2 ст.
Кефир – 1½ ст.
Подсолнечное масло – ½ ст.
Сода – ½ ч. л.
Соль – ½ ч. л.
Сахар – 1 ч. л.

Смешать в одной миске все сухие компоненты, а во второй – все жидкие. Постепенно влить жидкую смесь в сухую и вымешивать хлеб не менее 20 минут, пока тесто не станет пластичным. Выстлать противень пекарской бумагой, слепить из теста колобочки размером с кулак. Противень поставить в предварительно нагретую до 200 °С духовку и выпекать ~ 20 минут, затем перевернуть его и выпекать еще 10 минут.

БОРОДИНСКИЙ ХЛЕБ

Раньше бородинский хлеб был очень популярен. Но сейчас многие о нем забыли, а многие даже не знают. Ведь появилось огромное количество других видов хлеба. Конечно, о вкусах не спорят. Но можно поспорить о пользе.

Бородинский хлеб – это не просто хлеб, это хлеб долгожителей! И он может защитить вас от очень серьезных заболеваний! Существует две причины, по которым нужно есть бородинский хлеб как можно чаще.

Бородинский хлеб защищает от желчнокаменной болезни! В нем содержится специя кориандр. Эфирные масла кориандра стимулируют стенки желчного пузыря. Он начинает сокращаться. И в итоге желчь не застаивается, а уходит. Соответственно риск возникновения камней снижается.

Бородинский хлеб защищает от рака толстой кишки! Дело в том, что в бородинском хлебе, в отличие от других видов хлеба, очень много клетчатки – ведь он выпекается из обойной ржаной муки. По сути, клетчатка выступает в роли метлы для кишечника и помогает устранять запоры. А ведь частые запоры могут стать причиной рака толстой кишки.

Чтобы снизить риск желчнокаменной болезни и рака толстой кишки, съедайте ежедневно по два куска бородинского хлеба.

МИФЫ

• **Свежий бородинский хлеб полезнее, чем вчерашний.**

Свежий бородинский хлеб обладает сильным сокогонным эффектом и сильнее повышает кислотность желудочного сока, что может вызвать боли в животе и спровоцировать обострение заболеваний ЖКТ. Поэтому лучше есть бородинский хлеб, который был выпечен сутки назад.

• **Бородинский хлеб лучше хранить в пакете.**

Бородинский хлеб противопоказан при гастрите с повышенной кислотностью.

Любой хлеб не стоит хранить в полиэтиленовом пакете. Там он быстро портится. Лучше хранить в бумажном пакете в темном месте или в хлебнице.

• **Бородинский хлеб калорийнее ржаного.**

В 100 г бородинского хлеба содержится 201 ккал, а в 100 г ржаного хлеба – 210.

ПРАВДА

• **Бородинский хлеб защищает от жирового гепатоза печени.**

В нем содержится аминокислота треонин. Треонин препятствует отложению жиров в печени и улучшает ее работу в целом, плюс к этому положительно сказываются на функции печени и семена кориандра, которыми посыпают бородинский хлеб.

• **Бородинский хлеб снижает риск атеросклероза.**

Это происходит за счет высокого содержания клетчатки, снижающей уровень холестерина в организме.

• **Маски из бородинского хлеба улучшают состояние волос.**

В результате действий дрожжевых грибков в бородинском хлебе содержится достаточно большое количество органических кислот, которые обладают отшелушивающим действием. Такая маска действует как легкий химический пилинг. Она отшелушивает омертвевшие клетки кожи головы и чешуйки волоса. Также она убирает излишки жира с головы и волос. Волосы лучше расчесываются, становятся мягкими, гладкими и блестящими. Готовьте маску для волос, смешивая бородинский хлеб с репейным маслом.

• **Бородинский хлеб улучшает работу нервной системы.**

Так как содержит витамины группы В, в частности витамины B_1 и B_2, а они нужны для работы нервной системы.

ХЛЕБЦЫ ДИЕТИЧЕСКИЕ

В последние годы стали очень популярны диетические хлебцы. Почему их называют диетическими? А потому что, как говорят многие люди, с их помощью можно похудеть и вообще они полезнее хлеба.

Это действительно так. Хлебцы ниже по калорийности, имеют более низкий гликемический индекс, содержат больше пищевых волокон, чем обычный хлеб. Часто их дополнительно обогащают витаминами и минералами. Поэтому добавьте хлебцы в свой рацион. Главное, знайте меру – ведь хоть они и менее калорийные, чем хлеб, но все же содержат достаточно калорий!

Хлебцы противопоказаны при заболеваниях желудочно-кишечного тракта.

МИФЫ

· Хлебцы можно есть маленьким детям.

Хлебцы нельзя употреблять детям до 2–3 лет, потому что их организм еще не приспособлен к столь грубой пище.

· В составе хлебцев должны быть дрожжи.

Качественные хлебцы делаются без добавления дрожжей.

ПРАВДА

· Хлебцы из ржаной муки — самые полезные.

Хлебцы из ржаной муки действительно более полезны, так как в них содержится много клетчатки. Будет хорошо, если в них еще будут добавлены отруби.

· Хлебцы можно есть при гипертонии.

В хлебцах содержится соль, но в небольшом количестве. Поэтому людям с повышенным давлением они не противопоказаны.

· Хлебцы полезно есть при запорах.

В них содержится много клетчатки — около 19 г, которая улучшает моторику кишечника.

· Хлебцы нужно хранить в темном месте.

Хлебцы можно хранить и на свету. Но чтобы они дольше не портились и не отсырели, лучше хранить их в сухом темном месте. Если вы все-таки забыли их убрать и хлебцы отсырели, подсушите их несколько минут в духовке или на чистой сковороде, и они опять станут аппетитными.

МАКАРОНЫ

Этот продукт можно найти на кухне и у бедного студента, и у финансового магната.

Еще в XVIII веке макароны на Руси были блюдом заморским и появлялись лишь на столах знати. Но в конце XVIII века в Одессе открылась первая фабрика по производству макарон. А в 1913 году в России было уже 39 макаронных предприятий, которые производили около 30 тысяч тонн макаронных изделий в год. В наше время магазинные полки буквально ломятся от представленных широчайшим ассортиментом макаронных изделий: спагетти, рожки, перья... отечественного и зарубежного производства. Каждый россиянин съедает по 7 кг макарон в год!

Как правильно выбрать, не утонув в этом изобилии, макароны, которые не только порадуют желудок, но и будут полезны для здоровья? На что стоит ориентироваться при покупке?

В дешевых макаронах производители часто заменяют муку из твердых сортов пшеницы более дешевой — пекарской. У макарон из твердых сортов пшеницы гликемический индекс 50, а у макарон из пекарской муки — 70. Чем выше гликемический индекс, тем быстрее усваивается продукт, тем быстрее поднимается уровень сахара в крови после употребления продукта. Иными словами, употребление продуктов с высоким гликемическим индексом ведет к набору веса. Поэтому такой продукт, как макароны, выбирать нужно особенно внимательно!

Черные точки на макаронах — это остатки оболочек злаков. Их наличие говорит о том, что макароны сделаны из качественной муки твердых сортов пшеницы.

Качественные макароны не должны иметь шероховатую поверхность! Светлые макароны с шероховатой поверхностью и белыми вкраплениями сделаны из обычной муки и искусственно подкрашены в желтый цвет.

Белый след на изломе макарон говорит о том, что эти изделия низкого качества. Если излом белый и матовый, значит, продукт был произведен с нарушениями. Излом качественных макарон будет ровным и глянцевым.

Если макароны черного, красного или зеленого цвета, это не говорит о том, что производитель добавил в них искусственные красители. При производстве высококачественных макарон используют натуральные красители: чернила каракатицы, томатную пасту, шпинат, свеклу. Однако некоторые производители добавляют в дешевые макароны искусственные красители, так что надо внимательно читать состав.

Натуральные макароны могут храниться до 3 лет. Но цветные с различными добавками (морковные и со шпинатом) хранятся 24 месяца.

Качественные макароны должны легко гнуться. Изделия из мягких сортов быстро ломаются, в то время как макароны из твердых сортов прочны, отлично гнутся, при этом сломать их трудно. В пачках не должно быть ломаных макарон, поэтому желательно отдавать предпочтения макаронам в прозрачной упаковке.

Многие люди не употребляют макароны потому, что считают, что от макарон толстеют! Но на самом деле это не совсем так! Существуют макароны, от которых не потолстеешь! Они продаются в любом магазине и стоят столько же, сколько и обычные.

На самом деле, чтобы макароны не стали причиной лишних килограммов, нужно правильно их готовить. То есть не так, как их готовит большинство людей в нашей стране.

Дело в том, что каждый продукт имеет так называемый гликемический индекс. Чем он выше — тем больше шансов набрать вес. Надо чуть не доваривать макароны, поскольку гликемический индекс проваренных макарон равен 50, а чуть (всего на 1 минуту) недоваренных — 40, то есть шанс получить от них лишние килограммы ниже!

Именно недоваренные макароны чаще всего едят итальянцы. Они называют их «аль-денте», то есть «на зубок». Если не хотите набирать вес – ешьте слегка недоваренные макароны.

МИФЫ

• **После варки макароны обязательно нужно промывать водой.**

Многие промывают макароны, чтобы они не слипались. Однако это не обязательно. Промывать или нет – дело вкуса. Если не хотите промывать – добавьте в макароны масло, и тогда они не слипнутся.

• **Лучшие макароны – из мягких сортов пшеницы.**

Лучшие – из твердых сортов пшеницы. Потому что у них ниже гликемический индекс и в них содержится больше белка.

• **Домашние макароны полезнее магазинных.**

Многие думают, что домашние макароны лучше – ведь ты знаешь, из чего они приготовлены. Однако это не так. Некоторые магазинные макароны делают, используя молоко – в них гораздо больше полезных веществ, чем в обычных яичных макаронах.

• **Макароны ускоряют обмен веществ.**

Макароны не ускоряют обмен веществ.

ПРАВДА

• **Макароны улучшают состояние ногтей.**

В качественных макаронах много витаминов группы В. Эти витамины укрепляют ногти и способствуют их росту.

• **Макароны защищают от поседения.**

В макаронах содержится медь. Этот микроэлемент защищает волосы от поседения.

Многие женщины стараются не есть макароны. Ведь из-за них очень легко набрать лишний вес. Но на самом деле макароны в лишних килограммах не виноваты! Лишний вес появляется из-за соусов и добавок, которыми макароны заправляют.

Вот примеры калорийности разных блюд (200 г) из макарон из расчета на 200 г:

отварные макароны с маслом – 330 ккал;

макароны с сыром – 367 ккал;

макароны по-флотски – 390 ккал.

Конечно, макароны с такими заправками могут стать причиной лишнего веса. Поэтому макароны нужно есть с правильными соусами – низкокалорийными.

Соус № 1–257 ккал

Помидоры – 2 шт.
Томатная паста – 1/2 ст.
Чеснок – 1 зубчик
Корень имбиря – 4–5 см длиной
Яблочный уксус – 3 ст. л.
Подсолнечное масло – 1 ст. л.
Авокадо – 1 шт.
Соль

Помидоры ошпарить кипятком и снять кожицу. Очистить авокадо. Смешать все ингредиенты в блендере.

Соус № 2 – 204 ккал

Йогурт 0%-ный – 1 ст.
Томатная паста – 2 ст. л.
Соус чили – 1 ст. л.
Стручковый перец нарезанный – ¼ ст.

Все ингредиенты тщательно перемешать в блендере – и соус готов.

СОЛЬ

В древние времена соль считалась неимоверным богатством. Ею расплачивались вместо денег. Из-за нее даже разгорались войны. В наше время соль стала обычным дешевым продуктом. Она есть в каждом доме и не считается особой ценностью. Кроме того, некоторым людям врачи даже запрещают ее употреблять! Тогда это становится настоящим испытанием! Кажется, что невозможно есть пищу без соли. Но это не так.

Физиологическая потребность взрослого человека в натрии составляет в среднем 500 мг в сутки, что соответствует всего 1,25 г поваренной соли. Но врачи допускают увеличение потребления соли до 5–6 г. Реальное же потребление соли в России достигает 10–12 г, а у некоторых любителей соленого – даже 15 г в сутки!

Хлорид натрия является одним из важнейших химических компонентов, входящих в различные жидкости человеческого организма. Он входит в состав крови, лимфы, межклеточного пространства и всех клеток. Но его избыток может привести к повышению артериального давления, болезням почек, нарушению обмена кальция, остеопорозу, заболеваниям суставов. Людям с данными заболеваниями необходима бессолевая диета.

Скрытая соль в продуктах

Для того чтобы получить избыток соли, совсем не обязательно досаливать еду. Во многих продуктах существует скрытая соль! В порции копченой рыбы содержится почти 5 г соли, в двух ломтиках бекона – 3,5 г, а в бутерброде с ветчиной и сыром – 3 г! Многие животные продукты сами по себе весьма богаты хлоридом натрия: мясо, рыба, особенно морская, брынза, сыр, яйца. Например, мясные блюда, приготовленные без соли, уже содержат ее около 3–4 г! Людям на бессолевой диете стоит учитывать эти моменты.

Вот данные о содержании соли в некоторых продуктах ежедневного потребления.

Плавленый сыр (костромской). В 100 г плавленого сыра содержится примерно 3,5 г соли. Это 70% от суточной нормы. То есть суточная норма соли содержится примерно в 150 г плавленого сыра.

Ветчина. В 100 г ветчины содержится примерно 5 г соли, то есть 100% от суточной нормы!

Гамбургер. В одном гамбургере содержится примерно 3,7 г соли – это 74% от суточной нормы. Значит, суточная норма соли содержится в 1,5 гамбургера.

Кетчуп. В 100 г кетчупа содержится 4 г соли – это 80% от суточной нормы. Полная суточная норма содержится примерно в 120 г кетчупа.

Селедка. В одной селедке весом 300 г содержится 45 г соли – это 900% от суточной нормы. Многие люди с повышенным давлением едят селедку и думают, что от нескольких кусочков ничего не будет. А тем временем всего в двух кусочках селедки содержится суточная норма соли!

Тушенка. В 100 г свиной тушенки содержится примерно 3 г соли. Это значит, что суточная норма содержится примерно в 170 г тушенки. То есть примерно в половине банки свиной тушенки.

Чипсы. В средней упаковке чипсов содержится примерно 13 г соли, то есть 250% от суточной нормы, в маленькой – суточная, а в большой – 5 суточных норм!

Многие считают морскую соль полезнее обычной. Большинство людей считают, что морская соль полезнее потому, что в ней содержатся микроэлементы. Да, в ней действительно есть магний, кальций, калий. Но сколько же нужно есть морской соли, чтобы эти микроэлементы приносили здоровью пользу?

Для начала узнаем, сколько вообще соли человек может съедать за год без вреда для здоровья. В среднем это 1 кг 825 г. А теперь посмотрим, сколько морской соли нужно съедать в год, чтобы получить из нее необходимое количество микроэлементов.

Магний. Он очень полезен для здоровья. Магний помогает вырабатывать энергию, активирует аминокислоты, участвует в синтезе белка, передает нервный сигнал, укрепляет кости и стенки сосудов. Чтобы магний из морской соли приносил здоровью пользу, в год нужно съедать 3 кг 905 г соли. То есть в 2 раза больше нормы! А ведь это вредно! Морская соль точно так же, как и обычная, задерживает жидкость в организме, а значит, повышает давление и приводит к лишнему весу и болезням сердца.

Кальций. Может быть, с помощью морской соли можно получать достаточно кальция? Ведь кальций укрепляет кости, помогает усваиваться витамину D. Чтобы восполнить годовую норму кальция за счет морской соли, нужно съедать ее почти в 17 (!!!) раз больше нормы.

Калий. Ну и, наконец, поговорим про калий. Может быть, с помощью морской соли можно хотя бы его получать в достаточном количестве? Калий регулирует кровяное давление, передает электрические нервные импульсы, отвечает за сокращение мышц, в том числе и сердца. Вы только представьте себе – 81 кг 760 г, именно столько морской соли нужно съедать, чтобы калий из нее приносил здоровью пользу!!! Это в 45 раз больше допустимой нормы!

Очевидно, что такое количество соли, даже морской, съесть физически НЕВОЗМОЖНО! К тому же это очень вредно. Это значит, можно не переплачивать за морскую соль, а покупать самую обычную.

Наряду с вышеупомянутыми видами соли существует и так называемая черная соль. Чтобы ее приготовить, в обычную соль добавляют замоченный в воде ржаной хлеб, перемешивают. Потом смесь заворачивают в тряпицу и кладут в русскую печь или в костер на горящие дрова. Смесь обугливается – так получается черная соль. В ней больше йода, калия, железа, магния и других микроэлементов, поэтому она полезнее, чем обычная. Правда, она приобретает специфический привкус, который нравится далеко не всем.

Также существует особый вид соли – гипонатриевая соль. В этой соли больше калия и магния, но не натрия. Поэтому такая соль не будет задерживать жидкость в организме и ее можно употреблять людям, страдающим от гипертонии и заболеваний сердца.

МИФЫ

• **Избыток соли может привести к остеопорозу.**

Есть такое мнение, что избыток соли делает костную ткань хрупкой и, значит, может привести к остеопорозу. Но это миф. Скорее наоборот, соль снижает риск остеопороза. Потому что натрий, который содержится в соли, задерживает кальций в организме. А ведь именно кальций обеспечивает целостность костной ткани.

• **Солью можно отбеливать зубы.**

В Интернете пишут, что солью можно отбеливать зубы. Но этот рецепт вреден! Вы можете повредить зубную эмаль. Для того чтобы зубы были белыми, гораздо эффективнее просто их чистить.

• **Избыток соли в пище повышает риск подагры.**

Подагра – это отложение солей в суставах. Но к пищевой соли это не имеет отношения. При подагре в организме накапливаются соли мочевой кислоты.

• **Соль содержит витамины.**

Соль – это химическое соединение – хлорид натрия.

ПРАВДА

• **Лучше солить пищу после приготовления.**

Если солить во время приготовления, то вы съедите больше соли.

• **Бессолевая диета помогает снизить вес.**

При отсутствии соли в питании организм избавится от лишней жидкости, а значит, снизится и вес. Но вот от жира бессолевая диета избавиться не поможет.

• **Йодированная соль полезнее каменной.**

Йодированная соль нужна тем, у кого в организме недостаток йода. А каменная — всем остальным. И так как сейчас дефицит йода почти повсеместно, то лучше все-таки употреблять соль йодированную. При покупке обращайте внимание на состав. Активным веществом должен быть йодат калия. Если же указан йодид калия — то он за год испарится.

САХАР

Многие считают, что тростниковый сахар полезнее свекольного. Поэтому и стоит он дороже. Однако это миф! В тростниковом сахаре чуть больше микроэлементов. Но на состоянии здоровья это никак не отражается. А высокая цена тростникового сахара определяется в основном накладными расходами — чаще всего его везут из Южной Америки. Как тут не вспомнить замечательную нашу пословицу: «За морем телушка полушка, да рубль перевоз».

Коричневый сахар меньше вредит здоровью. В этом нас упорно пытается убедить реклама. Но это миф! У коричневого и белого сахара практически одинаковый химический состав и калорийность. И коричневый сахар, так же как и белый, резко повышает уровень глюкозы в крови. Если есть его часто и много, это может привести к ожирению!

Не платите лишние деньги и покупайте обычный белый сахар!

Сахар хорошо впитывает влагу, становясь при этом прекрасной средой для появления плесени. Сахар должен быть рассыпчатым. Если в пачке или мешке с сахарным песком есть комки, от такого сахара лучше отказаться.

Если сахар белоснежный, а его кристаллики — прозрачные и голубоватые, значит, это рафинад. То есть он максимально очищен. В нем нет никаких примесей. Но и полезных веществ тоже нет. Сахар желтого оттенка или молочно-белый — менее очищенный, и в нем больше полезных веществ. Некачественный продукт — серого цвета. Такой цвет означает, что или были допущены нарушения в технологии производства сахара, или его неправильно хранили.

Сахар всегда одинаково сладкий? «Сахар, он и в Африке сахар», — думают многие люди. Однако это не совсем так. Ведь бывает так: человек добавляет в чай ложку сахара, и он становится очень сладким, а иногда кладет две-три, а чай все равно несладкий. А все это потому, что сахар делается по двум ГОСТам.

Если сахарный песок сделан по ГОСТу 21-94, в нем содержится много примесей — красящих, минеральных и других веществ. Такой сахар будет не очень сладким.

Рафинированный сахарный песок изготавливается по ГОСТу 22-94. Мы привыкли, что рафинад — это прессованный сахар в виде кубиков. Хотя рафинированным может быть и сахарный песок. А слово «рафинад» обозначает всего лишь, что это продукт наивысшей очистки.

Песок-рафинад в отличие от обычного содержит меньше примесей. Поэтому он более сладкий. Чтобы реже покупать сахар и сэкономить деньги, выбирайте сахар-рафинад с ГОСТом 22-94.

Сахар ускоряет старение кожи. Дело в том, что, когда сахар проникает в организм, он расщепляется на фруктозу и глюкозу. Фруктоза накапливается в организме и повреждает белок коллаген, тот самый, что делает нашу кожу упругой и эластичной. И чем больше сахара ест человек, тем быстрее стареет его кожа. Если хотите замедлить старение, ешьте меньше сахара.

Сахар повышает уровень холестерина. Многие знают, что жирная пища повышает уровень холестерина. Но в Интернете пишут, что и сахар повышает его уровень. Как ни парадоксально это звучит, но так оно и есть! Попадая в организм, сахар расщепляется на глюкозу и фруктозу. Глюкоза перерабатывается клетками. А вот фруктоза накапливается в организме и принимает участие в образовании липопротеидов низкой плотности, то есть плохого холестерина. И чем больше сахара ест человек, тем выше у него уровень холестерина, из-за чего может возникнуть атеросклероз. Ешьте меньше сахара, чтобы снизить риск развития атеросклероза.

Сахар — главная причина сахарного диабета. Многие уверены, что сахарным диабет называется потому, что возникает чаще всего у сладкоежек. Но на самом деле это не так. Одна из главных причин сахарного диабета — это лишний вес. А лишний вес, как известно, появляется не только от сладостей. Чтобы защититься от сахарного диабета, контролируйте свой вес.

КВАС

«Квас благодаря своим вкусовым свойствам и дешевизне с давних пор представляет самый распространенный русский народный напиток. В посты, особенно в летнее время, почти главную пищу простого народа составляет квас с зеленым луком и черным хлебом». Энциклопедический словарь Ф. А. Брокгауза и И. А. Ефрона (1890–1907).

С тех пор мало что изменилось, если не считать того, что вряд ли сегодня, особенно в городах, готовят квас дома. Тем более что полки наших магазинов ломятся от бутылок с этим напитком, приготовленным промышленным способом. Остается научиться выбирать квас, который действительно хорошо утоляет жажду, а не усиливает ее.

В магазинах могут продаваться квасные напитки, которые квасом не являются. Сейчас их продают меньше, чем раньше, но проблема все равно осталась. Их делают из так называемого «квасного концентрата». Вот состав одного такого напитка: очищенная вода, двуокись углерода, лимонная кислота, ферментированный ржаной солод, пищевая добавка — концентрат кваса, подсластитель аспартам.

По сути, такой квасной напиток никакого отношения к квасу не имеет. Это обычная газировка. В нем нет дрожжей и молочнокислых бактерий, которые должны быть в настоящем квасе. Он не утоляет, а, наоборот, усиливает жажду. И вы выпьете его гораздо больше, чем обычного кваса.

Настоящий квас — это напиток брожения. Он должен состоять из квасного сусла, воды, сахара и закваски. Такой квас хорошо утоляет жажду.

Очень важно, какой метод брожения использовался — одинарный или двойной. Квас двойного брожения полезнее, чем одинарного. Он делается по классической технологии, по которой квас делали еще до революции и в советское время. Сначала из натурального зернового сырья — ржаной муки и ржаного солода — варится сусло. Затем в него добавляют воду, сахар и — обратите внимание — закваску из специальных культур: дрожжей и молочнокислых бактерий. То есть в настоящей закваске два компонента. Эта смесь бродит. Дрожжи перерабатывают сахар и выделяют спирт. А молочнокислые бактерии перерабатывают молочный сахар и выделяют молочную кислоту, которая придает кислый освежающий вкус. Также они выделяют витамины и полезные аминокислоты.

Вот почему такой квас называется квасом двойного брожения — ведь в нем бродят и дрожжи, и молочнокислые бактерии. Квас двойного брожения укрепляет иммунитет, улучшает работу кишечника, укрепляет сосуды и снижает уровень холестерина.

К сожалению, современный ГОСТ позволяет производить квас и по другой технологии — одинарного брожения. В него также добавляют дрожжи, но вместо молочнокислых бактерий в него разрешили добавлять молочную, лимонную или даже уксусную кислоту — как производителю заблагорассудится. И многие производители этим воспользовались. Ведь такая технология проще и дешевле. Мол, зачем мучиться с молочнокислым брожением, если кислоту можно добавить потом? Но у кваса одинарного брожения менее яркий вкус.

Чтобы не ошибиться в выборе кваса и купить именно квас двойного брожения, внимательно читайте этикетки. Настоящий квас содержит воду, сахар, ржаную муку или ржаной солод, а также чистые культуры дрожжей и молочнокислых бактерий в виде смешанной закваски. Никаких кислот — лимонных, молочных, никакого пивоваренного ячменя или ячменного солода в квасе быть не должно!

Когда квас готов, в нем много бактерий, и он не сможет долго храниться. Для увеличения срока хранения квасы фильтруют или пастеризуют. Пастеризованные квасы нагревают, и в них погибают все бактерии. Такие квасы могут храниться до шести месяцев.

Есть квасы холодной стерилизации, которые еще называют обеспложенными. Их пропускают через специальные фильтры, задерживающие бактерии и дрожжи. Такие квасы могут храниться от 10 до 30 дней. Они немного полезнее, чем пастеризованные, но разница не столь велика. Поэтому выбирайте квас с любым сроком хранения.

Лучше всего покупать квасы в стеклянной бутылке, но они гораздо дороже, да и встретишь их нечасто. Из пластиковых бутылок лучше выбирать бутылки темного цвета. Они почти не пропускают свет, а значит, полезные вещества в квасе лучше хранятся.

На бутылках кваса часто пишут – для окрошки (такой квас имеет кисловатый вкус) или для питья (более сладкий). Но, по сути, для окрошки можно использовать любой квас, ведь о вкусах не спорят.

Кому-то нравится окрошка на сладком квасе, кому-то – на кислом. Поэтому не смотрите на этикетку, где написано «квас для окрошки», а ориентируйтесь на свой вкус.

ЧАИ РАСТВОРИМЫЕ ДЕТСКИЕ

Ритм жизни современного общества постоянно растет. Все мы вечно куда-то спешим, и производители товаров и продуктов стараются помочь потребителю: они изобретают быстрорастворимые каши, супы и даже... чай!

А некоторые родители, стремясь сэкономить свое время, готовят быстрорастворимый чай своим детям. Ведь, как утверждают производители, такой чай окажет положительное влияние на организм ребенка. Но так ли это на самом деле? Давайте разбираться!

Во всех этих чаях в большом количестве присутствует сахар, что не принесет пользы малышу. Переизбыток сахара приводит к возникновению аллергического дерматита, избытку веса, напряжению и, как правило, увеличению объема поджелудочной железы. У таких детей может снижаться аппетит, они плохо едят овощи и мясо.

Следующий часто встречающийся в детских чаях ингредиент – декстроза (глюкоза), то есть опять углеводы. Большое количество сахара сводит на нет пользу от экстрактов растений, которые добавляют в такие чаи. Вообще, такой чай можно сравнить с газированными напитками. Только без газа. Но не все ограничиваются сахаром и экстрактами растений, некоторые производители добавляют еще карамельный сироп (это вода, сахар и ваниль) и лимонную кислоту.

Пользу такие чаи ребенку явно не принесут. Лучше самим готовить настои из трав, предварительно обязательно проконсультировавшись с педиатром.

Помните, в быстрорастворимых чаях огромное количество сахара. Это вредно для вашего ребенка!

СОКИ

Фруктовые и овощные соки – это кладезь витаминов. Так считают многие и стараются покупать заветные пакетики и бутылочки с любимым напитком хотя бы раз в неделю.

Далеко не все при покупке сока смотрят хотя бы на состав продукта. А это повышает риск приобрести вместо витаминного напитка коктейль из консервантов и красителей. Хотя иногда состав на упаковке вроде бы указан натуральный, но на самом деле такой напиток не имеет ничего общего с настоящим соком. Как же вычислить подделку?

Сок бывает нескольких видов.

ВОССТАНОВЛЕННЫЙ СОК. Этот сок изначально был сконцентрирован, затем его восстановили. При концентрировании некоторая часть воды из сока испаряется, уменьшая его массу. Чтобы получился восстановленный сок, в него необходимо добавить воду. Такой сок содержит в себе меньше витаминов и различных полезных веществ, чем свежевыжатый. Часть полезных свойств теряется в процессе концентрации.

СТЕРИЛИЗОВАННЫЙ СОК. Это сок длительного хранения. Он изготавливается чаще всего из концентрата. За счет нагрева до температуры 100 °С сок может храниться долгое время при комнатной температуре. При подогреве погибает микрофлора, теряется часть витаминов, ввиду чего соки часто искусственно обогащают витаминами.

СОК ПРЯМОГО ОТЖИМА производится с помощью отжима из фруктов непосредственно в местах их произрастания и сбора. Эти соки содержат большое число витаминов.

В состав натурального сока может входить сок, сахар или соль. Но лучше выбрать сок прямого отжима, без сахара.

Посмотрите, что написано на этикетке – сок, нектар или сокосодержащий напиток? От этого зависит количество полезных свойств, а также вкусовые качества сока. Сок – это 100%-ный напиток, сделанный из фруктов. Воды в нем быть не должно. Нектар – это сок, разбавленный водой. Причем сока в нем должно быть от 20 до 50%. Сокосодержащий напиток – это тоже сок, разбавленный водой, но здесь сока очень мало – около 10%.

Сейчас в магазинах часто продают смешанные соки: яблоко – вишня, яблоко – шиповник, яблоко – персик. Причем на упаковке крупно рисуют, например, вишню, и человек думает, что покупает вишневый сок. А на самом деле такой сок делают так: 90% яблочного сока и 10% вишневого. То есть, по сути, вы покупаете яблочный сок со вкусом вишни. Это просто уловка производителей. Если вы хотите вишневый сок, то лучше купить 100%-ный вишневый сок.

При производстве соков используют несколько вариантов упаковки.

Стекло – наилучшая упаковка для соков. Она не вступает ни с какими продуктами в реакции. Минус такой упаковки – может разбиться и пропускает солнечный свет, который способствует разрушению полезных веществ.

Картонная упаковка предотвращает попадание лучей солнца лучше других упаковок, и она не бьется. Но в них не стоит долго хранить кислые соки – апельсиновый или ананасовый, так как со временем они могут вступить с упаковкой в реакцию. Если вы выбираете сок в картонном пакете, то внимательно осмотрите упаковку. Она должна быть без повреждений, ровной и гладкой. Если у пакета есть микротрещины по бокам, то, скорее всего, в сок попал кислород. Из-за этого меняется состав сока и в нем заметно снижается количество витаминов.

Пластик тоже вступает со временем в реакцию с кислыми соками, начинают выделяться канцерогены.

Стоит обратить внимание и на дату производства сока. Почти все соки отжимают с августа по октябрь. Если на упаковке указано, что напиток произведен в другой период года, то следует усомниться в том, что это сок прямого отжима. Скорее всего, вы видите перед собой напиток, восстановленный из консервантов. У сока прямого отжима маленький срок хранения. Обычно он составляет от одного до трех месяцев. Упаковывается при этом сок только в стеклянные банки и бутылки. Срок хранения соков, восстановленных из концентрата, в разы больше, в среднем – год.

В большинстве фитнес-клубов и в уважающих себя ресторанах обязательно в прейскуранте есть раздел свежевыжатых соков. А многие люди готовят свежевыжатые соки и дома. Существует мнение, что соки не только богаты витаминами, но и помогают в лечении многих заболеваний. Действительно ли сокотерапия так эффективна и как правильно лечиться соками? Чем же такой натуральный продукт, как овощной или фруктовый сок, может навредить здоровью?

Все дело в том, что к употреблению каждого из соков существуют противопоказания. Например, свекольный сок. Он действительно снижает давление, но происходит это из-за большого количества нитратов, содержащихся в свекольном соке, – они расширяют сосуды. При гипотензии употребление свекольного сока может привести к резкому падению давления и обмороку. Также свекольный сок содержит щавелевую кислоту, поэтому при мочекаменной болезни, пиелонефрите и почечной недостаточности свекольный сок противопоказан.

Существует распространенный миф, согласно которому капустным соком можно вылечить язву желудка и двенадцатиперстной кишки. Это не так. Капуста действительно содержит витамин U, который улучшает заживление язвы желудка, но принимать его стоит только в виде препаратов. Капустный сок противопоказан при склонности к метеоризму и заболеваниях ЖКТ, так как усиливает газообразование из-за высокого содержания серы.

Почему-то многие уверены, что в яблочном соке много железа. На самом деле яблочный сок никак нельзя назвать рекордсменом по содержанию железа. Мало того что его всего-то 12% от суточной нормы, так оно еще и не усваивается нашим организмом, впрочем, как и из любых других продуктов растительного происхождения. Зато яблочный сок богат пектином, который помогает выводить вредный холестерин.

Вместе с тем яблочный сок противопоказан при гастрите с повышенной кислотностью, язвенной болезни желудка и панкреатите, так как содержащиеся в нем органические кислоты стимулируют выделение желудочного сока и ферментов поджелудочной железы и могут спровоцировать обострение этих заболеваний.

Апельсиновый сок действительно положительно влияет на работу иммунной системы. Но, как и в яблочном, в нем содержится большое количество органических кислот, поэтому и противопоказания будут те же: язвенная болезнь, гастрит, панкреатит. А регулярное употребление апельсинового сока натощак поможет вам заработать все эти болезни, даже если их у вас не было. Кроме того, органические кислоты стимулируют моторику кишечника, поэтому нельзя употреблять апельсиновый сок при расстройствах кишечника.

Морковный сок никак не влияет на остроту зрения. Это миф! Зато он содержит большое количество витамина А и бета-каротина, которые являются антиоксидантами и защищают наши клетки от разрушительного воздействия свободных радикалов. Однако морковный сок противопоказан при заболеваниях печени, поскольку витамин А при его избытке накапливается в печени, вызывая ее поражение.

Употребление всех перечисленных соков, кроме капустного, противопоказано при сахарном диабете, так как они имеют высокий гликемический индекс и содержат большое количество простых сахаров. По этой же причине не стоит употреблять эти соки людям, имеющим лишний вес.

На самом деле соки не являются лекарственным средством. Они полезны как профилактика заболеваний, но не смогут вылечить болезнь вместо лекарств. Кроме того, съесть сам фрукт или овощ намного лучше, чем выпить сок из них. Во-первых, в процессе выжимания сока из фруктов при контакте с кислородом витамины, содержащиеся в соке, начинают окисляться. А во-вторых, овощи и фрукты содержат полезную клетчатку, которая и от холестерина защищает, и помогает надолго создать чувство насыщения, и моторику кишечника улучшает.

С учетом противопоказаний отказываться от соков совсем не стоит, но помните: соки – это не лекарство, и вылечить болезни они не смогут!

СЛАДОСТИ И ДЕСЕРТЫ

Сладкое любят многие. Да что уж там многие – практически все! Но при этом его считают безумно вредным. По этому поводу ходит много мифов. А так ли это на самом деле?

• **Из-за сладкого портится кожа.**

Многие считают, что если есть много сладостей, то испортится кожа, появятся прыщи. На самом деле прыщи появляются из-за проблем с эндокринной системой, а сладкое эти проблемы только усугубляет. Поэтому если у вас нет прыщей, то можете есть сладкое и не бояться за свою кожу.

• **Сладкое – главная причина сахарного диабета.**

Многие уверены, что сахарным диабет называется, потому что возникает он чаще всего у сладкоежек. Но на самом деле это не так. Одна из главных причин сахарного диабета – это лишний вес. А лишний вес, как известно, появляется не только от сладостей.

• **Коричневый сахар лучше белого.**

Многие считают, что коричневый сахар гораздо полезнее, чем обычный белый. Но это не так. Коричневый тростниковый сахар точно так же повышает уровень глюкозы в крови, что и обычный. Миф же о полезности тростникового сахара появился потому, что в нем содержатся витамины и микроэлементы. Но их такое ничтожное количество, что никакой особой (по сравнению с обычным сахаром) пользы они организму не приносят.

• **Шоколад может стать причиной запора.**

Многие почему-то считают, что от переизбытка шоколада могут возникать запоры. Но они могут возникнуть лишь в том случае, если, помимо шоколада, вообще ничего не есть. При нормальном разнообразном рационе питания от шоколада запоры не возникают.

Если вообще перестать есть сладкое, никаких проблем со здоровьем точно не будет. Но это неправильно. Потому что человек должен есть сладкое. И 10% углеводов должно поступать именно в виде сахара, меда. При этом улучшается работа мозга и пищеварение. Сладкое не вредно для здоровья, если соблюдать меру!

МЕД

Мед и другие продукты пчеловодства – не только вкусная сладость, но и кладезь полезных веществ, помогающих сохранить наше здоровье.

Закристаллизовавшийся мед. Многие считают, что если мед кристаллизуется, то, значит, или пчел подкармливали сахарным сиропом, или фальсифицировали хороший мед, добавляя в него сахарный сироп. На самом деле это не так. Кристаллизация меда – естественный процесс, на качество меда он не влияет. Мед, по сути, не что иное, как пересыщенный раствор сахаров. В его состав входят фруктоза, глюкоза и вода, составляющие 90–95% его общей массы. В зависимости от их соотношения между собой в значительной степени будет зависеть характер процесса кристаллизации. Из всех сахаров, содержащихся в меду, на кристаллизацию в основном влияет глюкоза, так как ее растворимость ниже. В пересыщенном растворе глюкозы сначала образуются зародыши кристаллизации, которые растут и превращаются в кристаллы. Мед, собранный с различных растений, содержит в себе неодинаковое количество глюкозы, и чем его в меде больше, тем быстрее протекает кристаллизация. Фруктоза же, наоборот, остается в жидком состоянии, так как не кристаллизуется вообще. Поэтому виды меда, которые содержат много фруктозы, могут не кристаллизоваться вплоть до весны. Некоторые виды медов, например акациевый, каштановый, падевый, могут оставаться в жидком состоянии годами. Другие, как донниковый, кристаллизуются вскоре после откачки.

Мнения по поводу срока хранения меда сильно разнятся. Многие любители и частные производители меда утверждают, что при правильном хранении мед можно хранить годами. Есть сведения, что в сотах или при правильном хранении мед может не портиться очень долго (несколько столетий и даже тысячелетий), так как обладает сильно выраженным обеззараживающим свойством и губительно действует на многие микробы и плесневые грибки. В нашей повседневной жизни вряд ли возникнет необходимость в долгом хранении меда. Нельзя не согласиться с Винни-Пухом, который справедливо считал, что «... мед – это очень уж хитрый предмет. Всякая вещь или есть, или нет. А мед – я никак не пойму в чем секрет. – Мед если есть – то его сразу нет».

Вместе с тем мед очень гигроскопичен, при неправильном хранении может поглощать много влаги и закисать, а также впитывать посторонние запахи. Поэтому хранить его лучше всего при температуре 5–10 °С в сухом, хорошо проветриваемом помещении, где нет других сильно пахнущих продуктов, в стеклянной посуде. Для меда промышленной расфасовки ГОСТ устанавливает срок годности один год.

Мед не любит высоких температур. Под воздействием высокой температуры многие полезные свойства меда теряются. Поэтому, если вы хотите растопить закристаллизовавшийся мед, его надо нагревать на водяной бане при температуре не выше 60 °С. А если вы любите чай с медом – никогда не кладите его в горячий чай, а ешьте ложкой из розетки, запивая чаем.

МИФЫ

• **Медовый массаж помогает избавиться от солей и токсинов.**

Многие люди уверены, что медовый массаж выводит соли и токсины. В доказательство они демонстрируют белую пенку, в которую мед превращается во время массажа. На самом деле ее образуют отмершие частички кожи. Сам мед ничего вывести из-под кожи не может.

• **Качественный мед должен литься с ложки ровной струей.**

Жидкий натуральный мед должен наливаться струей, которая ходит влево и вправо. Если струя ровная, то мед разбавлен или подделан.

ПРАВДА

• **Мед нельзя добавлять в горячий чай.**

При температуре выше 60 °С ферменты, входящие в состав меда, разрушаются – значит, мед теряет свое полезное свойство. Лучше есть мед вприкуску с чаем.

• **Темный мед полезнее светлого.**

В темном меде содержится больше полезных ферментов и больше полезных веществ, чем в светлом.

Из меда можно приготовить «конфеты долгожителей» – такое громкое название эти конфеты получили за свои уникальные полезные свойства. Например, самые известные долгожители – японцы – ежедневно едят ингредиенты этих конфет и тем самым продлевают свою жизнь.

Мед – 6 ст. л.
Пчелиная пыльца – 6 ч. л.
Прополис тертый – 1 ч. л.
Маточное молочко – $^1/_2$ ч. л.

Все эти ингредиенты можно купить на медовых ярмарках, в магазинах меда, на рынках или на пасеках.

Все ингредиенты необходимо смешать и скрутить колбаской толщиной в палец, завернуть в пищевую пленку и убрать в морозилку на 2–3 часа. По прошествии этого времени остается просто нарезать эту колбаску кружками – получатся вкусные конфеты.

Несмотря на то что в «конфетах долгожителей» содержится мед, их можно есть худеющим. Потому что мед хоть и калорийный, но его там не настолько много, чтобы набрать из-за этих конфет лишние килограммы.

«Конфеты долгожителей» улучшают работу мозга. В них содержится маточное молочко, которое помогает мозгу усваивать кислород. При этом улучшаются внимание, память, усиливается трудоспособность. Кстати, в Японии всем пенсионерам выдают маточное молочко из расчета по 0,5 г на день.

«Конфеты долгожителей» замедляют старение кожи. Один из ингредиентов «конфет долгожителей» – пыльца. А именно она лидер по содержанию веществ, которые благоприятно влияют на кожу человека. Таких веществ в ней больше, чем в пшеничных зародышах и пивных дрожжах, которые также являются «продуктами молодости».

«Конфеты долгожителей» защищают от бактерий. Пчелиная пыльца, которую добавляют в конфеты, содержит вещество, которое препятствует росту бактерий в организме человека. Особенно выраженно антибактериальное воздействие сказывается на сальмонеллах.

«Конфеты долгожителей» полезны при бесплодии.

В Интернете пишут, что их ингредиент – маточное молочко – полезно при бесплодии, и это действительно так.

«Конфеты долгожителей» можно употреблять при гастрите. Они содержат прополис, который считается очень эффективным средством для лечения гастрита и язвы желудка, так как усиливает процесс заживления тканей желудка.

«Конфеты долгожителей» могут вызвать аллергию.

«Конфеты долгожителей» сделаны из пчелиной продукции, которая является сильнейшим аллергеном. Также «Конфеты долгожителей» не стоит есть в больших количествах, потому что они могут вызвать перевозбуждение нервной системы из-за маточного молочка.

ШОКОЛАД

Почти все женщины обожают шоколад! Вот только постоянно приходится себя ограничивать. За фигурой же надо следить...

В одной шоколадке содержится 538 ккал – треть суточной нормы! В общем, шоколад – это самый настоящий запретный плод.

МИФЫ

• Белый шоколад полезнее молочного.

В белом шоколаде нет ничего, кроме сахара и жира. В молочном же шоколаде есть какао-порошок.

А именно он обладает всеми полезными свойствами.

• **Шоколад можно есть женщинам в критические дни.**

Многие женщины действительно в эти дни едят его очень много. Но в шоколаде содержится вещество — теобромин, которое возбуждает нервную систему. А она во время критических дней и так находится в напряженном состоянии.

• **Шоколад полезен при мигрени.**

Шоколад, наоборот, может спровоцировать приступ мигрени.

• **Шоколад вреден для сердечно-сосудистой системы.**

Наоборот, полезен. Шоколад содержит вещества из группы флавоноидов. Они крайне полезны для сердца и сосудов. Под влиянием флавоноидов уменьшается проницаемость и повышается прочность капилляров. Они обладают эффективным противосклеротическим действием, снижают уровень холестерина в крови.

• **Шоколад провоцирует появление прыщей.**

Есть такое мнение, что от шоколада могут появляться прыщи, но это не так. В основном прыщи — последствие нарушений в работе эндокринной системы. Злоупотребление шоколадом может нарушить работу ЖКТ, что, в свою очередь, может стать причиной появления прыщей. Но сам шоколад в этом виноват не будет.

ПРАВДА

• **Шоколад может вызвать привыкание.**

В Интернете много информации о том, что шоколад вызывает привыкание. Это в принципе правда. Но человек привыкает к шоколаду чисто психологически. Никаких веществ, вызывающих привыкание, в шоколаде не содержится.

• **Шоколад помогает вылечить кашель.**

Ингредиент шоколада — теобромин — был признан чуть ли не в три раза более эффективным, чем кодеин, лидирующий в современных препаратах от кашля. Оказывается, что, кроме этого, шоколад также успокаивает и увлажняет горло.

• **Шоколад полезен при гипертонии.**

При гипертонии ухудшается кровообращение. И могут возникнуть тромбы. А шоколад препятствует образованию тромбов. Поэтому если у вас гипертония, то ежедневно съедайте по 2 кусочка темного шоколада. По заявлению экспертов немецкого института диетологии в Потсдаме, 6 г шоколада в день снижает риск заболевания гипертонией на 39%.

• **Шоколад может стать причиной изжоги.**

Шоколад снимает напряжение сфинктера. Он расслабляется. В результате желудочный сок может легко подняться вверх и попасть в пищевод, что вызовет изжогу.

• **Шоколад снижает чувствительность к боли.**

Исследования показывали, что употребление шоколада высвобождает эндорфины, которые вызывают чувство удовольствия и снижают чувствительность к боли.

• **Шоколад защищает зубы от кариеса.**

Обнаружено, что шоколад защищает зубы от разрушения, предупреждает появление кариеса и борется с зубным налетом. Какао содержит антибактериальные компоненты, которые борются с зубным кариесом, а танины, содержащиеся в шоколаде, препятствуют развитию дентальных бактерий.

• **Шоколад является афродизиаком.**

Это лакомство содержит аминокислоту фенилаланин, которая стимулирует выработку в организме гормона счастья – эндорфина.

Так почему же люди набирают лишний вес, когда едят шоколад? На самом деле все просто – по 1–2 дольки никто не съедает. Шоколад – это же так вкусно! Поэтому обычно съедается вся плитка (хорошо, если одна) сразу. А это – больше 500 ккал!

Существует один простой способ, который поможет вам наслаждаться вкусом шоколада и при этом не набирать из-за него лишние килограммы.

Это – заменитель шоколада, достойная низкокалорийная (всего 105 ккал) альтернатива любимому лакомству сладкоежек. Он обладает рядом очень полезных свойств.

Улучшает работу мозга, так как содержит витамины группы В, которые необходимы для нормальной работы нервной системы.

Защищает сосуды благодаря сочетанию цинка и витамина PP, снижает холестерин и укрепляет стенки сосудов.

Укрепляет сердце, так как в нем много магния, который необходим для нормальной работы сердца.

Сохраняет красоту, а также предотвращает ломкость ногтей и волос благодаря цинку, который полезен при угревой сыпи и перхоти.

Какао-порошок – 50 г
Молоко – 200 мл
Апельсин – 1 шт.
Сукралоза
Ванилин

В ковшик с толстым дном положить какао-порошок, сукралозу, ванилин, залить молоком и варить до закипания, постоянно перемешивая массу венчиком. При закипании убавить огонь и при постоянном помешивании варить до загустения.

После того как заменитель шоколада уже сварился, натереть цедру апельсина. Делать это нужно на очень мелкой терке, снимая только оранжевую часть кожуры, так как белая прослойка даст сильную горечь. Добавить цедру в шоколад.

И все! Остается только взять силиконовую форму, переложить в нее получившуюся смесь и отправить форму в морозильную камеру.

Многие покупают шоколадно-ореховую пасту в магазине — она насыщена сахаром и часто в ее состав входят трансжиры. Согласитесь, не самое полезное для здоровья сочетание. А ведь приготовить ее полезный аналог в домашних условиях — легко и просто!

Такая паста лучше магазинной. Во-первых, калорийность магазинной шоколадной ореховой пасты — 530, а домашней — 360 ккал. Во-вторых, магазинная паста содержит не менее 52% жиров, и эти жиры — насыщенные, вредные! А в домашней пасте на долю жиров приходится всего 30%, причем эти жиры — полезные!

Нут — 100 г
Фундук — 30 г
Какао-порошок — 50 г
Ванилин
Сукралоза

Нут отварить до готовности. Затем все ингредиенты взбить в блендере до однородной массы. Если потребуется, можно добавить немного воды, чтобы довести пасту до необходимой густоты.

Такая домашняя паста улучшит работу сердца — так как содержит магний, который укрепляет сердечную мышцу. Она снизит давление — поскольку содержит много калия, который выводит лишнюю жидкость из организма, а также витамин РР, который укрепляет сосуды. Домашняя шоколадная паста защитит от стресса — благодаря магнию, который обладает успокаивающим действием. А еще она замедлит старение, так как содержит антиоксиданты и богата витамином Е.

МОЛОКО СГУЩЕННОЕ

Каждый уважающий себя сладкоежка просто обязан иметь у себя дома этот продукт! Его можно есть с чаем, кофе, а можно просто есть ложкой прямо из банки! Главное — соблюдать меру!

Сгущенное молоко продается обычно в герметичных емкостях — это не что иное, как молочные консервы. Поэтому и срок годности, соответственно, увеличивается многократно по сравнению с обычным молоком.

Идеальные условия хранения для сгущенки при температуре 0–10 °С. Максимальный срок хранения — один год!

Если она ненатуральная, то есть изготовлена на основе растительных масел, то не будет так быстро портиться. Поэтому при повышенном сроке годности следует задуматься, что это за сгущенка и следует ли ее покупать.

МИФЫ

- **Если в сгущенке есть крупинки, значит, она плохого качества.**

По ГОСТу в сгущенном молоке с сахаром допускается выпадение кристаллов лактозы на дне банки при длительном хранении, то есть ближе к концу срока годности. Но никаких других дефектов консистенции в натуральном сгущенном молоке быть не должно: ни комочков, ни хлопьев, ни расслоения, ни отделения жира или сыворотки.

• **Буквы ГОСТ на этикетке гарантируют качество сгущенного молока.**

Увы, порой производители нас обманывают. Иногда буквы ГОСТ могут быть с другими цифрами и относиться, например, к изготовлению самой банки, а не ее содержимого. Поэтому рекомендуем запомнить, что цифровая часть ГОСТа для сгущенного молока — 53436.

• **В составе сгущенного молока по ГОСТу могут быть растительные жиры.**

По ГОСТу 53436, сгущенное молоко должно быть изготовлено только из молока или сливок и сахара.

• **Сгущенное молоко надлежащего качества сохраняет полезные свойства цельного молока.**

К сожалению, сгущенное молоко не сохраняет полезные свойства цельного молока, так как сахароза частично связывает кальций и делает его менее биодоступным, поэтому от сладкого молока меньше пользы, чем от натурального несладкого.

ПРАВДА

• **Сгущенное молоко лучше всего хранится в железной банке.**

До вскрытия — да. В упаковке из жести сгущенное молоко может храниться почти год при комнатной температуре, тогда как в полимерной сгущенку надо хранить в холодильнике и не дольше 6 месяцев. Но если вы открыли жестяную банку, то лучше переложить сгущенное молоко в стеклянную тару, и хранить его долго не стоит. Прозрачные полимерные бутылки, то есть пластик, — это не самая лучшая упаковка для сгущенного молока, так как такая бутылка пропускает свет, а значит, продукт в ней будет быстрее окисляться, то есть жир в этом молоке будет быстрее прогоркать.

• **Качество сгущенного молока можно определить по его консистенции и цвету.**

Качественная сгущенка должна иметь равномерную глянцевитую белую окраску с кремовым оттенком. Коричневый оттенок может свидетельствовать о нарушении технологического режима при изготовлении (слишком высокая температура). На ее поверхности не должно быть плесени. Консистенция должна быть однородной, не слишком жидкой и не слишком густой.

• **Качество сгущенного молока можно определить по вкусу.**

Пробуя на вкус, исключите прогорклость, затхлость и рыбный привкус. В качественной сгущенке должен ощущаться сладкий вкус и выраженный запах пастеризованного молока.

МОРОЖЕНОЕ

Вряд ли среди наших читателей найдется хоть один человек, который не знаком с этим восхитительным продуктом. О нем можно написать отдельную книгу. Мы же остановимся только на том, как правильно выбирать мороженое, на примере любимого всеми вафельного стаканчика.

Если раньше в качестве мороженого можно было не сомневаться, то сейчас очень многие производители делают его совсем не из молока или не совсем из молока.

Перед покупкой мороженого первым делом обратите внимание на его название и внимательно изучите состав на этикетке.

Если на этикетке написано «Ванильное мороженое», есть шанс, что оно изготовлено только из натуральных ингредиентов. Если в названии стоит «мороженое со вкусом ванили» — то оно содержит искусственные вкусовые вещества и ароматизаторы.

Производитель должен указывать ингредиенты по степени их убывания по количеству. Внимательно смотрите, что стоит на первом месте. Если вместо сливок и молока указано, к примеру, молоко сухое, обезжиренное или растительный жир, то это означает, что производитель уже отступил от классического рецепта.

В составе мороженого наверняка будут различные добавки Е. Это красители, эмульгаторы и стабилизаторы. Но не стоит сразу пугаться. Некоторые из этих добавок натуральные и совсем безобидны:

Е 440 — яблочный пектин — его добавляют в мороженое в качестве загустителя;

Е 406 — это стабилизатор агар-агар, получаемый из морских водорослей.

А вот другие добавки вредны:

Е 412 — это загуститель гауровая камедь. Вызывает аллергию. Особенно у детей;

Е 466 — стабилизатор карбоксиметилцеллюлоза, который входит в состав клея;

Е 407 — краситель каррагинан — может нарушить работу желудочно-кишечного тракта.

Специалисты не советуют покупать мороженое в стаканчиках без упаковки, так как на нем могут быть вредные бактерии.

Покупайте мороженое, которое продается в прозрачной упаковке. Через нее можно на него посмотреть. Если на мороженом есть вмятины, неровности, трещины или кристаллики льда, значит, его не раз замораживали и размораживали. Такое мороженое будет невкусным.

В натуральном мороженом в составе должен быть молочный жир. Если же молочный жир заменен растительным — пальмовым или кокосовым, — то не берите такое мороженое. Во-первых, это означает, что в мороженом нет качественного молока. Во-вторых, растительные жиры повышают уровень холестерина в организме.

Если стаканчик хрустит, то жира в нем больше 10%, а если

стаканчик влажный, то жира в нем меньше 10%.

Цвет мороженого не должен быть белоснежным. Если оно совсем белое, скорее всего, его делали не из натуральных продуктов. Цвет качественного мороженого – слегка кремовый.

Попробуйте мороженое. На зубах не должен хрустеть лед. Если вы его чувствуете, значит, мороженое было неправильно взбито или в него добавлено сухое молоко. Если от мороженого во рту появляется ощущение жирного налета, значит, в нем содержатся растительные жиры.

Качественное мороженое должно быть нежным, однородным, без кусочков льда или любых других сгустков, в меру сладким.

Качественное мороженое при таянии не теряет свою форму.

ТВОРОЖНАЯ МАССА

Творожная масса – этот вкус всем нам знаком с детства. Именно поэтому, купив творожную массу в магазине, мы часто обнаруживаем, что современный продукт сильно отличается по вкусу от любимого творожного лакомства советских времен.

На магазинных прилавках обнаруживается все больше и больше подделок, ведь творожная масса – продукт необычайно популярный. Как понять, где же натуральный продукт, а где вредная подделка?

Предпочтение надо отдавать вакуумной прозрачной упаковке, в ней масса лучше хранится, снижается риск развития патогенных организмов, и мы можем зрительно оценить качество содержимого. Удостоверьтесь в ее целостности.

Срок хранения натуральной массы – 72 часа. Если срок годности выше, значит, в продукт добавили консерванты или в составе продукта вовсе не творог.

У натуральной творожной массы он крайне прост: творог, сливочное масло, сахар. Присутствие заменителей молочного жира, спреда в творожной массе не допускается. Лучше выбирать творожную массу с традиционными наполнителями: изюмом, курагой, черносливом. Если вы выбираете творожную массу с шоколадной крошкой, выясните, действительно ли она сделана из шоколада. В составе такой массы должны быть указаны ингредиенты: какао тертое и какао-масло.

К сожалению, далеко не все производители пишут истинный состав своего продукта. Рекомендуем вам простой тест, который легко можно сделать в домашних условиях. Капля йода поможет вам обнаружить наличие в творожной массе наиболее часто применяемой фальсифицирующей добавки – крахмала. Если она посинеет – значит, в продукт добавлен крахмал.

Творожная масса – продукт, очень требовательный к условиям хранения. Поэтому, чтобы избежать отравления, обязательно перед употреблением надо понюхать творожную массу. Если есть даже слабый запах брожения – такой продукт лучше не есть.

Будьте внимательны при выборе творожной массы, и тогда вы насладитесь вкусом натурального творога, а не заменителей молочного жира и ароматизаторов!

ГЛАЗИРОВАННЫЙ СЫРОК

Культовый продукт советской пищевой промышленности, любимое лакомство и детей, и взрослых – это, конечно же, глазированные творожные сырки. Этот продукт необычайно популярен и в наши дни, вот только зачастую в нем нет ни творога, ни настоящей шоколадной глазури – каждый третий творожный сырок является подделкой.

Научитесь правильно выбирать этот продукт.

Любое нарушение герметичности может привести к тому, что в сырок попадут болезнетворные бактерии, а это чревато отравлением. Поэтому проверяйте целостность упаковки, она должна быть немного «надутой».

Сырок должен называться «Творожный глазированный», а не просто глазированный сырок. Если же в названии отсутствует слово «творожный» и продукт именуется просто «глазированным сырком» – значит, вместо натурального молока и сливочного масла производитель использовал растительные компоненты.

По ГОСТу Р 52790-2007 творожные сырки не должны содержать растительных жиров. В состав могут входить только творог, сливочное масло и сахар. Что касается глазури, в состав самой вкусной входит какао-масло и какао тертое, то есть фактически сырок заливается шоколадом. Однако многие производители используют синтетические ингредиенты. Поэтому лучше убедиться, что при производстве использовался настоящий какао-порошок, а не «заменитель какао». Состав натуральной шоколадной глазури: какао-масло, какао тертое, сливочное масло, сахар-песок.

Если на упаковке глазированного сырка указано, что срок его годности более 10 суток, значит, в него добавлены консерванты.

Чтобы быть наверняка уверенным в качестве глазированного творожного сырка, можно изготовить его дома. К тому же домашний сырок будет менее калорийным. В нем всего 283 ккал! А в магазинных их калорийность может достигать 420 ккал.

Творог 0%-ный – 300 г
Горький шоколад – 200 г
Подсолнечное масло – 1 ч. л.
Ванилин
Сукралоза

Творог протереть через сито и взбить миксером вместе с сукралозой и ванилином. Из получившейся массы сформировать сырки. Для этого можно использовать силиконовые формочки.

Кстати, можно выложить в формочку половину порции творога, затем положить посередине ягоды или фрукты, а затем закрыть их второй половинкой творога – получится сырок с начинкой.

Растопить шоколад в микроволновке. Чтобы он не сгорел, добавить в него 1 ч.л. подсолнечного масла без запаха.

Когда масло растопится, по одному опустить сырки в расплавленный шоколад и поставить на решетку обсохнуть.

Домашний глазированный сырок укрепляет кости, поддерживает мышечную массу и улучшает работу печени.

КАК ПРАВИЛЬНО МЫТЬ ОВОЩИ, ФРУКТЫ, ЯГОДЫ, ЗЕЛЕНЬ

Как это ни парадоксально, большинство людей моют овощи и фрукты неправильно, что крайне опасно. Известны случаи, когда употребление в пищу неправильно вымытых плодов и корнеплодов приводило к сильнейшим отравлениям, а то и к гибели людей! Одной из опасностей, которую хранят в себе плохо вымытые овощи и фрукты, являются паразиты-нематоды. Они вызывают поражения желудочно-кишечного тракта, что приводит к развитию диареи, серьезных аллергических реакций, а в запущенных случаях и к поражению кожи и подкожно-жировой клетчатки с образованием зудящих гнойничков. Нематоды могут провоцировать развитие ларингита, бронхита и даже приводить к пневмонии. Эти гельминты могут поражать центральную нервную систему, приводя к мышечным и суставным болям.

Другой опасностью является кишечная палочка, которая вызывает интоксикацию и поражение желудочно-кишечного тракта, органов мочевыводящей системы, желчевыводящих путей и других органов, что может привести даже к развитию сепсиса.

Помните, что овощи и фрукты полезны только тогда, когда они чистые.

Огурцы и помидоры

Огурцы и помидоры – именно эти овощи поначалу обвиняли в заражении энтерогеморрагической кишечной палочкой, которая вызвала эпидемию отравлений в Европе. Почему же на огурцы и помидоры пало такое подозрение? Дело в том, что на поверхности любого овоща присутствует масса микроскопических углублений, в которых остается земля, являющаяся средой обитания бактерий и паразитов. На одном помидоре может находиться до 100 тысяч микробов! Поэтому очень важно знать, как их правильно мыть. Для этого их нужно очистить от земли в проточной воде, а затем потереть обычной щеточкой в течение 2–3 минут. Только так удастся удалить остатки грязи и смыть вредных микробов и бактерии.

Клубневые овощи

Картофель, морковь, свеклу, редис, редьку, хрен, то есть те овощи, которые растут в земле, недостаточно просто промыть водой. Ведь на них, так же как и на огурцах с помидорами, может присутствовать кишечная палочка. Если посмотреть на поверхность моркови через увеличительное стекло, можно увидеть количество «складок», «впадин», в которых остается земля, а значит, и паразиты, и микробы.

Поэтому такие овощи нужно мыть очень тщательно. Вначале необходимо очистить их от земли, для чего их заливают теплой водой и оставляют на 10–15 минут. Во время такого замачивания часть грязи размокает, отлипает и оседает на дне. Затем следует щеткой тщательно смыть оставшуюся землю, после чего промыть овощи вначале теплой, а затем холодной проточной водой.

Грибы

Грибы содержат на себе не только частички почвы. На них также могут находиться личинки насекомых. Чтобы их удалить, необходимо замочить грибы на 2 минуты в однопроцентном растворе соли – 10 г соли на 1 л воды. Замачивание также поможет частично очистить грибы от почвы, хвои, частичек навоза и торфа, которые могут содержать паразитов и микробы. И только после замачивания грибы помещают в дуршлаг и промывают под проточной холодной водой в течение нескольких минут.

Импортные овощи и фрукты

У каждой хозяйки на кухне должна быть щеточка, которую обычно используют для мытья посуды. Она нужна для того, чтобы мыть импортные овощи и фрукты. Все обращали внимание, что они очень красивые – блестящие, а на ощупь – будто покрытые жиром. Их действительно обрабатывают синтетическими восками, парафинами и другими химическими веществами, чтобы они меньше портились. Например, дифенилом, который из-за своей токсичности запрещен в США и Европе.

В больших количествах дифенил раздражает слизистые оболочки глаз и дыхательных путей, вызывает аллергию, тошноту и рвоту, подавляет деятельность центральной нервной системы и способствует развитию кожных заболеваний. Поэтому импортные фрукты и овощи нужно мыть особенно тщательно.

Простой водой химию не смоешь. Сделайте из хозяйственного мыла мыльную воду, опустите туда овощи и трите их щеточкой не менее 3 минут. Так вы очистите овощи и фрукты от восков и парафинов, ну и, конечно, от кишечной палочки.

Клубника и земляника

Красивые ягоды земляники и клубники также могут прятать в себе паразитов, кишечную палочку и не только. Под увеличением можно увидеть, что поры клубники, похожие на соты, накапливают в себе пыльцу, которая может быть опасна для аллергиков. К тому же в этих порах могут быть паразиты. Чтобы их убрать оттуда, нужно тщательно промыть ягоды в проточной воде, а затем ошпарить кипятком. Чтобы ягоды не сварились, после того как их обдали кипятком, сразу же промойте их холодной водой. Так вы сохраните вкус и полезные свойства ягод.

Зелень

Любую зелень: укроп, петрушку, кинзу, зеленый лук, салат, щавель и так далее — нужно замочить во вместительной посуде в прохладной воде на 15 минут, меняя 2 раза воду, чтобы вся грязь и личинки паразитов оседали на дне. Затем траву вынимают из воды и еще раз хорошенько промывают под холодным «душем» из-под крана, чтобы смыть остатки грязи.

КАК ЗАМОРАЖИВАТЬ ОВОЩИ, ЯГОДЫ И ГРИБЫ

Многие из нас любят делать домашние заготовки овощей, ягод, грибов на зиму. Варенья, соленья, компоты... Это особенно актуально для сельских жителей и владельцев садовых и огородных участков. С появлением морозильных камер одним из самых популярных способов домашних заготовок стало замораживание.

Это самый щадящий способ, при котором овощи, грибы и ягоды остаются практически свежими и при хранении теряют минимум полезных свойств. Но, как показывает практика, многие люди замораживают продукты неправильно, и в итоге все витамины разрушаются. Как же этого избежать?

Овощи

Можно замораживать на зиму морковь, свеклу, лук, болгарский перец, кабачки и т.п. Потом их можно использовать для приготовления супов, рагу или борща.

Перед тем как замораживать овощи, их необходимо хорошо вымыть в проточной воде, а затем тщательно обсушить. В противном случае они примерзнут друг к другу.

Некоторые люди не моют овощи перед заморозкой. А зря. При мытье овощей мы чисто механически смываем грязь, паразитов и бактерии. Если же овощи не помыть, то некоторые бактерии при заморозке не погибнут. Они останутся на овощах в спящем состоянии. И если такие овощи потом добавить в блюда, это может вызвать отравление.

Обсушенные овощи надо нарезать ломтиками или полосками

или натереть на терке. Так они быстрее заморозятся, что хорошо, потому что в них сохранится больше витаминов. К тому же потом их удобнее добавлять в блюда.

Затем овощи надо распределить на такие порции, которые необходимы для приготовления одного блюда, чтобы не приходилось размораживать все овощи, а потом снова замораживать то, что не использовано. К тому же маленькие порции быстрее замораживаются. Кроме того, при первой заморозке в овощах сохраняется больше половины витаминов и микроэлементов, а при повторных они разрушаются полностью.

Раскладываем овощи в пакеты, выпустив воздух, чтобы они стали плоскими, или в контейнеры и отправляем в морозилку. Температура для заморозки – от –18 до –23 °С. При такой температуре овощи хорошо замораживаются и могут храниться от 8 до 12 месяцев, то есть практически до следующего сезона.

Ягоды

На зиму хорошо замораживать клюкву, чернику, смородину, вишню, облепиху. Можно замораживать и более нежные ягоды – малину, клубнику, ежевику, но при их подготовке надо соблюдать осторожность, чтобы не помять.

Сначала ягоды нужно перебрать, чтобы удалить мусор: листочки, мелкую живность, гнилые и незрелые ягоды, а затем тщательно промыть в проточной воде через дуршлаг. Следующий этап – тщательная обсушка на полотенце или другом впитывающем материале.

Нежные ягоды – клубнику, малину, ежевику и т.п. – не нужно замораживать в целлофановых пакетах. Они могут помяться при заморозке и потеряют форму при размораживании. Поэтому их лучше замораживать и хранить в контейнерах. Как и чернику.

Температура хранения от –18 до –23 °С. Если температура будет выше, чем –18 °С, то срок хранения ягод не должен превышать трех месяцев.

Грибы

Многие люди просто моют грибы перед заморозкой под проточной водой. Но этого мало. После предварительной мойки надо погрузить их на 2 минуты в однопроцентный раствор соли, после чего слить через дуршлаг и еще раз ополоснуть. Так от грибов открепятся жучки, черви и личинки паразитов, которые можно и не заметить.

Потом обрезаем от грибов все лишнее. Крупные грибы режем на части, а мелкие оставляем целыми.

Затем кладем грибы в дуршлаг и оставляем так на несколько часов. Грибы должны высохнуть. Складываем грибы в пакеты или контейнеры. Замораживаем и храним при температуре от –18 до –23 °С.

Как здорово будет холодным зимним днем достать из морозильной камеры клубнику, смородину, белые грибы и вспомнить запах лета!

Часть 2

КАЖДЫЙ ОРГАН ПОД КОНТРОЛЕМ

Так уж задумано природой, так уж устроен человек, что мы начинаем чувствовать свой организм, только когда в нем возникают неполадки. Кольнуло в сердце, и вот мы уже замечаем, что и бьется оно как-то не так. Заболел живот, и мы задумываемся о диете. Потянуло в пояснице – надеваем кофту подлинней, чтобы защитить почки. Но проблема в том, что, если появились симптомы, значит, заболевание уже прочно пустило корни.

Болезнь легче предупредить, чем лечить!

С годами хронических болезней становится все больше. И вот результат – еще шестидесяти нет, а человек ощущает себя полной развалиной. Хорошо, если он начинает бегать по врачам и старается изо всех сил вернуть утраченное здоровье. Но многие машут рукой – мол, уже пора готовиться к старости.

За время существования программы «О самом главном» нашими героями становились больные и той и другой категории. К счастью, большинству из них, а также нашим телезрителям мы смогли помочь советами, рекомендациями, а также назначениями от лучших специалистов России.

Тем не менее я стараюсь сделать так, чтобы в каждом выпуске программы «О самом главном» обязательно затрагивалась тема профилактики заболеваний.

Лучшее, что вы можете сделать для своего организма, – защитить его от надвигающихся болезней, дать отпор вредоносным факторам. Профилактика поможет сохранить активность, бодрость, отменное качество жизни до глубокой старости.

Чтобы знать, как предупредить заболевания, очень важно знать, что же происходит внутри человеческого тела, какие процессы в нем совершаются каждую секунду.

Я искренне желаю, чтобы благодаря этим знаниям вы сохранили и приумножили свое здоровье, а также помогли своим близким. Надеюсь, чтение будет для вас не только приятным, но и полезным!

ГОЛОВНОЙ МОЗГ

На нашу программу постоянно приходят письма от телезрителей с просьбой рассказать о профилактике и лечении различных заболеваний, посоветовать способы улучшить самочувствие. И проблема ухудшения работы головного мозга – одна из самых распространенных. Головокружения и головные боли, ухудшение памяти и нарушения концентрации внимания – на эти проблемы жалуется каждый третий телезритель программы «О самом главном», а о профилактике инсульта спрашивает каждый второй.

К сожалению, один из наших самых важных органов – головной мозг – весьма уязвим перед внешними вредоносными факторами и внутренними неполадками в организме.

Вот какие болезни угрожают головному мозгу чаще всего:

- головные боли;
- сенильная деменция (старческое слабоумие);
- инсульт;
- болезнь Альцгеймера;
- болезнь Паркинсона;
- рассеянный склероз.

Не от всех заболеваний можно защититься, но в наших силах поддержать здоровье головного мозга, улучшить его работу. Для того чтобы это сделать, важно в первую очередь понять, как этот орган устроен и как работает.

Как устроен головной мозг

Сложнейшая система под названием «головной мозг» состоит из пяти основных отделов: продолговатый мозг, задний мозг (мозжечок), средний мозг, промежуточный и конечный (передний) мозг. Каждый из этих отделов формировался в процессе эволюции. Продолговатый мозг – самый древний.

Продолговатым и средним мозгом обеспечиваются самые примитивные, но в то же время самые жизненно важные функции:

- дыхание;
- регуляция тонуса сосудов, обеспечивающая кровяное давление;
- защитные рефлексы, такие как чихание и кашель;
- ориентировочные рефлексы, помогающие нам неосознанно,

рефлекторно поворачивать голову на звук или зрительный раздражитель (вспомните, если вы услышали громкий звук, вы сначала поворачиваетесь, а уже потом оцениваете обстановку; такая реакция необходима для избегания опасности).

Мозжечок отвечает за регуляцию мышечного тонуса, координацию движений, регуляцию равновесия. Он составляет 10% от объема всего головного мозга, но при этом содержит более половины всех клеток центральной нервной системы – нейронов. При повреждении или нарушении питания мозжечка у человека возникают проблемы с координацией двигательной активности, поддержанием равновесия тела, ориентацией в пространстве. Такие нарушения могут появиться вследствие черепно-мозговой травмы, рассеянного склероза, хронического алкоголизма, доброкачественных и злокачественных опухолей головного мозга, ишемии и при некоторых наследственных заболеваниях.

Еще важными элементами головного мозга являются гипофиз и гипоталамус. Они расположены в промежуточном мозге: гипофиз имеет функцию гормональной железы, а гипоталамус регулирует гормональную функцию всех желез в организме. В этом же отделе находится и эпифиз, который связан с центром сна и бодрствования.

В таламус, который также располагается в промежуточном мозге, поступает вся информация от всех органов чувств: зрительная и слуховая информация, чувствительная, а также информация от всех внутренних органов и тканей. Если бы человек одномоментно осознавал всю эту информацию, он бы сошел с ума! Таламус же фильтрует все эти сигналы и передает в кору головного мозга только актуальную или новую информацию.

Если вы впервые надели на руку новые часы, вы почувствуете все новые ощущения: как ремешок трется о кожу, как прилегает к руке обратная сторона часов, насколько они тяжелые. А вот если вы каждый день носите часы на руке, то их наличие вы просто перестаете замечать — ведь информация об их наличии на запястье однообразная, и таламус фильтрует эти импульсы.

Конечный мозг – та желеобразная субстанция с извилинами, которая всем знакома по картинкам, состоит из двух больших полушарий, которые покрыты корой.

Интересно, что каждое из полушарий головного мозга отвечает за противоположную сторону тела. Например, при повреждении правого полушария у человека будет поражена левая сторона тела. Так происходит, потому что нервы, идущие от рецепторов через спинной мозг к головному, перекрещиваются.

Кстати, именно из-за такой особенности появился миф, что одно полушарие отвечает за логическое восприятие, а другое — за эмоциональное. На самом деле существенной разницы в работе полушарий головного мозга нет.

Кора головного мозга разделена на несколько долей – лобные, теменные, височные и затылочные. В каждой из долей есть свои центры, например отвечающие за речь, за зрение, обоняние и осязание и многие другие функции. При повреждении коры в каком-либо месте работа расположенных в этой локализации центров нарушается.

К примеру, лобные доли отвечают за сознание, мотивацию к действиям, самостоятельность решений, контроль поведения. Именно эти доли ранее специально повреждали при лечении буйных психических больных – врачи проводили операцию лоботомии. После такого вмешательства психически больной становился «овощем» – был апатичен, безынициативен и не проявлял никакого интереса к происходящему.

Однажды ко мне обратилась телезрительница, которая измучилась ухаживать за своей престарелой мамой. Женщина сердилась, что мама перестала делать хоть что-то по дому, ей ничего не интересно. Телезрительница списывала такое поведение матери на старческую вредность. Выслушав этот рассказ, мы вместе с нашим экспертом-неврологом предложили женщине отвести маму... нет, не к психиатру, а на МРТ. И наши догадки подтвердились – обследование показало поражение лобных долей вследствие ишемии головного мозга.

Сварливость и сквернословие у людей после инсульта или развития деменции тоже появляются не просто так. В лобных долях есть центр, который контролирует, сдерживает наше поведение. Именно благодаря ему мы можем научиться понимать, что в театре не стоит хрустеть чипсами, а на светском балу непристойно прилюдно сморкаться в салфетку. При поражении этого центра контроль отключается, и человек уже не осознает границ приличия.

Доминантные «центры обслуживания» височных долей – обонятельный и слуховой. При поражении обонятельного центра могут возникать обонятельные и вкусовые галлюцинации.

Слуховой центр височных долей позволяет нам расшифровывать поступающие речевые сигналы. При его поражении человек не сможет распознавать обращенную к нему речь. Также возникают головокружения, слуховые и зрительные галлюцинации, нарушение ориентации в пространстве.

Затылочные доли головного мозга в первую очередь отвечают за зрение, поэтому их поражение приводит к снижению остроты зрения или полной его потере.

Теменные доли имеют множество зон чувствительности: болевой, температурной, тактильной, вибрационной, — и при поражении этих центров появляется снижение или полное отсутствие чувствительности. Иногда может нарушиться осознание больным карты структуры своего тела — человек попросту не понимает, где у него рука или в каком месте находятся пальцы ноги, не может понять, где право, а где лево. Часто нарушается способность к письму и счету.

Головной мозг состоит из нейронов и глиальных клеток, которые соединены между собой сложными проводимыми путями — аксонами и дендритами. По ним передаются нервные импульсы. Все мы еще со школьного курса биологии знаем, что в головном мозге есть серое и белое вещества. Серым веществом является скопление нейронов и коротких проводимых путей между ними. А вот белое вещество составляют длинные, сложные проводимые пути — нервные волокна, которые покрыты особой миелиновой оболочкой — она необходима для нормального прохождения импульсов и подобна изоляционной ленте на электрическом проводе.

Кстати, существует мнение, что снижение обоняния может быть одним из первых предвестников, развивающихся еще в скрытом виде, болезней Паркинсона и Альцгеймера.

Если миелиновая оболочка повреждается, а это возникает, например, при рассеянном склерозе, то проведение электрических импульсов блокируется и нарушается работа головного мозга.

Для возникновения нервных импульсов и обмена ими между нейронами необходимы особые биологически активные химические вещества — нейромедиаторы, или, как их еще называют, нейротрансмиттеры. У нейронов есть два отростка — аксон и дендрит. Аксон одного нейрона связывается с дендритом другого, но они не соприкасаются плотно — между ними есть микроскопическая щель, которая называется синапсом. Так вот, для того чтобы от одного нейрона к другому прошел сигнал, необходимо, чтобы в месте щели аксон и дендрит соединил нейромедиатор. Для производства нейромедиаторов необходимы питательные вещества, особые ферменты и хорошая работа внутренних органов. Если человек испытывает дефицит питательных веществ или неполадки в организме, то он может ощущать различные неврологические симптомы.

Снижение уровня нейромедиатора ацетилхолина во многом обуславливает симптомы болезни Альцгеймера. Пониженный уровень серотонина может вызвать развитие депрессии.

Головной мозг по весу в среднем составляет всего 2% от общей массы тела человека, но при этом он потребляет более четверти всей производимой организмом энергии. Ведь каждое мгновение в этом органе происходит множество реакций. Около 25% поступающего в организм кислорода также потребляет головной мозг.

Обеспечивают мозг питательными веществами несколько крупных сосудов: две сонных артерии и две позвоночные артерии, которые у основания черепа сливаются в базилярную артерию. Нарушение их проходимости может вызвать голодание мозга и даже привести к развитию инсульта или смерти.

На одну из наших программ пришла телезрительница, которая страдала обмороками и сильными головокружениями. Причем возникали эти симптомы при странных обстоятельствах — только в том случае, если наша героиня запрокидывала голову назад. Попытка повесить шторы или разглядеть самолет в небе неизбежно приводила к тому, что у бедной женщины все меркло перед глазами. Мы отправили телезрительницу на специальную диагностическую процедуру — ультразвуковую доплерографию, которая позволяет обнаружить нарушения проходимости сосудов и снижение кровотока. В результате обследования у женщины выявили вертебробазилярную недостаточность — синдром, который возникает при сильном и внезапном прекращении поступления крови в головной мозг. А его причиной являлись дегенеративные изменения позвоночника — спондилез и разрастание остеофитов. Каждый раз, когда наша героиня запрокидывала голову назад, измененные позвонки пережимали позвоночные артерии, а кровь переставала поступать в мозг, что и приводило к потере сознания.

Сам головной мозг занимает только 80% внутреннего пространства черепной коробки. А что же представляют собой остальные 20%? Нет, мозг не окружен пустотой. Это пространство заполняют три оболочки. Сразу под костями черепа находится твердая оболочка. Под ней скрывается паутинная, а за паутинной — сосудистая. Между этими оболочками находится жидкость — ликвор. Он обеспечивает питание и амортизацию тканей.

Теперь, когда вы узнали о строении уникальной системы под названием «головной мозг», давайте поговорим о том, что же может нарушить его слаженную и сложную работу.

Симптомы нарушений работы головного мозга

Существует множество признаков, указывающих на то, что в работе головного мозга возникли проблемы. Одни из симптомов весьма специфические, другие могут появляться и при других заболеваниях. Вот почему нельзя диагностировать себе болезнь самостоятельно — при появлении тревожных симптомов нужно обратиться к врачу.

Признаки нарушений работы головного мозга:

- головные боли;
- снижение памяти;
- ухудшение концентрации внимания;
- нарушения чувствительности в конечностях или туловище;
- онемение или покалывание в конечностях;
- нарушения зрения;
- нарушения координации движения, неустойчивость при ходьбе;
- ощущение слабости;
- сексуальные дисфункции;
- эпилептические припадки.

А теперь я предлагаю разобраться в причинах ухудшения работы головного мозга.

Враги головного мозга

Одной из самых распространенных проблем, на которую жалуются наши телезрители, являются головные боли. Они могут беспокоить человека любого возраста. По статистике, от головных болей страдает около 70% взрослого населения нашей планеты. И если для кого-то боль в голове является редким неприятным эпизодом, то для других это мучительное состояние, возникающее чуть ли не каждую неделю.

Существует три основные разновидности головных болей.

Первая, самая распространенная — это головная боль напряжения. Ее испытывал, наверное, каждый человек хотя бы раз в жизни: голову будто сжимает стальной обруч, боль возникает в обеих половинах головы.

Хотя головные боли напряжения не являются очень сильными,

Головные боли напряжения часто беспокоят работников офиса и тех, кто долго работает за компьютером.

они серьезно снижают работоспособность, затрудняют мыслительную деятельность.

Причина возникновения головных болей напряжения – длительный мышечный стресс, то есть продолжительное напряжение мышц глаз или мышц затылка и шеи, мышц плечевого пояса. Так

Головную боль напряжения может спровоцировать работа с мелкими предметами в условиях плохой освещенности.

происходит при длительной работе с мелкими деталями – головные боли напряжения вполне могут появиться у любительниц часами вязать или вышивать. Переутомление при длительной работе с бумагами тоже может сыграть плохую роль. Головной болью напряжения может закончиться долгая поездка за рулем, особенно если погодные условия таковы, что водителю постоянно приходилось напряженно всматриваться на дорогу.

Развитию головных болей напряжения может способствовать и стрессовый фактор: курение, злоупотребление кофе или алкоголем, бессонница, голод, умственное перенапряжение, духота.

Для устранения головной боли напряжения порой достаточно отдыха в расслабленной позе или несколько часов сна. Помогает также массаж шеи и затылка, прием теплой ванны. Допустимо принять таблетку анальгетика, только не стоит злоупотреблять этими препаратами.

Существует особый вид головной боли – абузусная головная боль. Ее также называют лекарственной. Ее развитие могут спровоцировать лекарства... от головной боли! Как правило, такая головная боль появляется у тех, кто самостоятельно назначил себе анальгетики и принимает их регулярно. В этом случае нарушаются метаболические процессы в тканях и возникает зависимость от препаратов: если человек не выпьет таблетку, у него начинает болеть голова. Поэтому таблетки приходится пить постоянно, а зависимость от этого только усиливается. Получается замкнутый круг, разорвать который может только специалист.

Второй вид головной боли способен серьезно понизить качество жизни и представляет собой большую опасность для здоровья человека. Это — мигрень. Около 10% россиян страдают от данного вида головных болей, причем большинство заболевших – женщины.

Мигрень – это очень мучительная боль: захватывает только одну половину головы, пульсирующая, усиливающаяся при любом движении. Длится такое мучение до трех дней без перерывов. Во время такого приступа у многих больных возникает непереносимость света, звуков и запахов, развивается тошнота.

Пока ученые не установили точную причину возникновения мигрени. Есть предположение, что всему виной неравномерное расширение сосудов, из-за чего нарушается кровоснабжение головного мозга. Но уже сейчас выявлено, что приступ мигрени провоцирует употребление некоторых продуктов, которые содержат амины: тирамин, гистамин и серотонин. К ним относятся:

- сыр;
- шоколад;
- орехи;
- бананы;
- ананасы;
- цитрусовые;
- сельдерей;
- помидоры;
- копчености;
- соленая и маринованная рыба;
- бобы;
- куриная печень;
- пиво;
- красное вино;
- кофеинсодержащие напитки.

Если вы страдаете от мигреней, необходимо исключить данные продукты из рациона.

При длительном приеме или превышении дозы анальгина, аспирина, кофеина и эрготамина, а также их смеси анальгетиков с барбитуратами, седативные препараты (диазепам) могут вызвать обратный эффект. Длятся такие боли после отмены препаратов ежедневно до двух недель подряд!

Развитие мигрени может быть наследственным. Если оба родителя страдали от данного вида головной боли — вероятность появления мигрени выше 50%. Часто мигрень передается по наследству от матерей к дочерям.

У 60% женщин приступы связаны с началом менструаций.

Изменения гормонального фона тоже могут вызвать приступ мигрени. Так, часто данный вид головной боли появляется при приеме гормональных препаратов, в частности оральных контрацептивов.

Бессонница или избыточное количество сна, депрессия, физическое или эмоциональное переутомление – эти стрессовые факторы тоже могут вызвать мигрень. Еще к «провокаторам» таких головных болей относятся резкие запахи, яркий свет, шум, внезапная перемена погоды. Во многих случаях мигрень появляется после травм головы или шеи.

Заболевания внутренних органов тоже могут быть причиной развития мигрени. Например, этот недуг часто беспокоит людей, страдающих от заболеваний кишечника или поджелудочной железы.

Людям, страдающим от мигрени, необходимо вести личный дневник. Он служит не для романтических записей, а для мониторинга факторов, провоцирующих приступ мигрени. Рекомендуется записывать в начале приступа все то, что предшествовало его появлению: запахи, звуки, нервные переживания. Это поможет в дальнейшем найти и избегать факторы возникновения мигрени.

Существует мнение, что больным мигренью нужно избегать активного отдыха и стремиться к состоянию максимального покоя. Но это не так! В дни, когда приступа нет, полезны физические упражнения на свежем воздухе.

Более 35% людей, имеющих регулярные приступы мигрени, страдают от заболеваний печени и желчевыводящих путей.

Снижение сахара в крови – одна из частых причин приступов мигрени. Людям, страдающим этим заболеванием, следует придерживаться сбалансированного трехразового питания, избегать чрезмерной углеводной нагрузки.

Многие люди при мигрени пьют анальгетики и с удивлением обнаруживают, что они совершенно не помогают. Действительно, данная группа препаратов абсолютно бессильна перед мигренью. К счастью, есть другие лекарственные средства, которые способны унять мигрень. Суматриптан является «золотым стандартом» лечения мигрени.

Доказано, что пробежка в парке или езда на велосипеде снижают частоту мигренозных приступов на 20%.

Он вызывает сужение расширенного во время приступа сосуда и тем самым прекращает боль. Следует помнить, что во время применения суматриптана необходимо исключить продукты, содержащие тирамин: шоколад, какао, орехи, цитрусовые, бобы, помидоры, сельдерей, сыры, а также алкогольные напитки.

Также помогают в лечении мигрени антидепрессанты. Они способны оказывать влияние на различные механизмы развития мигренозного приступа — повышать порог восприятия боли, снижать возбудимость нервных клеток. Причем такие препараты следует принимать ежедневно в течение длительного периода.

А вот кластерная боль — самая мучительная. Сверхинтенсивная, невыносимая — были даже случаи самоубийства среди людей, страдающих от данного вида головной боли. Люди готовы расстаться с жизнью, лишь бы перестать испытывать эту пытку. И хотя кластерные головные боли — достаточно редкое явление, эта проблема все же существует.

У кластерных головных болей есть несколько особенностей.

- Внезапность — головная боль не имеет предваряющего периода или каких-либо признаков, предупреждающих о ее приближении.
- Время — во время кластерного периода головная боль появляется в одно и то же время суток ежедневно.
- Периодичность — очень болезненные, от 15 минут до 3 часов приступы идут один за другим несколько дней, недель или даже месяцев подряд — полугода! Человек чаще всего испытывает от одного до трех приступов в день, хотя может произойти серия из десяти приступов головной боли за сутки. По завершении серии головных болей следует период без них до трех лет.
- Внешний вид — непонятно, чем это обусловлено, но многолетние наблюдения выявили, что такому виду боли чаще подвержены мужчины с определенной внешностью: с развитой мускулатурой, толстой кожей, светлыми глазами, а также с привычкой курить.
- Глаз — боль локализуется только на одной стороне головы, сильнее всего за глазом, но болезненные ощущения могут распространяться на лоб, висок или щеку. В большинстве случаев боль ощущается на одной и той же стороне лица. Веко на пораженной стороне головы опускается и мо-

При мигрени ведите дневник приступов, чтобы понять, какие факторы их вызывают, чаще бывайте на свежем воздухе и занимайтесь спортом, а также следите за питанием и режимом дня!

жет выглядеть отекшим. Глаз часто налит кровью. Зрачок временно сужается, а зрение может быть расплывчатым.

Разобраться в точных причинах появления кластерных головных болей ученым пока не удалось. Но существуют две теории.

Первая теория: врожденное нарушение регуляции сужения сосудов на стороне. Вполне возможно, что курение и злоупотребление алкоголем вызывают приступ кластерной боли именно по этой причине – сужение и расширение сосудов происходит неравномерно, возникает спазм. Установлено, что большинство больных, страдающих от кластерных головных болей, выкуривали более тридцати сигарет в день.

Вторая теория: поражение гипоталамуса – нарушение регуляции этим органом биологически активных веществ (серотонина и вторично гистамина) приводит после спазма к одностороннему резкому расширению сосудов, особенно за глазом, и возникает боль.

Ученые выявили связь приступов кластерной головной боли с циркадными ритмами, то есть с биологическими часами человека, которыми управляет гипоталамус. Поэтому стрессы и изменения режима дня могут спровоцировать появление данного вида головной боли.

Для купирования приступа применяются анальгетики, триптаны, агонисты серотониновых рецепторов, транквилизаторы, гормоны. Для профилактики приступов назначают антагонисты кальция, антиконвульсанты.

Но наиболее эффективным методом являются ингаляции стопроцентного кислорода, для которых необходимо специальное оборудование, включающее в себя маску, дозатор потока и концентрации O_2, а также резервуар O_2.

Иногда причиной головных болей (чаще всего мигреней) является повышение внутричерепного давления. Наличие внутричерепного давления – это не болезнь, а жизненная необходимость на-

Чаще всего кластерные боли возникают у мужчин среднего возраста — от 20 до 40 лет.

Иногда боли снимают отвлекающие процедуры, горчичники, горячие ножные ванны, интенсивные физические упражнения.

шего организма. В пространстве черепа вещество мозга составляет 85%, кровь – 8%, а 7% приходится на цереброспинальную жидкость. Эти вещества должны находиться в строгом соответствии друг с другом, что отражает нормальная величина внутричерепного давления – 7–15 мм рт. ст. До тех пор, пока внутричерепное давление в норме, это не симптом, но когда оно повышается или уменьшается – это говорит о каких-то заболеваниях или травмах. Как при изменениях артериального давления.

Только вот измерить внутричерепное давление не так-то просто, как артериальное. Объективно оценить состояние ВЧД можно только во время операции со вскрытием черепа или при проведении люмбальной пункции, что менее достоверно. Все остальные исследования дают косвенную информацию.

Чаще всего встречается повышение внутричерепного давления. При увеличении объема любого из элементов внутри черепной коробки – головного мозга, крови или цереброспинальной жидкости (ликвора) – возникнет повышение давления в полости черепа.

Если увеличивается объем ткани мозга, это значит, что внутричерепное давление вызвано каким-либо новообразованием. На первых порах развития опухоли несильные и нечастые боли уже есть. Но дело в том, что человек идет к врачу, только когда головные боли достигают максимума, сопровождаются рвотой – к этому моменту опухоль может быть в неизлечимой стадии.

Повышение внутричерепного давления может вызвать и увеличившийся объем крови – при кровоизлиянии. Это очень опасно! Причиной кровоизлияния может быть черепно-мозговая травма или разрыв аневризмы головного мозга.

Третья, наиболее частая причина ВЧД – увеличение объема ликвора, жидкости, которая постоянно циркулирует в желудочках головного мозга и как бы омывает мозг. В норме у взрослого человека в черепе находится около 150 миллилитров ликвора. Через эту жидкость осуществляется питание клеток головного мозга, водно-электролитный обмен веществ. Также ликвор обеспечивает амортизационные функции. После того как эта жидкость доставила в мозг питательные вещества, она всасывается в кровь, но в том случае, если венозный отток от головного мозга нарушен, например, вслед-

При появлении регулярных головных болей обязательно покажитесь врачу-терапевту и врачу-неврологу. Важно сделать МРТ головного мозга, чтобы вовремя обнаружить проблему.

ствие закупорки вены атеросклеротической бляшкой или тромбом, ликвора в черепной коробке становится все больше и больше, нервные ткани сдавливаются и возникает сильнейшая головная боль.

Отек головного мозга и, как следствие, повышение внутричерепного давления может вызвать неправильный прием некоторых лекарственных препаратов: тетрациклинов, нитрофуранов, глюкокортикостероидов, оральных контрацептивов, бисептола, ретиноидов.

Нормализовать внутричерепное давление можно, устранив причину — болезнь, которая его вызывает. Но как жить в период, пока оно повышено? Есть несколько полезных правил.

• При повышенном ВЧД необходимо следовать бессолевой диете, потому что соль вызывает задержку жидкости в организме.

• Особенно важна профилактика простудных и инфекционных заболеваний, потому что безобидная ОРВИ при повышенном ВЧД может привести к серьезным осложнениям. Да и сам кашель, который является спутником этих заболеваний, является большой опасностью при повышенном внутричерепном давлении: когда человек кашляет, происходит естественное увеличение ВЧД в 4–5 раз!

• Не нужно увлекаться мочегонными продуктами — такая пища не влияет на отток жидкости из черепа. Более того, из-за необходимости нашего организма компенсировать потерянное, происходит увеличение отека.

• При повышенном ВЧД необходима постоянная защита головы от солнца в теплую и жаркую погоду. Необходимо воздержаться от пребывания на солнцепеке, от физических нагрузок на жаре и в жарких помещениях.

• Вопреки распространенному мнению, при головных болях, вызванных повышенным внутричерепным давлением, нельзя принимать горизонтальное положение, даже если очень хочется прилечь. В горизонтальном положении ухудшается венозный отток из мозга и внутричерепное давление увеличивается. Перевод больного из горизонтального положения в полусидячее является эффектив-

Если вы страдаете от повышенного внутричерепного давления, спите на высокой подушке, а лучше — в полусидячем положении.

ной мерой снижения ВЧД более чем для половины больных.

• Необходимо следить за тем, чтобы подбородок не прижимался к груди (так называемая поза «спящего кучера»). Установлено, что лучшим положением с точки зрения снижения ВЧД является запрокидывание затылка — «поза чихающего человека».

• Нельзя находиться в положении головой вниз.

• Нельзя задерживать или ограничивать дыхание.

Еще одна причина головной боли — заложенность носа. Когда нос заложен, мы не можем нормально дышать. Наши органы начинают испытывать дефицит кислорода, и возникает гипоксия. Больше всего от этого состояния страдает наш мозг, причем вред, который наносит гипоксия мозгу, необратим! Последствиями кислородного голодания являются головокружения, снижение памяти, упадок сил. Но кроме этого, существует риск повреждений клеток головного мозга, что может привести к старческой деменции, а проще говоря — к маразму.

Причин заложенности носа несколько:

• Аллергия является одной из причин заложенности носа, при которой нет обильных выделений. Если нос закладывает по ночам, обратите внимание на материалы, из которых сделаны ваши постельные принадлежности. Пух, перо и шерсть могут вызвать аллергию. В этом случае смените одеяло и подушки на принадлежности из гипоаллергенных материалов.

• Вегетососудистая дистония также может вызывать заложенность носа. Регуляцией процесса работы структур слизистой носа и кровенаполнения кавернозных тел занимается вегетативная нервная система. При сбоях в ее работе слизистая становится гладкой. Появляется застой венозной крови в кавернозных телах. Просвет носовых ходов значительно суживается, и носовое дыхание ухудшается.

• Вазомоторный ринит — воспаление, которое поражает слизистую оболочку мягких тканей, расположенных в полости носовых раковин, вызывает их сужение, а вместе с тем и нарушение сосудистого тонуса, вплоть до затруднения дыхания. Возникает заложенность носовых пазух и отечность слизистой носа.

• Если с заложенностью носа и затруднениями в дыхании вы боретесь с самого детства, возможно, причиной является искривление носовой перегородки. У большинства людей перегородка имеет различные искривления. Как правило, больные, имеющие подобную патологию, отмечают, что закладывает только одну ноздрю.

Лишь 5% людей имеют ровную перегородку носа.

• Полипы — вазомоторный ринит, искривление носовой перегородки, недолеченные синуситы и риниты — все это может вызвать рост полипов в носу. Люди с данной патологией часто жалуются также на проблемы со сном и ослабление обоняния.

Каждые четыре секунды жителю земного шара ставится диагноз старческого слабоумия, или сенильной деменции. К сожалению, у современной медицины возможностей полностью излечить это заболевание пока нет. Но важно знать, что проблемы с памятью начинают проявляться лишь спустя 10–15 лет с момента начала болезни.

Ускоряют развитие данной патологии:

• атеросклероз — нарушения кровообращения вследствие атеросклероза в 2–3 раза повышают риск развития старческого слабоумия;

• гипертоническая болезнь — у гипертоников риск развития старческого слабоумия выше на 60%;

• сахарный диабет — люди, заболевшие диабетом в зрелом возрасте, в два раза больше рискуют впасть в старческий маразм;

• травмы головы;

• инсульт;

• курение — у курильщиков вероятность развития слабоумия на 70% выше;

• злоупотребление алкоголем — у алкоголиков деменция может развиться еще в среднем возрасте — до 50 лет.

Частая причина развития старческого слабоумия, снижения памяти и концентрации внимания, ухудшения координации движений, головокружений и слабости — хроническая ишемия головного мозга. Это заболевание вызывается продолжительным ухудшением тока крови по сосудам, питающим ткани головного мозга. В этом случае мозг постоянно испытывает дефицит кислорода и питательных веществ, что ведет к ухудшению его функций, гибели нервных клеток: возникают очаги отмирания нейронов. По сути, происходит процесс, напоминающий инсульт, но толь-

Как правило, старческое слабоумие развивается после 65–70 лет, поэтому профилактику необходимо начинать уже в 50 лет!

ко очень растянутый во времени. Более чем у половины больных хроническая ишемия головного мозга приводит к полной потере трудоспособности.

Около 8% людей страдают от хронической ишемии головного мозга. Частые причины — артериальная гипертензия и атеросклероз, сахарный диабет, ишемическая болезнь сердца. Отложения атеросклеротических бляшек на стенках сосудов сужают их просвет, что ухудшает прохождение по ним крови. А при артериальной гипертензии ухудшается состояние стенок сосудов: они теряют эластичность, повреждаются, что способствует образованию тромбов.

Первыми признаками заболевания являются ухудшение характера, забывчивость, рассеянность. Важно помнить, что чем раньше начато лечение, тем эффективнее можно затормозить деструктивный процесс. Но лучше, конечно же, не допускать развития этого заболевания. С этой целью необходимо устранить влияние вредных факторов, отказаться от курения и злоупотребления алкоголем, не употреблять большое количество сахара, не допускать набора лишнего веса, вести активный образ жизни.

Хроническая ишемия головного мозга может спровоцировать и настоящий ишемический инсульт.

Головокружения — вторая по частоте причина обращения к врачу после боли. Нарушения мозгового кровообращения, о которых я рассказывал выше, конечно же являются самой распространенной причиной данного явления. Но есть еще один фактор, о котором мало кто знает. Даже врачи не всегда проверяют на эту патологию больных с жалобой на головокружения. Данная скрытая причина — это отолитиаз. Хотя это заболевание малоизвестное, оно очень распространено.

Почему оно возникает? Координация тела в пространстве, правильные движения — все это регулируется вестибулярным аппаратом внутреннего уха. Внутри него находятся кристаллы бикарбоната кальция — отолиты, ко-

После 50 лет необходимо посещать врача-невролога и врача-терапевта для профилактического осмотра, раз в полгода сдавать анализы на сахар крови и уровень холестерина.

торые в любом положении тела давят на какую-либо группу вестибулярных рецепторов, а те направляют электрические импульсы в головной мозг. Таким образом тело человека координируется в пространстве. Отолит может оторваться и начать свободное перемещение, задевая рецепторы и вызывая множество импульсов, которые мозг не в силах обработать. Человек теряет ориентацию в пространстве, и возникает головокружение.

Сильное и внезапное головокружение также может быть симптомом угрожающего жизни состояния — транзиторной ишемической атаки. Также ее проявлениями являются:

- тошнота;
- слабость в руке/ноге/мышцах лица;
- нарушение координации движений;
- нарушение речи;
- ухудшение/утрата зрения на один или оба глаза.

Транзиторная ишемическая атака — разновидность острого нарушения мозгового кровообращения.

Они могут повториться пару раз, после чего у человека наступит инсульт. А могут приходить и исчезать в течение нескольких лет. В этом и заключается основная проблема. При транзиторных ишемических атаках все неприятные ощущения проходят в среднем через час. И человек списывает это на переутомление или просто на непонятное внезапное недомогание. Поэтому многие после такого приступа не спешат обращаться к врачу. А это очень опасно, так как после повторных ТИА вероятность развития инсульта становится гораздо выше.

Почему возникают транзиторные ишемические атаки? Жировые вещества и соли кальция, которые откладываются в стенках артерий, образуют атеромы — атеросклеротические бляшки. От них могут отрываться маленькие частицы и попадать с кровью в мелкие кровеносные сосуды, ведущие к головному мозгу, временно блокируя кровоснабжение и вызывая транзиторную ишемическую атаку. Через кратковременный промежуток кровоток возобновляется и вместе с этим исчезают клинические признаки заболевания. При инсульте же нарушение кровотока и тромбоциты сохраняются, что приводит к постоянному повреждению ткани головного мозга.

40% инсультов предваряются именно такими атаками.

Для профилактики транзиторных ишемических атак важно избегать стрессов, контролировать уровень артериального давления, отказаться от вредных привычек, спать не менее 8 часов, исключить из рациона жирную пищу.

При появлении симптомов транзиторной ишемической атаки, перечисленных выше, обязательно вызовите бригаду «Скорой помощи». Даже если к приезду «Скорой» все симптомы прошли, отказываться от госпитализации не стоит: только в больнице врачи смогут определить, грозит ли вам инсульт в ближайшее время. Оптимальный срок госпитализации – 3 часа после первого симптома ТИА. Врач назначит необходимое лечение. Пожалуй, это самая важная рекомендация, так как именно игнорирование профессиональной помощи, нежелание обращаться к врачу при транзиторных ишемических атаках является причиной того, что избежать инсульта так и не получается.

Инсульт – это острое нарушение кровообращения в головном мозге. Оно приводит к повреждению и отмиранию нервных клеток. Случаи инсультов в нашей стране регистрируются медицинскими службами каждые 1,5 минуты.

Статистика показывает, что инсульт стремительно молодеет – если раньше от него страдали люди старше 50 лет, то сейчас данное опасное состояние возникает и у молодых мужчин 25–35 лет.

Инсульт занимает второе место среди всех причин смерти.

Женщин до наступления менопаузы от инсульта защищает гормональный фон, поэтому в возрасте до 50 лет инсульт в основном возникает у мужчин. Но после пятидесятилетнего возраста от инсульта начинают одинаково страдать как мужчины, так и женщины, причем представительницы прекрасного пола умирают от последствий инсульта чаще, чем мужчины.

Инсульт возникает вследствие спазма сосуда, по которому кровь поступает в головной мозг, закупорки его тромбом. Основной вредоносный фактор – атеросклероз. Отложения холестерина и других жиров на стенках сосудов формируют холестериновые бляш-

При нарушении мозгового кровообращения начинают стремительно гибнуть клетки головного мозга. Если медицинская помощь не будет оказана больному в течение первых 3–6 часов, он может умереть.

ки. Одна из таких бляшек может оторваться, вызывая повреждение стенки сосуда, что приводит к образованию тромба, который и вызывает закупорку артерии. Часто бляшки отрываются при резком повышении артериального давления или из-за нарушения сердечного ритма при тахикардии, вызванной ишемической болезнью сердца.

Для профилактики инсульта следует проводить профилактику и лечение следующих заболеваний и состояний:

- артериальная гипертензия;
- ишемическая болезнь сердца;
- атеросклероз;
- состояния, приводящие к повышенной вязкости крови — сахарный диабет, варикозное расширение вен, цирроз печени, панкреатит, болезни надпочечников;
- длительное обезвоживание;
- длительная диарея.

Также риск инсульта повышают изменения гормонального фона.

На предрасположенность к инсульту также могут повлиять гормональные нарушения. Замечено, что риск инсульта повышен у женщин, длительное время принимавших оральные контрацептивы, и у мужчин со сниженным уровнем тестостерона.

Повышают риск инсульта:

- ожирение;
- малоподвижный образ жизни;
- курение;
- злоупотребление алкоголем;
- длительное соблюдение постельного режима;
- стрессы;
- физическое или эмоциональное перенапряжение.

Еще одни из врагов головного мозга и всего организма в целом, о которых я часто говорю в нашей программе, — бессонница и ночной образ жизни.

Почему так происходит? Все дело в активности маленькой железы в головном мозге — эпифиза. Он вырабатывает особое вещество — мелатонин, которое необ-

Мужчины со сниженным уровнем тестостерона и женщины, длительное врем принимающие оральные контрацептивы, имеют повышенный риск возникновения инсульта.

При ночном образе жизни и бессоннице риск развития заболеваний сердца возрастает до 60%, риск рака молочной железы — до 40%!

Глюкуронолактон — чрезвычайно опасный химикат, применявшийся в 60-е годы для поднятия боевого духа американских солдат, воевавших во Вьетнаме. Он был запрещен к применению у военных из-за страшных последствий: у солдат, принимавших препарат, обнаруживали опухоли головного мозга.

ходимо для нормальной работы организма. Мелатонин обладает антиоксидантной активностью и защищает наши клетки от злокачественных мутаций.

Активность эпифиза зависит от периодичности освещения – мелатонин вырабатывается преимущественно ночью, в темноте. 70% его суточной выработки приходится именно на ночные часы, а пик – на 2 часа ночи. Поэтому так важно лечить бессонницу и не вести ночной образ жизни.

Бессонница повышает риск:

- сахарного диабета;
- ожирения;
- заболеваний нервной системы;
- онкологических заболеваний.

Довести до бессонницы и серьезно навредить организму могут популярные сейчас энергетические напитки. И дело не только в кофеине! Содержание таурина в энергетиках в несколько раз превышает допустимый уровень, а количество глюкуронолактона, содержащееся в двух банках напитка, превышает суточную норму почти в 500 раз!

О том, как победить бессонницу и другие состояния, угрожающие состоянию головного мозга, я расскажу в следующем разделе.

Друзья головного мозга

Как улучшить состояние головного мозга, повысить его работоспособность и сохранить его здоровье на долгие годы? Эти вопросы мне регулярно задают телезрители в письмах и на съемках нашей программы. И у меня есть ответы!

Давайте начнем с одного из самых распространенных синдромов, который испытывал хотя бы раз в жизни каждый человек. Это бессонница! Большинство людей сражается с отсутствием сна при помощи снотворных средств, но не всегда они являются здоровым выбором. Давайте разберемся в самых популярных средствах.

- Барбитураты – это группа лекарственных средств, производных барбитуровой кислоты, оказывающих угнетающее влияние на центральную нервную систему. В зависимости от дозы их терапевтический эффект может проявляться от состояния легкой седации до стадии наркоза. Барбитураты понижают общий тонус организма, что чревато проблемами с дыханием. Эти медикаменты быстро вызывают привыкание. Поэтому их употребление должно быть строго по назначению врача, который должен контролировать состояние больного во время курса препаратов.

• Сердечные капли — многие люди пьют подобные средства чуть ли не литрами, чтобы заснуть или успокоиться. Однако валокордин, корвалол и другие подобные средства содержат фенобарбитал, который также вызывает привыкание.

• Травы — корень валерианы, мята, мелисса, хмель и боярышник. Травяные сборы с этими растениями очень популярны от бессонницы. Однако даже травы нельзя пить бесконтрольно! Во-первых, может развиться толерантность к веществам и придется заваривать травяной чай все большей и большей концентрации для достижения необходимого эффекта. Во-вторых, травы также могут вызвать психологическую зависимость, когда без кружки такого чая человек уже не сможет заснуть.

Что же делать? Есть несколько способов справиться с бессонницей без вреда для организма.

При бессоннице полезно пить чай с лавандой. Она обладает успокаивающим и спазмолитическим действием, помогает при неврозах и бессоннице, но при этом не вызывает привыкания.

Бороться с бессонницей также поможет правило «20 минут». Если вы не можете заснуть в течение 20 минут, нельзя продолжать лежать в кровати. Необходимо встать и заняться какими-то делами. Но при этом нельзя заниматься деятельностью, не связанной со сном: читать, смотреть телевизор, заниматься уборкой. Рекомендуется медитация, релаксация, теплая ванна. Полезно заняться напряжением и расслаблением различных мышечных групп. Возвращаться в постель нужно только в состоянии выраженной сонливости. Если снова не можете заснуть в течении 20 минут — повторите все заново.

Еще один способ устранения бессонницы — метод парадоксальной интенции. Техника парадоксальной интенции состоит в том, что испытывающему тревогу пациенту предлагают осуществить именно то, чего он боится. Не

Также полезно положить в изголовье саше с лавандой или нанести одну каплю эфирного масла на подушку.

Не лежите в кровати без сна дольше 20 минут!

Поставьте себе цель бодрствовать всю ночь, и вы заметите, что веки начнут предательски смыкаться. Такой способ «наоборот» поможет заснуть.

можете заснуть — не спите. Не бойтесь не выспаться. Наоборот, поставьте себе цель бодрствовать всю ночь. Усиленное стремление заснуть, порождаемое боязнью не заснуть, заменяется парадоксальной интенцией — стремлением не заснуть, вскоре за которым должен последовать сон.

Полезным способом является и метод контроля времени — необходимо вставать в одно и то же время, вне зависимости от того, сколько вы спали. Также нельзя спать в течение дня. Заводите будильник и ежедневно вставайте в одно и то же время.

А еще по будильнику нужно... ложиться спать! Да-да, приучите свой организм вставать и ложиться в одно и то же время.

Кстати, этот способ хорошо подойдет любителям поспать днем. Многие пожилые люди начинают страдать от бессонницы из-за того, что прикладываются к подушке в дневные часы. Получается замкнутый круг: организм выспался и не хочет засыпать ночью, а после ночной бессонницы из-за разбитого состояния хочется спать днем.

И еще помните, выше я говорил о мелатонине. Он помогает выровнять биологические часы организма. Данный препарат выпускается в таблетках, его можно купить практически в любой аптеке. Засыпать после приема мелатонина нужно в полной темноте: не используйте ночники и повесьте плотные шторы на окна.

А теперь поговорим о том, как справиться с головной болью. На помощь нам, конечно же, приходят лекарственные препараты:

- при головной боли напряжения – анальгетики;
- при мигрени – триптаны;
- при кластерной головной боли – стопроцентный кислород.

Принимайте препарат мелатонина за 30 минут — 1 час до сна. Он поможет заснуть и будет полезен в профилактике онкологических заболеваний.

Но что можно применить еще?

При головных болях напряжения поможет простой способ. Возьмите обычный носок и положите в него два теннисных мячика. Завяжите носок. Встаньте спиной к стене и зажмите носок

Также от головной боли напряжения помогает массаж двух ямок, расположенных на затылке.

с теннисными мячиками в горизонтальном положении между стеной и шеей. После этого, то немного приседая, то поднимаясь, катайте носок с шариками по шее и затылку, массируя их. Если у вас есть кресло с высокой спинкой, можно проделывать эту манипуляцию в нем. Такой «массажер» поможет расслабить мышцы шеи, затылка и плечевого пояса, спазм которых и является часто причиной развития головной боли.

При головной боли можно использовать лед. Наложение льда на шейные позвонки в течение 1–2 минут дает облегчение при головных болях и стабилизирует кровяное давление.

А еще устранить головную боль поможет... исправление прикуса! Неправильный прикус может быть врожденным, а может развиться с возрастом вследствие потери зубов. Неправильный прикус бывает нескольких видов.

• Глубокий прикус – верхние резцы перекрывают фронтальную поверхность нижних резцов более чем на 50%.

• Мезиальный прикус – нижняя челюсть заметно выдвинута вперед по отношению верхней.

• Перекрестный прикус – недоразвитость одной стороны какой-либо из челюстей.

Дело в том, что неправильное смыкание челюстей может привести к нарушениям в височно-нижнечелюстном суставе. Этот сустав соединяет челюсть и основание черепа. Таким образом, нарушения в этом суставе могут оказывать непосредственное влияние на кровеносные сосуды, нервы. И одним из самых распространенных последствий неправильного прикуса является излишнее давление на нервы, мышцы и кровеносные сосуды, проходящие рядом с головой. Это может вызывать мигрени и головные боли.

Если головные боли часты (речь идет особенно о головных болях напряжения и болях в области глаз по утрам, а также в области шеи и плеч), необходимо задуматься о визите в кабинет стоматолога.

У многих людей прикус в той или иной степени отличается от нормального, но в основном не носит критического характера и, соответственно, не требует лечения. При серьезных отклонениях от нормы требуется ортодонтическое и иногда даже хирургическое вмешательство.

Следует отметить, что многие люди живут со своим неправильным прикусом вполне нормально, приспосабливаясь к имеющимся симптомам. Именно поэтому к врачу они обращаются не тогда, когда чувствуют головные боли, а тогда, когда начинают испытывать проблемы со сломавшимися или излишне подвижными без видимых на то причин зубами, выпавшими пломбами, зубной болью.

Исправление прикуса может устранить головные боли, сократить риск разрушения зубов и уменьшить давление на височно-нижнечелюстной сустав.

Регулировка расположения зубов необходима, чтобы линия смыкания проходила на одном уровне. В том случае, если прикус совершенно неправильный, необходима коррекция с помощью скоб.

Также врачи предлагают во время лечения использовать пищу, которая вызывает меньше стресса, – рекомендуется употреблять мягкие продукты.

Головные боли, состояние разбитости и постоянной усталости, головокружения и общее недомогание часто возникают на фоне астении и депрессии.

Всем знакомо состояние сезонной астении, когда ранней весной возникает необъяснимая хандра, все валится из рук, ощущается слабость. Что же вызывает это неприятное состояние?

Во время зимнего периода организм испытывает нехватку витаминов, дефицит которых может вызывать постоянное чувство усталости, сонливость, ухудшение настроения.

Для восстановления баланса полезных веществ в организме стоит начать принимать витаминные комплексы.

Атомная масса углекислого газа больше, чем у воздуха, и зимой, когда холодно, он оседает ниже воздуха. Зеленой растительности для фотосинтеза нет, и воздух перенасыщается углекислым газом. За холодные месяцы мы привыкаем дышать такой смесью. Когда весеннее солнце начинает нагревать атмосферу, углекислый газ стремится вверх. Распускаются листья, которые потребляют углекислый газ. И нам с непривычки становится плохо от воздуха, богатого кислородом. Возникает состояние разбитости.

Всю зиму мы испытываем дефицит солнечного света. А ведь именно под воздействием солнечного

Поможет справиться с весенним «отравлением кислородом» обычный бумажный пакет. Возьмите пакет в руки, соберите его горлышко и медленно дышите через него ртом. Таким образом вы будете дышать воздухом, насыщенным углекислым газом.

света гормон радости серотонин вырабатывается интенсивнее всего. Серотонин помогает передавать информацию из одной части мозга в другую и является регулятором процессов в центральной нервной системе. Нормальный обмен серотонина обеспечивает положительный эмоциональный настрой. Именно серотонину мы обязаны возможностью испытывать счастье, за это данный нейромедиатор часто называют «гормоном радости». В норме у человека присутствует достаточный уровень серотонина, который защищает нервную систему и повышает уровень устойчивости к чувствительным ощущениям.

При сезонной астении и во время депрессии уровень серотонина снижается. Следовательно, увеличивается чувствительность к ощущениям. И те ощущения, которые для здорового человека не имеют значения, при депрессии становятся сильными раздражающими факторами. Постоянное напряжение нервной системы может стать причиной головных болей, развития слабости и недомогания, состояния хронической усталости.

Что же еще поможет справиться с этими неприятными последствиями?

- Физическая активность – активный образ жизни улучшает снабжение головного мозга кислородом, способствует выработке эндорфинов – «гормонов счастья».
- Правильный режим – важно не перегружать организм, чередуя периоды работы и отдыха, также соблюдайте режим сна и бодрствования.
- Питание – серотонин в нашем организме вырабатывается из его предшественников, в частности из триптофана. В день необходимо потреблять 1–2 грамма триптофана. Продукты, богатые этим веществом: индейка, говядина, творог, яйца и грибы.
- L-карнитин – увеличивает выработку энергии в клетках и предотвращает вред, наносимый мозгу свободными радикалами,

Поэтому в добавление к яркому весеннему солнышку поменяйте освещение в квартире на более мощные лампы.

улучшает передачу нервных импульсов.

• Чай со зверобоем – зверобой содержит гиперицин, который улучшает секрецию гормона радости серотонина.

Если депрессия сильная, необходимо обратиться к врачу-неврологу. Также необходима работа с психотерапевтом. Для улучшения состояния в зависимости от причины применяются ноотропы, антидепрессанты и анксиолитики.

А теперь поговорим о профилактике дегенеративных изменений головного мозга, которые приводят к снижению памяти, концентрации внимания, работоспособности, а также вызывают развитие старческого слабоумия и болезни Альцгеймера, – многие люди боятся старости именно из-за этих заболеваний, ведь они грозят потерей памяти, утратой личности и лишают возможности общаться с близкими и ухаживать за собой. Все эти проблемы, как я рассказывал выше, возникают прежде всего из-за ухудшения кровообращения, вследствие которого нарушается снабжение головного мозга кислородом и питательными веществами.

Итак, первая проблема, вызывающая нарушения кровоснабжения головного мозга, – это атеросклероз. Избыточное количество холестерина приводит к появлению бляшек и тромбов на стенках сосудов. Справиться с этой проблемой и предотвратить развитие атеросклероза поможет диета:

• отказ от животных жиров;

• отказ от избыточного употребления соли и сахара;

• употребление достаточного количества клетчатки;

• употребление продуктов, богатых витамином Е;

• употребление продуктов, богатых полиненасыщенными жирными кислотами Омега-3.

Более подробно о продуктах для здоровья мозга мы поговорим чуть ниже.

Вторая проблема, ухудшающая работу головного мозга – сахарный диабет. Это заболевание приводит к изменению сосудистой стенки, повышает ломкость сосудов. Для профилактики сахарного диабета важно снизить количество легкоусвояемых углеводов и сахара в рационе, вести активный образ жизни, не допускать набора лишнего веса, следить за здоровьем поджелудочной железы.

Третья проблема – гипертония. Она приводит к изменению сосудистой стенки и сердца. Для профилактики необходим контроль артериального давления, желательно 3 раза в день с ведением дневника. Если показатели артериального давления больше

Для профилактики атеросклероза сдавайте анализ крови на липидный профиль не реже чем 1 раз в год.

Контролировать метаболизм поможет анализ крови на сахар. Существует особая норма — «гликемическая триада»: уровень глюкозы в крови натощак должен быть меньше 5,6 ммоль/л, через 2 часа после еды — меньше 6,7 ммоль/л, гликированный гемоглобин — менее 6%.

140/90, следует обратиться к терапевту или кардиологу.

Четвертая проблема – гиподинамия. Малоподвижный образ жизни приводит к ожирению, развивается атеросклероз, ослабевают сердце и сосуды, риск сахарного диабета возрастает. Для устранения этой проблемы, конечно же, нужен активный образ жизни. Но! Физическая активность должна быть регулярной и достаточной. Лучше всего подойдут динамические виды активности: ходьба, ЛФК, катание на лыжах, велосипед или занятия на велотренажере, степ-платформе.

Нерегулярная или избыточная физическая активность может спровоцировать инсульт.

Ученые клиники Майо (штат Миннесота, США) доказали – регулярные физические нагрузки защищают клетки мозга от разрушения. От слабоумия лучше всего спасают кардиотренировки – быстрая ходьба пешком, скандинавская ходьба, аэробика, плавание, бег и т.п., а йога стабилизирует психоэмоциональное состояние.

Ходите пешком 3 раза в неделю не менее 45 минут.

И пятая проблема – это внешние факторы: курение, алкоголь, радиация, загрязнение окружающей среды. Они нарушают кровоснабжение головного мозга. Клетки мозга подвергаются поражающему действию свободных радикалов.

От вредных привычек, конечно, просто необходимо отказаться, если вы хотите, чтобы ваш головной мозг был здоров до глубокой старости. А от других вредоносных факторов поможет защититься гинкго билоба. Эта биологически активная добавка защищает клетки мозга от окислительного повреждения.

К вредным привычкам можно отнести и нездоровый трудоголизм: постоянные стрессы, несоблюдение режима труда и отдыха попросту «выжигают» нервную систему, поэтому обязательно находите время на расслабление.

Справиться с воздействием стрессовых факторов помогут адаптогены – это вещества растительного и животного происхождения, которые одновременно и тонизируют, и стимулируют. Адаптогены помогают справиться с нагрузками, снимают стресс и улучшают концентрацию внимания.

Гинкго билоба помогает защитить память и способствует профилактике старческого слабоумия. Эта добавка улучшает кровообращение, в том числе микроциркуляцию в мелких капиллярах, и блокирует агрегацию тромбоцитов, то есть свертывание крови.

Хорошей профилактикой деменции и болезни Альцгеймера также является L-карнитин. Он участвует в синтезе ацетилхолина – важнейшего нейромедиатора, участвующего в процессах запоминания, поэтому дефицит L-карнитина приводит к проблемам с вниманием и памятью. Препараты данного вещества помогают предотвратить патологическое старение мозга при стрессах, улучшает внимание и память.

К адаптогенам относятся женьшень, лимонник китайский, элеутерококк, родиола розовая. Принимать адаптогены нужно строго в первой половине дня.

Особое внимание в профилактике старения мозга, нарушений памяти, развития слабоумия необходимо уделять диете. Существуют продукты, которые являются настоящими помощниками головного мозга, защищают его от преждевременного старения, улучшают его работу.

В первую очередь это продукты, богатые витаминами группы B, – витамины группы B (B_1, B_6, B_9 и B_{12}) помогают защитить организм от стрессов и чрезмерных нагрузок, улучшают обмен веществ в нервной ткани, защищают миелиновую оболочку нервных клеток, необходимы для синтеза красных кровяных клеток. Особенно внимательно к возможности дефицита этих витаминов (особенно витамина B_{12}) следует относиться людям, соблюдающим вегетарианскую диету.

Витамином B_1, тиамином, богаты следующие продукты:

- пророщенные зерна пшеницы;
- арахис;
- фисташки;
- горох;
- свинина;
- гречка.

Дефицит витаминов группы В приводит к раздражительности, слабости, невропатии, дегенерации нервных волокон, анемии!

Витамином B_6, пиридоксином, богаты:

- фасоль;
- соя;
- фундук;
- грецкие орехи;
- говяжья печень;
- скумбрия;
- тунец;
- сардины;
- пшено;
- пивные дрожжи;
- шпинат;
- гранат.

Витамином B_9, фолиевой кислотой, богаты следующие продукты:

- темно-зеленые листовые овощи – шпинат, салат, петрушка;
- зеленый и репчатый лук;
- бобовые;
- морковь;
- цветная капуста;
- черная смородина;
- пивные дрожжи;
- яичный желток;
- печень;
- почки.

Витамином B_{12}, цианокобаламином, богаты:

- говяжья печень;
- почки;
- сердце;
- форель;
- скумбрия;
- мясо кролика;
- яичный желток.

Также к продуктам-помощникам головного мозга относятся:

- Полиненасыщенные жирные кислоты Омега-3 и Омега-6 – они содержатся в красной рыбе, жирных морских видах рыб, таких как скумбрия, сайра, тунец, в льняном масле.
- Витамин Е – содержится в говяжьей и куриной печени, яичном желтке, растительных маслах, молоке, зеленых листовых овощах, злаках, бобовых, облепихе, семенах подсолнечника, арахисе и миндале. Витамин Е является сильным антиоксидантом, замедляет процессы старения, является профилактикой рака.
- Куркума – исследования показывают, что люди, регулярно употребляющие куркуму и другие индийские специи, имеют меньший риск заболеть сенильной деменцией.

Витаминами группы В очень богаты пивные дрожжи. Эта биологически активная добавка продается в виде таблеток. Пивные дрожжи положительно воздействуют на нервную систему и повышают работоспособность.

• Какао – этот продукт увеличивает выработку серотонина, гормона, который регулирует настроение. Какао вызывает положительные эмоции и активизирует работу мозга.

• Корица – полезные свойства корицы проистекают из трех основных компонентов, входящих в состав ее эфирного масла: коричного альдегида, циннамилацетата, коричного спирта. Аромат корицы активизирует работу головного мозга и такие функции, как внимание и зрительная память.

• Магний – содержится в семенах тыквы, кунжуте, гречневой, перловой и ячневой крупах, в овсяной и пшенной крупе, в орехах, бобовых, морепродуктах, какао. Очень богаты магнием пшеничные и ржаные отруби. Магний принимает участие в энергетическом и электролитном обмене, является естественным антистрессовым фактором, тормозит процессы возбуждения в головном мозге и снижает чувствительность организма к негативным внешним воздействиям.

Чем старше возраст, тем выше дефицит магния. Недостаток данного вещества достигает пика к 70 годам.

Еще одним важным фактором в профилактике старческого слабоумия является умственная гимнастика. Упражнения для мозга улучшают память, избавляют от рассеянности, повышают концентрацию внимания. Тренировка мозга позволяет сохранить его работоспособность на долгие годы.

Что поможет тренировать мозг и память, избавиться от рассеянности?

Мнемоника. Используйте сознательные ассоциации. Мысленно связывайте дела, которые нужно выполнить, с предметами или обстановкой, в которой будут они выполняться. В результате, как только вы окажетесь на месте, вы вспомните, что нужно делать. Можно сочинять небольшие стишки, например «как только сумку я беру, ключи я сразу же кладу».

Нейробика. В детстве мы познаем наш мир через вкус, запах, цвет и тактильные ощущения – наш мозг при этом загружен восприятием новой информации и работает на полную катушку. А с возрастом мозг начинает создавать стереотипы – программы привычных нам действий. Запомненные решения и модели поведения позволяют не напрягать мозг, а действовать на автопилоте. Это – фактически главная функция памяти. То есть, по сути, память нам нужна для того, чтобы не думать! Чем старше возраст – тем больше таких программ-стереотипов. Соответственно, объем работы мозга снижается. Если наш мозг работает пассивно или мы мыслим шаблонно, то перестают развиваться и могут даже атрофироваться дендриты — отростки нейронов, через которые проходят импульсы от клетки к клетке. Остановка роста дендритов может ухудшить память, поэтому мозг надо тренировать. Нестандартные движения, сочетание необычных эмоций стимулируют рост дендритов. Поэтому начните сбивать мозг с «автопилота». Например, делайте привычные движение другой рукой — почистите зубы, держа щетку не в ведущей руке, попробуйте застегнуть пуговицы. Еще есть простое и одновременно сложное упражнение. Одной рукой нужно хлопать себя по голове, а другой рисовать круг. Такие упражнения являются зарядкой для мозга.

Тренировка памяти. Читайте, разгадывайте кроссворды, играйте в шахматы, изучайте иностранные языки или заучивайте стихи. Все это поможет тренировать мозг и память.

Есть и специальные технические устройства.

• Биологически обратная связь — это настоящий медицинский тренажер для мозга. Он представляет собой специальный аппарат для ЭКГ в сочетании со специальной визуальной программой, воздействующей на определенный отдел мозга в зависимости от жалобы больного. Аппарат анализирует частоты, отвечающие за работу головного мозга, и выводит диаграмму на экран монитора. Но во время диагностики мозг еще и тренирует этот отдел. Терапия проводится, если имеются жалобы на нарушение памяти, звон в ушах. Сеанс длится от 30 минут до 1 часа. Для получения лечебного эффекта нужно провести 15–20 сеансов с частотой 2–3 раза в неделю.

• Инверсионный стол — специальное приспособление, которое позволяет удерживать человека в положении вниз головой. Инверсия насыщает головной мозг кислородом, улучшает его работоспособность и тренирует сосуды головного мозга. Улучшает кровообращение и способствует восстановлению варикозных вен. Но перечень противопоказаний у данного устройства достаточно широкий. Этот тренажер не следует применять людям со следующими заболеваниями: глаукома, гипертоническая болезнь 2-й степени, аритмия, аневризмы сосудов головного мозга, церебросклероз, хронические соединительнотканные заболевания, старческая деменция, вентральные грыжи. Также инверсионная терапия противопоказана людям, имеющим протезированные суставы, и при беременности.

Эфирные масла — лаванда, розмарин, пачули, базилик, иланг-иланг — помогут концентрации внимания. Можно применять их для ингаляций, ванн или массажа.

СЕРДЦЕ И СОСУДЫ

Какая мышца в организме человека самая главная? Конечно же, сердце! Она работает постоянно, сохраняя в нас жизнь. Именно благодаря сердцу наши органы и ткани беспрерывно снабжаются кислородом и питательными веществами.

Человека с больным сердцем видно сразу: он плохо переносит физическую нагрузку, страдает от одышки. У него плохо работают все органы из-за недостаточного кровоснабжения. Лучше до такого дело не доводить! Каждому человеку нужны здоровое сердце и сосуды. Поэтому начните думать о профилактике сердечно-сосудистых заболеваний прямо с этого момента.

Вот какие заболевания чаще всего угрожают сердцу:

- атеросклероз;
- артериальная гипертензия;
- острый инфаркт миокарда;
- аритмия;
- ишемическая болезнь сердца.

Как устроено сердце

Сердце – это орган-насос, который обеспечивает постоянную циркуляцию крови в сосудах тела. За час сердце совершает около 4300 ударов. У женщин оно весит примерно 250 граммов, а у мужчин – 330. Размером сердце примерно с кулак, но из-за некоторых заболеваний оно может увеличиваться в размерах, что плохо сказывается на его возможности выбрасывать кровь в нужном количестве. Например, сердце увеличивается при ишемической болезни

За 1 час сердце перекачивает около 300 литров крови!

Сердечно-сосудистые заболевания — главная причина смертности в мире!

23 секунды длится один цикл кровообращения.

сердца, разнообразных пороках. Есть также понятие «сердце спортсмена», когда орган увеличивается из-за повышенных физических нагрузок.

Сердце – это мышечный орган, внутри которого есть полости: правое предсердие и правый желудочек, которые отделены перегородкой от левого предсердия и левого желудочка. Это сложная система, через которую и осуществляется перекачивание крови. В правое предсердие поступает обедненная венозная кровь, которая проходит через правый желудочек и вбрасывается в легочную артерию. В легких кровь насыщается кислородом и возвращается в левое предсердие. Из левого предсердия обогащенная кровь поступает в левый желудочек, из которого по артериям направляется ко всем тканям и органам тела. Когда камеры сердца сокращаются – это состояние называется систолой, когда расслабляются – диастолой.

Почему же кровь циркулирует только в одном направлении? Это обеспечивается двумя уникальными особенностями сердца.

Первая особенность – независимая работа разных отделов сердца: желудочков и предсердий. Сокращения сердечной мышцы – миокарда (средний слой сердца) – стимулируется электрическими импульсами в строго определенной последовательности, которые проходят в различные зоны сердца по его проводящей системе. Поэтому-то инфаркт миокарда (отмирание части сердечной мышцы) так смертельно опасен – очаг некроза препятствует проведению импульса, побуждающего сердце сократиться, и оно перестает биться.

Пульс, который можно прослушать или прощупать, например на запястье — это колебания стенок сосудов, при выталкивании в них крови из сердца.

Вторая особенность – наличие клапанов, которые открываются строго в одном направлении и наглухо захлопываются при повышении давления крови (при сокращении желудочков или предсердий), препятствуя ее обратному оттоку.

Сердце состоит из трех основных слоев. Срединный, основной слой – миокард. Он образован сетью особых клеток – кардиомиоцитов. Это мышечный слой. А вот эндокард – слой, выстилающий сердце, изнутри состоит в основном из соединительной ткани. Именно его складки образуют сердечные клапаны. При ревматических болезнях, а иногда и по другой причине может развиться воспаление этого слоя – эндокардит. Данное заболевание очень опасно, так как в большинстве случаев приводит к повреждению клапанного аппарата сердца.

Наружный слой сердца называется эпикардом, он является частью «мешка» – перикарда, обволакивающего сердце. Его еще называют сердечной сумкой. Перикард создает оптимальное давление в полостях сердца, ограничивает объем сердца, препятствуя чрезмерному растяжению его стенок, а также фиксирует сердце в грудной клетке. Перикард состоит из нескольких слоев, между которыми находится серозная жидкость. При некоторых заболеваниях (вирусных, бактериальных или грибковых, аллергических, ревматических, а также при токсическом поражении) в этой жидкости может начать размножаться инфекция, что приводит к развитию очень опасной болезни – перикардита.

Сердце, хоть и обеспечивает весь организм кислородом и питательными веществами, само по себе тоже нуждается в таком снабжении. Эту роль выполняют особые коронарные артерии. Если их просвет сузится, что часто происходит при атеросклерозе, главная мышца организма начнет постоянно испытывать дефицит кислорода и питания, возникнет ишемическая болезнь сердца, которая может привести к хронической сердечной недостаточности и инфаркту миокарда.

Итак, из сердца обогащенная кислородом кровь распределяется по артериям и доставляется к органам, а «отработанная» кровь возвращается в сердце по венам. Эти сосуды образуют большой и малый круг кровообращения. В малом круге кровь обогащается кислородом и освобождается от углекислого газа. В большом круге кровь приносит кислород и питательные вещества, а также гормоны и ферменты к органам и тканям, после чего выводит из них углекислый газ, токсины, избыток воды и разные конечные продукты обмена веществ.

Сосуды бывают разных калибров. Самый большой сосуд в организме человека – аорта. В разных ее отделах диаметр этой крупнейшей артерии варьируется от трех до двух сантиметров. Самые мел-

Часто причиной эндокардита и перикардита является проникновение в сердце инфекции из хронических очагов воспаления, которые возникают при тонзиллите, гайморите, пневмонии, пиелонефрите, аднексите и кожных гнойных заболеваниях. Причиной воспаления слоев сердца может быть даже обычный кариес!

В организме взрослого человека циркулирует около 5–6 литров крови.

кие сосуды – капилляры. Они пронизывают все ткани организма – суммарная их длина составляет примерно 100 тысяч километров! Капилляры являются «переходником» между артериями и венами. Стенки капилляров очень тонкие, и через них могут проникать кислород и питательные вещества – именно через капилляры осуществляется насыщение клеток организма и выведение из них продуктов жизнедеятельности.

Стенки артерий имеют в своем составе эластические волокна, которые сдерживают эти сосуды от перерастяжения во время выброса крови из сердца. А вот в стенках вен таких волокон мало, да и сами стенки более тонкие, чем у артерий. Поэтому вены подвержены растяжению и истончению. По венам кровь движется к сердцу, снизу вверх. Как же она справляется с влиянием гравитации? Благодаря венозным клапанам! Они открываются только в одну сторону – в направлении движения крови к сердцу – и плотно закрываются, препятствуя обратному току крови. Но при воздействии вредных факторов и при различных метаболических нарушениях клапаны вен повреждаются, кровь начинает застаиваться в нижнем отделе тела – так возникает варикозное расширение вен, которое без лечения может перерасти в тромбофлебит. Застой крови в нижних конечностях приводит к ухудшению работы сердца и недостаточному кровоснабжению верхней части организма.

А теперь поговорим о том, что же может нарушить здоровье сердечно-сосудистой системы и каких вредных факторов нужно избегать.

Симптомы нарушений работы сердца

Признаки того, что главный мотор вашего тела начал сбоить, достаточно яркие – не заметить их нельзя. К ним относятся:

- одышка;
- отеки;
- боль, жжение и ощущение сдавливания за грудиной при физической нагрузке и стрессе;
- приступы сильных сердцебиений;
- ощущения «замирания» сердца, нарушения сердечного ритма;
- холодные конечности;
- слабость;
- головокружение;
- быстрая утомляемость;
- головные боли, шум в ушах (при артериальной гипертензии).

Враги сердца и сосудов

Вопросы на тему сердечно-сосудистых заболеваний, поступающие в редакцию «О самом главном» от наших телезрителей, составляют большую часть всей корреспонденции. Причем все чаще эти письма нам адресуют отнюдь не пожилые – задают вопросы 30-летние, просят помощи люди, едва перешагнувшие за порог 50 лет! Действительно, врачи все чаще отмечают, что не только нашу страну, весь мир накрыла волна заболеваний сердца и сосудов, кроме того, эти болезни значительно помолодели. Инфарктом в 35 лет уже никого не удивишь.

По данным ВОЗ, ежегодно от инфаркта миокарда в мире умирает более 8 миллионов человек.

Что же делать? Защищать свою сердечно-сосудистую от воздействия вредных факторов и развития распространенных заболеваний. А для этого врагов нужно знать в лицо!

Один из самых главных врагов сосудов – атеросклероз. Представьте себе, более половины случаев смерти взрослых людей (35–60 лет) связаны именно с этим заболеванием! Данная болезнь возникает при появлении на стенках сосудов бляшек, которые образуются из отложений холестерина и других жиров. Эти образования перекрывают просвет сосудов, нарушая кровоснабжение органов – возникает их ишемия.

Длительное время считалось, что основная причина атеросклероза – неуемное употребление продуктов, богатых холестерином. Этому веществу была объявлена война. Маркетологи завлекали покупателей надписями на упаковках «без холестерина». Такие рекламные обещания размещали даже на этикетках растительного масла, где холестерина – вещества животного происхождения – быть не может. Под удар попали и куриные яйца, они считались «холестериновой бомбой», их употребление ограничивали или даже полностью исключали из рациона. И зря. Холестерин холестерину рознь.

Холестерин – это природный жирный спирт. Он вырабатывается в организме печенью и содержится во всех частях тела, так как является строительным материалом для мембран клеток. Также холестерин входит в состав гормонов тестостерона и эстрогена. Это вещество имеет несколько фракций, но для нас интересны самые важные:

К 30 годам начальные проявления атеросклероза в сосудах имеет каждый современный человек.

В норме уровень ЛПНП в крови должен быть меньше 3,9 ммоль/л.

- липопротеиды низкой плотности (ЛПНП);
- липопротеиды высокой плотности (ЛПВП).

Липопротеиды низкой плотности (ЛПНП) – тот самый «плохой» холестерин. Именно он откладывается на стенках сосудов и образует атеросклеротические бляшки. ЛПНП производятся печенью из триглицеридов, поэтому врачи также обращают пристальное внимание на уровень этих соединений в крови своих пациентов.

В норме уровень ЛПВП в организме должен быть: у женщин — выше 1,42 ммоль/л, у мужчин — более 1,68 ммоль/л.

Но есть еще и «хороший» холестерин – липопротеиды высокой плотности (ЛПВП). Эта фракция при нормальном ее уровне в организме защищает сердце и сосуды, снижает риск сердечно-сосудистых заболеваний, поскольку помогает снижать уровень «плохого» холестерина.

Печень вырабатывает около 80% всего холестерина в организме. Остальные 20% поступают в организм вместе с пищей животного происхождения. Так вот, оказалось, что в яйцах преобладают ЛПВП! То есть употребление данного продукта не только не увеличит риск атеросклероза, но и может помочь в его профилактике. А вот колбасы, торты и пирожные с жирным кремом, майонез, сливочное масло, жирное мясо и субпродукты содержат большое количество именно вредного холестерина. Количество таких продуктов в рационе нужно ограничивать.

Но история изучения атеросклероза на этом не закончилась, было обнаружено влияние вещества, которое еще более губительно для сосудов!

Атеросклеротическая бляшка может образоваться на стенке сосуда только в том случае, если та повреждена. Оказалось, что с этой задачей успешно справляется повышенный уровень глюкозы в крови – он появляется при бесконтрольном употреблении сахара, сладостей, мучных изделий, фастфуда.

По мнению диетологов, вместе с пищей в организм современного человека поступает количество глюкозы, в 3–5 раз превышающее норму.

Глюкоза создает на стенках сосудов микротрещины, что вызывает воспалительный процесс, отек сосудистой стенки. Это приводит к замедлению тока крови в данной области, и на микротрещинки начинают оседать жиры. Сначала образуется поверхностный налет, а затем бляшка разрастается вширь и в высоту, на ней начинают откладываться соли кальция. Этот процесс вызывает рост соединительной ткани в поврежденном месте. В результате атеросклеротическая бляшка может полностью заблокировать ток крови в сосуде.

При отрыве бляшки возникает местное кровотечение из стенки сосудов, вследствие чего образуется тромб. Этот сгусток, как и сама атеросклеротическая бляшка, может при отрыве с током крови попасть в жизненно важные артерии (например, сонную или легочную) и закупорить их – данное состояние в большинстве случаев приводит к летальному исходу.

Атеросклеротические бляшки препятствуют нормальному току крови: плохо кровоснабжаются головной мозг, сердце, другие внутренние органы, конечности. Ишемическая болезнь сердца, нарушения сердечного ритма, гипертония, ухудшение памяти, головокружения, ощущение зябкости и боли в конечностях – это проявления атеросклероза. Это заболевание в конечном итоге приводит к развитию старческого слабоумия (иногда в достаточно молодом возрасте), ампутации конечностей, хронической сердечной недостаточности, инфаркту миокарда и инсульту.

Помимо злоупотребления сладостями, мучной пищей, фастфудом и другими продуктами с «быстрыми» углеводами, а также продуктами, богатыми «плохим» холестерином, риск развития атеросклероза серьезно повышен у людей, страдающих от сахарного диабета. Все из-за того же высокого уровня глюкозы в крови.

Атеросклероз может вызвать тромбоэмболию легочной артерии — состояние, которое более чем в половине случаев приводит к смерти больного всего за 1–2 часа.

Частая причина отрыва атеросклеротической бляшки или тромба — повышение артериального давления.

Курение в 3 раза повышает риск развития атеросклероза.

Вот еще несколько вредных факторов.

• Конечно же, негативными факторами являются ожирение и малоподвижный образ жизни. При данных состояниях и сахар в крови повышен, и липидный обмен в организме нарушается.

• Курение повышает ломкость сосудов, снижает эластичность их стенок и создает благоприятные условия для отложения атеросклеротических бляшек.

• При стрессах в организме выделяются гормоны адреналин и кортизол, которые повреждают стенки сосудов. Так что избыточное нервное напряжение – прямая дорога к атеросклерозу.

• Повреждает сосудистые стенки и артериальная гипертензия.

• Различные гормональные нарушения тоже влияют на состояние сосудистых стенок.

• При наступлении менопаузы у женщин значительно возрастает риск развития атеросклероза.

Казалось бы, где метеозависимость, а где атеросклероз. На самом деле метеочувствительным людям нужно опасаться не только смены погоды, но и атеросклероза. Дело в том, что если человек реагирует на погоду – это не просто особенность его организма. Это сигнал о том, что у него слабые сосуды, поэтому они и не справляются с перепадом температур и давления. Слабые сосуды чаще травмируются. А чем больше на сосудах травм, тем скорее в этих местах появятся атеросклеротические бляшки. Поэтому если вы реагируете на погоду – это повод проверить ваши сосуды.

У метеозависимых людей риск развития атеросклероза выше.

Если атеросклеротические бляшки появляются в коронарных артериях – сосудах, которые снабжают кровью сердце, то возникает ишемическая болезнь сердца. Это заболевание – одно из самых распространенных. В большинстве случаев оно явно проявляется после сорока лет.

Еще одной причиной ишемической болезни сердца может быть спазм коронарных артерий.

При нарушениях проходимости коронарных артерий сердце

Мужчины страдают от ишемической болезни сердца чаще женщин.

начинает испытывать постоянную нехватку кислорода и питательных веществ. Вследствие этого клетки сердца начинают отмирать. И самая большая проблема заключается в том, что клетки сердечной мускулатуры практически не регенерируются! При повреждении на их месте образуется соединительная ткань — стенки сердца утолщаются и сердцу становится все труднее сокращаться.

Из-за плохого питания также нарушается работа сердечных клапанов, сердце плохо выбрасывает кровь, и она начинает застаиваться в нем. Из-за плохой насосной функции развивается застой крови, жидкости, повышается концентрация углекислого газа, от чего страдает не только само сердце, но и все внутренние ткани.

Еще одна разновидность — нестабильная стенокардия — очень опасна: она является промежуточным звеном между обычной стенокардией напряжения и инфарктом миокарда. В какой-то момент очередной приступ такой стенокардии может перерасти в полноценный инфаркт. Вазоспастическая стенокардия, как я уже рассказывал, возникает из-за спазма сосудов. Ее приступы происходят в состоянии покоя, часто — во время сна.

Еще одной формой ишемической болезни сердца являются нарушения сердечного ритма. Одной из самых опасных разновидностей такой патологии является мерцательная аритмия. При данной форме нарушается нормальный (то есть синусовый) сердечный ритм, и сердце уже не может эффективно выталкивать кровь. Предсердия, вместо того чтобы работать синхронно, лишь беспорядочно подергиваются, трепещут, «мерцают». Желудочки тоже при этом сокращаются совершенно неритмично и более часто. Беспорядочное сокращение предсердий и желудочков и называют мерцательной аритмией, или фибрилляцией, предсердий. Симптомы мерцательной аритмии могут быть различными: это и ощущение

Патологические изменения, которые происходят при ишемической болезни сердца, необратимы, поэтому очень важно обнаружить заболевание на раннем этапе и как можно скорее начать лечение, чтобы затормозить его прогрессирование.

У ишемической болезни сердца есть несколько вариантов проявления. Самая распространенная форма — стенокардия: сильные болевые приступы в области сердца, которые длятся около 10–15 минут. Наиболее часто встречающаяся разновидность стенокардии — стенокардия напряжения. При этой форме приступы боли развиваются из-за физической или эмоциональной нагрузки, при повышении артериального давления.

При мерцательной аритмии симптомы могут отсутствовать, больные не ощущают никакого дискомфорта, и нарушение ритма у них обнаруживают лишь случайно по результатам электрокардиограммы.

тревоги, и боли в груди, и резкое снижение артериального давления, и другие неприятные симптомы. Но такие проявления возникают не всегда.

Самая серьезная опасность мерцательной аритмии заключается в том, что она может привести к ишемическому инсульту. Дело в том, что из-за несинхронного сокращения камер сердца кровь в некоторых из них может застаиваться, что создает условия для формирования тромбов. При сокращении тромбы могут «вылетать» из сердца. Двигаясь по кровотоку, они попадают в систему мозговых артерий. На фоне атеросклеротического поражения сосудов головного мозга происходит закупорка какого-то из них, и в результате – ишемический инсульт.

Следующая форма ишемической болезни сердца – сердечная недостаточность. Данное заболевание серьезно снижает качество жизни больных, со временем делая их прикованными к постели.

При сердечной недостаточности этот орган перестает справляться с нагрузкой, плохо выбрасывает кровь в артерии. Это приводит к постоянному дефициту кислорода и накоплению углекислого газа, плохому выведению из организма продуктов метаболизма. Конечно, сердечная недостаточность может возникнуть внезапно, например при токсическом отравлении, серьезном инфекционном заболевании, но в большинстве случаев больные медленно, но плодотворно сами доводят себя до подобного состояния – злоупотребляют вредной пищей, ведут малоподвижный образ жизни, курят, часто употребляют алкоголь, не лечат гипертонию.

Интересно, что признаком сердечной недостаточности может стать... обычный кашель! Казалось бы, какая тут связь? Вроде бы кашель относится к легким и бронхам... Но связь тут есть. При сердечной недостаточности ухудшается циркуляция крови в малом круге кровообращения, который связан с легкими. Из-за этого происходят патологические изменения в легких и бронхах, и человек начинает кашлять. Есть даже такое выражение: «сердечная астма» или

После возникновения хронической сердечной недостаточности до 50% больных умирают в первые пять лет.

«сердечный кашель». У него есть характерные особенности: он протекает очень мучительно, сопровождается сжимающими болями в области груди или желудка, увеличивается при физических нагрузках, а иногда человеку приходится даже спать сидя из-за этого кашля. Поэтому, если у вас появился такой кашель, пройдите обследование у кардиолога.

И самая грозная форма ишемической болезни сердца — острый инфаркт миокарда. Он может стать следствием любой из разновидностей ишемии. При данном состоянии из-за резкого нарушения кровоснабжения отмирает участок сердечной мышцы и сердце уже не может нормально сокращаться.

40% всех случаев смерти в России приходится на острый инфаркт миокарда.

В 75% случаев боли в груди вызваны причинами, не имеющими ничего общего с инфарктом миокарда.

В возрасте до 50 лет от инфаркта миокарда чаще страдают мужчины. Дело в том, что женщин от этого приступа защищают эстрогены. Но, когда возникает менопауза и уровень эстрогенов снижается, по количеству случаев инфаркта женщины становятся наравне с мужчинами.

Инфаркт миокарда важно вовремя распознать, ведь без оказания медицинской помощи 30% людей умирают от этого приступа в течение часа после его начала. Симптомами инфаркта являются:

- боль за грудиной — первым и самым типичным признаком инфаркта является сильная боль в сердце, которая может отдавать в руку, плечо, нижнюю челюсть, желудок, а также жжение за грудиной;
- реакция на нитроглицерин — если после его приема боль и жжение не прошли, это один из характерных признаков инфаркта;
- страх смерти — когда сердцу плохо, происходит выброс гормонов стресса, провоцирующих приступ страха. При этом человек бледнеет, появляется холодный пот.

Чаще всего инфаркт случается в утренние часы, поскольку в это время происходит пик продукции гормонов, в частности гормонов надпочечников и стресса.

Но бывает так, что этих симптомов не возникает. Вместо них проявляются другие, из-за которых инфаркт миокарда можно спутать с другими заболеваниями.

Нетипичные формы острого инфаркта миокарда бывают следующими:

• Абдоминальная форма — маскируется под острым панкреатитом, аппендицитом или язвой желудка. Возникает сильная боль в животе выше пупка, рвота, икота, появляются газы. Спазмолитические средства при этом не помогают, рвота не приносит облегчения.

• Астматическая форма — выглядит приступом бронхиальной астмы. Ведущим симптомом становится нарастающее нарушение дыхания и нехватка кислорода.

• Церебральная форма — демонстрирует нарастающие признаки нарушения мозгового кровообращения и приближающегося инсульта. Томография мозга при этом без изменений.

• Атипичная форма — боли возникают не в груди, а в шее, в виде зубной боли, под лопатками. Обезболивающие при этом не помогают.

• Безболевая форма — возникает у больных сахарным диабетом или на фоне сильного стресса с напряжением всех сил.

При остром инфаркте миокарда важно правильно оказать больному первую помощь.

В первую очередь необходимо вызвать бригаду «Скорой помощи»! Важно четко и правильно описать симптомы, чтобы к вам направили бригаду, которая специализируется на подобных состояниях.

Затем человека нужно уложить, следя при этом за тем, чтобы ноги были на уровне груди или чуть выше на 10–15 сантиметров, а положение в кровати было полусидячим.

Приоткройте форточку или окно, чтобы обеспечить постоянный приток свежего воздуха. Если у человека есть стягивающие элементы одежды, необходимо их ослабить: расстегнуть ворот, расслабить галстук и брючный ремень.

Необходимо дать таблетку нитроглицерина. Приняв нитроглицерин, нельзя вставать — от резкого снижения давления может кружиться голова. Затем 500 мг аспирина — эту таблетку лучше разжевать. Затем, если боли не прошли, через пять минут больной должен снова принять таблетку нитроглицерина, при этом желательно убедиться в том, что давление не слишком низкое.

Чтобы снять панику, можно дать больному 20 капель настойки валерианы или 40 капель «Корвалола» или «Валокордина». Неотлучно оставайтесь с больным, дожидаясь приезда «Скорой помощи».

И острый инфаркт миокарда, и другие заболевания сердечно-сосудистой системы часто провоцируются повышенным давлением. Гипертония — данное заболевание очень распространено, до 70% пожилых людей страдает от этого недуга. Долгое время гипертония может протекать совершенно незаметно. Существует миф, что при

Помните, что нельзя давать больному больше трех таблеток нитроглицерина!

Повышенным давлением считаются показатели свыше 140/90 мм рт. ст. Но даже незначительное повышение АД сказывается на здоровье.

повышенном давлении обязательно возникает головная боль, но это не так. Часто явные проявления гипертонии появляются уже тогда, когда из-за болезни начала нарушаться работа внутренних органов. Артериальная гипертензия может передаваться по наследству, поэтому, если ваши родители имели данное заболевание, за давлением нужно следить и вам.

Представьте, с возрастом, если человек не следит за качеством своего питания и лишним весом, сосуды начинают обрастать холестериновыми бляшками, просвет сосудов сужается. Ток крови по сосудам затрудняется, и давление немного увеличивается. Как раз до такого показателя – 130 на 90. На этом этапе человек еще не ощущает симптомы начинающейся гипертонической болезни, однако организм уже находится под постоянной усиленной нагрузкой.

Постоянная гипертония, даже незначительная, несмотря на минимум проявлений, медленно, но верно нарушает работу практически всех систем организма. Изменяются свойства сосудов, и, следовательно, страдает кровоснабжение органов.

- Сердце реагирует на повышенное давление так же, как любая мышца, выполняющая большой объем работы: оно начинает разрастаться, и возникает «голодание» внутренних слоев сердца. Это может привести к развитию ишемической болезни сердца.

- Мозг – при повышенном давлении нарушается кровоснабжение головного мозга. При этом мозговая ткань повреждается, что отрицательно влияет на память и интеллект. Также при гипертонии артерии, снабжающие мозг кислородом, могут быть сужены из-за холестериновых бляшек. Это многократно увеличивает риск инсультов.

- Почки – повреждение мельчайших сосудов внутри почечных нефронов уменьшает количество фильтруемой крови. В результате таких изменений белок выводится с мочой, прежде чем вернется в кровоток, а отходы, которые в норме выводятся, наоборот, могут попадать в него. Процесс приводит к тяжелому состоянию – уремии, а впоследствии и к почечной недостаточности.

- Глаза – на дне глазного яблока находится множество мельчайших кровеносных сосудов, которые особенно чувствительны к повышению давления. Через несколько лет неконтролируемой гипертонии могут начаться процессы дегенерации глазной сетчатки, обусловленные бедным кровоснабжением, точечными кровотечени-

Брадикардия — заболевание людей с низким артериальным давлением. Правда, гипертоник может испытать симптомы брадикардии, если переусердствует с лекарствами по снижению давления. Также она может возникать временно, например при обливании холодной водой или купании в проруби — снижается активность биохимических процессов, сосуды сужаются, давление падает и сильно замедляется пульс.

ями или накоплением холестерина в сосудах.

Помимо артериального давления, некоторые люди также измеряют частоту пульса. Если он частит – это плохо, но об этом знают все. А что, если пульс, наоборот, очень медленный? Это болезнь или норма? На самом деле низкий пульс тоже может представлять опасность для здоровья. Сниженную частоту пульса называют брадикардией.

Брадикардия может вызывать ряд серьезных нарушений в организме, так как сердце не успевает поставлять необходимое количество крови (а значит, кислород и питательные вещества) в органы.

В некоторых случаях низкая частота пульса может быть нормой, но только у хорошо тренированных спортсменов и отдельных молодых здоровых людей (например, велогонщик Мигель Индурайн имел пульс в покое 28 ударов в минуту). Это нормально, если у человека нет других патологий, он не чувствует усталость, слабость, у него нет головокружений, учащенного сердцебиения.

Самые низкие значения пульса наблюдаются ранним утром и поздним вечером. Именно поэтому пульс рекомендуют измерять рано утром, после пробуждения. Это будут наиболее точные показатели.

Что еще представляет угрозу для сердечно-сосудистой системы? Есть несколько факторов, которые ухудшают здоровье данных органов.

Очень опасны для сердца и сосудов различные энергетические напитки, которые любят употреблять молодежь и офисные работники. Основной компонент энергетиков – кофеин или экстракт гуараны. Попадая в организм, они заставляют его вырабатывать гормон адреналин. Но, поскольку кофеина в энергетиках содержится намного больше, чем в чашке кофе, адреналин вырабатывается

Брадикардия может быть первым симптомом заболевания щитовидной железы — гипотиреоза. При этом заболевании уже на самой ранней стадии поражается сердце (синдром «гипотиреоидного сердца»).

в огромном количестве, что дает колоссальную нагрузку на сердце.

Многие уверены, что и кофе опасен для сердца! Ведь он повышает давление, а значит, повышает риск сердечных заболеваний. И этот распространенный миф живет десятилетиями. Были проведены многочисленные исследования, одно из них длилось целых тридцать три года, и в результате ученые пришли к выводу, что кофе не повышает давление и безопасен для сердца. Поэтому 1 чашка натурального кофе в день не увеличит риск сердечной недостаточности и других сердечных болезней.

Но при заболеваниях сердца – о кофе совсем другой разговор. Кофеин оказывает выраженное стимулирующее влияние на сердечно-сосудистую систему. На сердце кофеин оказывает прямое стимулирующее действие и вызывает увеличение частоты и силы сердечных сокращений. Что абсолютно противопоказано, например, при аритмии.

Нельзя измерять пульс непосредственно после приема пищи, алкоголя или лекарств. Поскольку все это приводит к учащению пульса. Информация будет недостоверной.

А вот что действительно может повысить риск, так это стресс, курение и малоподвижный образ жизни.

Большой враг сердца – лишний вес. При наличии избыточных килограммов на главную мышцу нашего тела ложится чрезмерная нагрузка – ему проходится прокачивать кровь, снабжая всю эту массу, вдобавок часто развивается атеросклероз. Кроме того, как я уже описывал выше, при избыточном весе нарушается толерантность тканей к глюкозе и повышается ее содержание в крови. Лишний вес влечет за собой нарушения липидного обмена, развитие гормональных нарушений, появление варикозного расширения вен. Поэтому ожирение – один из самых влиятельных негативных факторов.

Глюкоза сильно вредит сосудам, и этот фактор сейчас действует практически на всех – в современной пище слишком много сахара. Причем, для того чтобы получать его переизбыток, совершенно не обязательно налегать на тортики и конфеты.

Кроме того, сахар может скрываться под другими названиями,

Сахар есть в таких продуктах, как овощные консервы, типа лечо, в кетчупе, колбасах, сосисках, соевом соусе, в йогуртах, которые многие покупатели считают диетическими.

которые пишут на упаковке производители.

Скрытый сахар – это:

- глюкоза;
- сахароза;
- мальтоза;
- фруктоза;
- гидролизованный крахмал;
- кукурузный сироп;
- патока;
- концентрат фруктового сока.

Поэтому внимательно читайте состав продуктов на упаковке.

Врагами сердца и сосудов также являются продукты, богатые холестерином. К ним относятся:

- жиры животного происхождения;
- жирное мясо – баранина, свинина, гусь;
- телятина;
- субпродукты;
- копченые колбасы;
- окорока;
- паштеты;
- корейка;
- грудинка;
- креветки;
- жирные сорта сыра;
- майонез;
- жирная сметана.

Употребление этих продуктов следует ограничить.

Однозначный враг сердца – алкоголь. Доказано, что алкоголь ускоряет частоту сердечных сокращений, повышает артериальное давление, возбудимость сердечной мышцы. Кроме того, повышается потребность миокарда в кислороде, ухудшается коронарное кровообращение, нарушается сердечный ритм.

В праздники, особенно в новогодние, возрастает количество случаев так называемой токсической аритмии. Всему виной выпитый во время застолья алкоголь. После его употребления он около 7–8 часов циркулирует в крови и все это время организм испытывает его повреждающее воздействие! Пульс увеличивается до 100 ударов в минуту, повышается артериальное давление, нарушается кровообращение в капиллярах, следовательно, сердце плохо снабжается кровью и испытывает кислородное голодание.

Но и это не все негативное влияние алкоголя на сердце! Ионы магния и калия равномерно рас-

Хроническое употребление алкоголя повышает риск развития ишемической болезни сердца и инфаркта миокарда.

пределяются в тканях сердца. Правильный баланс этих веществ необходим для нормального ритма сердечных сокращений. Но алкоголь нарушает этот баланс, вымывая ионы калия из организма. Когда баланс ионов магния и калия нарушается, возникает аритмия, то есть сбои в работе сердечного ритма. Человек ощущает, что сердце сильно колотится, испытывает нехватку воздуха, чувство беспричинного страха смерти. Может появиться потливость, головокружение, отеки ног. И это не шутки – аритмия праздничных дней может привести к серьезным последствиям вплоть до инфаркта.

Чтобы избежать токсической аритмии, следуйте правилам.

• Нельзя опохмеляться – сердце только к утру начинает оправляться после алкогольного удара, дополнительная порция алкоголя усугубит повреждающее действие на сердце.

• Курага и чернослив содержат много калия. Включите эти сухофрукты в состав блюд для застолья или просто закусывайте этими сухофруктами.

• Во время застолья употребляйте картофельное пюре или салаты с авокадо. Эти продукты обволакивают желудок и замедляют всасывание алкоголя в кровь.

При артериальной гипертензии и ишемической болезни сердца серьезным негативным фактором является избыточное употребление соли. Она задерживает воду в организме, что приводит к образованию отеков. Повышается нагрузка на сердце и сосуды, повышается артериальное давление. При данных заболеваниях стоит соблюдать низкосолевую диету – готовьте продукты без соли и чуть присаливайте их уже в готовом виде, не употребляйте соленые блюда: копчености, колбасы, сыр, соленья и тому подобное.

Многие относятся к храпу как к безобидному, но мешающему лишь окружающим дефекту. На самом деле храп очень опасен. Дело в том, что храп провоцирует синдром ночного апноэ. Это остановки дыхания на 20–30 секунд. В эти моменты повышается артериальное давление, а впоследствии это может привести к серьезным заболеваниям сердца, например аритмии, инфаркту или ишемической болезни сердца.

На низкой подушке храп возникает чаще!

Храп является врагом не только сердечно-сосудистой системы. Его последствиями могут быть:

• нарушение работы почек;
• нарушение работы печени;
• инсульт;
• эндокринные нарушения.

Многие спят на такой подушке, на которой привыкли. И даже не предполагают, что подушка может влиять на храп. На одной подушке человек будет храпеть сильнее, а на другой меньше. Например, если вы спите на низкой подушке, то ваша голова запрокидывается. Язык западает к нёбу, и появляется храп. А на высокой подушке голова лежит ровно, дыхание становится свободным и храп становится тише.

Ученые пришли к выводу: тот, кто каждый день допоздна пашет в офисе или вкалывает на заводе, рискует заработать гипертонию. Даже несколько часов переработок в неделю могут оказать негативное воздействие на организм. Тяжелая работа — вот отличный рецепт для плохого здоровья и ранней смерти. Женщины, которые работают допоздна, больше курят и едят впопыхах, а также меньше занимаются спортом, чем остальные. Поэтому обязательно введите себе режим не только работы, но и отдыха.

Серьезным врагом сердца и сосудов при наличии сопутствующих заболеваний является самолечение. Особенно в том случае, если больные самостоятельно назначают или отменяют себе прием лекарственных препаратов. Например, при гипертонической болезни специальные препараты назначаются пожизненно. Нельзя отменять их прием, если кажется, что давление стало нормальным — ведь оно стало нормальным именно из-за них. Резкая отмена лекарств может вызвать гипертонический криз!

При ишемической болезни сердца, атеросклерозе и других сердечно-сосудистых заболеваниях назначаются препараты, снижающие уровень холестерина, снижающие вязкость крови, самовольная отмена их приема тоже может крайне негативно сказаться на здоровье.

Отдельно хочу сказать о любимых народом сердечных каплях («Валокордине», «Корвалоле» и других). Эти препараты содержат фенобарбитал — вещество, вызывающее привыкание. Если вы каждый день пользуетесь сердечными каплями «для хорошего сна», задумайтесь, не стали ли вы наркоманом. И еще будьте осторожны — совместный прием сердечных капель и алкоголя может вызвать остановку дыхания или остановку сердца!

Чтобы сердечные капли принесли только пользу, применять их нужно правильно.

• Сердечные капли следует принимать до еды с небольшим количеством воды. При необходимости его можно запить водой. Их нельзя растворять в горячей воде, не стоит капать на сахар.

Крайне важно соблюдать предписания врачей, не пропускать приема лекарственных средств и процедур.

Бесконтрольный прием препаратов, содержащих фенобарбитал, приводит к ухудшению памяти, депрессии, расстройствам сна.

• Сердечные капли нельзя принимать на фоне алкогольного опьянения. Они содержат фенобарбитал – психотропное вещество, которое снижает возбудимость нервной системы. Алкоголь действует так же. Соответственно, этанол и фенобарбитал при совместном употреблении взаимно усиливают угнетающее воздействие на ЦНС и токсическое действие на печень.

• Сердечные капли не заменяют действие специальных препаратов, которые применяются для лечения болезней сердечно-сосудистой системы! Хотя капли и называются сердечными, на самом деле они не лечат заболевания сердца, а воздействуют на вегетативную нервную систему, обладают успокаивающим действием.

• Не нужно хранить сердечные капли в холодильнике! Температура хранения сердечных капель – от 15 до 25 °С, то есть при комнатной температуре. А вот картонную коробку от средства лучше не выбрасывать, она является защитой от света, под воздействием которого лекарство может испортиться или потерять свои лечебные свойства.

Некоторые люди предпочитают сердечным каплям «травки». К растительным препаратам относятся лекарственные средства на основе валерианы, пустырника, мяты, хмеля, зверобоя. Они могут быть в виде таблеток или травяных чаев. Но даже растительные препараты нельзя принимать бесконтрольно. Во-первых, может развиться толерантность к веществам и придется их применять все в большей и большей концентрации для достижения необходимого эффекта. Во-вторых, растительные средства также могут вызвать психологическую зависимость, когда без таблетки или кружки травяного чая человек уже не сможет заснуть.

Воздействие тепловых процедур повышает артериальное давление и увеличивает риск образования тромбов.

При ишемической болезни сердца, стенокардии, гипертонии, варикозном расширении вен и тромбофлебите стоит забыть о таких тепловых процедурах, как горячая ванна, баня и сауна. Да и отдых в странах с жарким и влажным кли-

Часто «сердечники» погибают, ныряя летом в холодную воду после того, как позагорали на солнышке.

матом ничего, кроме обострений заболеваний, не принесет.

Горячая грелка на сердце от болей – тоже распространенный и опасный миф. Такое лечение может ухудшить состояние больного!

Опасны для сердца и резкие перепады температур. Давайте представим очень знакомую ситуацию – человек парится в бане. А как у нас в народе любят? Распарился хорошенько – и в ледяную воду или, например, в снег. Такой резкий перепад температур – это настоящий шок для сосудов. Они спазмируются, и если внутри них есть холестериновая бляшка, то кровоток полностью перекрывается – происходит инфаркт.

То же самое может произойти, если человек выбегает зимой на мороз легко одетым. Поэтому старайтесь избегать резкого перепада температур, особенно если у вас атеросклероз.

Врагом сердца является и варикозное расширение вен. Это состояние часто бывает наследственным, развивается при наличии избыточного веса, стоячей или сидячей работе. При варикозном расширении вен повышается риск инсульта, ведь в варикозных узлах возникают тромбы, которые могут оторваться и закупорить сосуды, кровоснабжающие мозг. Поэтому при первых проявлениях варикозного расширения вен необходимо обратиться к врачу, начать носить компрессионное белье.

Если у вас есть варикозное расширение вен, всегда обращайте внимание на симптомы плохого кровообращения, чтобы вовремя обратиться к врачу. Тревожные сигналы – это:

- онемение конечностей;
- покалывание в конечностях;
- боли и ломота в конечностях;
- плохое заживление ран;
- хромота;
- головокружения;
- головные боли;
- скачки артериального давления.

Поскольку варикозное расширение вен повышает риск тромбоза, не стоит длительное время проводить в сидячем положении. При длительном положении сидя происходит застой крови в венах нижних конечностей, а постоянное удерживание ног в согнутом состоянии может привести к перегибу подколенной вены. Также не стоит употреблять сливочное масло, грецкие орехи и черноплодную рябину. Эти продукты повышают свертываемость крови.

Друзья сердца и сосудов

О врагах мы поговорили, а что же поможет защитить сердечно-сосудистую систему? К счастью, у нее есть много хороших друзей. Например, витамин PP!

Согласно исследованиям, прием 1 грамма ниацина ежедневно снижает уровень холестерина на 25%!

Витамин РР, ниацин – это единственный витамин, который традиционная медицина считает лекарством.

Витамин РР воздействует на два вида холестерина: липопротеиды низкой плотности и липопротеиды высокой плотности. Добавки, содержащие ниацин, вызывают снижение уровня «плохого» холестерина – обычно на 10–25%. Кроме того, ниацин значительно – до 31% – повышает уровень «хорошего» холестерина.

Причем не обязательно нужно начинать принимать препараты витамина РР. Достаточно подкорректировать питание. Ведь именно неправильное питание является основной причиной повышения холестерина в крови.

Продукты, в большом количестве содержащие витамин РР, следует употреблять как можно чаще. Ниацином богаты:

- красный сладкий перец (1,2 мг);
- зеленый горошек (3 мг);
- чеснок (2,8 мг);
- тунец (15,5 мг);
- куриная грудка (10,7 мг);
- отруби (13,5 мг).

Особенно рекомендуется употреблять отруби, они имеют низкую пищевую ценность, замедляют всасывание жиров и улучшают работу желудочно-кишечного тракта.

Еще одно очень полезное вещество для сердечно-сосудистой системы. Это калий! Он играет важную роль в нормальной сердечной электрофизиологии. При недостатке калия возникают нарушения работы сердечной и скелетной мускулатуры. Также дефицит этого нутриента в организме способствует развитию аритмии. Кроме того, калий выводит избыточную жидкость из организма, что уменьшает нагрузку на сердце и снижает артериальное давление.

Продукты, богатые калием:

- чернослив;
- курага;
- урюк;
- фасоль;
- горох;
- орехи;
- петрушка;
- картофель;
- брокколи;
- бананы;
- черная смородина.

Также калием богаты листовые овощи – салаты, китайская капуста, щавель и шпинат. Включайте их в свой рацион – используйте

1–2 столовые ложки отрубей в день способны уже через месяц снизить уровень «вредного холестерина» на 20–30%.

Норма употребления калия — 2500 мг в сутки.

листовые овощи в качестве салата, добавляйте их в супы, тушите в качестве гарнира ко вторым блюдам.

Магний является жизненно важным элементом, который находится во всех тканях организма и необходим для нормального функционирования клеток. Он участвует в большинстве реакций обмена веществ, в регуляции передачи нервных импульсов и в сокращении мышц, оказывает спазмолитическое действие. Оксид и соли магния традиционно применяются в кардиологии. Например, он полезен для снижения артериального давления, поскольку оказывает расслабляющее действие на стенки сосудов. Дефицит магния может провоцировать аритмию и другие заболевания сердечно-сосудистой системы. Поэтому для защиты сердца важно употреблять продукты, богатые этим элементом:

- кунжут;
- семена тыквы;
- зерновые;
- бобовые;
- орехи;
- какао;
- зелень;
- морепродукты;
- отруби.

Для защиты сердца полезно принимать витамины группы B. Они улучшают метаболизм в миокарде. Список продуктов, богатых этими веществами, есть в главе про полезные нутриенты для головного мозга.

Употребляйте продукты, богатые Омега 3: жирные сорта рыбы, оливковое и льняное масло, рыбий жир. Омега-3 снижают фибрин в крови, улучшают текучесть крови, уменьшая ее вязкость, защищая сосуды от образования тромбов, понижают уровень холестерина и триглицеридов, замедляя образование атеросклеротических бляшек в артериях.

Полезен и рутин — витамин P. Он укрепляет и тонизирует стенки сосудов. Регулярное употребление витамина P нормализует состояние стенок капилляров, повышая их прочность и эластичность, снижает артериальное давление, замедляет сердечный ритм.

Полезно для сердечно-сосудистой системы особое вещество — антиоксидант коэнзим Q10. Он нейтрализует свободные радикалы и помогает нашим клеткам вырабатывать энергию. Вообще, коэнзим Q10 изначально содержится в клетках нашего организма, но с возрастом, особенно после сорока лет, его количество начинает уменьшаться.

У людей в возрасте сердечная мышца содержит в 2 раза меньше коэнзима Q10, чем у молодых!

Чем меньше количество коэнзима Q10, тем выше риск возникновения атеросклероза, сердечной недостаточности и других сердечно-сосудистых заболеваний. Но его недостаток можно восполнить, если принимать коэнзим Q10 в виде препаратов.

Полезными продуктами для сердца и сосудов также являются:

• масло грецкого ореха – оно содержит фосфолипиды, снижающие уровень холестерина в крови, а также ситостерин, препятствующий всасыванию холестерина в пищеварительном тракте;

• мед – это средство традиционно использовалось для борьбы со стрессом, а также для улучшения работы сердца. В меде в избытке содержатся органические фосфаты, которые регулируют сердечный ритм и способствуют кровообращению;

• сукралоза – употребляйте ее вместо сахара. Она абсолютно безвредная и содержит 0 калорий. Главное, в отличие от глюкозы, то есть сахара, сукралоза не вредит сосудам и не влияет на набор лишних килограммов;

• пищевые волокна – снизить уровень холестерина помогает пища, богатая клетчаткой: овощи, фрукты, продукты с отрубями, различные пищевые добавки, содержащие целлюлозу и другие пищевые волокна;

• чайный гриб обладает мочегонным действием, поэтому оказывает гипотензивное воздействие. Также он помогает при атеросклерозе, так как настаивается на чае, а в нем содержатся полифенолы. Они обладают антиоксидантным действием, препятствуют повреждению сосудистой стенки и образованию там холестериновых бляшек;

• вишня – содержащиеся в вишнях кумарины снижают свертываемость крови;

• шоколад – доказано, что 2 дольки темного шоколада в день снижают риск образования тромбов;

• цикорий – он не содержит кофеина и является отличным заменителем кофе для людей, страдающих от гипертонии. Цикорий содержит калий, который помогает выводить лишнюю жидкость из организма, а следовательно, помогает снижать давление;

• чеснок – в чесноке содержится вещество аджоен, которое обладает кроворазжижающим действием. Аллицин, который содержится в чесноке, помогает снижать уровень холестерина в крови. Исследования показали, что чеснок предотвращает развитие атеросклеротических бляшек на стенках артерий и снижает уровень «плохого» холестерина на 10%.

Важно помнить, что эти продукты не панацея, а всего лишь вспомогательный элемент. Если вы будете есть только их и не соблюдать остальные правила профилактики сердечно-сосудистых заболеваний, то риск развития болезней сохранится.

Хочу поделиться с вами рецептом отличного блюда для здоровья сердца. Оно содержит сразу три полезных продукта:

• рыбу – жирные сорта рыб богаты полиненасыщенными кислотами Омега 3, которые снижают уровень вредного холестерина и укрепляют стенки сосудов;

• овощи – богаты клетчаткой, которая помогает выводить вредный холестерин из организма;

• яйца – еще совсем недавно считалось, что яйца содержат большое количество холестерина. Но сейчас доказано, что яйца не только можно, но и нужно есть при атеросклерозе. Дело в том, что желток яйца богат лецитином – жироподобным веществом, которое способствует выведению холестерина из кровяного русла. Лецитин способствует удержанию холестерина в крови во взвешенном состоянии и препятствует его отложению в сосудистых стенках.

Итак, это блюдо – фаршированная скумбрия. Оно не только вкусное и полезное, но еще и очень оригинальное.

Для приготовления нам потребуется: 1 скумбрия, 1 морковь, 2 яйца, 1 пачка желатина, соль по вкусу. И 300 граммов брокколи на гарнир.

Морковь и яйца отвариваем. Скумбрию разделываем на филе – получится два одинаковых пласта, которые нужно немного посолить. Вареную морковь трем на крупной терке. Яйца нарезаем кружочками.

На одну половину филе высыпаем ровным слоем сухой желатин и выкладываем слоями: морковь и вареное яйцо, каждый слой пересыпая желатином. Накрываем вторым пластом филе, заворачиваем в пищевую пленку, перевязываем. Затем пленку прокалываем иголкой в нескольких местах. Опускаем получившийся рулет в кипящую подсоленную воду и варим 20–40 минут в зависимости от величины рыбы. Потом достаем рулет и кладем его под пресс до полного остывания. Нарезаем наш рулет вот такими красивыми кружочками и подаем с отваренной брокколи.

Необходимый друг сердца – вода! Обезвоживание приводит к сгущению крови, сердцу становится тяжело проталкивать ее по кровеносным сосудам. Поэтому для здоровья сердца необходимо пить достаточное количество воды.

Важное примечание: при уже наличествующих заболеваниях сердца в некоторых случаях, например при сердечной недостаточности, наоборот, вводится ограничение на количество употребленной воды.

При стрессах защитить сердце помогут растительные сборы. Существует несколько видов растений, которые обладают успокаивающим действием. Их можно заваривать в виде чая, также существуют препараты в виде таблеток и капсул. Но раз в составе травы – это не значит безвредно. Несмотря на то, что такие таблетки имеют растительные ингредиенты, постоянно их пить нельзя. При регулярном приеме успокоительных может развиться психологическая зависимость. Человек будет чувствовать себя беззащитным без таблеток и успокаиваться, только если их принял.

Пейте не менее двух литров чистой воды в сутки.

Растительные препараты и чай принесут пользу, только если не употреблять их без повода. Какие травы нам помогут?

• Корень валерианы – основной ингредиент успокоительных препаратов в таблетках. Обладает седативным действием, уменьшает возбудимость центральной нервной системы, улучшает засыпание.

• Мелисса обладает седативным и антидепрессивным действием.

• Мята обладает успокаивающим действием, снижает сердцебиение.

• Зверобой обладает антидепрессивным действием. Зверобой содержит гиперицин, вещество, способное ингибировать обратный захват серотонина и других нейромедиаторов, что поднимает настроение, успокаивает, снижает нервное напряжение.

• Хмель оказывает седативное и успокаивающее действие.

• Боярышник понижает возбудимость центральной нервной системы, оказывает кардиотоническое действие.

Отдельно хочу поговорить о нитроглицерине. Этот препарат используется уже 100 лет и активно применяется при сердечно-сосудистых заболеваниях, в частности при приступах стенокардии. Однако американские ученые провели исследования и выяснили, что нитроглицерин может быть опасен и способен привести к смерти от инфаркта. Исследователи наблюдали две группы крыс: одна группа получала нитроглицерин, другая – нет. Через некоторое время ученые спровоцировали у обеих групп инфаркт миокарда. И оказалось, что крысы, получавшие нитроглицерин, переживали приступ намного тяжелее. Повреждения сердечной мышцы у них были в 2 раза выше.

Почему так происходит? Попадая в организм, нитроглицерин разлагается при помощи фермента альдегиддегидрогеназы ($ALDH_2$) до оксида азота. Это вызывает расширение сосудов и усиление кровотока. Однако этот же фермент защищает сердце от повреждающего действия веществ, которые накапливаются при недостатке кислорода во время инфаркта. Длительное введение нитроглицерина истощает запасы этого фермента. Сердечная мышца оказывается более уязвимой, и приступ протекает намного тяжелее.

Именно поэтому нитроглицерин нельзя считать панацеей от любых приступов боли в груди. Использовать этот препарат нужно строго по показаниям. Вот несколько фактов в вопросах и ответах.

• Используется ли нитроглицерин для профилактики и предупреждения приступов стенокардии? Да. Только в виде так называемых пролонгированных форм. Они дольше действуют и медленнее всасываются. Другие формы нитроглицерина мало

Прием 100–150 мг/кг нитроглицерина может привести к летальному исходу.

пригодны для профилактики из-за кратковременности действия.

• Нитроглицерин может вызвать отравление? Да. Нитроглицерин токсичен. Токсичной дозой для человека считается 25–50 мг. 50–75 мг вызывают понижение артериального давления, появляются сильная головная боль, головокружение, покраснение лица, жжение в горле.

• Правда ли, что в предынфарктном состоянии нитроглицерин не купирует боль? Да. В отличие от стенокардии боль при инфаркте миокарда обычно не исчезает после повторного приема нитроглицерина. Инфаркт миокарда чаще развивается в период обострения ишемической болезни сердца, которое проявляется главным образом учащением и усилением приступов стенокардии, уменьшением эффективности действия нитроглицерина. Поэтому при острой боли за грудиной, не исчезающей после приема нитроглицерина, необходимо срочно вызвать «Скорую помощь».

• Можно ли употреблять нитроглицерин вместе с валидолом? Да. Это смягчит побочные действия нитроглицерина.

• Можно ли принимать нитроглицерин, если он вызывает головную боль? Да. При применении нитроглицерина могут возникать головная боль, шум в ушах, ощущение пульсации в голове, головокружение. Если эти явления выражены не сильно, прекращать пользоваться в дальнейшем нитроглицерином не следует. Нужно только уменьшить дозу.

• Правда ли, что нитроглицерин нельзя хранить в холодильнике? Нет. Нитроглицерин быстро разрушается на свету и в тепле. Хранить его нужно в холодильнике и только в том флаконе, в котором он продавался, так как тара и вата в ней обработаны специальным раствором, который уменьшает адсорбцию препарата. После того как флакон был открыт, препарат начинает терять свои свойства даже при соблюдении этих правил. Уже через два месяца его эффективность составит меньше 30%. Более надежны в этом отношении капсулы с нитроглицерином.

• Правда ли, что красные капсулы нитроглицерина менее эффективны при приступах стенокардии? Да. Красные капсулы содержат в себе масляный раствор нитроглицерина. Препарат всасы-

При приступах стенокардии не используйте красные капсулы, содержащие масляный раствор нитроглицерина.

Обычно рекомендуемая доза ацетилсалициловой кислоты для профилактики сердечно-сосудистых заболеваний составляет 100 мг.

вается медленнее, а при приступе необходимо мгновенное действие.

Существует еще один очень полезный препарат для сердца и сосудов. Он помогает в профилактике инфарктов и инсультов, улучшает кровообращение, понижает свертываемость крови и препятствует образованию тромбов. Это – ацетилсалициловая кислота, всем известный аспирин.

Обычно данный препарат врачи-кардиологи назначают пациентам после 40–50 лет, в зависимости от состояния их здоровья. Но здесь есть важный момент. При постоянном приеме ацетилсалициловой кислоты возможно повреждение защитных покровов желудка, и возникновение гастрита или даже язвы. Этот побочный эффект можно уменьшить, если принимать ацетилсалициловую кислоту в специальной кишечнорастворимой оболочке. Такая таблетка растворяется не в желудке, а в кишечнике. Там кислота нейтрализуется щелочью и не оказывает повреждающего действия.

Но самостоятельно назначать себе ацетилсалициловую кислоту не стоит – обязательно посоветуйтесь со специалистом.

Настоящим верным другом для сердечно-сосудистой системы является обычный... тонометр! Даже если у вас никогда не было жалоб на повышенное артериальное давление, все равно стоит раз в месяц с утра проводить измерения для контроля за здоровьем. Если же у вас были эпизоды повышения артериального давления или вы страдаете от гипертонии, обязательно проводите измерения два раза в день и записывайте показания в дневник.

Многие пользуются тонометрами и при этом видят ложные показания. Почему так происходит?

Для начала давайте разберемся, как же тонометр измеряет давление. Раздувшаяся манжета тонометра перекрывает просвет артерии. Затем тонометр начинает сдувать манжету и возникают тоны Короткова – высокочастотные колебания стенки артерии и окружающих тканей, которые возникают на фоне волны резкого расправления пережатой манжетой артерии. Именно эти тоны (всего их пять) мы слышим в фонендоскоп, когда измеряем давление.

Во время первого удара замеряется систолическое артериальное давление – давление в артерии в момент, когда сердце сжимается и выталкивает в нее кровь. Во время последнего удара регистрируется диастолическое артериальное давление, которое показывает давление в артериях в момент расслабления сердечной мышцы.

Так почему же некоторые показания получаются ложными? Дело

Тонометры на запястье не подходят людям после 40 лет.

в том, что многие люди сейчас стали приобретать тонометры, измеряющие давление на запястье. Конечно, такие приборы очень удобные – не нужно мучиться и правильно закреплять манжету на плече, надувать ее. Но есть один подводный камень. Если сосуды поражены атеросклерозом, то их стенки становятся жесткими. тоны нужно выслушивать самостоятельно при помощи фонендоскопа, а также наблюдать за движением стрелки на манометре. У пожилых людей слух, как правило, снижен, поэтому они могут не слышать тоны сердца. Зрение также с возрастом ухудшается, и приходится прилагать немало усилий, чтобы разглядеть показания стрелки.

Пожилым людям не стоит пользоваться механическими тонометрами.

Мелкие сосуды на запястье сильнее подвержены этому явлению, чем крупная плечевая артерия. Поэтому на запястье давление может быть ниже, чем оно есть на самом деле.

Представляете, насколько это может быть опасно! Померил человек себе давление на запястье, получил хороший результат, а на самом деле... ему может грозить инсульт!

С плечевыми тонометрами все тоже не просто. Существуют три типа этих приборов, и выбирать их нужно по индивидуальным показаниям:

- Механический тонометр – самый дешевый вариант. Он достаточно надежен и дает точные показания. Но у него есть минус – пожилым людям таким тонометром пользоваться нелегко, поскольку
- Полуавтоматический тонометр – в таких тонометрах воздух в манжету нагнетается вручную, а результат показывает дисплей. Они удобны в обращении, недороги, но точность измерения ниже, чем у автоматических и тем более механических аппаратов.
- Автоматический тонометр – в автоматических тонометрах воздух в манжету нагнетается компрессором от батареек, а результат отображается на дисплее. Казалось бы, идеальный вариант. Но и у него есть минусы: если батарейка начала садиться, прибор может показывать неверные результаты. У автоматических тонометров есть и большой плюс: многие модели имеют индикатор аритмии. Такие

При заболеваниях сердца выбирайте тонометр с индикатором аритмии.

Следите за зарядом батареек в автоматическом тонометре! Низкий заряд батареек может сказаться на точности измерения.

тонометры будут полезны для людей с больным сердцем.

Но даже самым хорошим тонометром нужно уметь правильно пользоваться. Иначе даже надежный тонометр будет показывать неправильные результаты измерений. Вот какие ошибки часто допускаются при измерении давления:

• измерения во время разговора;

• измерения сразу после нагрузки;

• измерения после употребления кофеинсодержащих и алкогольных напитков;

• измерения со скрещенными ногами.

Чтобы правильно измерить давление, проводите процедуру в состоянии покоя, в сидячем положении. Если перед этим у вас была физическая активность, посидите минут пять расслабившись.

При повышенном артериальном давлении для профилактики заболеваний сердца важно соблюдать некоторые правила.

• Если ночью давление повышается, следует принимать таблетки и перед сном. В дополнение к тем, что вы пьете с утра. Это убережет сердце и сосуды от нежелательной нагрузки.

• Людям, страдающим от повышенного давления, нельзя длительное время испытывать активную нагрузку. Если вы, например, проводите генеральную уборку или пропалываете огород, обязательно делайте перерыв на 10–15 минут каждые полчаса.

• Для профилактики скачков давления и для снижения артериального давления полезно делать дыхательную гимнастику.

Обычно мы дышим поверхностно и часто. От этого кровеносные сосуды сужаются, давление повышается. При правильном – медленном и глубоком – дыхании мы заставляем работать диафрагму в полную амплитуду. Диафрагма помогает сердцу качать кровь, снимая на себя часть нагрузки. Глубокое дыхание насыщает кровь кислородом. Сердцу легче работается, сосуды расширяются.

Как же правильно дышать? Есть пара упражнений.

• Упражнение первое. Одну руку положите на грудную клетку, вторую – на живот. Сделайте вдох и следите за тем, чтобы двигался у вас только живот. Выдыхайте, подтягивая мышцы живота. Грудная клетка не должна включаться в работу. Дышите медленно и глубоко.

• Упражнение второе. Поставьте зажженную свечу на стол и сядь-

Правильное дыхание снижает давление, уменьшает частоту пульса и нагрузку на сердце.

те перед ней таким образом, чтобы пламя находилось на расстоянии 15–20 см от ваших губ. Округлите губы и медленно выдыхайте на пламя свечи. Не тушите огонь, но отклоняйте его осторожной, медленной и сильной струей воздуха. Постарайтесь дуть так, чтобы угол наклона пламени был одинаковым с начала выдоха до его полного завершения. Выполняйте это упражнение в течение пяти минут.

При заболеваниях сердца полезен массаж. Если у человека есть проблема с сердцем, нужно массировать зону грудины. Массаж этой зоны является эффективным средством от спазма сосудов.

При нарушениях сердечного ритма полезен массаж каротидного синуса. Он помогает при приступах тахикардии и других видах аритмии. Каротидный синус – это расширенная часть общей сонной артерии в месте разделения ее на наружную и внутреннюю. Это важная рефлексогенная зона, участвующая в обеспечении постоянства артериального давления, работы сердца и газового состава крови. Здесь расположены барорецепторы, реагирующие на изменение кровяного давления, а также хеморецепторы, реагирующие на изменение химического состава крови и напряжения кислорода.

При проведении массажа расширяются кровеносные сосуды, снижается артериальное давление, замедляется сердечный ритм.

Еще я хочу рассказать о нескольких полезных процедурах. Они очень полезны в профилактике прогрессирования заболеваний сердца, помогают улучшить качество жизни, а в некоторых случаях и полностью вернуть утраченное здоровье.

Первая процедура – магнитотерапия. Этот метод лечения использует физическое влияние на человеческий организм статического магнитного поля. В советской медицине магнитотерапия широко использовалась в больницах, физиотерапевтических кабинетах поликлиник, реабилитационных центрах. И по сей день этот метод признается российскими врачами как одна из самых эффективных процедур физиотерапии.

Магнитное поле воздействует на мембраны клеток, делая их более эластичными. Например, под воздействием магнитотерапии клетки крови – эритроциты легче проходят через кровеносные сосуды, улучшается кровообращение. Также магнитное поле стимулирует активность лейкоцитов и фибробластов, что помогает снять воспалительный процесс и улучшить регенерацию тканей.

Полезные свойства магнитотерапии:

- снижает вязкость крови;
- улучшает кровообращение;
- уменьшает отеки;

Воздействуйте на зону ниже уровня угла нижней челюсти и выше щитовидного хряща в течение 5–10 секунд.

Продолжительность сеанса магнитотерапии — до 20 минут. Длительность курса — 10–20 процедур.

- снимает воспаление;
- улучшает регенерацию тканей.

Вторая процедура – ударно-волновая терапия. Принцип действия ударно-волновой терапии основывается на преобразовании импульса от ударно-волнового воздействия в звуковую волну, которая передается во внешнюю среду. Воздействие ударно-волновых импульсов не разрушает ткани, а «разрыхляет» их. Происходит регенерация поврежденных тканей за счет стимуляции выработки фактора роста, а также улучшение микроциркуляции за счет разрастания микрокапилляров на пораженном участке. Процедура УВТ безболезненна, не требует применения обезболивающих препаратов и специальной предварительной подготовки.

Ударно-волновая терапия на 90% увеличивает максимально переносимую сердцем нагрузку, на 70% уменьшает частоту возникновения приступов стенокардии.

Ударно-волновая терапия часто применяется как метод безоперационного лечения ишемической болезни сердца: инфаркта миокарда, стенокардии, вызванной ими сердечной недостаточности. Сфокусированные ударные волны воздействуют на зону миокарда с недостаточным кровообращением и способствуют образованию новых и расширению имеющихся сосудов, тем самым устраняя дефицит кровоснабжения и восстанавливая адекватную работу сердца.

При восстановлении после инфаркта ударно-волновая терапия помогает стимулировать рост новых сосудов в пораженной части миокарда, уменьшает размер рубцового поражения, улучшает кровоснабжение сердца, повышает толерантность к максимальной нагрузке, снижает частоту приступов стенокардии. Уменьшает потребность в приеме нитратов вплоть до полного отказа от них.

Третья полезная процедура – квантовая терапия. Это одновременное воздействие тремя излучениями: лазерным, инфракрасным и магнитным. Лазерное излучение обладает высокой проникающей способностью, и фотоны лазерного света, в отличие от солнечного, могут проникнуть глубоко в кожу. Если при нарушениях кровообращения эритроциты крови становятся неэластичными, слипаются между собой, образуя сгустки, то под воздействием квантовой терапии эритроциты становятся эластичными, разделяются и свободно проходят по сосудам.

Четвертой полезной процедурой является усиленная наружная

Длительность процедуры УВТ — 7–12 минут. Длительность курса — 3–9 сеансов 1–2 раза в неделю.

контрпульсация. Она очень хорошо помогает при ишемической болезни сердца. Впервые термин УНК был употреблен в 60-х годах XX столетия. Спустя некоторое время на практике впервые было применено устройство, задача которого заключалась в нагнетании воздуха в манжеты. Сегодня усиленная наружная контрпульсация применяется во многих медицинских центрах США, Индии, Китая, Японии и европейских странах – Германии, Испании и некоторых других, в том числе и в России.

Полезное воздействие возникает при обжатии конечностей с помощью манжет: наложенные на голени, бедра и ягодицы манжеты раздуваются с определенной последовательностью, создавая волну давления крови в артериях и усиливая кровоток в коронарных сосудах. Цикл раздувания манжет регулируется с помощью контроля ЭКГ относительно процесса работы сердца. Когда желудочки сокращаются, воздух из манжет мгновенно выкачивается, что приводит к снижению сосудистого сопротивления и облегчает работу сердца.

Усиленная наружная контрпульсация стимулирует расширение спазмированных сосудов. Под ее воздействием в сердечной мышце образуются новые сосуды, что улучшает ее кровоснабжение, улучшает сократимость сердца. Это позволяет уменьшить степень сердечной недостаточности.

У усиленной наружной контрпульсации есть еще несколько очень полезных свойств. Она:

- снижает артериальное давление;
- снижает уровень холестерина;
- уменьшает вязкость крови;
- ускоряет отток венозной крови от нижних конечностей и улучшает работу лимфатической системы;
- повышает толерантность к физической нагрузке.

Пятая полезная процедура – сухие углекислые ванны – хорошо помогает при гипертонии. Она использовалась уже в XVIII–XIX веках на курортах Германии, Франции, Чехословакии, Румынии, Польши, Италии, России (Кисловодск). При этом применялись выходящие из-под земли поствулканические газы, в основном состоящие из углекислого газа. С 60-х годов нашего столетия началось использование специальных небольших, герметически закрываемых устройств. Во время процедуры только голова пациента остается снаружи, тело же помещено в ванну, куда подается подогретый и увлажненный углекислый газ. В отличие от водных

При контрпульсации кровоснабжение сердечной мышцы повышается в 4 раза.

Длительность процедуры — 1 час. Длительность курса — 35 процедур 4 раза в неделю.

ванн сухие углекислые ванны легче переносятся из-за отсутствия нагрузочного действия воды на сердце и потому могут использоваться для более тяжелых больных.

Длительность процедуры сухой углекислой ванны — 15–20 минут. Длительность курса — 10–15 процедур ежедневно или через день.

Во время процедуры происходит воздействие углекислого газа. Он легко проникает через кожу человека и растворяется в плазме крови. Улучшается кислородный обмен в тканях. Расширяются кровеносные сосуды, что способствует снижению артериального давления. Углекислый газ улучшает работу центральной нервной системы.

Сухие углекислые ванны:

- расширяют сосуды;
- снижают артериальное давление;
- улучшают кровообращение;
- стимулируют кислородный обмен в органах.

Шестая полезная процедура – гипокситерапия. Она долгое время относилась к «закрытым научным организациям». При помощи данного метода подготавливали военных летчиков, работников спецслужб, спортсменов с целью повышения выносливости. В основе метода – дыхание воздухом с уменьшенным содержанием кислорода, но при обычном давлении. В этих условиях стимулируется работа системы транспорта кислорода, повышается уровень гемоглобина в крови и увеличивается число капилляров. Все это приводит к снижению артериального давления, поэтому гипокситерапия очень полезна при гипертонии.

Также гипокситерапия помогает:

- улучшить кровоснабжение сердца, головного мозга, легких и печени;
- увеличить рабочую площадь легочной ткани;
- стимулировать активность ферментов, участвующих в синтезе гормонов;
- повысить уровень гемоглобина;
- улучшить иммунную защиту и повысить адаптационные возможности организма.

Длительность процедуры гипокситерапии — 30–40 минут. Длительность курса — 10–15 процедур.

ЛЕГКИЕ И БРОНХИ

Мы дышим неосознанно и обращаем внимание на этот жизненно важный процесс только тогда, когда с ним возникают затруднения. К сожалению, заболевания дыхательной системы развиваются довольно часто. Причем негативное состояние легких и бронхов сказывается на здоровье других органов, ведь оно приводит к кислородному голоданию — серьезно страдают сердце и головной мозг. К тому же воспалительные заболевания дыхательной системы становятся хроническим очагом инфекции, которая с током крови начинает циркулировать по всему организму.

Легким и бронхам чаще всего угрожают следующие заболевания:

- ОРВИ и грипп;
- бронхит;
- пневмония;
- хроническая обструктивная болезнь легких (ХОБЛ);
- бронхиальная астма.

Как устроены легкие и бронхи

Как же происходит дыхание? И какие функции есть у легких и бронхов? Давайте разберемся, ведь анатомию этих органов важно знать, чтобы понять, как их обезопасить от проблем и как бороться с их заболеваниями.

Вдыхаемый воздух попадает в нос (или в рот), откуда затем проходит в глотку, гортань и трахею. Заканчивается дыхательная система легкими — парой конусовидных органов, каждое из которых разделено на три доли. Трахея разделяется в легких на бронхи: правый бронх уходит в правое легкое, левый бронх — в левое легкое. Бронхи похожи на два перевернутых дерева: подобно ветвям, бронхи разделяются все больше и больше — сначала на долевые, потом на сегментарные, завершаясь короткими «веточками» — бронхиолами. На концах каждой бронхиолы есть маленькие пузырьки, которые похожи на гроздь винограда и называются альвеолами.

Альвеолы будто сеткой оплетены кровеносными сосудами, через которые сквозь тончайшие стенки альвеол происходит газообмен: в кровь поступает кислород, а из нее выводится углекислый газ. Мелкие сосуды, которые оплетают альвеолы, постепенно сходятся

Всего в легких около 730 миллионов альвеол.

в более крупные сосуды. По одним из легочных сосудов обедненная кислородом кровь поступает в альвеолы, по другим, насыщенная кислородом, попадает в сердце и разносится по всему организму.

Обеспечивает процесс дыхания целая группа мышц, самой крупной из которых является диафрагма. Она располагается прямо под легкими, отделяя их от органов брюшной полости. При вдохе диафрагма двигается вниз и распрямляется, а легкие расширяются. А когда диафрагма расслабляется, легкие сдуваются – происходит выдох. Участвуют в дыхании и межреберные мышцы, а также лестничная мышца шеи. При затрудненном дыхании вдоху помогают мышцы плечевого пояса, другие мышцы шеи, а иногда даже мышцы живота.

а в нарушении иннервации межреберных мышц. Виной всему был остеохондроз. Он вызывал приступы межреберной невралгии. Остеохондроз может также вызывать раздражение диафрагмального нерва, и тогда диафрагма начинает работать с ограничениями, вследствие чего человек начинает испытывать нехватку кислорода и даже одышку.

Дыхательная система постоянно подвергается атаке чужеродных элементов: бактерий, вирусов и грибков, пыли, дыма, различных аллергенов и других инородных веществ. Поэтому в строении дыхательной системы заложено несколько способов очищения. Инородные частицы задерживаются в носу, а микробы задерживаются и уничтожаются на миндалинах.

В покое в течение минуты взрослый человек совершает от 16 до 20 дыхательных движений. Причем женщины дышат немного чаще, чем мужчины.

Не всегда затруднения дыхания связаны с заболеваниями легких и бронхов. Одна из героинь нашей программы жаловалась на затрудненный вдох, ощущение нехватки воздуха и боли в груди при дыхании. Мы провели обследование и выяснили, что проблема заключалась вовсе не в легких,

Также попадание жидкости или пищи в дыхательные пути предотвращает надгортанник. Он закрывает трахею в тот момент, когда человек глотает.

Кроме того, и бронхи, и бронхиолы изнутри покрыты слизистой оболочкой, в которой есть ресничный эпителий. В бронхах

До 20% взрослых людей страдают от хронического кашля.

выделяется небольшое количество слизи, на которой оседают вдыхаемая пыль и другие инородные частицы, а затем с помощью движения ресничек эпителия эта слизь выводится наружу. При различных заболеваниях, затрагивающих дыхательную систему, слизи продуцируется слишком много, и она начинает затруднять дыхание.

Еще одним механизмом защиты легких является кашель. Он позволяет быстро выбросить из легких раздражающие частицы.

Кашель может спровоцировать попадание в легкие механических или химических частиц, воздействие холодного ветра, дыма. Но наиболее частой причиной кашля являются воспалительные заболевания дыхательной системы. При данных болезнях выделяются медиаторы воспалительного процесса, происходит избыточное выделение слизи – она сгущается, бронхи раздражаются, и это вызывает желание кашлянуть.

Симптомы нарушений работы легких и бронхов

Легкие и бронхи могут страдать от различных заболеваний, начиная от обычной простуды и заканчивая тяжелыми и необратимыми патологическими изменениями, например ХОБЛ. Но основные симптомы воспалительных и разрушительных процессов в легких и бронхах схожи. К ним относятся:

- кашель;
- выделение мокроты;
- ощущение нехватки воздуха, недостаточного вдоха или выдоха;
- часто – повышенная температура тела, озноб, слабость;
- боль в груди.

О том, что провоцирует развитие данных симптомов, поговорим в следующем разделе.

Враги легких и бронхов

Ежедневно легкие и бронхи подвергаются атаке неблагоприятных факторов. Конечно же, в эпоху ухудшения экологии в дыхательные пути попадает все больше раздражающих частиц. При проживании в районах с неблагоприятной экологической обстановкой хорошо бы сменить место жительства, но не всегда это возможно. Зато вполне можно защитить легкие от других врагов.

Однозначным врагом дыхательной системы является курение. Оно оказывает повреждающее действие на слизистую оболочку бронхов, ухудшает работу альвеол, забивает дыхательные пути сажей, снижает поступление кислорода в кровь и способствует накоплению углекислого газа. Кроме того, никотин повышает ломкость сосудов, в том числе и тех, благодаря которым в легких происходит газообмен и снабжается питанием дыхательная система.

Также курение приводит к снижению иммунитета дыхательной системы. Она становится более восприимчивой к воздействию микробов, повышается частота ОРВИ и других воспалительных заболеваний. Вдобавок курение – немаловажный фактор, провоцирующий развитие рака легких.

Курение — одна из основных причин развития хронической обструктивной болезни легких, которая приводит к тяжелой инвалидности.

Существует мнение, что курение кальяна более безопасное, чем курение сигарет. Но в попытке заменить сигареты дымом из кальяна люди подвергают себя еще большей опасности! Кроме никотина и бензапирена, в легкие курильщика попадают соли тяжелых металлов и оксид углерода, который выделяется в огромном количестве при горении углей и табака. Запомните, не существует безопасного курения. Эта привычка вредна в любой форме!

Сухой или холодный воздух тоже вредят дыхательной системе. При сухости воздуха происходит пересыхание слизи в бронхах, а значит, снижается ее защитная функция. Холодный воздух, как и длительное воздействие низких температур, провоцирует развитие воспалительных болезней.

Негативным фактором является работа на вредных производствах: постоянное вдыхание токсических испарений, пыли и различных взвесей приводит к ухудшению работы легких, провоцирует развитие бронхиальной астмы, обструктивного бронхита, пневмонии и рака легких. Особому риску подвержены шахтеры, работники химических, текстильных, мукомольных, деревообрабатывающих производств. Важно не забывать о средствах индивидуальной защиты, постоянно носить на работе респиратор.

При аллергических заболеваниях снижается иммунная защита легких: они становятся более уязвимыми перед бактериями, вирусами и грибками. Также существует высокий риск развития бронхиальной астмы.

Наличие заболеваний, снижающих общий иммунитет, таких как, например, ВИЧ, также повышает

Врагами для дыхательной системы являются малоподвижный образ жизни и избыточный вес. Они ухудшают вентиляцию легких, провоцируют застой мокроты, ухудшают газообмен.

риск развития бронхита и пневмонии.

Серьезным негативным фактором является наличие хронических заболеваний верхних дыхательных путей. При рините, гайморите, тонзиллите, фарингите и ларингите из очагов хронической инфекции бактерии с током крови могут проникнуть в нижние отделы дыхательной системы, спровоцировав развитие бронхита и пневмонии. Аналогичное влияние оказывают аденоиды, пародонтит, кариес, стоматит и другие проблемы. Риск развития опасных последствий увеличивается при самолечении или игнорировании проблемы.

Врагом легких и бронхов могут быть... лекарства от кашля. Препараты от кашля — это одни из самых часто покупаемых в аптеке медикаментов. Как правило, люди приобретают их без рецепта, надеясь на знания, полученные от знакомых или из рекламы. Помню, как всю редакцию нашей программы взволновала одна история, приключившаяся с нашими телезрителями. К нам обратились два брата. Их мучил сильный кашель. Мы отправили наших героев-братьев на обследование, после которого врачи назначили им лечение: необходимо было делать ингаляции, а для этого приобрести небулайзер, также нужно было принимать препараты от кашля по рецепту врача.

Первый брат следовал всем назначениям. А второй решил сэкономить деньги. Он решил, что небулайзер плюс лекарства — это очень дорого. Увидел рекламу препарата, которая обещала быстрое избавление от кашля, купил, начал применять, и чудо — кашель прошел! Однако с каждым днем нашему герою становилось все труднее дышать. У него поднялась температура, и в результате он попал в больницу с диагнозом «пневмония».

«Что же случилось? — взволновались наши редакторы. — Получается, нашего героя обманули рекламные заверения?» Реклама-то не обманула, ведь, как утверждал наш герой, кашель-то действительно быстро прошел. Но сам выбор средства был неправильным, поэтому его применение и привело к таким последствиям. Ведь кашель бывает разный.

При кашле с образованием мокроты, которая скапливается в бронхах, необходимы муколитики. Мокрота имеет свойство загустевать, это затрудняет дыхание, поступает сигнал в мозг, и человеку хочется постоянно откашляться. Муколитики разжижают мокроту, они разрушают молекулы белков, нуклеиновых кислот и других полимеров, делающих мокроту вязкой — в результате мокрота становится более жидкой и текучей и легко выводится из бронхов во время кашля.

Существуют также противокашлевые препараты, их действие совсем иное. Они назначаются при сухом кашле. Противокашлевые препараты воздействуют на кашлевый центр, находящийся в продолговатом мозге, и подавляют кашлевый рефлекс. Но если, как у нашего героя, мокрота при этом продолжает продуцироваться, поскольку кашель отсутствует, происходит застой мокроты в бронхах, она все сильнее сгущается. Это привело к воспалению легочной ткани и вызвало перибронхиальную пневмонию.

Хорошо, что наш герой вовремя оказался на больничной койке. Ведь дальнейшая закупорка бронха сгустившейся мокротой могла вызвать ателектаз – спадение легкого. А разрастание соединительной ткани вследствие воспалительного процесса могло привести к полному закрытию просвета бронхов. Такое состояние способно вызвать смерть больного из-за легочно-сердечной недостаточности и эмфиземы.

Такой кашель бывает неврогенного характера, может быть вызван раздражением трахеи вредными парами. При сухом плеврите, трахеите тоже возникает сухой кашель. Но даже в этих случаях нельзя назначать себе противокашлевые препараты самостоятельно! Ведь препараты для лечения сухого кашля снимают лишь симптом, а не причину его появления, следовательно, можно заглушить кашель и запустить заболевание.

Кроме того, бронхит тоже часто начинается с сухого кашля. Поэтому противокашлевые препараты, что бы ни говорила вам реклама, следует принимать только по назначению врача!

Очень опасно самолечение антибиотиками. Во-первых, заболевания дыхательной системы не всегда провоцируются бактериями, против которых действует группа данных препаратов. Болезнь легких может быть вызвана вирусами, против которых антибиотики бессильны. Во-вторых, неправильный прием антибиотиков может привести к развитию резистентности, когда лекарство перестает помогать. Кстати, такая ситуация часто возникает и в случаях самовольного прерывания курса антибиотиков, назначенных врачом.

Некоторые люди также самостоятельно назначают себе при

Запомните, противокашлевые препараты назначаются только в том случае, когда кашлевая реакция не обусловлена необходимостью удаления мокроты из дыхательных путей. То есть при сухом частом кашле, приводящем к рвоте, нарушению сна и аппетита.

Сухой кашель может быть симптомом таких опасных заболеваний, как туберкулез легких, пневмония, бронхиальная астма и опухоль легкого.

Бесконтрольный прием иммуностимуляторов может привести к обратному эффекту — росту вируса в организме. Кроме того, такое «лечение» способно спровоцировать развитие аутоиммунных заболеваний!

болезни иммуностимуляторы. Но они при бесконтрольном приеме тоже могут быть опасны! Вопреки распространенному мнению, иммунитет – это не единая система организма. Это комплекс механизмов, выполняющих различные защитные функции. И каждый иммуностимулятор воздействует только на одно-единственное звено в цепочке систем иммунитета. Для того чтобы выяснить, какое из звеньев требует корректировки, нужно провести анализы и подобрать препарат у врача-иммунолога.

Отдельно хочу поговорить о до сих пор популярном в народе «лекарстве». О керосине. Им пытаются излечить ангину, бронхит и пневмонию. Керосин – это топливо, используемое в основном в промышленных целях. Получается оно в результате дистилляции тяжелых нефтепродуктов и состоит из смеси углеводородов. Керосин применяют в быту для заправки керосиновых ламп, нагревательных приборов, а также как авиационное топливо. Считается, что авиационный керосин лучше очищен и больше подходит для лечения. В народе ходит легенда о некоей Пауле Кернер из Австрии, которая якобы излечилась от рака керосином. Где взяла свое начало эта легенда, уже никто не знает, но именно этой историей вдохновилось большинство людей, решивших использовать керосин как лечебное средство.

Но вместо долгожданного излечения применение керосина приводит к следующим последствиям.

• Цирроз печени – керосин обладает канцерогенным действием, он может вызвать токсические гепатиты, а при многократном приеме внутрь – цирроз печени.

• Воспаление поджелудочной железы – поджелудочная железа, стараясь нейтрализовать токсичный для организма керосин, вырабатывает слишком много ферментов, которые начинают переваривать саму поджелудочную, вызывая ее воспаление.

• Воспаление почек – почки фильтруют кровь от токсичных веществ, одним из которых и является керосин. Попадая внутрь

Оказывая столь мощное токсическое воздействие на организм, керосин может привести даже к летальному исходу! Согласно статистике, около 80% случаев лечения керосином заканчивались либо тяжелым отравлением, либо смертью любителя выпить авиационное топливо.

почек, керосин вызывает гибель их клеток и воспаление.

• Ожог слизистой оболочки – принятый внутрь керосин повреждает слизистую оболочку гортани, желудка и кишечника, вызывает понос и рвоту.

• Повреждение нервной системы – всасываясь в кровь, керосин оказывает токсическое воздействие и повреждает нервные клетки.

Бронхит – одно из опасных и распространенных заболеваний дыхательной системы. Часто он возникает в осенний и ранний весенний период во время вспышек ОРВИ и гриппа. При бронхите начинает обильно вырабатываться слизь, она сгущается и вызывает постоянный кашель.

При ослаблении иммунитета острый бронхит может перейти в хроническую форму. В этом случае развиваются застойные явления, при которых часто присоединяется вторичная инфекция, вызывающая гнойное воспаление. Бронхи становятся хрупкими, при кашле провоцируются даже кровотечения. При хроническом бронхите постепенно развивается одышка, по ночам и утром после пробуждения больных беспокоит сильный кашель. В дальнейшем приступы появляются даже при воздействии холодного климата или других подобных раздражителей.

Более чем в половине случаев развитие бронхита обусловлено наличием других заболеваний: гайморита, ринита, фарингита и ларингита, бронхиальной астмы. Но иногда болезнь развивается из-за недуга, не связанного с дыхательной системой. Речь о заболевании, при котором содержимое желудка забрасывается в пищевод. Такое состояние называется рефлюкс-эзофагитом. Отличительной особенностью данной болезни является частое возникновение рефлюкса при нахождении больного в лежачем положении, во время сна. При выбросе в пищевод кислое содержимое желудка может подняться выше и попасть в дыхательные пути, вызвав их сильнейшее раздражение и развитие воспалительного процесса, который перейдет в хронический бронхит. Курение, длительное нахождение в атмосфере с сухим или холодным воздухом, воздействие профессиональных вредностей также являются факторами риска.

Примерно 10 миллионов человек в России ежегодно заболевают острым бронхитом. 10–20% взрослого населения страдают от хронического бронхита.

Еще одно из грозных заболеваний – пневмония, то есть воспаление легких. Оно вызывается вирусами, бактериями, грибками. Без своевременного лечения пневмония может быстро привести к смерти больного.

Пневмония чрезвычайно распространена, ежегодно в нашей

До 15% всех случаев смерти от заболеваний дыхательной системы приходятся на пневмонию.

стране регистрируется около полутора миллионов случаев данного заболевания. При воспалении легких их ткани заполняются жидкостью и гноем, что приводит к затруднению дыхания.

Данному заболеванию очень подвержены пожилые люди. С возрастом иммунитет снижается, защита организма ослабляется под натиском хронических болезней, поэтому инфекционные возбудители при попадании в дыхательные пути начинают активно размножаться.

Пожилым людям рекомендуется вакцинация от пневмококковой инфекции.

Риск развития пневмонии также повышают:

- младенческий возраст;
- сильное снижение иммунитета;
- переохлаждение;
- курение;
- алкоголизм;
- заболевания сердечно-сосудистой системы;
- заболевания пищеварительной системы;
- сахарный диабет;
- хронический гепатит;
- ВИЧ.

Высокий риск развития пневмонии есть у людей, которые вынуждены длительное время проводить в лежачем положении, — у таких больных ухудшается вентиляция легких и нарушается кровообращение, что приводит к застойным явлениям.

Пневмония, как и бронхит, может развиться вследствие рефлюкса-эзофагита. Также данное состояние грозит людям, страдающим от нарушения глотания, — например, при болезни Паркинсона или после инсульта.

Еще один враг, который может угрожать дыхательной системе — хроническая обструктивная болезнь легких, сокращенно — ХОБЛ. При данном заболевании постепенно нарушается доступ воздуха в дыхательные пути.

В начале заболевания развивается кашель с мокротой, затем появляется одышка при физической нагрузке. Постепенно одышка нарастает и появляется уже и в покое. Из-за того, что начальные симптомы заболевания похожи на обыч-

От ХОБЛ в России страдают 11 миллионов человек.

ный простудный кашель, многие больные вовремя не обращаются к врачу. Только четверти всех людей, страдающих от хронической обструктивной болезни легких, диагноз ставится своевременно.

Очень высокий риск хронической обструктивной болезни легких есть у людей, выкуривающих более одной пачки в день.

При ХОБЛ поражаются бронхи, альвеолы и сосуды, в которых происходит газообмен. Из-за воспалительного процесса бронхиолы патологически расширяются, нарастает ограничение доступа воздуха. Развитие болезни обусловлено одновременным течением хронического бронхита и эмфиземы легких – стойкого и необратимого расширения альвеол легочной ткани.

Одной из основных причин ХОБЛ врачи считают курение. Табачный дым и смолы нарушают работу бронхов и альвеол.

Повышают риск работа на вредных производствах, частое возникновение респираторных инфекционных заболеваний.

Есть еще один фактор риска. Ученые установили, что у людей, проживающих в частных домах и отапливающих их твердым топливом (например, дровами), при отсутствии в жилище нормальной вентиляции риск развития хронической обструктивной болезни легких возрастает.

К сожалению, хроническая обструктивная болезнь легких пока неизлечима, поэтому очень важно вовремя заподозрить и диагностировать заболевание, чтобы затормозить разрушительный процесс.

Друзья легких и бронхов

У легких и бронхов есть друзья, которые помогают быстро справиться с воспалительным процессом. Начнем с друзей растительного происхождения.

Один из них – всем известный еще с детства сироп корня солодки. Он содержит глицирризиновую кислоту и глицирризин, которые обладают отхаркивающим действием. Поэтому этот сироп полезен при кашле с мокротой.

Еще одно полезное растение – багульник болотный. Отвар багульника расширяет коронарные и периферические сосуды, тем самым смягчая кашель.

Такими же свойствами обладает и шалфей. Он обладает дезинфицирующим действием, способен уничтожить даже стафилококк и туберкулезную палочку! Его отвар будет полезен при бронхите, туберкулезе, пневмонии, хроническом кашле.

Настой смородинового листа обладает отхаркивающим действием и помогает при трахеите, бронхите, бронхиальной астме, а также при коклюше у детей.

При кашле полезен чай с плодами аниса.

Малина применяется во время простудных и острых респираторных заболеваний. Салициловая кислота, содержащаяся в малине, без побочных эффектов снижает повышенную температуру тела, ягоды малины обладают выраженным потогонным действием.

При бронхите полезны ингаляции с анисовым маслом. Оно оказывает дезинфицирующее, отхаркивающее и смягчающее действие, одновременно являясь жаропонижающим средством.

Чай со специями согреет, насытит организм антиоксидантами, поможет организму бороться с атакой вирусов и бактерий.

Анис – не единственная пряность, которая полезна для дыхательных путей. Еще одно средство – имбирь. Он укрепляет иммунитет, обладает противовоспалительным свойством. Кардамон может избавить от насморка, облегчит кашель, способствует удалению слизи из пазух носа и бронхов. Полезна и гвоздика. Гвоздичное масло часто входит в состав противопростудных мазей и бальзамов. При простуде, кашле, сильной заложенности носа можно делать ингаляции с гвоздикой.

При ОРВИ и бронхите полезно выпить чай со специями. Вам понадобится: 3 стакана воды, лимон, мед, 1 чайная ложка черного чая, ½ столовой ложки измельченного свежего корня имбиря, 4 сухих гвоздики, 2 щепотки кардамона, корицы и мускатного ореха. Вскипятите воду со специями, добавьте черный чай. Настаивайте напиток 2–3 минуты, добавьте лимон и мед, а затем пейте его горячим небольшими глотками.

Еще одно полезное растение не нужно употреблять внутрь, достаточно растить его на подоконнике дома. Это герань. Эфирные масла герани разжижают мокроту и помогают ее выводу из бронхов, поэтому герань полезно завести людям, страдающим от хронических заболеваний органов дыхания. Также эфирные масла герани обладают антибактериальным и противовирусным действием, обеззараживают воздух в квартире и являются профилактикой ОРВИ.

Всем знакомое средство при заболеваниях дыхательных путей – горчичники. Эфирное масло горчицы вызывает расширение кожных сосудов и прилив крови к месту постановки горчичника. При этом в более глубоко лежащих тканях происходит рефлекторное усиление кровообращения. Также возникает раздражение рецепторов кожи, которое вызывает повышение возбудимости симпатического отдела нервной системы, в результате чего в крови накапливаются адреналин и симпатин.

Горчичники нельзя применять, если температура тела выше 38°.

Горчичники полезны при пневмонии, бронхитах, при заболеваниях верхних дыхательных путей, миозитах, межреберной невралгии, радикулите. Иногда горчичники применяют при гипертонии и стенокардии – но только по назначению врача.

Горчичники очень эффективны при бронхите и пневмонии. Их нужно ставить на верхнюю часть грудной клетки и на спину в области лопаток.

Чтобы это средство принесло максимальный эффект, важно правильно его применять. Горчичники нужно запаривать в теплой, но не горячей воде – температура не более 40–45 °С. В слишком горячей воде горчичное масло разрушается. После постановки горчичников сразу же нужно накрыть их махровым полотенцем и закутать больного в одеяло или толстый плед. Пищевой пленкой накрывать не стоит – это может привести к усилению разогревающего эффекта и к получению ожогов.

Держать горчичники необходимо до 15 минут. После снятия горчичников необходимо быстро вытереть кожу насухо и накрыть больного полотенцем.

Для легких и бронхов полезны некоторые продукты:

• отруби – они богаты магнием, который способствует расслаблению мышц дыхательных путей и помогает контролировать реакцию организма при борьбе с инфекцией;

• красная рыба и льняное масло – богаты полиненасыщенными жирными кислотами Омега-3, которые обладают противовоспалительным действием и уменьшают риск развития раковых клеток;

• чернослив – богат антиоксидантами, которые борются со свободными радикалами и устраняют негативное влияние окружающей среды.

Есть еще одно полезное вещество – L-цистеин. Он обладает способностью разрушать слизь

Цистеин нельзя принимать при сахарном диабете, поскольку он может замедлять действие инсулина.

в дыхательных путях. Благодаря этому его часто применяют при бронхитах и эмфиземе легких. Он ускоряет процессы выздоровления при заболеваниях органов дыхания и играет важную роль в активизации лейкоцитов и лимфоцитов. Эта аминокислота также ускоряет сжигание жиров и образование мышечной ткани.

При заболеваниях лучше принимать препараты цистеина. Они продаются в аптеках и магазинах спортивного питания. Кроме того, цистеин является заменимой аминокислотой и может синтезироваться в организме из метионина и серина, однако большую часть цистеина человек получает из продуктов.

Вот лидеры по содержанию цистеина:

- соя (655 мг);
- семечки подсолнечника (451 мг);
- горох (373 мг);
- яйца (272 мг);
- куриная грудка (222 мг);
- лосось (219 мг).

Добавьте эти продукты в рацион при трахеите, бронхите и пневмонии.

Борясь с заболеваниями дыхательных путей и проводя профилактику этих болезней, следите, чтобы воздух в помещении, где вы находитесь, не был слишком сухим.

В сухом воздухе состояние больного бронхитом может усугубиться. Влажный воздух помогает облегчить кашель и стимулирует отхаркивание мокроты. Чтобы поддерживать нормальную влажность воздуха, можно, например, повесить на батареи мокрые полотенца или использовать специальные приборы – увлажнители.

Увлажнители воздуха часто имеют функцию ионизации, которая также очень полезна. Во время бронхита, когда дыхание затруднено, для полноценного усваивания кислорода нашим организмом воздух нужно обогащать отрицательно заряженными аэроионами.

При кашле с мокротой очень полезна минеральная вода. И ее питье, и ингаляции с ней разжижают мокроту и способствуют ее выводу из бронхов. Полезно пить и простую воду.

Для ингаляций с минеральной водой и другими средствами можно использовать специальные приборы. Но важно подобрать самый полезный ингалятор.

Существует 3 основных типа ингаляторов: паровой, ультразвуковой и компрессорный. Давайте разберемся в плюсах и минусах каждого.

Паровой ингалятор подойдет для прогревания верхних дыхательных путей и ингаляции с использованием эфирных масел. Но

При бронхите необходимо пить не менее двух литров жидкости в сутки, чтобы предотвратить сгущение мокроты.

Добавление эвкалиптового масла на кожу или в воду сделает процедуру еще более эффективной и облегчит дыхание.

у него есть существенный минус — горячую ингаляцию нельзя применять при температуре тела выше 37,5°. Кроме того, при воздействии высоких температур часть лекарственных средств неизбежно разрушается, а их концентрация и так невелика. Для малышей такой ингалятор использовать не рекомендую — деток трудно заставить вдыхать горячую струю пара, и к тому же существует риск, что ребенок обожжется. Кроме того, все чаще врачи говорят о возможности «загнать» таким образом болезнь дальше в организм — к бронхам.

Ультразвуковой ингалятор за 10–15 минут способен полностью обработать всю поверхность воспаленных дыхательных путей. Для ингаляций можно использовать отвары лекарственных трав, минеральную воду, эфирные масла, благодаря чему прибор может применяться для ароматерапии и увлажнения воздуха. Ультразвуковые ингаляторы более компактны, практически бесшумны, оснащены аккумуляторами. Но! Существуют препараты, основные компоненты которых разрушаются под воздействием ультразвука. К недостаткам можно отнести необходимость закупки расходных материалов: чашечек для лекарств и геля.

Компрессорный ингалятор может работать с постоянным выходом аэрозоля, активироваться вдохом (от увеличения скорости вдоха увеличивается выход аэрозоля и процент частиц размером менее 5 мкм) или быть снабжен клапанным прерывателем потока. К безусловному преимуществу такого прибора можно отнести то, что этот тип ингалятора способен распылять практически все лекарственные составы, применяемые для ингаляций. Еще один плюс компрессорных ингаляторов — большой ресурс работы и отсутствие каких-либо расходных материалов. Из минусов же только (иногда) большой размер прибора и его шумная работа. Поэтому я бы порекомендовал именно компрессорный ингалятор.

Если пока у вас нет этого полезного прибора, можно проводить ингаляции в ванной. Такое лечение можно применять, только если у вас нет температуры. Просто запритесь в ванной, включите горячий душ и подышите паром 10–15 минут. Пар от горячего душа поможет отойти мокроте, которая бывает причиной кашля и боли в горле.

Курс лечения в холодных пещерах и в теплых пещерах с повышенным содержанием радона в воздухе — 1 час в день ежедневно в течение 3–4 недель.

Хорошей процедурой для профилактики и лечения заболеваний дыхательных путей является «сухое плавание». Оно, так же как и традиционное плавание в воде, активизирует дыхательную и сердечно-сосудистую системы. Работает грудной отдел и реберные суставы, что положительно сказывается на объеме легких.

• Встаньте в позицию ноги врозь, наклонитесь слегка вперед и имитируйте руками греблю кролем, не забывайте поворачивать голову и правильно дышать.

• Приседайте медленно и следите, чтобы пятки при этом не отрывались от пола, затем резко выпрямляйте ноги и быстро, толчком поднимайтесь вверх.

• Встаньте в позицию: ноги на ширине плеч, носки разведены, руки вверх, ладони повернуты в стороны. Выполняйте приседания с одновременным движением рук (как при плавании брассом) через стороны вниз, к груди и вверх в исходное положение. Согласуйте движения ногами с дыханием (во время приседания – вдох, при выпрямлении – выдох).

Также существует процедура, которая будет полезна при хроническом бронхите и бронхиальной астме, при частом возникновении ОРВИ. Эта процедура называется спелеотерапией. Она также помогает при аллергическом риносинусите и гипертонии.

Спелеотерапия проводится в специальных камерах, которые могут быть природного или искусственного происхождения. Дело в том, что микроклимат пещер и соляных выработок в воздухе практически не содержит аллергенов и поллютанотов, то есть загрязняющих веществ. Помимо этого, особенный микроклимат пещер обусловлен их высокой ионизацией и присутствием в них высокодисперсных аэрозолей. В таких камерах поддерживается оптимальная температура, влажность и давление.

В пещерах со средней температурой можно находиться 8–10 часов в день 3–4 раза в неделю.

В карстовых пещерах повышена концентрация углекислого газа, поэтому они будут полезны для гипокситерапии.

При заболеваниях дыхательных путей, конечно же, будут полезны лекарственные средства. Но только те, которые назначены врачом! Многие люди считают, что при первых же признаках бронхита нужно начать прием антибиотиков, и начинают самостоятельное лечение. Однако, если возбудителем болезни является вирус или аллергия, антибиотики будут не только бесполезны, но и вредны. Эти препараты нужны только при тяжелых стадиях бронхита, вызванного бактериями.

ЖЕЛУДОК И КИШЕЧНИК

Организм человека не способен нормально работать, если плохо функционирует пищеварительная система. Благодаря этому сложному и слаженному механизму мы получаем питательные вещества и энергию для жизнедеятельности. Пища переваривается и преобразуется в множество различных нутриентов, которые становятся «кирпичиками» для строительства клеток, гормонов, ферментов и других необходимых организму элементов.

Центральным звеном пищеварительной системы является желудочно-кишечный тракт. В нем происходит поглощение, переваривание пищи, всасывание полезных веществ в кровоток и выведение балластных веществ наружу.

Пищеварительный тракт человека – это очень сложная система, в ней происходит множество процессов, и если хотя бы один из них нарушается, то появляются различные заболевания. Причем патологический процесс, как лавина, приводит к ухудшению работы многих внутренних органов, сказывается на состоянии кожи, волос и ногтей.

Желудку и кишечнику часто угрожают следующие заболевания:

- гастрит;
- дуоденит;
- колит;
- язвенная болезнь желудка и двенадцатиперстной кишки;
- синдром раздраженного кишечника;
- полипы кишечника.

Чтобы разобраться, как возникают болезни желудочно-кишечного тракта и что поможет дать им отпор, я предлагаю вам узнать несколько интересных фактов об устройстве этой части пищеварительной системы.

Как устроены желудок и кишечник

Желудочно-кишечный тракт состоит из нескольких отделов:

- ротовой полости;
- пищевода;
- желудка;
- тонкого кишечника;
- толстого кишечника.

Длина пищеварительного тракта у взрослого человека достигает практически 10 метров!

Когда мы принимаем пищу, вначале она попадает в ротовую полость. Многим кажется, что рот – это очень простая система, но на самом деле он является сложным комплексом механизмов.

Язык содержит рецепторы, которые помогают нам различать вкусовые оттенки: мы понимаем, что пища имеет кислый, горький, соленый или сладкий вкус. Рецепторы слизистой оболочки рта дают нам информацию о консистенции и температуре пищи.

Уже в ротовой полости начинается процесс пищеварения. Импульсы от рецепторов поступают в головной мозг, а он запускает целую серию команд, активизирующих работу пищеварительной системы. Слюнные железы начинают усиленно вырабатывать свою продукцию, желудочная и поджелудочная железы продуцируют свои соки, органы пищеварения начинают усиленно кровоснабжаться, в двенадцатиперстную кишку выбрасывается желчь.

В слюне содержатся особые ферменты – мальтаза и амилаза, которые расщепляют углеводы. Их действие прекращается уже в желудке. При жевании выработка слюны усиливается в 12–14 раз!

За сутки у человека выделяется до двух литров слюны.

Это помогает смягчить даже сухую пищу и сформировать из нее пищевой комок, который легко проглотится и пройдет в желудок.

Существуют заболевания, при которых ухудшается работа слюнных желез – возникает синдром Шегрена. Как правило, он развивается у женщин после сорока лет. Помимо ощущения сухости во рту, появляется и сухость в глазах, нарушается выделение естественной смазки во влагалище. Если вы столкнулись с такими симптомами, обязательно обратитесь к врачу.

Плохая выработка слюны во рту может быть симптомом первичного билиарного цирроза печени, ревматоидного артрита, склеродермии, аутоиммунного гепатита, аутоиммунного тиреоидита, васкулита и других аутоиммунных заболеваний, затрагивающих соединительную ткань.

На пище, как бы мы ее ни мыли или термически ни обрабатывали, все равно остаются микробы или грибки. В желудке под действием соляной кислоты происходит стерилизация пищевого комка.

По пищеводу, длина которого у взрослого человека составляет около 25 сантиметров, пища попадает в желудок. Ее продвижение от акта глотания до попадания внутрь желудка занимает всего 4–5 секунд.

Желудок расположен не ровно по центру, как считают многие, а немного левее относительно вертикальной оси тела. В слизистой оболочке желудка содержится множество желез, которые вырабатывают желудочный сок, – до 2,5 литра в сутки. Одни железы выделяют основной компонент сока – соляную кислоту, другие – мукоидный секрет, который имеет вид слизи и защищает стенки желудка от воздействия соляной кислоты, других агрессивных химических веществ, поступающих в орган вместе с пищей, от механических раздражений.

Когда пища вступает в реакцию с соляной кислотой, выделяется газ. Он поднимается вверх и скапливается в выступающей куполообразной части, которая называется дном желудка. Во время дыхания, при движении диафрагмы, газ выталкивается вниз и попадает в пищевод – возникает отрыжка.

В желудке есть и особые клетки, которые позволяют организму определить качество попавшей в него пищи. В том случае, если пища токсична, опасна для дальнейшего продвижения в кишечник, данные клетки подают сигнал и вызывают волну тонических сокращений органа, благодаря которым плохая пища выбрасывается обратно в пищевод – возникает рвота.

Если пищевод часто подвергается забросу желудочного сока, это может привести к изменению его тканей и развитию рака.

Пищевод не имеет такой защиты от соляной кислоты, как желудок, поэтому от случайного заброса кислоты пищевод защищает сфинктер. Но бывают ситуации, когда по какой-то причине сфинктер ослабевает, желудочный

В среднем пища задерживается в желудке на 6–10 часов.

Поджелудочная железа за сутки выделяет 1,5–2,5 литра панкреатического сока.

сок попадает в нижний отдел пищевода и обжигает его. Мы ощущаем это воздействие как изжогу.

Из желудка в кровь всасывается только часть нутриентов: частично вода с растворенными в ней минеральными солями, глюкоза, некоторые амиокислоты и алкоголь.

В организме человека в сутки выделяется до 1,5 литра желчи.

Белковая пища покидает желудок быстрее, чем углеводистая. Жидкость сразу, не задерживаясь, поступает из желудка в двенадцатиперстную кишку.

Двенадцатиперстная кишка – это первый отдел тонкого кишечника. Именно в нем происходит расщепление большинства питательных веществ, подготовка их к всасыванию в нижних отделах тонкого кишечника. В двенадцатиперстную кишку поступают желчь и сок поджелудочной железы – панкреатический сок.

Выработка панкреатического сока продолжается еще от 6 до 14 часов после приема пищи. Так происходит в норме. Но при болевом синдроме, чрезмерной усталости, физическом переутомлении секреторная функция поджелудочной железы ослабевает, что приводит к ухудшению пищеварения.

Желчь, вырабатываемая печенью, скапливается для хранения и концентрируется в резервуаре под названием «желчный пузырь». При активизации процесса пищеварения по протокам желчь поступает в двенадцатиперстную кишку. Основная функция желчи – расщепление жиров.

Также желчь повышает активность панкреатического сока и ферментов кишечника, улучшает всасывание углеводов и белков, помогает усвоению жирорастворимых витаминов, кальция и холестерина.

Из двенадцатиперстной кишки пищевой комок проходит в следующие отделы тонкого кишечника – тощую и подвздошную кишку. В них происходит всасывание большинства нутриентов. Сначала крупные молекулы веществ расщепляются

Кишечник содержит до двух килограммов микроорганизмов.

Снижение иммунитета нарушает баланс полезной и вредной микрофлоры кишечника, в результате чего патогенные микроорганизмы начинают активно размножаться, что нарушает нормальное пищеварение.

на более мелкие – в этом участвуют многочисленные ферменты, содержащиеся в соке тонкой кишки. Таким образом в двенадцатиперстной кишке и начальном отделе тощей кишки производится всасывание белков, жиров и углеводов, расщепленных до минимальных молекул. В тощей кишке происходит всасывание водорастворимых витаминов, в подвздошной – витамина B_{12} и солей желчных кислот.

Далее пищевой комок продвигается в толстый кишечник, который состоит из нескольких отделов – слепой, ободочной и прямой кишки. В нем лишь всасывается вода, перевариваются пектины и частично клетчатка.

В толстой кишке также вырабатывается сок, содержащий ферменты, но главной особенностью толстого кишечника является его микрофлора.

В состав нормальной микрофлоры кишечника входят две основных группы бактерий. 95% составляют бифидобактерии и до 5% – лактобактерии. Также в небольшом количестве содержатся различные факультативные бактерии, которые попадают в кишечник, например с пищей. К таким бактериям относятся кишечная палочка, энтерококки и другие. В здоровом организме поддерживается определенный баланс полезных и условно вредных бактерий. Благодаря этому даже факультативные микроорганизмы не наносят здоровью никакого вреда.

Микрофлора кишечника помогает усваивать пищевые волокна. Кроме этого, у нее есть и другие важные функции:

- лактобактерии снижают риск развития аллергических реакций;
- микрофлора поддерживает нормальный иммунитет и уничтожает предшественников раковых клеток;
- полезная микрофлора подавляет рост вредных бактерий;
- микрофлора кишечника позволяет очистить организм от токсинов;
- кишечная микрофлора синтезирует витамины группы В и витамин К, а также некоторые незаменимые аминокислоты;
- микрофлора способствует нормальному обмену холестерина, жирных и желчных кислот.

Из организма в сутки выводится до полулитра газов.

В том случае, если нарушается баланс микрофлоры, ухудшается функционирование всех этих механизмов.

При жизнедеятельности микрофлоры выделяются газы, также они попадают в кишечник при заглатывании и вследствие некоторых химических реакций в кишке. В процессе дефекации они выводятся из организма.

Оставшиеся непереваренные остатки пищевого комка формируются в толстой кишке в каловые массы и также выводятся естественным путем.

Симптомы нарушения работы желудка и кишечника

Заболевания желудка и кишечника вызывают схожие симптомы, поэтому важно не только обратиться к врачу-гастроэнтерологу, но и пройти обследования, такие как исследования кала на дисбактериоз, Helicobacter Pylori и паразитов, УЗИ брюшной полости и малого таза и эзофагогастродуоденоскопию (ЭГДС).

Обязательно пройдите диагностику, если у вас возникли следующие симптомы:

- боли в животе;
- боли при нажатии на живот;
- тяжесть в желудке;
- отрыжка;
- изжога;
- тошнота;
- рвота;
- запоры;
- диарея;
- слабость;
- быстрая утомляемость;
- ухудшение состояния кожи, волос и ногтей;
- «заеды» в уголках рта;
- высыпания на коже.

Враги желудка и кишечника

Боли, вздутие живота, метеоризм, изжога и отрыжка, тяжесть в животе, диарея и запоры — это распространенные симптомы желудочно-кишечных расстройств. Каждый человек хотя бы раз в жизни их испытывал. Но, если они появляются с завидной регулярностью, значит, в ЖКТ уже развилось заболевание. В большинстве случаев можно говорить о гастрите. При этой болезни появляются опоясывающие боли, а также так называемые «голодные» боли, возникающие по ночам и в утренние часы, утренняя тошнота.

Предвестником гастрита является эритаматозная очаговая гастропатия. Это еще не болезнь, но предупреждение, что организм находится на грани болезни. При данном состоянии в некоторых участках слизистая желудка воспалена. Если не остановить этот процесс, то может развиться полноценный гастрит или даже язва желудка.

Почему появляются воспаления на слизистой оболочке желудка? Всему виной враги желудочно-кишечного тракта, которые вызыва-

В России Helicobacter Pylori инфицированы до 75% населения!

ют не только гастрит, но и другие заболевания ЖКТ.

Первый вредный фактор — стресс. Длительный и сильно выраженный стресс вызывает перепроизводство кислоты в желудке, которая очень раздражает его стенки. Это касается, в частности, всех, кто работает ночами, спит менее 8 часов в сутки.

Второй фактор — бактериальные инфекции. Они могут вызывать рвоту, раздражают стенки желудка. Поэтому очень важно при наличии гастропатии сделать бактериальный анализ. И главное — проверить, не живет ли в вас бактерия Helicobacter Pylori. Этот микроорганизм, попав в организм, проникает в желудок, проходит сквозь слой слизи и начинает не только съедать клетки стенок желудка, но и выделяет токсины и разрушает защитную слизь, из-за чего соляная кислота и ферменты попадают на слизистую оболочку желудка. Выделения Helicobacter pylori изменяют кислотность желудочного сока и провоцируют воспаление стенок желудка.

У инфицированных Helicobacter Pylori бывают периодические болезненные ощущения в желудке, дискомфорт в области желудка, изжога, тошнота и чувство переполненности желудка, частые запоры и диарея, обложенность языка, неприятный привкус во рту, отрыжка, повышенная кровоточивость десен. Но длительное время заражение этой бактерией может протекать абсолютно бессимптомно!

Третий фактор — неправильное питание. Нерегулярное, несбалансированное по микроэлементам и витаминам питание, еда всухомятку, сидение на диетах вредно для желудка. Вся пища для перекусов, как правило, содержит много жиров и консервантов — это приводит к увеличению секреции желудочного сока, который раздражает стенки желудка.

Серьезную опасность для здоровья представляют популярные диеты с лимонным соком и уксусом. В Интернете также встречаются рекомендации натощак выпивать воду с лимоном или уксусом для оздоровления. Но такой способ никакого здоровья не прибавит, он его уничтожит! В принципе, такой подход дает обещанный результат, но только из-за того, что обострение заболеваний желудоч-

Люди, зараженные Helicobacter Pylori, имеют повышенный риск развития гастрита, колита, язвы желудка и двенадцатиперстной кишки и даже рака желудка!

Злоупотребление жирной, жареной, маринованной и острой пищей на фоне заражения Helicobacter Pylori повышает риск рака желудка!

но-кишечного тракта, вызванное раздражением стенок пищевода, желудка и тонкого кишечника лимонным соком или уксусом, заставляет худеющего резко снизить количество пищи.

Любой цитрусовый сок — это кислотная среда, в нем содержатся яблочная, лимонная, щавелевые кислоты, которые, попадая в желудок в таком большом количестве, попросту разрушают слизистую желудка. Если у человека есть проблемы с желудком, то после такой «диеты» он может оказаться на операционном столе хирурга с диагнозом «прободная язва»!

Четвертый фактор — вредная еда. Особенно опасна для желудка острая, жареная и маринованная пища.

• Соленья и маринады — уксус, как любая другая кислота, раздражает слизистую желудка, тем самым нанося вред слизистой оболочке желудка, может спровоцировать развитие язвы.

• Жареные блюда — жиры под влиянием высоких температур окисляются с образованием канцерогенов и свободных радикалов, которые запускают патологические реакции в организме и вызывают воспаление слизистой желудка.

• Жирные блюда — жирная пища усиливает желчевыделение в двенадцатиперстную кишку. Объемность пищевых масс резко увеличивается, возрастает внутриполостное давление. В результате происходит сброс содержимого двенадцатиперстной кишки в желудок, что приводит в конечном итоге к перестройке структуры его слизистой оболочки. Падает кислотность желудочного сока, инфицируется содержимое желудка.

Также есть некоторые продукты, которые нельзя употреблять на голодный желудок.

• Апельсины — органические кислоты, содержащиеся в апельсине, травмируют слизистую желудка и могут вызвать приступ гастрита.

• Кофе — вещества, содержащиеся в кофе, расслабляют гастроэзофагеальный сфинктер и могут спровоцировать заброс пищи из желудка в пищевод. Слизистая оболочка защищает желудок от действия его собственной кислоты, а слизистая оболочка пищевода не рассчитана на действие кислот. Поэтому забрасываемое в пищевод кислое содержимое вы-

Если регулярно жевать жвачку на голодный желудок, можно заработать гастрит.

Внимательно читайте состав продуктов и избегайте глутамата натрия. Эту добавку часто обозначают в составе как Е-621.

зывает его воспаление, повреждение, боль и изжогу.

• Хурма содержит большое количество пектина и дубильной кислоты, которые в ходе взаимодействия с желудочным соком превращаются в гелеобразное вещество. В результате возможно образование желудочного камня.

• Специи — острая перченая пища раздражает стенки желудка и кишечника. Это чревато возникновением гастроспазма.

Жевать жвачку на голодный желудок тоже опасно для здоровья. Когда мы жуем, в желудке начинает выделяться желудочный сок, который необходим для расщепления пищи. Если мы жуем долго, сока выделяется все больше и больше. А когда мы жуем жвачку, желудок остается пустым. Желудочному соку нечего перерабатывать. Концентрация желудочного сока увеличивается, и это приводит к раздражению слизистой желудка.

Многие продукты питания сейчас напичканы глутаматом натрия. Он представляет собой белый кристаллический порошок, который хорошо растворяется в воде. Популярен он практически во всем цивилизованном мире, а получен был в Японии в начале прошлого века ученым Кикунае Икеда.

На самом деле глутамат натрия — это аминокислота. Он есть в организме человека, например в грудном молоке матери. Глутамат натрия присутствует и во многих натуральных продуктах, богатых белками: сыре, мясе, молоке и бобах. Японский ученый лишь научился искусственно выделять глутамат. Однако это не означает, что данная пищевая добавка безобидна.

Когда мы употребляем пищу, вкусовые рецепторы передают сигнал пищеварительным железам о том, какая именно пища сейчас попадет в ЖКТ. И пищеварительные железы выделяют ферменты, которые необходимы для переваривания и расщепления именно этого продукта. Для хлеба, например, выделяются одни ферменты, а для мяса — другие.

Но что будет, если мы употребим в пищу, например, быстрорастворимую лапшу, сдобренную глутаматом натрия? Получается, что мы едим мучное блюдо, но глутамат натрия насыщает его мясным вкусом. Наши вкусовые рецепторы распознают лапшу как кусок мяса. И, соответственно, в желудок поступает пищеварительный сок, содержащий ферменты для расщепления мяса, которые действуют более агрессивно. Все это не лучшим образом сказывается на состоянии желудочно-кишечного тракта. Отсюда следует вывод, что

Из-за дефицита витаминов группы В, особенно тиамина, у алкоголиков развивается слабоумие — энцефалопатия Вернике.

от пищи с глутаматом натрия стоит отказаться.

Для этого есть и другие причины. Во-первых, пища, в которую добавляют глутмат натрия, зачастую сама по себе является вредной для нашего организма: чипсы, гамбургеры, быстрорастворимая лапша. А во-вторых, глутамат натрия успешно маскирует прогорклость, затхлость и даже вкус разлагающегося мяса. Поэтому мы можем не почувствовать, что пища с глутаматом натрия испорчена.

До 50% всех взрослых людей страдают от хронического гастрита.

Пятый фактор – злоупотребление лекарствами. Доказано, что практически в 100% случаев прием нестероидных противовоспалительных препаратов в течение недели приводит к острому гастриту. Учитывая, что речь идет о таких распространенных препаратах, как аспирин, ибупрофен, диклофенак, гастропатия – удел большинства. Тем более что $^2/_3$ пациентов принимают противовоспалительные нестероидные лекарства без консультации врача. Глюкокортикостероидные препараты тоже вредят желудку.

Шестой фактор – курение. Вдыхание табачного дыма увеличивает производство желудочного сока, а смолы, попадающие в желудок со слюной, раздражают его стенки. Поэтому курение на голодный желудок особенно опасно.

Седьмой фактор – злоупотребление алкоголем. Оно не только провоцирует развитие гастрита, но и препятствует всасыванию витаминов группы В.

Алкоголь тормозит секрецию желудочного сока, приводит к нарушению функций и регенерации слизистой оболочки желудка. При длительном приеме алкоголя может развиться язва желудка.

Восьмой фактор – нарушение обмена веществ. Продукты неправильного метаболизма повреждают слизистую оболочку желудка и ведут к появлению очагов воспаления.

Если вовремя принять меры, то гастропатия не перерастет ни в гастрит, ни в эрозии, ни в язву. Но если воздействие вредных факторов будет продолжаться, болезни не за горами. Железы желудка вырабатывают соляную кислоту и слизь, защищающую стенки от ее агрессивного воздействия. Если же слизистая оболочка по-

При норме в 500 мл в сутки при метеоризме объем выводимого газа может достигать трех и более литров!

вреждается, то и желудочный сок, и защитная слизь начинают вырабатываться в недостаточном количестве. Стенки желудка становятся более уязвимыми перед влиянием вредоносных факторов, а уменьшенное количество кислоты снижает антибактериальную функцию желудка и ухудшает переваривание пищи. Иногда слизи вырабатывается мало, а кислоты много, что вызывает ожог слизистой оболочки желудка, ее хроническое воспаление и постепенную атрофию. Все это, естественно, негативно сказывается на пищеварении, ухудшается всасывание полезных веществ.

Именно из-за неправильного питания, курения и употребления алкоголя, бесконтрольного приема лекарственных препаратов гастрит беспокоит многих людей. Чаще всего это острое воспаление слизистой оболочки желудка, то есть острый гастрит. Данное заболевание успешно лечится под контролем врача и с помощью диеты, но если игнорировать проблему, острый гастрит легко переходит в хроническую форму.

К заболеваниям желудка могут привести нарушения работы других органов пищеварительной системы — желчного пузыря, поджелудочной железы, печени. Часто хронический гастрит развивается на фоне холецистита и панкреатита, гепатитов.

Если хлеб полежал некоторое время, то количество дрожжей в нем уменьшается и пищеварение не нарушается. Поэтому лучше есть вчерашний хлеб, а еще лучше — черствый.

Хронический гастрит из-за заброса желчи в желудок может развиться на фоне хронического дуоденита, удаления желчного пузыря, холецистита, гепатитов, при воспалительных поражениях кишечника и поджелудочной железы, поэтому для сохранения здоровья желудочно-кишечного тракта нужно проводить профилактику данных заболеваний.

При гастрите и других заболеваниях ЖКТ частой жалобой бы-

Жуйте жвачку не более 5 минут.

вает метеоризм. Ему сопутствуют чувство тяжести и распирания в животе, иногда боли.

Что может вызывать метеоризм?

В первую очередь, это определенные продукты, которые стимулируют газообразование. К ним относятся бобовые, продукты брожения, лук, картофель, черный хлеб, продукты с высоким содержанием грубой клетчатки (капуста, виноград, крыжовник).

Все мы любим свежую выпечку. Но свежий хлеб содержит активные элементы брожения, такие как дрожжи, разрыхлители. Они нарушают пищеварение и вызывают вздутие.

Длительное жевание жвачки тоже может быть причиной метеоризма. Когда мы жуем, во рту выделяется слюна. Именно ее мы и глотаем. Но вместе со слюной в пищевод попадает небольшое количество воздуха. Чем больше человек жует, тем больше воздуха. Он попадает в желудок и дальше в кишечник. Отсюда и вздутие.

К тому же заменители сахара из жевательной резинки, такие как сорбитол и ксилитол, раздражают кишечник и тоже могут вызвать вздутие.

Метеоризм является симптомом таких болезней ЖКТ, как гастрит, дуоденит, колит. Но также наличие метеоризма может указывать на некоторые заболевания или расстройства других органов и систем.

- Невроз – метеоризм может быть следствием невроза, дисбалансом нервной системы. Нервные расстройства, эмоциональные перегрузки приводят к метеоризму за счет спазма гладкой мускулатуры кишечника и замедления перистальтики.
- Вегетососудистая дистония – метеоризм может быть проявлением одной из форм вегетососудистой дистонии, при которой нарушается перистальтика.
- Лактазная недостаточность – это непереносимость молочного сахара лактозы в результате недостаточности фермента тонкой кишки лактазы. При лактазной недостаточности молочный сахар не расщепляется и в неизмененном виде доходит до толстой кишки, где утилизируется микроорганизмами с увеличением выделения газов.
- Врожденная патология кишечника – долехосигма, проявляется постоянными метеоризмами. Возникновение метеоризма в данном случае объясняется удлиненным кишечником, что затрудняет передвижение по нему переработанной пищи. Иногда пища имеет свойство простаивать в полости кишечника в течение многих часов.

Если изжога усиливается в положении лежа на боку, это говорит о грыже пищеводного отверстия диафрагмы.

Не используйте пищевую соду в качестве средства от изжоги.

• Беременность – во время беременности в крови женщины повышается уровень прогестерона – женского гормона, который способствует расслаблению гладких мышц внутренних органов. С одной стороны, это защищает ребенка, с другой – естественная перистальтика кишечника практически отсутствует. Пища застаивается, начинает бродить, и образуются газы.

Еще одна распространенная жалоба – изжога. Возникнуть она может из-за гастрита с повышенной секрецией желудочного сока, язвенной болезни желудка и двенадцатиперстной кишки, грыжи пищеводного отверстия диафрагмы. Эти заболевания требуют тщательного и длительного лечения. Но есть и факторы, превращающие вас в огнедышащего дракона, которые легко устранить. К ним относятся:

От синдрома раздраженного кишечника страдает 15–20% взрослого населения Земли, две трети из них — женщины.

• острая и жирная пища – усиливает секреторную активность желудочных желез;

• цитрусовые, кислые фрукты и ягоды – повышают кислотность желудочного сока;

• курение, алкоголь и газированные напитки – способствуют расслаблению сфинктера и забросу желудочного содержимого в пищевод;

• прием лекарственных препаратов – нестероидные противовоспалительные средства стимулируют выработку соляной кислоты;

• переедание – большой объем пищи, принятой за короткий промежуток времени, начинает растягивать стенки желудка, впоследствии вызывает изжогу;

• сон после еды – при слабости сфинктера между желудком и пищеводом горизонтальное положение тела при наполненности желудка может вызвать заброс его содержимого в пищевод и спровоцировать изжогу;

• избыточный вес – при лишнем весе повышается внутрибрюшное давление, что провоцирует заброс желудочного содержимого в пищевод;

• ношение тугих поясов, беременность, поднятие тяжестей – вызывает тот же эффект, что и наличие избыточного веса.

Многие люди пытаются избавиться от изжоги с помощью раствора соды. Но это очень вредно! Сода только на время снимает ощущение изжоги, но не устраня-

Заподозрить синдром раздраженного кишечника можно, если его основные симптомы — запоры, диарея или метеоризм — беспокоят вас, по крайней мере, 1 раз в 4 дня.

ет саму причину изжоги. И после того, как сода прекращает свое действие, она провоцирует увеличение соляной кислоты. А значит, через какое-то время возникнет и новый приступ изжоги. Поэтому при изжоге не стоит употреблять соду, она не устранит причину вашей изжоги.

Бывает такое состояние, когда человек длительное время испытывает различные неприятные симптомы со стороны желудочно-кишечного тракта: боли, метеоризм и вздутие, диарею и запоры, но при этом во время обследований врачи не могут обнаружить никакой патологии, никаких отклонений в сторону воспалительных процессов или опухолей в кишечнике не наблюдается. Раньше таких несчастных называли симулянтами. Но сейчас мнение ученых от медицины поменялось.

Однажды к нам на программу пришла женщина с подобной проблемой. Она долгие годы мучилась от периодических болей в животе, тяжести, вздутия. Думала, что причина в питании, но смена диеты ничего не исправила. Обращалась к врачам, но те ничего не находили. Мы тоже провели обследование нашей героини и выяснили, что у нее синдром раздраженного кишечника.

Ученые считают, что симптомы этого синдрома связаны с проблемой передачи сигналов от головного мозга к кишечнику. Такие сигналы существенно влияют на характер его двигательной активности, в связи с чем и появляются подобные проблемы.

Есть и другая теория. Под воздействием различных факторов: стрессов, неправильного питания, резких перемен в привычном рационе, злоупотребления алкоголем, гормональных нарушений — происходит изменение чувствительности рецепторов в стенке кишечника, в связи с чем нарушается его работа. Изменяется моторика кишечника: она становится то вялой — возникают запоры, то чрезмерно стимулируется — появляется диарея. Присоединяются сопутствующие проблемы: метеоризм, вздутие, боли.

Часто от синдрома раздраженного кишечника страдают офисные работники, люди, работающие по «рваному» или ночному графику, те, кто привык питаться на бегу или всухомятку. О том, как

При язве желудка нельзя пить капустный сок!

улучшить качество жизни при данном синдроме, я расскажу в следующем разделе.

Есть еще одно заболевание, которое серьезно отравляет жизнь и даже может привести к смерти, — это язвенная болезнь желудка и двенадцатиперстной кишки. Злоупотребление алкоголем, жирной, жареной, острой и маринованной пищей, а также инфицирование Helicobacter Pylori могут привести к развитию данного заболевания. Но самой главной причиной язвенной болезни является хронический стресс — он стимулирует выработку гормона кортизола, который нарушает целостность слизистой оболочки желудка и делает ее более чувствительной к действию соляной кислоты.

Лечить язвенную болезнь ни в коем случае нельзя самостоятельно. Язва может поразить все слои желудка и кишки, привести к их перфорации, это грозит смертельно опасным осложнением — перитонитом. Поэтому лечение обязательно должно проходить под контролем специалиста. Я же хочу поговорить о двух моментах, которые могут свести это лечение на нет или вызвать новые проблемы со здоровьем.

Во-первых, многие слышали о том, что капустный сок полезен при язвенной болезни желудка и двенадцатиперстной кишки, начинают его принимать и... попадают в больницу с обострением язвы. Капустный сок действительно содержит вещество, помогающее заживлению язвы желудка, — витамин U. Но при наличии язвы капустный сок пить нельзя — он вызывает еще большее воспаление. Витамин U нужно принимать только в виде препаратов.

Во-вторых, для лечения язвенной болезни больным назначают препараты, снижающие кислотность желудочного сока. Но, боясь повторного обострения, некоторые пациенты продолжают их

При язвенной болезни желудка и двенадцатиперстной кишки нельзя пить зеленый чай. Содержащийся в зеленом чае теофиллин негативно воздействует на активность соединения фосфорной кислоты. Это приводит к тому, что в желудке образуется избыточное количество кислоты, которая мешает заживлению язв.

В 10% случаев полипы могут перерасти в злокачественную опухоль и спровоцировать развитие рака толстой кишки.

принимать даже тогда, когда язва зарубцевалась. И это неправильно! Длительный прием подобных препаратов способен вызывать тяжелую железодефицитную анемию!

Железо мы получаем из продуктов питания. Но ионы железа поступают к нам в организм в трехвалентной форме. Проблема в том, что наш организм усваивает только двухвалентное железо. Для того чтобы железо из трехвалентного превратилось в двухвалентное, необходим окислитель — его роль в организме выполняет соляная кислота. При приеме препаратов для снижения кислотности желудочного сока концентрация соляной кислоты становится недостаточной для реакции окисления ионов железа. Соответственно, усвояемость железа снижается и организм начинает испытывать недостаток этого необходимого нам вещества. Возникает анемия.

В организме может возникнуть еще одно опасное, но незаметное состояние. Это — полипы кишечника. У людей старше 50 лет риск возникновения полипов повышен, поэтому им необходимо проходить процедуру колоноскопии раз в год.

Опасность представляют полипы размером больше 4 мм. Если такие образования были выявлены, их нужно удалять. Полипы меньшего размера нужно наблюдать раз в полгода.

А еще для здоровья желудочно-кишечного тракта важно соблюдать гигиену полости рта. Исследования японских ученых показали, что плохое состояние зубов увеличивает риск возникновения рака пищевода на 136%!

Друзья желудка и кишечника

Спазмолитики, антацидные препараты, энтеросорбенты и другие средства — все это успешно применяется в лечении заболеваний желудочно-кишечного тракта. Но, чтобы таблетки и микстуры помогали, их нужно принимать только по назначению врача. За время существования нашей программы я, мои соведущие и все наши зрители насмотрелись на горе-больных, которые самолечением запустили свое заболевание и из маленькой проблемы вырастили большую опасность. Например, можно страдать от боли в животе, заглушать ее дома таблетками, ведь времени пойти к врачу нет: работа, дети, домашние хлопоты. А в результате, когда уже боль припрет к стенке, поступить в больницу по «Скорой» с прободной язвой или неоперабельной опухолью желудка.

Прошу вас, не доводите себя до подобного состояния! Боль в животе, постоянные диарея или запоры, ощущение вздутия и метеоризм — это ненормально, с такими симптомами нужно бежать к врачу и проходить обследования. В этой главе я привожу средства, которые можно использовать на фоне лечения или в качестве профилактики.

Укроп содержит флавоноид кверцетин, который обладает спазмолитическим действием, что помогает снижать давление и улучшает состояние при коликах.

Но не как единственный способ избавления от тревожащих симптомов!

Итак, таблетки пропишет врач. А что еще поможет справиться с неприятными симптомами в желудке и кишечнике?

Хорошо помогают растительные средства, которые нормализуют моторику кишечника, снизят явления метеоризма и улучшат пищеварение. К ним относятся:

- аптечная ромашка;
- горькая иберийка;
- лекарственный дягиль;
- тмин обыкновенный;
- пятнистая расторопша;
- мелисса лекарственная;
- мята перечная;
- чистотел майский;
- корень солодки.

Помните, что растительные средства — это тоже лекарства. Перед применением обязательно посоветуйтесь с врачом.

Хорошо помогает при спазмах в желудочно-кишечном тракте и при метеоризме укроп. Существуют аптечные настой укропа, средства с укропным маслом. Также можно заваривать семена укропа и пить его отвар.

Иван-чай полезен при гастритах, колитах, язве желудка и двенадцатиперстной кишки. За счет высокого содержания танина и флавоноидов копорский чай обладает противовоспалительным эффектом и противомикробным действием.

Отвар кориандра обладает ветрогонным действием и полезен при метеоризме и вздутии живота.

Шалфей расслабляет мышцы пищеварительного тракта, стимулирует пищеварение, увеличивает выработку желчи и пищеварительных соков. Улучшает аппетит, нормализует работу желудка. Шалфей будет полезен при расстройствах желудка и кишечника, спазмах желудочно-кишечного тракта, воспалении слизистой оболочки желудка, сопровождающихся пониженной кислотностью желудочного сока, при язвенной болезни желудка и двенадцатиперстной кишки, воспалении желчного пузыря.

Полезно пить чай с кардамоном. Эфирное масло, содержащееся в кардамоне, повышает аппетит, укрепляет мускулатуру желудка, стимулирует выделение желудочного

Эфирное масло кардамона также обладает ветрогонным действием, облегчая состояние при коликах и метеоризме.

В Японии из корней лопуха делают порошок, а затем выпекают из него лепешки, добавляют его в тесто для хлеба, в котлеты, в суп. Вы можете также высушить корни и перемолоть их в кофемолке.

сока и нормализует работу желудочно-кишечного тракта.

Корень лопуха также отличное вспомогательное средство при болезнях ЖКТ. Он содержит инулин, который является пробиотиком, улучшает микрофлору кишечника. Не расщепленные в желудке молекулы инулина способны сорбировать значительное количество пищевой глюкозы и препятствовать ее всасыванию в кровь, что способствует снижению уровня сахара в крови. Большое количество слизистых веществ, содержащихся в настое или отваре корня лопуха, оказывают обволакивающее действие, что положительно влияет на состояние слизистых оболочек, улучшает состояние при язвах желудка и кишечника. Кроме того, корень лопуха содержит аспарагин, который обладает выраженным противоопухолевым действием.

Для применения в лечебных целях заготавливают только молодые корни лопуха, которые не старше года. Собирают их в сентябре-октябре или ранней весной к началу отрастания. Выкапывают, обрезают мелкие корни и надземную часть, очищают от коры. Хранить корень лопуха лучше всего в тряпичных мешках.

При синдроме раздраженного кишечника, сопровождающемся диареей, пейте чай с мятой. Она успокаивает «расшалившуюся» моторику, избавляет от спазмов. Исследование, проведенное в США, показало, что мята способна эффективно снижать воспалительные процессы и снижает активность рецепторов, перевозбуждение которых приводит к развитию синдрома раздраженного кишечника.

Гастрит, дуоденит, колит, язвенная болезнь желудка и двенадцатиперстной кишки — при этих болезнях полезно употреблять пищу, обладающую обволакивающими свойствами:

- кисель из толокна — успокаивает слизистую оболочку желудка и кишечника;
- льняная каша и настой семени льна — помимо обволакивающего свойства, содержат полиненасыщенные жирные кислоты, которые обладают противовоспа-

При синдроме раздраженного кишечника также будет полезным чай с пустырником.

лительными и противораковыми свойствами;

• молоко высокой жирности — молоко оказывает нейтрализующее и обволакивающее действие, так как жиры в нем находятся в эмульгированном состоянии;

• масло семян тыквы — имеет обволакивающие и восстанавливающие слизистую оболочку желудка и кишечника свойства;

• супы-пюре — картофельный, из цветной капусты, тыквенный; при обострении заболеваний желудочно-кишечного тракта хорошо употреблять протертую пищу, чтобы не раздражать механически слизистую оболочку желудка и кишечника.

Суп стимулирует выделение желудочного сока. Но если у вас он выделяется в нормальном количестве, то вы можете не есть суп каждый день.

Кстати, существует распространенное мнение, что, если не есть суп, можно заработать гастрит. Но это миф!

При заболеваниях ЖКТ очень полезны минеральные воды. Есть даже целая лечебная программа — бальнеотерапия, которая включает в себя питье минеральной воды.

В бальнеотерапии часто применяются воды крупного популярного курорта России Ессентуки. В Ессентукском месторождении есть несколько источников с разными видами вод. Источники пронумерованы — это дало название минеральным водам.

«Ессентуки № 4» — запасы минеральной воды класса «Ессентуки 4» располагаются на глубине 90 м. Это гидрокарбонатно-хлоридная натриевая вода с повышенной минерализацией, предназначенная в основном для питьевого лечения.

Показания: язва желудка и двенадцатиперстной кишки, гастриты с любыми формами секреторной функции желудка, энтероколиты и колиты, патологии печени, холециститы, гепатиты, панкреатиты, диатез, патологии мочевыводящих путей, ожирение, сахарный диабет.

Суточный прием «Ессентуки № 4» колеблется в пределах от 650 до 1200 мл, что зависит от болезни, состояния сердечно-сосудистой системы и других внутренних органов.

Продолжительность курса приема «Ессентуки № 4» — от 21 до 42 дней.

«Ессентуки № 2», новая — минеральная питьевая хлорид-

Курс приема «Ессентуки № 2» — 40-45 дней. Суточная норма — от 650 до 1200 мл.

но-сульфатно-гидрокарбонатная натриевая лечебно-столовая вода, минерализация 3,1–6,1 г/л. Добывается с глубины 998 м.

Показания: хронические гастриты с нормальной и повышенной секреторной функциями желудка, язвенная болезнь желудка и двенадцатиперстной кишки, хронические колиты и энтероколиты, хронические заболевания печени и желчевыводящих путей, хронические панкреатиты, хронические заболевания мочевыводящих путей, болезни обмена веществ: сахарный диабет, ожирение, мочекислый диатез.

«Ессентуки № 17» – эта минеральная вода хлоридно-гидрокарбонатного натриевого состава добывается с глубины до 1,5 км. Минерализация от 11 до 13 г/л.

Показания: хронические гастриты с нормальной и пониженной секреторной функцией желудка, хронические колиты и энтероколиты, хронические заболевания печени и желчевыводящих путей, хронические панкреатиты, болезни обмена веществ: сахарный диабет, мочекислый диатез, ожирение, фосфатурия, оксалурия.

Лечебные минеральные воды нельзя пить бесконтрольно! Это может привести к гиперминерализации – опасному для здоровья состоянию. Кровь может стать более щелочной, возникают отеки. Помните, лечение минеральной водой должно проходить под контролем специалистов.

Для профилактики заболеваний желудка и кишечника полезно употреблять продукты, содержащие вещества, которые помогают восстанавливать слизистую оболочку.

• Говяжья печень содержит витамин А, который защищает чувствительные слизистые оболочки желудка и кишечника от высыхания и восстанавливает их функции. Слизистая оболочка желудка при этом вновь начинает производить достаточное количество желудочного сока и ферментов, предотвращая гнилостные процессы в кишечнике.

Курс приема» Ессентуки № 17» — 4–6 недель. Суточная норма — от 50 до 200 мл.

• Капуста содержит витамин U. Его называют «противоязвенным витамином», он обладает мощным восстановительным действием по отношению ко всему желудочно-кишечному тракту:

способствует заживлению язвы, восстанавливает клетки желудка и кишечника, усиливает синтез и выделение пищеварительных соков. Конечно, есть капусту в период обострения нельзя. Ее нужно употреблять, чтобы до этого обострения не доводить!

• Овсяные хлопья богаты витамином B_1. Он поддерживает тонус мускулатуры желудка, приводит в норму кислотность желудочного сока.

Из этих продуктов можно приготовить вкусное и полезное блюдо – паровое суфле из печени. Для этого нам потребуется: 500 граммов говяжьей печени, 200 граммов капусты, $^1/_2$ стакана овсяных хлопьев, 1 яйцо. Приготовьте это блюдо без соли. Вы будете удивлены, но ее отсутствие не ухудшит вкус суфле. Взбейте все ингредиенты блендером. Постелите на поверхность пароварки фольгу и ложкой выложите на нее суфле. Готовьте на пару 20–30 минут.

Многие люди для профилактики метеоризма исключают полностью из рациона бобовые: фасоль и горох. Но на самом деле есть способ нейтрализовать вещества, которые способствуют избыточному газообразования. Для этого просто заранее, до варки замочите бобовые в содовом растворе.

Отличной профилактикой желудочно-кишечных заболеваний является хороший завтрак. Многие люди пропускают первый прием пищи и уходят на работу голодными. Тем самым провоцируется развитие гастрита и других болезней ЖКТ. Отказ от завтрака часто является следствием отсутствия аппетита. Но поднять его – легче легкого!

Холодная вода стимулирует моторику кишечного тракта. Поэтому, если вы не испытываете аппетита по утрам, выпейте стакан холодной воды. Увидите, через 10–15 минут вы ощутите желание плотно поесть!

При синдроме раздраженного кишечника, чтобы уменьшить симптомы и улучшить качество жизни, следует соблюдать несколько правил.

• Ведите дневник – записывайте в дневнике симптомы, когда и где у вас возникали боли в животе, дискомфорт, вздутие, диарея или запор. Кроме того, старайтесь фиксировать, чем вы занимались, когда возникли симптомы, как себя чувствовали и какую пищу или медикаменты принимали перед тем. Это поможет вашему врачу и вам выявить продукты или события, провоцирующие развитие неприятных симптомов.

Чтобы блюда из гороха и фасоли не вызвали метеоризм, необходимо замочить бобовые на ночь в растворе соды: 1 ст. л. соды на литр воды. Перед варкой промойте бобовые водой.

Постепенно увеличивайте количество клетчатки в рационе на 2–3 грамма в день, пока оно не достигнет 20—35 граммов в сутки.

• Употребляйте больше клетчатки – добавьте в рацион овощи, фрукты, отруби. Клетчатка помогает справиться с запорами и выравнивает стул, при этом в отличие от слабительных не раздражает слизистую кишечника. Важно! Увеличивать количество клетчатки в рационе необходимо только при запорах. При диарее, наоборот, стоит ограничить эти продукты.

• Исключите из рациона алкоголь и кофеин – эти продукты усиливают диарею и раздражают кишечник.

• Посетите психотерапевта – одной из причин возникновения синдрома является стресс и беспокойство. Обострения синдрома раздраженного кишечника нередко возникают на фоне стрессов, проявления фобий. Часто такие ситуации возникают перед экзаменами, важными совещаниями или, например, при авиаперелетах, если человек боится летать. В этом случае необходимо пройти курс у психотерапевта для устранения стрессовых факторов и нормализации эмоционального состояния. Медитативные техники контроля и психотерапия помогают справиться со стрессом.

• Ведите активный образ жизни – сидячий, малоподвижный образ жизни провоцирует запоры. Следует сделать зарядку каждодневным утренним ритуалом. Физические упражнения помогают нормализовать моторику кишечника и способствуют выработке гормона эндорфина, который улучшает состояние нервной системы. Очень полезны пешие прогулки на свежем воздухе, бег трусцой, ритмическая гимнастика. При запорах и склонности к метеоризму полезны упражнения на пресс. При диарее – статические упражнения.

• Принимайте антибиотики только по назначению врача – даже кажущиеся легкими антибиотики могут серьезно нарушать баланс бактерий, живущих в пищеварительном тракте человека. У человека с синдромом раздраженного кишечника нарушения баланса кишечной фло-

При болях в желудке помогает массаж живота: нужно массировать зону на три пальца выше пупка. Таким образом происходит воздействие на брюшную аорту, и желудок начинает лучше кровоснабжаться.

ры может вызвать ухудшение состояния.

После приема антибиотиков часто нарушается баланс полезной и вредной микрофлоры кишечника, что проявляется в виде диареи, запоров, метеоризма, ослабления иммунитета. Устранить такие последствия помогут пробиотики, которые содержат полезные бактерии.

При дисбактериозе помогает процедура, которая называется «кишечный лаваж». Слово «лаваж» происходит от французского «le lavage», то есть «промывание, орошение». Это метод очищения кишечника.

Во время этой процедуры пациент пьет специальный солевой раствор небольшими порциями через каждые 5–10 минут. Раствор проходит по кишечнику и выходит естественным образом. Вся процедура занимает 2–3 часа.

В первую очередь промывание затрагивает тонкую кишку. В тонком кишечнике совершаются и заканчиваются все процессы пищеварения и обмена веществ через кишечную стенку, именно здесь остается максимальное количество токсинов, вырабатываются ферменты и другие биологически активные вещества. Кстати, люди, которым на операции вынужденно удаляют толстую кишку, продолжают жить, а удаление начального отдела тонкой кишки несовместимо с нормальной жизнью.

Затем происходит очищение толстой кишки. В отличие от гидроколонотерапии, при которой смываются не только вредные бактерии, но и полезная микрофлора, кишечный лаваж действует по-другому. Основная масса нормальной флоры кишечника располагается на его стенке и прикрыта не растворимой в воде пленкой. Поэтому при кишечном лаваже полезные микроорганизмы остаются в сохранности, а удаляется только флора, находящаяся в просвете кишечника, большая часть которой – вредные бактерии. Соляной раствор не впитывается в стенки желудка, сорбирует вредные бактерии и выводит их из организма.

Изначально кишечный лаваж использовали в лечении острых отравлений. Ведь самая главная польза кишечного лаважа – вывод токсинов не только из кишечника, но и из крови! Тонкий кишечник тесно связан с кровеносной системой. При переваривании пищи из тонкого кишечника происходит всасывание в кровь полезных веществ. Но, даже если очистить кровь, токсические вещества будут проникать в нее вновь из желудочно-кишечного тракта. А если промывать при помощи кишечного лаважа желудочно-кишечный тракт, из-за разницы концентраций жидких сред токсины из крови вновь будут поступать в ЖКТ и тут же вымываться новой порцией раствора. Кстати, избавление от токсинов и вредных бактерий помогает похудеть и избавиться от тяги к сладкому.

А еще повысить иммунитет и улучшить работу желудочно-кишечного тракта помогут физические упражнения. Особенно упражнения на пресс! Иммунная система является сторожем нашего организма от различных заболеваний и новообразований. До 80% иммуноглобулинов образуется в толстой и тонкой кишке. Правильная стимуляция мышц брюшного пресса, поддержание их в тонусе автоматически улучшает работу желудка и кишечника.

ЖЕЛЧНЫЙ ПУЗЫРЬ

О том, что возникло заболевание желчного пузыря, человек чаще всего узнает в двух случаях. Первый – когда появились яркие симптомы, а значит, болезнь уже серьезно запущена, второй – при прохождении обследования, когда можно выявить еще только предпосылки к развитию болезни и своевременно ее предотвратить. Рекомендую вам пользоваться вторым вариантом – раз в 2–3 года проходите УЗИ желчного пузыря и желчных протоков.

Чаще всего желчному пузырю угрожают следующие заболевания:

- желчнокаменная болезнь;
- холецистит;
- дискинезия желчевыводящих путей.

Как устроен желчный пузырь

Желчный пузырь – это небольшой резервуар для хранения желчи, жидкости зеленоватого цвета, вырабатываемой печенью. Он располагается на внутренней стороне данного органа. Желчный пузырь имеет форму груши или мешка, он небольшой по размерам – его объем всего 60–80 мл.

Желчь необходима для расщепления жиров, помогает всасыванию в кровь полезных веществ. Печень вырабатывает ее постоянно, но задействуется эта жидкость только в процессе пищеварения. Поэтому по специальным желчным протокам из печени желчь поступает в желчный пузырь. В этом резервуаре она хранится, становится более концентрированной. Удерживают в желчном пузыре содержимое особые клапаны – сфинктеры желчных протоков.

Когда же запускается процесс пищеварения, желчный пузырь и желчевыводящие протоки начинают сокращаться, сфинктеры раскрываются, и желчь поступает в двенадцатиперстную кишку.

Строение желчного пузыря такое, что его край, соединенный с желчевыводящим протоком, располагается под углом – это облегчает отток желчи. У некоторых людей угол наклона слишком маленький, что вызывает нарушения оттока желчи. Также частая аномалия – загиб желчного пузыря,

В составе желчи есть желчные кислоты, холестерин, витамины, аминокислоты и некоторые другие вещества.

который повышает риск развития болезней желчного пузыря.

Людям с нарушениями строения желчного пузыря и желчевыводящих протоков нужно особенно внимательно относиться к профилактике его заболеваний. Но даже если отклонений в строении нет, никто не застрахован от возникновения патологий желчного пузыря.

Симптомы нарушений работы желчного пузыря

Болезни желчного пузыря могут заявить о себе следующими проявлениями:

- резкие, колющие боли в правом подреберье, которые могут отдавать в правую лопатку или предплечье, в поясницу, за грудиной;
- тошнота и рвота;
- горький или металлический привкус во рту;
- отрыжка;
- желтый налет на языке;
- запоры, метеоризм;
- иногда – повышение температуры тела;
- желтушная окраска кожи и склер глаз, кожный зуд;
- потемнение мочи и обесцвечивание кала.

Желчнокаменная болезнь длительное время не проявляет себя симптомами, поэтому так важны регулярные обследования.

Давайте разберемся, какие негативные факторы ухудшают состояние желчного пузыря.

Враги желчного пузыря

Самой распространенной проблемой с желчным пузырем является образование камней в желчном пузыре. Начало заболевания часто проявляется как сладж-синдром.

Сладж-синдром получил свое название от английского «sludge» – грязь, тина, ил. По сути, сладж-синдром – это образование в полости желчного пузыря замазкоподобного вещества.

Желчный пузырь служит резервуаром для хранения выделяемой печенью желчи. В желчном пузыре желчь становится более концентрированной. Во время этого процесса происходит кристаллизация всех посторонних включений – холестерина, солей

Болезни желчного пузыря развиваются у каждого десятого человека.

кальция – и удаление этих включений в виде плотного концентрата. При отсутствии адекватных физических нагрузок на мышцы брюшного пресса или в связи с воспалительными заболеваниями застойные явления не ликвидируются.

Сладж-синдром может спровоцировать развитие панкреатита.

Создаются условия для выпадения холестерина в осадок с формированием кристаллов. Так как осадок тяжелее желчи, он опускается на дно пузыря. Появляется густая взвесь из желчи, холестерина, билирубина и солей кальция. Опасность этого состояния заключается в быстром формировании больших по объему желчных камней, которые растут за счет дальнейшей кристаллизации солей

Нерегулярное питание повышает риск развития сладж-синдрома.

в полости пузыря, и в нарушениях оттока желчи с повышением давления в желчных путях.

Коварство сладж-синдрома заключается в том, что в большинстве случаев он не дает никаких симптомов. Как правило, его обнаруживают только при УЗИ. В редких случаях сладж-синдром может проявлять себя болями в правом подреберье после еды, тошнотой, снижением аппетита, изжогой.

К развитию заболевания есть генетическая предрасположенность, но часто он появляется из-за погрешностей в питании. Например, часто сладж-синдром появляется у любителей жестких диет.

Также сладж-синдром появляется при бесконтрольном применении гормональных препаратов. Часто данный недуг дебютирует во время беременности – растущая матка сдвигает внутренние органы вверх, затрудняя отток желчи, также влияет и сдвиг гормонального баланса. Гормональные изменения при приеме лекарственных препаратов, ожирении или во время беременности нарушают синтез желчных кислот, что вызывает выпадение холестерина в осадок.

Если сладж-синдром вовремя не обнаружить и не провести лечение, развивается желчнокаменная болезнь. Это заболевание широко распространено. В большинстве случаев оно появляется после 30 лет.

У женщин желчнокаменная болезнь развивается в 8 раз чаще, чем у мужчин.

Чаще всего формируются холестериновые камни, но также бывают пигментные и известковые камни или их смешанные варианты. Камни могут формироваться по-разному: множество мелких камней, один или несколько крупных. Рекордное количество камней — 11950 штук! Как они уместились в небольшом органе пациентки из Индии — большая загадка. Бывает так, что один огромный камень занимает всю полость желчного пузыря. Известны случаи, когда такие образования весили более 1 килограмма! Форма у камней тоже бывает разная — от гладких до колючих, с шипами.

Наличие избыточного веса повышает риск развития желчнокаменной болезни на 60%.

Наличие даже одного камня в желчном пузыре может спровоцировать появление новых. Если камень начнет ухудшать отток желчи из желчного пузыря, застойные явления провоцируют появление новых, вторичных камней, причем они могут возникать не только в самом желчном пузыре, но и в желчных протоках, причем и в тех, которые находятся внутри печени. Это запускает сильный воспалительный процесс, ведь застойные явления в желчном пузыре создают благоприятные условия для размножения бактериальной инфекции, которая восходящим путем поднимается по желчным протокам из просвета двенадцатиперстной кишки.

При закупорке желчного протока камнем или длительном затруднении оттока желчи развивается воспаление желчного пузыря — холецистит. Камни в желчном пузыре травмируют его стенки и тоже могут вызвать его воспаление. Еще одной причиной холецистита могут быть паразиты. Например, при описторхозе, вызываемом кошачьей двуусткой — крупным плоским червем длиной до 20 миллиметров, паразиты поселяются именно в желчном пузыре и закупоривают его протоки.

После 60 лет желчнокаменная болезнь развивается у каждого третьего человека.

Холецистит развивается и вследствие застоя желчи из-за неправильного питания: злоупотребления жирной и жареной пищей, сладостями, фастфудом, переедания или длительного голодания, нерегулярного питания. Малоподвижный образ жизни также провоцирует воспаление желчного пузыря.

Данное заболевание выводит из строя не только желчный пузырь. Ухудшается состояние печени, поджелудочной железы, двенадцатиперстной кишки. Это вызывает развитие холангита (воспаления протоков в печени), панкреатита (воспаления поджелудочной железы) и дуоденита (воспаления двенадцатиперстной кишки).

При холецистите и других заболеваниях желчного пузыря и желчевыводящих путей необходимо исключить некоторые продукты. Они провоцируют обострения и снижают эффективность лечения.

Заразиться описторхозом можно при употреблении плохо просоленной или термически обработанной рыбы семейства карповых: карпа, красноперки, сазана, язя, линя, леща и других.

К таким продуктам относятся:

- хрен;
- лук;
- чеснок;
- перец;
- горчица;
- щавель;
- горох;
- бобы;
- редис;
- редька;
- репа;
- грибы;
- соленые и маринованные продукты;
- копчености;
- шоколад;
- кофе;
- какао;

Желчнокаменная болезнь и холецистит могут привести к необходимости удаления желчного пузыря.

При заболеваниях желчного пузыря нельзя употреблять слишком горячую или слишком холодную пищу.

• газированные напитки.

Проблемы со здоровьем возникают и из-за нарушения моторики желчевыводящих путей – дискинезии. Их активность может быть или замедленной, или, наоборот, чрезмерной. Нарушается правильное поступление желчи в двенадцатиперстную кишку, что негативно сказывается на пищеварении. Также при дискинезии желчевыводящих путей начинают неправильно работать сфинктеры – не вовремя открываются или не открываются, когда нужно.

Заболевания желчного пузыря и желчевыводящих путей крайне неприятны и опасны для здоровья организма в целом, поэтому до них или до их обострений лучше не доводить. Давайте разберемся, как это сделать.

Друзья желчного пузыря

Для профилактики, а также лечения заболеваний желчного пузыря и желчевыводящих путей в первую очередь необходимо наладить правильное питание.

Есть нужно не менее 5–6 раз в день небольшими порциями.

Внимательно отнеситесь к выбору продуктов питания. В качестве первого блюда подойдут вегетарианские супы с крупами, фруктовые супы, нежирные щи, борщ. На второе можно употреблять говядину, куриные грудки, речную рыбу. Полезны молочные продукты, овощи, фрукты, ягоды.

Впервые столкнувшись с жуткими болями при обострении холецистита или камне в желчных протоках, многие люди по рекомендации врача садятся на диету, употребляют лишь вареное и паровое, но допускают одну ошибку. В их рационе становится слишком много белковой пищи – курицы, рыбы, яиц, а вот количество клетчатки сводится к минимуму. Это неправильно!

Клетчатка снижает индекс литогенности, уменьшая уровень холестерина, а значит, препятствует развитию сладж-синдрома и образованию желчных камней! Поэтому обязательно следите, чтобы ваш рацион содержал достаточно продуктов, богатых пищевыми волокнами, то есть овощей и фруктов.

При заболеваниях желчного пузыря необходимо снизить употребление насыщенных жирных кислот и холестерина. К таким продуктам относится сливочное масло. А вот ненасыщенные жирные кислоты Омега-3, наоборот, снижают уровень холестерина. Поэтому стоит заменить сливочное масло на льняное.

Но и растительным маслом увлекаться не стоит. Слишком большое

Чтобы приучить себя к такому режиму и не пропускать приемы пищи, поставьте будильники с интервалами в три часа.

Чтобы защититься от желчнокаменной болезни, употребляйте отруби по 2 столовые ложки в день.

количество растительного масла чрезмерно стимулирует перистальтику желчного пузыря, что может привести к движению камней и закупорке желчных протоков.

Обязательно необходимо соблюдать питьевой режим. Обезвоживание способствует загущению желчи, что повышает риск образования камней. Выпивайте не менее 1,5 литра воды в сутки.

При заболеваниях желчного пузыря полезно льняное масло.

При застое желчи полезна особая процедура – тюбаж. Утром натощак выпейте 2 стакана минеральной воды температурой 42–45 градусов в один прием или отдельными порциями с интервалами в 5–10 минут в течение получаса. Затем нужно лечь на правый бок и приложить горячую грелку к правой подреберной области. Процедура составляет 45–50 минут. Во время проведения тюбажа следует делать глубокие вдохи с последующим удлиненным выдохом. Такие упражнения способствуют «массированию» печени сокращающейся диафрагмой.

Тюбаж можно использовать только в том случае, если у вас нет желчных камней!

Избавиться от застоя желчи также помогут травы. Бессмертник песчаный и кукурузные рыльца усиливают желчеотделение, изменяют соотношение холестерина и желчных кислот, увеличивая количество последних, повышают тонус желчного пузыря.

По назначению врача при заболевании желчного пузыря необходимо принимать специальные желчегонные препараты. Они повышают секрецию желчи, при этом уменьшая ее вязкость, оказывают противомикробное, противовоспалительное действие, снимают спазмы желчных путей.

При хроническом холецистите полезен самомассаж. Но только в случае, если заболевание не сопровождается наличием камней в желчном пузыре.

Правую руку положите на низ живота справа, а левую на кисть правой руки. Делайте круговые поглаживающие движения по ходу часовой стрелки, вначале поверхностно, а потом с нажимом. Круги сначала должны суживаться к пупку, а затем вновь расширяться.

Камни в желчном пузыре – после 30 лет совсем не редкость. А между тем эта проблема страшна не только болезненными симптомами. Эти небольшие образования, как я уже рассказывал выше, грозят своему хозяину мучительными приступами боли, трудноизлечимым панкреатитом и удалением желчного пузыря. Но! Мало кто знает, что существует методика, которая позволяет удалить камни из желчного пузыря без операции.

Существует способ растворить камни в желчном пузыре. Для этого используются хенодезоксихолевая и урсодезоксихолевая кислоты, которые принадлежат к числу желчных кислот – естественных компонентов желчи человека и животных. Для лечебных целей эти кислоты выделяются синтетическим путем.

Холестерин является жироподобным веществом и не растворяется в воде. В желчи, то есть в водной среде, он образует микрокристаллы, которые пытаются соединиться в кристаллы покрупнее. Так образуется камень. Хенодезоксихолевая и урсодезоксихолевая кислоты препятствуют кристаллизации холестерина, подавляя его производство в печени и снижая концентрацию холестерина в желчи. А также повышая в ней содержание желчных кислот. То есть эти кислоты не являются напрямую растворителями холестерина, но создают необходимые условия для его растворения.

Наш организм всегда пытается восстановить баланс. И если в желчи сильно снижено содержание холестерина, то его кристаллы организм начинает добывать из камней! Слой за слоем холестерин из камней попадает в желчь и выводится в кишечник.

Так как основной предпосылкой для распада камней является снижение уровня холестерина, одновременно с приемом кислот необходимо придерживаться очень жесткой диеты.

Вы должны полностью исключить из рациона:

- яичные желтки;
- жареную пищу;
- жирную пищу;
- острую пищу;
- соленую пищу;
- свежую сдобу;
- наваристые мясные, рыбные, грибные бульоны;
- фрукты и овощи в сыром виде;
- лук, чеснок, редис, репу;
- орехи;
- мороженое;
- фастфуд;

- кофе;
- крепкий чай;
- алкоголь;
- специи;
- газированные напитки.

Необходимо употреблять больше овощей, вареное нежирное мясо и рыбу, добавлять в пищу отруби и клетчатку.

Для профилактики заболеваний желчного пузыря или их обострений очень важно соблюдать достаточную физическую активность. При отсутствии адекватных физических нагрузок на мышцы брюшного пресса застойные явления не ликвидируются. Создаются условия для выпадения холестерина в осадок с формированием кристаллов. Появляется густая взвесь из желчи, холестерина, билирубина и солей кальция, из которых впоследствии образуются желчные камни.

Вот три полезных упражнения для желчного пузыря.

• Первое упражнение – это диафрагмальное дыхание. Встаньте прямо, ноги на ширине плеч. Одну руку положите на живот, а вторую на грудь. Следите за тем, чтобы во время выполнения упражнения двигался живот, но не двигалась грудная клетка. Медленно вдыхайте, надувая живот, а на выдохе максимально вжимайте его в себя. Такое дыхание создаст внутренний массаж органов и улучшит отток желчи.

• Второе упражнение – скручивания. Встаньте прямо, ноги на ширине плеч, руки перед грудью. Делайте скручивания в пояснице попеременно в правую и в левую стороны. Поворачивайтесь настолько, насколько вам позволяет гибкость.

• Третье упражнение – кошка. Встаньте на коврик, опираясь на колени и ладони рук. На вдохе втяните в себя живот, выгните спину, голову опустите вниз. На выдохе максимально прогнитесь в пояснице, а голову поднимите так, чтобы ваш взгляд был направлен в потолок.

Нельзя делать гимнастику в период обострения. Также эти упражнения противопоказаны при уже существующих камнях в желчном пузыре. Первые занятия не должны занимать более 5–10 минут. Запрещается чрезмерно напрягаться и делать резкие движения.

Также я хочу затронуть здесь тему питания после удаления желчного пузыря, так как в редакцию нашей программы приходит много писем с вопросами об этом.

При удалении желчного пузыря в организме отсутствует резервуар для хранения желчи, поэтому она начинает поступать в кишечник непосредственно из печени. В желч-

После занятия нельзя сразу вскакивать и бежать по своим делам — рекомендуется отдых лежа на левом боку с полным расслаблением всех мышц.

ных путях большое количество желчи скапливаться не может. Если порции пищи большие, а питание редкое, желчь начинает постоянно поступать в кишечник, вызывая его раздражение и диарею.

После холецистэктомии (удаления желчного пузыря) требуется постоянное опорожнение желчных протоков, которое происходит при приеме пищи. Это значит, что чем чаще человек принимает пищу, тем меньше застаивается желчь в желчных путях.

В рационе обязательно должны присутствовать: куриная грудка, творог, яйца, гречка, овес, рис, морковь, яблоки, треска.

Избегать следует продуктов, которые раздражают слизистую оболочку желудочно-кишечного тракта: лук, чеснок, специи, редиска, грибы, сырокопченая колбаса. Запрет следует также на фасоль, горох, хлеб грубого помола и другие продукты, содержащие большое количество грубой клетчатки.

Поскольку желчь поступает медленно, пища переваривается тоже достаточно длительное время, что способствует размножению патогенных микробов в кишечнике и возникновению дисбактериоза. Избежать подобных проблем помогут пробиотики, содержащие живые бифидо- и лактобактерии.

Необходимо питаться не менее 5 раз в день небольшими порциями.

Людям, перенесшим холецистэктомию, необходимо избегать холодных продуктов, таких как холодец и мороженое — они способствуют спазму желчевыводящих путей.

Вздутие живота и диарея преследуют более 50% людей, перенесших удаление желчного пузыря.

ПЕЧЕНЬ

Печень – это настоящая химическая лаборатория. Этот орган имеет множество функций. Он располагается в верхней части брюшной полости в правом подреберье.

Этот орган часто поражают следующие заболевания:

В печени одновременно проходит более 500 различных процессов.

- жировой гепатоз печени;
- цирроз печени;
- гепатиты.

Как устроена печень

Печень является самой крупной железой в теле человека. Она весит около 1,5 килограмма. Орган разделен на две доли – правую и левую. А эти доли, в свою очередь, делятся на мелкие дольки, которые связаны с множеством кровеносных сосудов и желчных путей.

Гепатоциты являются основной функциональной единицей печени. Именно в них протекают многочисленные процессы.

Одна из главных ролей печени в организме – участие в обмене веществ. Когда питательные вещества в процессе пищеварения из желудочно-кишечного тракта всасываются в кровь, они по воротной вене поступают в печень. Здесь происходят их накопление и трансформация. В первую очередь печень помогает обеспечивать организм энергией – из фруктозы, лактозы, аминокислот, свободных жирных кислот, глицерина и некоторых других веществ образуется глюкоза. Этот процесс называется глюконеогенез. Также печень является хранилищем гликогена, который при необходимо-

За сутки через печень проходит более 2000 литров крови.

Печень принимает участие в трансформации веществ для производства витаминов A, C, D, E, K, витаминов группы B, витамина PP.

сти преобразуется в энергию для мышц.

В печени производится синтез липидов, липопротеидов, фосфолипидов, холестерина и его эфиров. Этот орган оказывает влияние и на белковый обмен – расщепляет белки до аминокислот. Также в ней образуются белки крови – фибриноген и альбумин, синтезируются белки, важные для механизма свертываемости крови, – протромбин и антитромбин.

Печень является депо для накопления витаминов и микроэлементов, в том числе жирорастворимых витаминов A и D, а также витамина B_{12}, который является водорастворимым, меди, кобальта, железа. При дефиците этих веществ они высвобождаются из печени и поступают в кровь.

Также печень отвечает за правильный баланс в организме веществ, входящих в состав плазмы крови: воды, глюкозы, холестерина, железа и других.

Важная функция печени – синтез ферментов и гормонов. Они необходимы для нормального пищеварения. Также печень вырабатывает билирубин и желчные кислоты, продуцирует желчь, которая нужна для усвоения жиров.

Печень нейтрализует токсины и яды, аллергены, разлагает алкоголь, выводит из организма избыточное количество гормонов, токсичные продукты обмена веществ – например, превращает аммиак в мочевину, обезвреживает продукты распада гемоглобина. Нарушение работы печени приводит к отравлению организма токсичными веществами.

Максимальная дезинтоксикационная активность печени приходится на 18—20 часов.

Также печень является хранилищем для достаточно большого количества крови – до 20% всего циркулирующего в теле объема. Если в организме происходит массивная кровопотеря, сосуды печени сужаются и кровь из нее выбрасывается в общий кровоток.

Симптомы нарушения работы печени

О развитии заболеваний печени могут сигнализировать следующие симптомы:

- тошнота;
- метеоризм;
- тупые и ноющие боли в правом подреберье;
- вздутие живота;
- диарея и запоры;
- сухость кожи, иногда – кожный зуд;
- желтый оттенок склер глаз и кожи;
- потемнение мочи и обесцвечивание кала;
- слабость;
- головокружения;
- быстрая утомляемость при физической нагрузке;
- снижение работоспособности;
- иногда – повышение температуры тела, озноб;
- кровоточивость десен, появление носовых кровотечений и сосудистых «звездочек» на коже.

К сожалению, многие факторы вредят печени, приводят к необратимому повреждению ее клеток, нарушают функции органа, чем ослабляют весь организм в целом. От негативного влияния можно защититься, главное, знать врагов печени и соблюдать профилактику заболеваний этого органа.

Враги печени

Печень – это орган, который берет, образно говоря, огонь на себя. Ее способны повредить многие факторы.

- Жирная пища – при поступлении в организм избыточного количества жиров они начинают накапливаться в ткани печени, нарушая ее работу.
- Алкоголь нарушает проницаемость мембран клеток печени и затрудняет желчевыделение.
- Курение – при курении печень получает повышенную нагрузку, так как ей приходится обезвреживать огромное количество продуктов распада никотина, среди которых такие высокотоксичные вещества, как бензол, цианистый водород, фенол, окись азота, ацетон, радиоактивный полоний.
- Инфекции повреждают печень. Самыми опасными для печени являются гепатиты А, В и С.
- Лекарственные препараты – бесконтрольный или длительный прием лекарственных средств также разрушающе действует на печень.

Одно из самых распространенных заболеваний печени – это жировой гепатоз, или неалкогольная жировая болезнь печени. Еще это заболевание называют жировой дистрофией печени. До 40% людей во всем мире имеют данную болезнь.

Как я уже рассказывал выше, печень участвует в обмене жиров. Когда они из пищи всасываются в кровь из кишечника и по воротной вене поступают в печень, ор-

80% больных жировым гепатозом печени — это женщины.

ган начинает их переработку. Одну часть жиров печень трансформирует в энергию для мышц, а другую использует в производстве холестерина и триглицеридов. В том случае, если в организм поступает слишком много жиров или же они по каким-либо причинам плохо выводятся из печени, жиры в виде капель начинают откладываться в клетках печени – гепатоцитах, серьезно нарушая их работу. Со временем накопление жировых капель приводит к очаговой гибели гепатоцитов, а на их место прорастает соединительная ткань. Постепенно все большая площадь паренхимы печени замещается этой нефункциональной тканью, снижаются резервы и работа органа – развивается фиброз печени.

К жировому гепатозу печени очень предрасположены люди, имеющие избыточный вес, так как при данном состоянии возникает гиперлипидемия – повышенный уровень холестерина и триглицеридов в крови. Но и при резком снижении веса, например при увлечении экстремальными диетами, голодании, может развиться данное заболевание. Высокий риск жирового гепатоза имеют люди, страдающие от метаболического синдрома и сахарного диабета – наличие инсулинорезистентности (снижения чувствительности тканей к инсулину) провоцирует нарушения обмена веществ и накопление капель жира в гепатоцитах.

Различные заболевания желудочно-кишечного тракта, при которых нарушается всасывание полезных веществ, также повышают риск возникновения жирового гепатоза печени. К таким заболеваниям относятся колиты, дивертикулез тонкого кишечника, хронический панкреатит, синдром мальабсорбции. Есть предрасположенность при желчнокаменной болезни, хроническом холецистите и других заболеваниях желчного пузыря и желчевыводящих путей.

Спровоцировать развитие жирового гепатоза печени может бесконтрольный или вынужденный длительный прием лекарственных препаратов:

Фиброз печени является предвестником очень опасных заболеваний — цирроза, хронической печеночной недостаточности и даже рака печени.

- глюкокортикостероидов;
- оральных контрацептивов;
- нестероидных противовоспалительных средств;
- антибиотиков тетрациклиновой группы;
- противосудорожных препаратов;
- противогрибковых препаратов;

• изониазида;
• метотрексата;
• амиодарона и некоторых других.

Еще один враг печени – энергетические напитки. Ведь на самом деле в энергетических напитках не содержится никаких источников энергии, их эффект основан на том, что жидкость вытягивает энергию из резервов собственного организма человека. Обеспечивать энергию приходится печени при помощи углевода гликогена. После баночки энергетика печень вынуждена быстро его отдать и начать запасать новые углеводы, работая буквально на износ.

Бытует мнение, что циррозом печени болеют только алкоголики. Это не так. Конечно, около 60–70% всех случаев заболевания – следствие неуемной тяги к спиртному. Каждый пятый человек, страдающий хроническим алкоголизмом, имеет цирроз печени. Но этот страшный диагноз могут получить и люди, ведущие абсолютно здоровый образ жизни.

Мужчины заболевают циррозом печени в три раза чаще, чем представительницы прекрасного пола. При циррозе происходит гибель гепатоцитов, возникает замещение ткани печени соединительной тканью. В печени появляются множественные узлы, они мешают адекватной работе органа, сдавливая желчные протоки, сосуды и нормальную неповрежденную ткань – и функции органа все больше ослабевают.

Злоупотребление алкоголем не только приводит к гибели клеток печени, но и нарушает обмен жиров, что вызывает появление жирового гепатоза.

Вот еще причины развития цирроза печени.

• Гепатиты – доля вирусных циррозов печени составляет до 40% от их общего числа. Это заболевание развивается примерно у 20% больных гепатитами В и С типов.

• Камни – наличие камней в желчных протоках является риском для печени. Длительная закупорка желчных протоков может

При длительном приеме токсичных для печени препаратов необходимо каждые 3–6 месяцев сдавать анализы — так называемые печеночные пробы.

Цирроз печени — это одна из шести распространенных причин смерти у людей зрелого возраста.

Ни в коем случае нельзя употреблять алкоголь на фоне приема лекарственных препаратов, особенно антибиотиков. Это серьезно увеличивает нагрузку на печень. Систематическое употребление этанола вместе с лекарственными препаратами усиливает патологическое воздействие алкоголя и приводит к развитию цирроза печени.

привести к развитию фиброза, а затем и цирроза печени.

• Лекарственные препараты — цирроз печени могут вызвать те же медикаменты, что провоцируют развитие жирового гепатоза печени.

• Венозный застой — при ишемической болезни сердца, загущении крови, портальной гипертензии возникает ухудшение кровоснабжения тканей печени.

• Яды — цирроз печени может вызвать также поступление в организм отравляющих веществ — мышьяка, хлороформа, фосфора и других. Как правило, по этой причине циррозом печени заболевают работники вредных производств.

• Жиры — пища с высоким содержанием жиров наносит существенный удар по печени. Излишек жиров приводит к воспалению органа, что является предпосылкой для более страшного заболевания — цирроза.

Еще одна опасность, которая постоянно подстерегает печень — вирусные инфекции. В первую очередь, это гепатиты — А, В и С.

Гепатит А или болезнь Боткина — очень распространенное заболевание. Для заражения достаточно контакта буквально с одной-двумя микроскопическими вирусными частицами.

Риск заполучить цирроз печени имеют любители фастфудов и кремовых тортов.

Передается гепатит А через загрязненную воду или пищу и бытовым путем. Это болезнь грязных рук. Очень часто данное заболевание люди привозят в качестве «сувенира» из южных стран. Эта инфекция распространена в Индии, Египте и Турции, странах Азии — на наиболее излюбленных тури

Ежегодно в мире гепатит А переносят до полутора миллионов человек!

стических маршрутах россиян. Опасность подстерегает в немытых фруктах, в уличном фастфуде и в напитках. Нередко путешественники заражаются при употреблении напитков со льдом – ведь его часто делают из грязной воды.

Также часто заразиться гепатитом А можно при употреблении недостаточно хорошо термически обработанных морепродуктов.

В странах, где распространен гепатит А, лучше пить только бутилированную воду.

Защититься от гепатита А достаточно просто – соблюдайте гигиену, не употребляйте немытые фрукты и овощи, пейте бутилированную воду и обязательно перед поездкой сделайте прививку от данного заболевания.

Полностью избежать возможности заразиться гепатитом В и С намного тяжелее. В России около 5 миллионов человек являются носителями данного вируса, а в мире заболевших – более двух миллиардов. Передается гепатит В и С через кровь. Многие люди считают, что гепатитом В болеют только наркоманы, но это не так.

В засохшем пятне крови вирус гепатита В может сохраняться в течение недели!

Этот вирус очень живучий – он сохраняет свою заразность даже после кипячения и замораживания!

Источником заражения могут быть плохо простерилизованные инструменты в тату-салонах, в салонах маникюра и педикюра, пирсинга, в стоматологических кабинетах.

Серьезную опасность представляет обрезной маникюр. Но и при обычном нет гарантии, что мастер случайно не заденет кожу пилочкой для ногтей или щипчиками. Поэтому при посещении салонов соблюдайте правила.

• Убедитесь, что мастер имеет достаточное количество маникюрных наборов даже при наличии стерилизатора, так как полная стерилизация инструментов обычно занимает около четырех часов.

• Придя в салон впервые, не стесняйтесь попросить мастера показать, как стерилизуются инструменты. Если мастер уверяет, что инфекция полностью убивается, например, спиртом, это тревожный знак.

Требуйте, чтобы иглы и шприцы доктор извлекал из стерильной упаковки у вас на глазах, то же самое касается ампул с препаратами.

- Палочка для кутикулы должна быть одноразовой.
- Лучше иметь собственный набор инструментов для маникюра и педикюра, который вы будете брать с собой при каждом визите в салон либо хранить его у мастера.

Для заражения достаточно микротравмы на коже — трещинки, царапины, потертости, поэтому приучите себя заклеивать поврежденные области кожи лейкопластырем перед выходом на улицу.

При посещении стоматологического кабинета всегда смотрите, чтобы доктор достал из кассеты новый бор и вставил его в наконечник. Если бор уже вставлен в наконечник, попросите заменить его. Сплевывайте лучше не в лоток, а в салфетку.

Обратите внимание на то, откуда врач достает пинцеты: на упаковках или кюветах должно быть указано, что инструментарий был обработан при температуре свыше 180 °С и является стерильным.

Через предметы личной гигиены можно заразиться даже в собственном доме. Это зубные щетки, бритвы, щипчики для ногтей, массажные щетки для душа. Поэтому все предметы гигиены должны быть индивидуальными! Кроме того, поскольку вирус долгое время может сохранять активность в высохшей капле крови, гепатитом В можно заразиться, поцарапавшись о поручень в транспорте, о перила в собственном подъезде.

Заразиться гепатитом С можно при незащищенном половом акте. Не забывайте о применении барьерных методов контрацепции!

Друзья печени

О здоровье печени нужно беспокоиться всем! Ведь жировой гепатоз и такое страшное заболевание, как цирроз печени, может возникнуть даже у человека, ведущего абсолютно здоровый образ жизни. Печень все равно находится под ударом вирусов и бактериальных инфекций, под вредным воздействием неблагоприятной экологической обстановки. А заболевания, вызванные этими факторами, необходимо лечить при помощи медикаментов – они, к сожалению, тоже разрушающе действуют на печень.

Вот почему печени так нужны друзья. И, к счастью, они есть! Три полезных вещества помогут вам поддерживать здоровье этого органа и будут полезны в профилактике заболеваний.

• Первое вещество – это магний. Он обладает желчегонным действием, увеличивает синтез гликогена, улучшает кровоток в печени, снимает спазм сосудов и сфинктера желчного пузыря.

• Второе вещество – витамин PP, который помогает снижать уровень вредного холестерина. А также некоторое количество жиров.

• А третье – жиры. Да, жирная пища вредит здоровью печени. Но жир жиру рознь! Печени помогут полиненасыщенные жиры! Они снижают уровень вредного холестерина, нормализуют желчеотделение и обладают антиоксидантным действием.

В одной из наших программ мы подобрали для вас чудо-ингредиенты, богатые данными веществами.

• Магнием богат кунжут.

• Витамином PP богата индейка.

• А полиненасыщенными жирными кислотами – льняное семя.

Из этих продуктов можно приготовить идеальное блюдо за защиты печени. Это – рулеты из индейки! Для этого нам потребуется: 500 граммов филе грудки индейки, 1 луковица, 2 зубчика чеснока, кусок имбиря длиной примерно в 2 сантиметра, 1 яблоко, 100 граммов кураги, 2 ст.л. кунжута, 2 ст. л. льняного семени.

Филе индейки нарезаем пластами. Яблоко, курагу, имбирь, чеснок и лук тушим на сковородке 2 минуты. Заворачиваем рулеты, обваливаем в смеси льняного и кунжутного семени и запекаем в аэрогриле до готовности. И вкусно, и очень полезно!

А есть еще одно волшебное вещество, которое защищает печень и поддерживает в ней здоровье. Это лецитин! Он способствует уменьшению явлений жировой инфильтрации печени, улучшает физико-химические свойства желчи, способствует снижению уровня холестерина.

Лецитин относится к группе фосфолипидов. Он всасывается через стенки кишечника, попадает в печень и встраивается в мембраны ее клеток. Лецитином очень богаты:

• яичный желток;
• соя;
• горох;
• фасоль;
• чечевица;
• арахис;
• грецкий орех;
• семена подсолнуха.

Лецитин известен своими гепатопротекторными свойствами — он восстанавливает и защищает клеточную структуру печени.

Обязательно добавьте эти продукты в свой рацион.

Витамин B_4, холин, является «сырьем» для синтеза лецитина в организме. Кроме того, само по себе данное вещество является полезным для печени — оно способствует удалению из органа излишнего количество жиров, улучшает обмен холестерина.

Клетчатка снижает уровень вредного холестерина в организме и предотвращает развитие жирового гепатоза печени.

Витамином B_4 богаты:

- яичный желток;
- говяжья и куриная печень;
- проростки пшеницы;
- овсяная крупа;
- ячневая крупа;
- горох и чечевица;
- картофель;
- капуста.

Синтез холина и лецитина в организме повышает незаменимая аминокислота метионин. Она способствует уменьшению отложения нейтрального жира в печени и нормализации ее функций.

Метионином очень богат продукт, который традиционно принято считать отходами. Это — красивая и зеленая морковная ботва! Такую пользу мы по незнанию выкидываем в мусор. А ведь из нее можно сделать очень вкусную приправу — соус песто!

Чтобы его приготовить, вам потребуется: большой пучок морковной ботвы, 4 ст. л. оливкового масла, 2 зубчика чеснока, 3 ст. л. кедровых орешков и щепотка соли.

Морковную ботву освобождаем от стеблей. Измельчаем в блендере морковную ботву, оливковое масло, чеснок и соль. Затем добавляем в готовый соус кедровые орешки. Обязательно попробуйте летом сделать такое блюдо. Уверен, вам понравится.

Для здоровья печени также нужно следить, чтобы рацион был богат продуктами, содержащими много клетчатки: овощами и фруктами, необработанными крупами, отрубями.

Полезен для печени и витамин А. Он помогает регенерации клеток печени. Например, куриные яйца содержат 29% от суточной нормы этого витамина.

Исследования показали, что куркумин значительно снижает блокировку желчных протоков, уменьшает повреждения гепатоцитов — клеток печени и уменьшает риск развития фиброза.

Гепатопротекторы нельзя пить в качестве профилактики, они принимаются строго по показаниям.

Еще один полезный продукт для здоровья печени – куркума. Ее основным компонентом является куркумин, который и придает индийской пряности характерный желтый цвет.

Помимо полезных продуктов, для защиты печени существуют также лекарственные препараты – гепатопротекторы. Многие люди воспринимают эти средства как безобидные БАДы и принимают их бесконтрольно. Но при таком отношении гепатопротекторы могут не помочь, а навредить.

Действительно, в некоторых случаях прием данных средств будет полезным. Например, при отравлении грибами. происходит токсическое поражение печени. Остановить этот патологический процесс помогут препараты расторопши.

При отравлении алкогольными напитками, при лечении алкоголизма и цирроза печени применяются препараты адеметионина. А вот в качестве профилактики цирроза при регулярном употреблении алкоголя прием гепатопротекторов будет абсолютно неэффективным. Гораздо больше пользы для организма принесет избавление от пагубной привычки.

При избыточном весе для профилактики жирового гепатоза печени на гепатопротекторы тоже уповать не стоит. Чтобы сохранить здоровье органа, придется все же изменить свои пищевые привычки и придерживаться здорового питания.

Перед приемом гепатопротекторов обязательно необходимо получить консультацию врача. Все гепатопротекторы, как и любые другие лекарственные средства, имеют побочные эффекты. Даже растительные препараты на основе расторопши не являются безобидной биодобавкой: они могут спровоцировать аллергические реакции и затяжную диарею.

ПОЧКИ

Почки – очень важные парные органы. Даже небольшие отклонения в их работе сказываются на состоянии всего организма. Ведь главная роль почек – фильтрация крови от токсинов и вредных продуктов обмена веществ.

К сожалению, эти маленькие, но незаменимые органы уязвимы перед заболеваниями, наиболее распространенные из которых:

- пиелонефрит;
- гломерулонефрит;
- мочекаменная (почечнокаменная) болезнь;
- почечная недостаточность.

Как устроены почки

По своей форме почка напоминает боб. Ткань почки, то есть ее паренхима, состоит из внешнего слоя – коркового вещества и внутреннего слоя – мозгового вещества. Эти слои состоят из особых клеток – нефронов. В каждой почке содержится до миллиона этих уникальных клеток.

Почечная артерия, по которой кровь поступает в почку, внутри органа разветвляется на более мелкие сосуды, а те – на мельчайшие, которые заканчиваются клубочками тончайших капилляров – почечными клубочками. В них течение крови сильно замедляется. Если развернуть все почечные клубочки, их общая длина составит более 25 километров! Каждое из данных образований окружено мешочком – боуменовой капсулой.

Стенки капилляров почечных клубочков имеют избирательную проницаемость – через них, как через решето, проникают клетки крови, плазма – они возвращаются в кровоток, а токсины и другие вредные продукты обмена веществ задерживаются внутри боуменовой капсулы. В результате в капсуле остается жидкая часть крови, содержащая все эти вредные вещества, – первичная моча. Она поступает в петли Генле – особые почечные канальцы, представляющие собой тонкие трубочки, стен-

В течение суток почки фильтруют около 1700 литров крови.

В сутки почки вырабатывают около 1,5 литров мочи.

ки которых также имеют избирательную проницаемость. В петлях Генле из первичной мочи удаляются глюкоза, витамины, электролиты, белки и большая часть воды – они остаются в организме, а оставшаяся жидкость с вредными веществами, подлежащими выведению, – это уже конечная моча.

Моча концентрируется сначала в малых почечных чашках – их в каждом органе 8–9 штук. Затем скапливается в двух больших чашках, а оттуда собирается в почечную лоханку. Из нее по мочеточнику конечная моча выводится из почки в мочевой пузырь, а из него – по мочеиспускательному каналу выходит наружу из организма.

Вот такой сложный механизм избавления тела человека от токсинов! Теперь понятно, почему выход даже одной почки из строя – катастрофа для организма, он попросту начинает отравляться вредными веществами.

Симптомы нарушения работы почек

На нарушения работы почек могут указывать следующие симптомы:

- тупые или колющие боли в пояснице;
- иногда – повышение температуры тела, слабость, озноб;
- тошнота и рвота;
- частое мочеиспускание с небольшим количеством выделяемой мочи;
- помутнение мочи, примеси крови в моче;
- повышение артериального давления;
- отеки лица и голеней;
- головные боли.

Что же может вызвать такие неприятные проявления? Давайте разберемся в следующем разделе.

Враги почек

Одной из самых распространенных болезней почек является пиелонефрит – воспаление почки, которое поражает всю ее ткань и систему чашек-лоханок. По статистике, пиелонефрит входит в топ 20 заболеваний, с которыми посетители поликлиник обращаются к врачу. Каждый год это заболевание возникает практически у 1,5 миллиона человек в нашей стране.

Вызывается пиелонефрит бактериями. Они начинают размно-

Женщины страдают от пиелонефрита в 5–6 раз чаще, чем мужчины.

жаться в тканях почек и могут даже вызвать гнойное воспаление, которое способно расплавить чашки и лоханки.

Бактериальная инфекция имеет несколько возможностей попасть в почки:

- с током крови;
- с током лимфы;
- восходящим путем из мочеиспускательного канала, мочевого пузыря и мочеточников.

Одним из распространенных возбудителей пиелонефрита являются кишечная палочка и энтерококки, которые обитают в кишечнике. Как же они попадают в почки? У женщин часто всему виной становится неправильное осуществление гигиены. При подмывании от заднего прохода вперед к лобку инфекция может заноситься на половые органы, а оттуда в мочеиспускательный канал и мочевой пузырь. Там данные бактерии вызывают воспаление стенок – цистит, а затем инфекционный процесс может подняться выше – в почки.

Еще одна частая причина развития пиелонефрита – стафилококки. Эти бактерии с током крови в большинстве случаев проникают в почки из хронических очагов воспаления. Такими являются гайморит, тонзиллит, пневмония, аднексит, кожные гнойные заболевания и другие длительные воспалительные процессы, в том числе и кариес.

При застое мочи в почках вследствие нерегулярного мочеиспускания, затруднения оттока мочи из-за наличия камней, риск активного размножения бактериальной инфекции сильно возрастает. Поэтому помните – привычка терпеть «до последнего» и посещать туалет, только когда уже совсем невмоготу, может сыграть с вами злую шутку.

Повышают риск развития пиелонефрита и все факторы, которые приводят к снижению иммунитета:

- инфекционные заболевания;
- хронические болезни внутренних органов;
- недолеченные острые воспалительные заболевания;
- гиповитаминозы;
- сахарный диабет;
- частые стрессы;
- переохлаждение.

Часто пиелонефрит зарабатывают модницы, носящие короткие куртки в холодную погоду. Также в группе риска любители посидеть на холодном.

Еще одно более тяжелое заболевание почек – гломерулонефрит. Чаще всего он провоцируется штаммами бета-гемолитического стрептококка группы А, возбуди-

При кариесе, нерегулярной чистке зубов и при заболевании десен в кровь может попасть до 700 различных видов бактерий.

Узкая, тесная одежда постоянно задирается, что приводит к переохлаждению поясницы и нижней части живота.

тели которого попадают в почки с током крови или лимфы. В редких случаях вызвать гломерулонефрит могут стафилококки, другие бактерии, паразиты. У детей данное заболевание часто развивается после перенесенной свинки, скарлатины, кори или ветряной оспы. У взрослых – после мононуклеоза и на фоне гепатита В.

При гломерулонефрите в ответ на воспалительный процесс в почках развивается иммунная реакция, из-за которой иммунная система организма воспринимает ошибочно части ткани почек как чужеродные элементы и начинает их атаковать. Развивается хроническое воспаление.

В первую очередь иммунная система поражает почечные клубочки и канальцы. В результате нарушается сложный механизм очищения организма от токсинов – вместе с мочой начинают выводиться полезные элементы: электролиты, витамины и аминокислоты, а токсины, наоборот, плохо удаляются из крови. Кроме того, почечные канальцы и клубочки начинают гибнуть, их место замещает соединительная ткань, и, как следствие, через почки проходит меньше крови, все больше продуктов обмена веществ задерживается в организме. Так развивается почечная недостаточность.

Для профилактики гломерулонефрита очень важно своевременно лечить тонзиллит, гайморит, аднексит и другие хронические очаги воспаления в организме. Также важно поддерживать здоровое состояние полости рта. Многие больные гломерулонефритом – те, кто не чистит зубы и имеет запущенный кариес.

Следите за состоянием зубов и десен. Посещайте стоматолога не реже 1 раза в 6 месяцев.

Последствие гломерулонефрита и других заболеваний почек – почечная недостаточность – это смертельно опасное заболевание. Оно приковывает больных к необходимости постоянно выполнять процедуру очищения крови – гемодиализ, а затем приводит к необходимости трансплантации почки для сохранения жизни.

При почечной недостаточности организм перестает очищаться от токсинов, они накапливаются в крови и вызывают сильнейшее отравление. Это состояние может быть острым и хроническим.

Острая почечная недостаточность часто возникает при нарушении кровоснабжения почек, например из-за сердечной недостаточности, серьезных нарушений сердечного ритма, инфаркта миокарда. При циррозе печени или панкреатите возникает перераспределение жидкостей в организме, и это сказывается на составе крови, вызывая почечную недостаточность. В человеческом организме все связано: плохая работа одного органа неизбежно скажется и на других. Поэтому заботясь о состоянии почек, нужно проводить профилактику болезней сердца, сосудов, поджелудочной железы, печени и других внутренних органов.

К острой почечной недостаточности приводит и бесконтрольное употребление лекарственных препаратов.

Сахарный диабет и цирроз печени часто вызывают хроническую почечную недостаточность. И, конечно же, данное заболевание развивается на фоне затяжных болезней почек.

К хронической почечной недостаточности может привести мочекаменная, или, как еще говорят, почечнокаменная болезнь. Камни могут образовываться и в почках, и в мочеточниках, и в мочевом пузыре, при этом у некоторых людей камни достигают огромных размеров и веса больше одного килограмма. Пик заболеваемости мочекаменной болезнью – 30–50 лет.

Почки проводят фильтрацию крови от вредных веществ и выводят их с мочой. Если в организме происходит сбой, то возникают биохимические нарушения обмена веществ, приводящие к выпадению солей в осадок и к его кристаллизации. Кристаллы солей становятся ядром, вокруг которого начинает расти камень. Давайте разбираться, что же может вызвать такие нарушения.

Спровоцировать образование камней в почках могут некоторые продукты.

• Говядина, фасоль – ураты. Уратные камни состоят из мочевой кислоты или ее солей. Провоцировать образование данных камней может пища, богатая пуринами.

Острую почечную недостаточность может спровоцировать применение мочегонных, слабящих и возбуждающих нервную систему средств «для похудения».

Мужчины в три раза чаще страдают от мочекаменной болезни, чем женщины.

Мочекаменную болезнь может спровоцировать частое употребление сильно минерализованной воды.

• Зелень, щавель, шпинат, ревень – оксалаты. Оксалатные камни в почках образуются из кальциевых солей щавелевой кислоты. И провоцируют их образование продукты, богатые данным веществом.

• Молоко, творог – фосфаты. Фосфатные камни в почках содержат кальциевые соли фосфорной кислоты. Они белого или светло-серого цвета, чаще всего образуются в щелочной моче. Провоцировать возникновение фосфатов могут молочные продукты, а также бесконтрольный прием препаратов кальция.

Но если вы здоровы, это не значит, что вам нужно исключить из рациона все эти продукты. А вот если у вас уже есть склонность к образованию какого-либо вида камней, стоит избегать продуктов, способствующих их появлению.

Среди факторов-провокаторов мочекаменной болезни значатся также нарушения обмена веществ, заболевания поджелудочной и щитовидной железы, надпочечников и гипофиза, частое обезвоживание, неправильное питание, болезни печени и желудочно-кишечного тракта. Часто предрасположенность к образованию камней в мочевыделительной системе передается по наследству. Длительный и бесконтрольный прием лекарственных препаратов, особенно глюкокортикостероидов, антибиотиков тетрациклинового ряда и антацидных препаратов, тоже является фактором риска.

Камни вызывают сильнейшие, невыносимые боли, если застревают во время своего продвижения по мочевыделительной системе. Почечная колика – не только болезненное, но и угрожающее жизни состояние. Ведь если колика возникла, значит случились проблемы с оттоком мочи. Полная блокировка мочи в течение 48 часов может вызвать необратимое повреждение почки. Поэтому при первых признаках колики главное – действовать правильно.

Фосфатные камни в почках нередко образуются у людей, страдающих от остеопороза.

В первую очередь необходимо обеспечить покой и выпить препарат, обладающий спазмолитическим эффектом. Под действием

При почечной колике теплую грелку можно положить и на область поясницы.

спазмолитика стенки мочеточника расслабляются, и накопившаяся моча может просочиться в получившийся проток. Также спазмолитик поможет снизить болевые ощущения.

Во-вторых, следует поместить тепло на специальные зоны, которые отвечают за мочеточники. Некоторые участки кожи на нашем теле через спинной мозг связаны с органами. Для мочеточников это паховая область. На нее и стоит положить грелку. Тепло будет воздействовать как спазмолитик, то есть поможет расширить просвет мочеточника. Некоторым больным также помогает принятие теплой ванны.

Если после применения всех вышеперечисленных действий боль не утихает, нужно прекратить самолечение и вызвать бригаду «Скорой помощи». Это очень важно! Ведь если вовремя не разблокировать отток мочи, почка может даже погибнуть.

Даже если у вас нет заболеваний почек, о здоровье этих органов нужно заботиться смолоду. Ведь они тоже стареют. К семидесяти годам гибнет почти половина нефронов, на их месте образуется заместительная рубцовая ткань. Из-за старения почек организм перестает усваивать незаменимые полезные вещества!

В 75-летнем возрасте всасывание полезных веществ ухудшается на 31% по сравнению с 30-летним.

Почки играют важную роль в поддержании здоровья ваших костей и позвоночника. Они отвечают за обработку витамина D и кальция, а если этих веществ не хватает, развивается остеопороз и повышается риск переломов.

Также здоровье почек оказывает прямое влияние на состояние сердечно-сосудистой системы.

Один из главных признаков старения почек — повышенное давление. К этому признаку стоит относиться особенно внимательно, если у вас в роду есть больные гипертонией. Также обратите внимание на здоровье почек, если у вас есть отеки.

То, что однозначно ускорит старение почек, — это алкоголь и курение. Они негативно действуют на сосуды, ухудшают циркуляцию крови. Поэтому стоит сказать вредным привычкам твердое «нет».

А как сохранить отличное состояние почек на долгие годы, поговорим в следующей главе.

Друзья почек

Один из самых сильных врагов почек – задержка в них мочи. А значит, настоящими друзьями для этого органа будут вещества, обладающие мочегонным действием. Это действие должно быть мягким, умеренным, ведь обезвоживание тоже почкам не полезно. На роль друзей почек отлично подойдут продукты, богатые калием. Этот элемент вызывает мягкий, но стойкий мочегонный эффект.

Продуктами-лидерами по содержанию калия являются:

- огурцы;
- сельдерей;
- петрушка;
- курага и чернослив.

Есть и другие продукты-помощники.

- Манго – в волокнистой мякоти манго имеется высокое содержание жидкости и минеральных веществ, благодаря чему этот плод стимулирует деятельность кишечника и почек. Разгрузочные дни с манго выводят лишнюю жидкость, одновременно улучшая обмен веществ.
- Брусника обладает мочегонным действием. Оно связано с наличием в ней арбутина, который в организме разрушается, образуя свободный гидрохинон. Выделяясь почками, гидрохинон оказывает на них раздражающее действие, в результате чего отделение мочи усиливается.
- Укроп содержит большое количество эфирного масла, которое снимает спазмы гладкой мускулатуры и расширяет сосуды. Благодаря этим свойствам укроп оказывает спазмолитическое действие при почечных коликах.
- Тыква и морковь оказывают легкое мочегонное действие, не раздражает почки и мочевыводящие пути. Эти продукты богаты витамином А и бета-каротином, которые необходимы для нормальной работы почек и помогают восстанавливать поврежденный эпителий.
- Клюква содержит хинин, который преобразуется в гиппуровую кислоту в печени. Эта кислота помогает в выведении мочевины и мочевой кислоты.

Из последних двух продуктов можно приготовить идеальное блюдо для почек! Легкий и вкусный салат. Для этого нам потребуется: 2 большие моркови, 100 граммов клюквы, 2 ст. л. сметаны. Такой салат готовится буквально за одну минуту – натираем морковь на крупной терке, смешиваем с клюквой и сметаной. И наш салат-помощник для почек готов! Ешьте его один-два раза в неделю, и почки скажут вам спасибо.

Полезны для почек и некоторые растительные средства.

- Настой, приготовленный из листьев черной смородины, обладает мочегонным эффектом, активизирует работу почек, дезинфицирует почечные лоханки, препятствует образованию камней и вымывает осевший в почках песок.

- Листья черники содержат арбутин, который обладает антисептическим, противомикробным и противовоспалительным действием. Также листья черники содержат вещество неомертиллин, которое помогает значительно снизить уровень сахара в крови.

Сохранить здоровье почек помогут и ежегодные УЗИ-обследования этого органа. Ведь ультразвуковое обследование поможет выявить предвестника мочекаменной болезни — песок в почках, или сладж-синдром. Нужно сказать, что это не песок в буквальном смысле, а мельчайшие каменные образования. То есть уже начинающая развиваться мочекаменная болезнь.

Песок в почках есть у каждого третьего человека.

Когда песок перемещается с током мочи, он наносит травмы мочевыводящим путям, вызывает спазмы и боль. Еще хуже, когда из этих мелких кристалликов образуются уже внушительные камни. Дело может дойти даже до операции.

Если у вас обнаружили песок в почках, нужно постоянно соблюдать меры профилактики, чтобы предупредить развитие мочекаменной болезни.

- Необходимо соблюдать питьевой режим — каждые два часа выпивать по половине стакана воды. Не допускайте ощущения жажды. Вы должны выпивать не менее 2,5 литра воды в сутки.
- Необходимо соблюдать диету. Если у вас образуются уратные камни, съедайте по лимону в день, при оксалатах полезны отруби, а при фосфатах — клюква.
- Увеличьте физическую активность. Наклоны вперед-назад, из стороны в сторону, упражнение по вращению тазом улучшают кровоснабжение почек. Чтобы не было скучно, займитесь белли-денсом, в этом танце преобладают движения бедрами, вращение тазом, улучшается кровоснабжение в области поясницы.

Если камни в почках уже образовались, избежать операции позволит процедура литотрипсии. Это дробление камней при помощи ударной волны, ультразвука,

Движения бедрами и скручивания в поясничной области улучшают кровоснабжение почек.

лазера или сжатого воздуха и их безопасное выведение. В арсенале уролога — литотриптор — аппарат, который создает ударные волны. За час больной получает до 8000 ударных волн. При этом их сила и частота постепенно увеличивается. Главное — сфокусировать волны точно в цель, непосредственно на камне. Камни разбиваются, и осколки отходят самостоятельно.

Отдельно хочу поговорить о профилактике заболеваний почек у женщин. Дело в том, что анатомически мочеиспускательный канал у представительниц прекрасного пола намного короче, чем у мужчин. Поэтому инфекция легко проникает по нему в мочевой пузырь и вызывает его воспаление — цистит.

Характерными признаками цистита является нарушенное, болезненное и частое мочеиспускание, боли над областью лобка. К моему глубокому сожалению, при впервые возникшей острой форме болезни далеко не все женщины спешат к врачу и начинают лечиться при помощи сомнительных, а порой и просто диких «народных» методов. Чего стоит одно лишь сидение на ведре с раскаленным кирпичом, о котором мне поведала участница одной из наших программ. Есть и другой вид пациентов — они приходят к врачу, он назначает им антибиотики, а они их или не принимают вовсе, или бросают прием в середине курса при первых признаках затухания симптомов. А ведь инфекция и в том, и в другом случае остается в мочевом пузыре, закрепляется там. Из острого цистит превращается в хронический.

При хронической форме цистита инфекция может дремать, периодически давая о себе знать обострениями. Во время активной фазы воспалительный процесс может подняться выше по мочеточникам и поразить почки. Поэтому цистит очень важно пролечить до конца, а при хронической форме в период лечения не допускать обострений.

Для профилактики обострений хронического цистита следуйте правилам.

Каждая третья женщина хотя бы раз в жизни страдала от цистита, а каждая десятая имеет хроническую форму данного заболевания.

- Не допускайте обезвоживания — при цистите необходимо не допускать обезвоживания, так как при недостаточном количестве жидкости мочевой пузырь не промывается должным образом, и патогенная микрофлора начинает размножаться, вызывая воспаление. 2,5 литра воды в день помогут избежать обострения.

• Избегайте продуктов-провокаторов — одним из важных аспектов профилактики цистита является специальная диета. Алкоголь, копчености, соленая и острая пища, шашлыки могут вызвать обострение заболевания.

• Не купайтесь в холодной воде — в жару мы часто ищем спасения в ближайшем водоеме. Но людям с хроническим циститом придется отказаться от купания в холодной воде. Резкий перепад температур может вызвать сбой иммунной системы и дать свободу инфекции в мочевом пузыре. Холодная вода также может вызвать переохлаждение, что также является спусковым крючком для обострения цистита.

• Не сидите на холодном — даже минутное сидение на бордюре набережной или на зеленом газоне может обернуться мучительными позывами в туалет. Для обладателей хронического цистита лучший спутник на прогулках — туристический коврик.

• Тщательно соблюдайте интимную гигиену — ежедневно подмывайтесь и меняйте нижнее белье. Подмываться нужно строго от лобка к анусу, а не наоборот.

• Пейте витаминный чай — полезно и очень приятно выпить вкусного и душистого чая из листьев смородины, брусники и малины. Такой чай обладает мочегонным действием, а фитонциды, содержащиеся в листьях, снимут воспаление и улучшат микрофлору мочевого пузыря.

Часть 3

ВСЕ О ЖЕНСКИХ ГОРМОНАХ

Статистика показывает, что самой распространенной причиной смертности российских женщин являются сердечно-сосудистые заболевания — они составляют до 24% всех летальных исходов. Во многих случаях пусковым механизмом к развитию таких болезней является атеросклероз.

На втором месте среди причин гибели женщин — онкологические заболевания. Они составляют около 22% всех случаев. На третьем месте — заболевания пищеварительной системы, около 12% случаев. Также частыми причинами женской смертности являются инфекционные, паразитарные заболевания, болезни органов дыхания.

Помимо различных внутренних факторов на здоровье женщины влияют и внешние.

Одним из наиболее значимых социальных факторов является отсутствие своевременной диагностики заболеваний. И во многом в этом виноваты сами женщины. Страшно сказать, но статистика указывает на то, что среди российских женщин 3–4 из 10 не посещали гинеколога больше 10 лет! В 35 лет профилактическое обследование молочных желез, равно как и на уровень глюкозы в крови, проходят единицы. А во время наступления климакса до 80% представительниц женского пола предпочитают страдать от «приливов» и не обращаются к врачу. Только треть российских женщин проходит важные обследования здоровья при наступлении менопаузы.

Именно такая халатность является причиной поздней диагностики заболеваний — часто врач может лишь развести руками, а ведь обратись к нему больная при первых же симптомах, ее бы можно было быстро вылечить. Так обстоит дело, например, с раком молочной железы. В большинстве случаев пациентки обращаются к маммологу уже на III–IV стадии болезни. Важно понимать, что на ранних сроках большинство опухолей молочной железы абсолютно безболезненны. Именно поэтому так важно проходить профилактические обследования!

Так же часто врачи сталкиваются с запущенными случаями рака яичников, шейки матки, ишемической болезни сердца, сахарного диабета.

До 35 лет женщинам необходимо 1 раз в 3 года делать профилактическое УЗИ молочных желез.

После 35 лет — проходить процедуру маммографии не реже 1 раза в 2–3 года.

Еще один фактор, который губит женское здоровье, – сидячая или, наоборот, стоячая работа.

Секретари, офисные менеджеры, бухгалтеры и представители других «сидячих» профессий чаще других страдают от остеохондроза шейного отдела позвоночника, от избыточного веса. Нарушается и циркуляция крови в области малого таза, что повышает риск развития гинекологических заболеваний. Еще одна напасть – геморрой. Если в быту женщина с сидячей работой также ведет малоподвижный образ жизни, то у нее серьезно повышается вероятность появления сердечно-сосудистых заболеваний. При длительном нахождении в сидячем положении нарушается кровоснабжение суставов ног, что часто приводит к развитию артрозов коленного и тазобедренного суставов.

При стоячей работе, какая бывает у парикмахеров, продавцов, учителей, тоже страдают суставы нижних конечностей – часто развивается гонартроз и коксартроз. Стоячая работа серьезно вредит состоянию венозных клапанов, так что практически у всех представительниц «стоячих» профессий в той или иной степени обнаруживается варикозное расширение вен. Распространен при таких профессиональных нагрузках и остеохондроз позвоночника. Часто появляется плоскостопие.

Избыточный вес – еще одна проблема. Казалось бы, женщины склонны больше следить за формами, однако статистика показывает, что до 60% российских женщин имеют лишние килограммы, а ожирение есть более чем у 28% представительниц прекрасного пола. В большинстве случаев причиной таких проблем является неправильное питание на фоне малоподвижного образа жизни.

У многих женщин после домашних хлопот, стояния у плиты, работы в офисе просто не хватает сил дойти до тренажерного зала, да и выходные мало кто проводит активно. Но все же стоит сделать над собой усилие и посвятить физическим нагрузкам хотя бы 30 минут в день. Например, в виде утренней гимнастики, когда организм отдохнул и заряжен энергией. Ведь лишние килограммы приносят здоровью огромные проблемы!

Избыточный вес серьезно повышает риск развития сахарного диабета II типа, который, в свою очередь, может грозить потерей зрения, ампутацией ног и преждевременной смертью.

Около 90% людей, больных сахарным диабетом II типа, имеют лишний вес или страдают от ожирения!

Ожирение приводит к таким заболеваниям, как артериальная гипертензия, атеросклероз, ишемическая болезнь сердца, артроз, остеохондроз и грыжа межпозвонкового диска, варикозное расширение вен, жировой гепатоз печени. Для женщин избыточный вес опасен еще и тем, что он провоцирует нарушения гормонального баланса, а это приводит к увеличению шансов развития миомы матки, эндометриоза, мастопатии, рака молочной железы. Повышается и риск бесплодия – ведь сбой гормонального фона обязательно отразится и на менструальном цикле.

Женщины чаще мужчин страдают от анемии. Это может быть следствием нарушений менструального цикла – при слишком обильной потере крови организм не успевает компенсировать нужную концентрацию гемоглобина.

Невозможно не поговорить и о вредных привычках. Если раньше курящая женщина была большой редкостью, то сейчас по числу дымящих сигаретами женщины чуть ли не обгоняют мужчин.

Современные женщины часто злоупотребляют алкоголем. А ведь эти пагубные привычки вызывают болезни дыхательной системы, сердечно-сосудистые заболевания, негативно воздействуют на нервную, пищеварительную и эндокринную систему, вредят почкам и печени.

Чтобы сохранить свое здоровье, по возможности необходимо устранять влияние негативных факторов – при стоячей работе каждые 30 минут присаживаться и поднимать ноги в возвышенное положение, носить компрессионные колготки, а при сидячей работе – устраивать себе разминочные пятиминутки каждые полчаса, сделать свой рацион полноценным и сбалансированным, заниматься физкультурой. Стоит отказаться и от вредных привычек.

Еще одним важным пунктом являются профилактические обследования, и о них пойдет речь в следующей главе.

ТРИ ВОЗРАСТА ЖЕНЩИНЫ

Я не устаю повторять, что к врачу лучше приходить здоровым, чем больным. Как это сделать? Достаточно ежегодно проходить профилактические осмотры, а некоторых специалистов посещать даже 1 раз в 6 месяцев.

Вне зависимости от возраста ежегодно женщинам стоит проходить следующие диагностические процедуры:

• измерение артериального давления;

• определение уровня общего холестерина в крови;

• определение уровня глюкозы в крови;

• общий анализ крови;

• общий анализ мочи;

• флюорография легких;

• электрокардиография.

При отсутствии хронических заболеваний и жалоб профилактический осмотр и консультации специалистов должны проходить со следующей регулярностью:

• врач-терапевт – 1 раз в год;

• врач-невролог – 1 раз в 3 года;

• врач-гинеколог – 1 раз в 6 месяцев;

• врач-офтальмолог – 1 раз в год;

• врач-эндокринолог – 1 раз в 3 года;

• врач-стоматолог – 1 раз в 6 месяцев.

Следить за своим здоровьем необходимо ежедневно. При появлении тревожных симптомов не следует тянуть, стоит как можно скорее обратиться к врачу.

В жизни каждой женщины существует три периода, когда следует особо прислушаться к своему организму. Это период беременности, возраст 35 лет и период наступления менопаузы. Разберем этот вопрос подробнее.

Беременность и роды

Несмотря на то что запланированная беременность является для женщины радостным событием, в этот период может серьезно пошатнуться здоровье.

Во время беременности резервы женского организма задействуются не только на поддержание его функционирования, но и на правильное формирование и развитие плода. То есть все органы и системы женщины в период беременности работают с повышенной нагрузкой. Именно из-за этого проблемы со здоровьем, которые себя ранее никак не проявляли, а также нарушения, которые находились в пограничном состоянии с заболеванием, могут развиться в полную силу. Так, например, у достаточно большого числа женщин, страдающих от сахарного диабета II типа, это заболевание дебютировало именно во время беременности. По сути, происходит событие по принципу «где тонко – там и рвется».

При нарушении работы почек, при наличии недолеченной, «дремлющей» инфекции в мочевыводящих путях, во время беременности развиваются пиелонефрит и цистит.

Часто при беременности впервые проявляют себя заболевания щитовидной железы, пороки сердца, болезни пищеварительной системы, аутоиммунные заболевания.

Распространенным осложнением беременности является варикозное расширение вен нижних конечностей. Из-за увеличения матки и общего веса беременной, а также во время родов сильно возрастает нагрузка на сосуды. Кроме того, на эластичность сосудов и состояние венозных клапанов негативное воздействие оказывают гормональные изменения. При избыточном весе или слабости венозных стенок беременным женщинам стоит носить компрессионные колготки, а также во время родов использовать эластичные бинты. Помните, что подбирать

Ежегодно в России у беременных и недавно родивших женщин выявляются следующие заболевания:

1-е место — анемия (32 тысячи женщин);

2-е место — заболевания мочеполовой системы (17 тысяч женщин);

3-е место — артериальная гипертензия (14 тысяч женщин);

4-е место — заболевания системы кровообращения (9 тысяч женщин);

5-е место — венозные осложнения (4,8 тысячи женщин);

6-е место — сахарный диабет (1,3 тысячи женщин).

Многократные роды, которые происходят через небольшие промежутки времени, сильно истощают запас важных веществ в организме, вводят репродуктивную, эндокринную и сердечно-сосудистую систему в режим постоянной перегрузки.

Во время беременности часто развивается холецистит, который в дальнейшем может провоцировать возникновение камней в желчном пузыре, и панкреатит.

компрессионный трикотаж нельзя самостоятельно — необходимость применения компрессионного трикотажа и степень компрессии должен определять только врач.

Еще одна опасность во время беременности — преждевременная отслойка плаценты, которая может привести к массивному кровотечению. Чтобы вовремя заподозрить развитие этого и других опасных состояний, женщине во время беременности необходимо встать на учет в женскую консультацию, регулярно посещать врача-гинеколога и проходить необходимые обследования.

Также следует с особой внимательностью следить за состоянием своего организма весь период кормления грудью.

Отдельно хочу отметить, что на женское здоровье влияет и отсутствие до 30 лет беременностей и родов. Установлено, что у нерожавших женщин выше риск развития эндометриоза, мастопатии и рака груди, эндокринных расстройств. Поэтому, если вы не рожали, стоит посещать гинеколога и эндокринолога, проходить УЗИ молочных желез с особой тщательностью.

Во время беременности очень важно следить за уровнем артериального давления. Повышение давления может указывать на угрозу развития опаснейших состояний — преэклампсии и эклампсии, которые могут привести даже к смерти.

Возраст 35 лет

В этом возрасте женщине стоит прислушаться к состоянию своего организма, следить за появлением симптомов. Как правило, к 35 годам уже начинают накапливаться проблемы со здоровьем, проявляются первые тревожные звоночки о неполадках в организме. Если вовремя заметить ухудшение самочувствия, можно быстро выявить и затормозить развитие серьезных хронических заболеваний.

С какими же именно проблемами женщины чаще всего сталкиваются в этом возрасте?

В первую очередь это гинекологические заболевания. Анатомия женской репродуктивной системы создана максимально удобно для проникновения внутрь матки и маточных труб сперматозоидов, но эта же особенность играет и негативную роль — женские половые органы более уязвимы для проникновения внутрь инфекции, чем мужские. Есть и другое коварное отличие — у мужчин инфекционные заболевания, передающиеся половым путем, в большинстве случаев сразу проявляют себя яркими симптомами, а вот у женщин эти же инфекции могут годами

Хронические инфекции, протекающие в органах репродуктивной системы, — самая распространенная причина женского бесплодия.

протекать скрыто. Но скрыто – не значит безвредно. Инфекционные возбудители вызывают аднексит, эндометрит, кольпит, провоцируют развитие онкологических заболеваний органов репродуктивной системы, снижают иммунитет во всем организме.

На женское здоровье негативно влияет отсутствие до 35 лет беременностей и родов. Установлено, что у нерожавших женщин выше риск развития эндометриоза, мастопатии и рака груди, эндокринных расстройств. Поэтому стоит обратить особое внимание на обследования у гинеколога, маммолога и эндокринолога.

Часто в этом возрасте впервые проявляют себя заболевания щитовидной железы: аутоиммунный тиреоидит, гипотиреоз или тиреотоксикоз. Данные состояния вызывают снижение или, наоборот, патологическое увеличение выработки щитовидной железой своих гормонов. Поскольку эти гормоны регулируют многие процессы в организме, влияют на скорость метаболизма, следом возникают проблемы с нервной, сердечно-сосудистой, репродуктивной системой.

К этому возрасту могут начать обнаруживать себя и проблемы с опорно-двигательным аппаратом. Боли в шее и пояснице, часто возникающая межреберная невралгия, ощущения онемения, покалывания, ползания мурашек в конечностях – это повод обратиться к неврологу или вертебрологу. Часто в это время дебютирует артроз. Если заметить его проявления на раннем этапе, можно затормозить процесс и избежать мучительных болей. Одним из ранних симптомов являются так называемые «стартовые» боли. Если вы после длительного нахождения в одном положении, например в сидячем, во время первых движений заметили боль в суставе, которая затем исчезает – это может говорить о начинающемся артрозе. Также на артроз может указывать хруст, щелчки, боль при подъеме или спуске по лестнице.

К возрасту 35 лет накапливаются и проблемы с пищеварительным трактом. Чаще всего женщин беспокоит гастрит, холе-

Женщины, имеющие лишний вес, питающиеся неправильно, к возрасту 35 лет могут заметить первые проявления метаболического синдрома или даже сахарного диабета — повышается уровень глюкозы в крови.

При болях, тяжести в животе, вздутии живота, частых поносах или запорах необходимо проверить свое здоровье у врача-гастроэнтеролога.

цистит, дисбактериоз кишечника, гастроэзофагеальная рефлюксная болезнь.

У рожавших женщин, а также у тех, кто имеет лишний вес или ведет малоподвижный образ жизни, может возникнуть геморрой. Лечить это заболевание нужно как можно раньше, при появлении первых же симптомов. Не бойтесь посещения проктолога. Еще одна проблема, которая часто беспокоит женщин, — ректоцеле.

К 35 годам могут дебютировать некоторые аутоиммунные и наследственные заболевания.

Именно поэтому стоит пройти комплексную диагностику организма.

Список исследований для диагностики здоровья в 35 лет:

- общий анализ крови;
- биохимический анализ крови;
- общий анализ мочи;
- анализ крови на уровень глюкозы;
- анализ крови на уровень общего холестерина;
- анализ крови на инфекции, передающиеся половым путем;
- мазок из влагалища, шейки матки и уретры на инфекции;
- ПАП-тест (мазок Папаниколау);
- обследование у врача-терапевта;
- обследование у врача-гинеколога;
- обследование у врача-маммолога;
- обследование у врача-гастроэнтеролога;
- обследование у врача-невролога;
- обследование у врача-эндокринолога;
- обследование у врача-офтальмолога;
- обследование у врача-проктолога;
- антропометрия — измерение роста, массы тела, окружности талии, расчет индекса массы тела;
- флюорография легких;
- электрокардиография;
- УЗИ молочных желез;
- УЗИ органов брюшной полости;
- УЗИ органов малого таза;
- эзофагогастродуоденоскопия — ЭГДС;
- колоноскопия;
- тонометрия — исследование внутриглазного давления.

Период менопаузы

При наступлении климакса женщинам нужно очень внимательно относиться к своему здоровью. Ведь при менопаузе серьезно снижается уровень половых гормонов — эстрогенов, и их дефицит провоцирует различные патологические процессы.

При остеопорозе многие женщины покупают препараты кальция самостоятельно и бесконтрольно их принимают, считая, что чем больше кальция, тем лучше.
На самом деле избыток кальция — это тоже плохо. Он начинает накапливаться на стенках сосудов, на клапанах сердца, в почках. Поэтому перед применением какого-либо лекарственного препарата обязательно советуйтесь с врачом!

Серьезно повышается риск развития остеопороза, поскольку недостаток эстрогенов приводит к ухудшению усвоения кальция, нарушению обновления костной ткани и уменьшению плотности костей. Каждая третья женщина после 50 лет имеет данное заболевание. Оно серьезно повышает риск переломов, в том числе и такой опасной травмы, как перелом шейки бедра. Кроме того, возникают боли в костях, деформация скелета.

При менопаузе из-за снижения уровня эстрогенов сердечно-сосудистая система больше не находится под защитой. В первую очередь повышается риск развития атеросклероза – возникают тромбы, а затем и атеросклеротические бляшки на стенках сосудов. Ухудшается кровоток, в том числе и по коронарным артериям, кровоснабжающим сердце, а также по артериям, питающим головной мозг. Все это повышает риск развития инфарктов и инсультов.

Риск инсультов и инфарктов у женщин после наступления менопаузы возрастает еще и потому, что снижение уровня эстрогенов негативно влияет на стенки сосудов, нарушается регуляция их тонуса, что приводит к повышению артериального давления. Более половины женщин после 55 лет страдают от гипертонии.

Также возникают и нарушения сердечного ритма. Часто женщины в период менопаузы страдают от стенокардии.

Возрастает и риск развития сахарного диабета II типа, ведь уменьшение концентрации эстрогенов приводит к снижению количества рецепторов к инсулину, к нарушению углеводного обмена и увеличению жировой массы.

При наступлении менопаузы снижается количество мышечной массы – в среднем на 1% ежегод-

После наступления менопаузы риск инфаркта у женщин повышается на 20%. У женщин с избыточной массой тела, курящих, страдающих от артериальной гипертензии, сахарного диабета, повышенного уровня холестерина, риск возрастает до 60–70%!

Женщины, как правило, набирают до 5 и более лишних килограммов в течение первых 5 лет после наступления климакса.

но. Ослабевает и связочный аппарат, что приводит к опущению органов малого таза и появлению таких проблем, как опущение матки и влагалища, прямой кишки, ректоцеле, а также недержанию мочи.

Существует еще одна проблема — из-за снижения уровня эстрогенов начинают плохо работать железы, выделяющие секрет. Вследствие этого появляется сухость влагалища и наружных половых органов, возникают зуд и жжение. Но не только к неприятным ощущениям приводит данная проблема. Сухость влагалища и наружных половых органов создает благоприятную среду для проникновения инфекции и развития воспалительных заболеваний влагалища, шейки матки, матки, маточных труб и яичников.

При наступлении климакса, а также каждые три года после вступления в период менопаузы женщины должны проходить комплексное обследование.

Список исследований для диагностики здоровья после 55 лет:

- общий анализ крови;
- биохимический анализ крови;
- общий анализ мочи;
- анализ кала на скрытую кровь;
- анализ крови на уровень глюкозы;
- тест на толерантность к глюкозе;
- анализ крови на уровень общего холестерина;
- анализ крови на уровень гормонов щитовидной железы;
- анализ крови на уровень половых гормонов (эстрадиол, фолликулостимулирующий гормон, лютеинизирующий гормон, тестостерон);
- анализ крови на уровень остеокальцина;
- анализ крови на инфекции, передающиеся половым путем;
- мазок из влагалища, шейки матки и уретры на инфекции;
- ПАП-тест (мазок Папаниколау);
- обследование у врача-терапевта;
- обследование у врача-гинеколога;
- обследование у врача-маммолога;
- обследование у врача-гастроэнтеролога;
- обследование у врача-невролога;
- обследование у врача-эндокринолога;
- обследование у врача-офтальмолога;
- обследование у врача-проктолога;

• антропометрия – измерение роста, массы тела, окружности талии, расчет индекса массы тела;
• флюорография легких;
• электрокардиография;
• маммография;
• УЗИ органов брюшной полости;
• УЗИ органов малого таза;
• денситометрия;
• тонометрия – исследование внутриглазного давления;
• спирометрия;
• эзофагогастродуоденоскопия – ЭГДС;
• колоноскопия.

ВЛИЯНИЕ ГОРМОНОВ НА ОРГАНИЗМ ЖЕНЩИНЫ

Всю работу женской половой гормональной системы регулируют гормоны одного из отделов головного мозга – гипофиза. Он выделяет два важных гормона – лютеинизирующий гормон (ЛГ) и фолликулостимулирующий гормон (ФСГ), а также гормон пролактин. В свою очередь, выработку лютеинизирующего и фолликулостимулирующего гормонов в гипофизе стимулирует гонадотропин-рилизинг-гормон (ГнРГ), который синтезируется другим отделом головного мозга – гипоталамусом. Вот такая сложная система!

В начале менструального цикла, в его так называемой фолликулярной фазе, лютеинизирующий и фолликулостимулирующий гормоны выделяются гипофизом в небольшом количестве. Однако небольшое увеличение продукции ФСГ вызывает созревание фолликулов, затем несколько возрастает и секреция лютеинизирующего гормона. Эти два гормона стимулируют и гормональную функцию яичников – фолликулы начинает вырабатывать свои гормоны – эстрогены и прогестерон. Чем больше образуется эстрогенов и прогестерона, тем меньше гипофиз выделяет ФСГ и ЛГ, однако продолжает их накапливать внутри себя.

Когда уровень одного из эстрогенов, эстрадиола, достигает своего пика, происходит высвобождение яйцеклетки из фолликула. Растет и уровень прогестерона. Возрастает выделение гипофизом накопленных лютеинизирующего и фолликулостимулирующего гормонов. При повышении уровня эстрогенов начинает утолщаться эндометрий матки, в нем прорастают новые сосуды. Также под воздействием эстрогенов раскрывается канал шейки матки, а внутри него защитная слизь разжижается, что способствует лучшему прохождению сперматозоидов внутрь матки. Эта фаза менструального цикла называется овуляторной.

Затем наступает лютеиновая фаза. Разорвавшийся фолликул образует желтое тело, которое начинает вырабатывать прогестерон. Он подготавливает эндометрий

Нарушение выработки хотя бы одного из вышеперечисленных гормонов приводит к сбою менструального цикла и может порождать такую проблему, как бесплодие.

матки к прикреплению плодного яйца – эндометрий становится более рыхлым. Снижается выброс ЛГ и ФСГ, а если не наступило оплодотворение яйцеклетки, то желтое тело рассасывается. Это приводит к снижению уровня эстрогенов и прогестерона, что вызывает отторжение избыточного эндометрия и появление менструаций.

Но ухудшение секреции половых гормонов влияет не только на репродуктивную систему – под ударом оказываются многие органы женского тела. Разберем влияние на организм каждого из гормонов по отдельности.

Эстрогены

Эстрогены – это группа, состоящая из трех гормонов: эстрадиола, эстриола и эстрона. Наибольшее влияние имеет эстрадиол, поэтому, когда говорят об уровне эстрогенов, в большинстве случаев подразумевают уровень эстрадиола.

В норме у женщины уровень эстрадиола должен быть следующим:

- фолликулярная фаза – 68–1269 пмоль/л;
- овуляторная фаза – 131–1655 пмоль/л;
- лютеинизирующая фаза – 91–861 пмоль/л.

После 35–40 лет уровень эстрогенов начинает снижаться, и к периоду климакса норма эстрадиола составляет уже менее 73 пмоль/л.

Эстрогенные рецепторы находятся не только в матке и грудных железах, они выявляются во многих органах и тканях – в клетках костной ткани, в центральной нервной системе, во внутренней поверхности сосудов, в клетках сердечной мышцы, в соединительной ткани, в органах мочевыводящей системы, в толстом кишечнике, в конъюнктиве глаз, слизистой оболочке рта и гортани.

Это указывает на то, что дефицит или же патологический переизбыток эстрогенов может навредить всем этим органам и системам.

Всего ученые насчитывают около 400 функций этих гормонов в женском организме. Наиболее значимые действия эстрогенов:

- контролируют поддержание структурной целостности костной ткани, ее прочности. Они поддерживают выработку кальцитонина – гормона, регулирующего обмен кальция, а значит, способствуют лучшему обогащению костной ткани данным элементом. Именно из-за дефицита эстрогенов одним из главных осложнений климакса является остеопороз — потеря прочности костной ткани, приводящая к ее разрушению;

• снижают содержание холестерина и фосфолипидов в печени. Это сдерживает перенасыщение желчи холестерином и, как следствие, защищает организм от развития желчнокаменной болезни. Во время менопаузы или при длительном приеме препаратов эстрогена риск развития данного заболевания повышается;

• стимулируют работу иммунной системы, защищая нас от вредоносных факторов;

• поддерживают нормальное состояние слизистых оболочек органов мочеполовой системы: влагалища, уретры, мочевого пузыря. Дефицит эстрогенов приводит к атрофическим изменениям в данных органах, особенно часто возникает атрофический вагинит;

• влияют на состояние связочного аппарата малого таза и на мышцы тазового дна. При снижении уровня эстрогенов возникают такие осложнения, как опущение стенок влагалища, недержание мочи, ректоцеле;

• задерживают воду и натрий в тканях организма. Вот почему в предменструальном периоде из-за повышения уровня этих гормонов возникают отеки;

• повышают уровень железа и меди в крови, компенсируя их потерю во время менструаций. При недостаточности эстрогенов может возникнуть железодефицитная анемия;

• серьезно влияют на нервную систему. Дисбаланс этих гормонов в период климакса приводит к расстройству работы вегетативной нервной системы — появляются приливы, сильные сердцебиения, повышенная потливость. Также при дефиците эстрогенов усиливается нервозность, раздражительность, повышается риск развития депрессии, тогда как повышенный уровень эстрогенов, наоборот, оказывает на нервную систему «убаюкивающее» действие;

• защищают клетки нервной системы от быстрой гибели под влиянием негативных факторов: дефицита кислорода, повышения уровня глюкозы в крови, интоксикации организма;

• влияя на липидный (жировой) обмен в организме, они повышают уровень «хорошего» холестерина и снижают уровень «плохого», поэтому женщины с нормальным уровнем эстроге-

Рецепторы к эстрогенам есть во внутренних оболочках сосудов головного мозга. Эстрогены защищают стенки сосудов от повреждений, сохраняют их нормальный тонус, улучшают кровоснабжение головного мозга. Поэтому у женщин до менопаузы существенно снижен риск инсульта по сравнению с мужчинами.

нов менее подвержены развитию атеросклероза и его главного осложнения – ишемической болезни сердца;

• защищают сердце от инфаркта миокарда, поскольку поддерживают в норме как состояние сосудов, так и сердечной мышцы. Контролируют уровень артериального давления;

Дефицит эстрогенов повышает резистентность тканей к инсулину, чт может привести к развитию сахарного диабета II типа.

• участвуют в регуляции работы сальных желез, поддерживая нормальное состояние кожи. При снижении уровня эстрогенов возникает сухость кожи, появляются морщины.

После 35–40 лет уровень эстрогенов начинает снижаться, и к периоду климакса норма эстрадиола составляет уже менее 73 пмоль/л.

Патологическое повышение уровня эстрогенов может указывать на следующие состояния:

• аденома гипофиза;
• опухоли яичника;
• заболевания надпочечников;
• заболевания щитовидной железы;
• цирроз печени;
• ожирение;
• аденомиоз (тип эндометриоза, при котором эндометрий прорастает в глубокие слои матки);
• миома матки;
• опухоли молочных желез;
• наличие опухолей в организме, которые вырабатывают эстроген.

Пониженный уровень эстрогенов может быть связан со следующими состояниями:

• климакс;
• опухоли гипофиза;
• заболевания щитовидной железы;
• хронические воспалительные гинекологические заболевания;
• малоподвижный образ жизни, тяжелый физический труд.

О том, насколько серьезно влияет дефицит эстрогенов, я подробнее расскажу в главе про климакс, а пока перейдем к другим гормонам.

Прогестерон

Прогестерон влияет на отложение жировых запасов в организме. Он повышает способность извлекать максимум калорий из углеводов, полученных с пищей. Превышение нормы уровня прогестерона может спровоцировать развитие ожирения.

Также прогестерон участвует в регуляции уровня артериального давления, поэтому его повышенный уровень может повлиять на развитие гипертонии.

В норме показатели прогестерона должны быть следующими:

• фолликулярная фаза – 0,32–2,23 нмоль/л;

• овуляторная фаза – 0,48–9,41 нмоль/л;

• лютеинизирующая фаза – 6,99–56,63 нмоль/л.

К периоду развития климакса уровень прогестерона снижается и составляет в большинстве случаев менее 0,64 нмоль/л.

Превышение нормы уровня прогестерона может быть вызвано следующими состояниями:

• беременность;

• патологические маточные кровотечения;

• длительная аменорея (отсутствие менструаций более 6 месяцев);

• киста желтого тела яичника;

• почечная недостаточность;

• заболевания надпочечников.

А вот снижение уровня прогестерона может указывать на:

• хронические воспалительные процессы в органах репродуктивной системы;

• выкидыш;

• нарушения нормального течения беременности.

Андрогены

В организме женщины выделяются и мужские половые гормоны – андрогены. К ним относятся:

• дегидроэпиандростендиона сульфат (ДГА-С);

• дегидроэпиандростендион (ДГА);

• андростендион (Ан);

• андростендиол (Ал);

• тестостерон (Т);

• дигидротестостерон.

Андрогеновые рецепторы у женщин есть в клетках сердца, сосудов, легких, желудочно-кишечного тракта, молочных желез, в головном и спинном мозге, периферических нервах, в жировой и мышечной ткани, костном мозге и костной ткани, коже, матке, яичниках, влагалище, мочевом пузыре и уретре. Словом, практически во всех тканях.

Тестостерон и дигидротестостерон оказывают на женский организм наиболее значимое влияние. Приведу самые интересные факты о влиянии андрогенов на женский организм.

• Пониженный уровень андрогенов снижает либидо, нарушает достижение оргазма.

• Тестостерон влияет на жировой обмен, повышая уровень «хорошего» холестерина и уменьшая уровень «плохого». Исследования показали, что у женщин с дефицитом андрогенов повышен риск сердечно-сосудистых заболеваний по сравнению с женщинами, у которых уровень андрогенов в норме.

• При дефиците андрогенов повышается риск атеросклеротического поражения сосудов.

• Андрогены участвуют в поддержании нормальной минеральной плотности костной ткани. При низком уровне андрогенов повышается риск развития осте-

Снижение уровня тестостерона приводит к развитию абдоминального ожирения.

опороза, возникновения переломов.

• Тестостерон стимулирует образование эритроцитов, чем снижает риск развития анемии.

• Тестостерон поддерживает нормальное состояние мышечной массы. При снижении уровня тестостерона возрастная потеря мышечной массы ускоряется.

• Дефицит тестостерона негативно влияет на психическое здоровье — повышается раздражительность, тревожность, может развиться депрессия.

• Андрогены участвуют в регуляции нервной деятельности. Снижение уровня этих гормонов способствует ухудшению памяти и когнитивных способностей, а также может понижать порог болевой чувствительности, что может привести к развитию хронических болей.

• Снижение уровня андрогенов может вызвать нарушения мочеиспускания, главным образом — недержание мочи.

• Дефицит андрогенов провоцирует развитие бесплодия.

• Андрогены регулируют работу сальных желез и волосяных фолликулов, а значит, при повышении уровня этих гормонов возможно развитие угревой сыпи и появление избыточного оволосения по мужскому типу: на лице, груди, животе.

Андрогены синтезируются яичниками и надпочечниками, а также частично вырабатываются из своих предшественников — прогормонов в периферических тканях организма (преимущественно в жировой). Эти гормоны являются предшественниками — сырьем для производства эстрогенов.

В норме у женщин репродуктивного возраста в сутки вырабатывается около 300 мкг тестостерона. Это всего лишь 5% от ежедневной продукции данного гормона у мужчин.

Уровень андрогенов у женщин в норме соответствует следующим показателям:

• тестостерон — 0,39 нг/мл, или 1,3 нмоль/л;

• дигидротестостерон — 0,19 нг/мл, или 0,65 нмоль/л;

• дегидроэпиандростендиона сульфат (ДГА-С) — 1700 нг/мл, или 4630 нмоль/л;

• дегидроэпиандростендион (ДГА) — 4,2 нг/мл, или 14,6 нмоль/л;

С возрастом выработка тестостерона, как и других андрогенов, снижается.

• андростендион (Ан) – 1,76 нг/мл, или 6,1 нмоль/л;

• андростендиол (Ал) – 0,75 нг/мл, или 2,6 нмоль/л.

Повышенный уровень андрогенов может свидетельствовать о развитии следующих состояний:

• опухоли гипофиза;

• заболевания надпочечников;

• синдром поликистозных яичников;

• гипотиреоз.

Пониженный уровень андрогенов может указывать на такие состояния, как:

• климакс;

• тиреотоксикоз;

• цирроз печени;

• опухоли гипофиза;

• заболевания яичников;

• заболевания надпочечников;

• ВИЧ-инфекция.

Фолликулостимулирующий гормон (ФСГ)

Основное свое действие фолликулостимулирующий гормон оказывает на репродуктивную функцию. Как понятно из названия гормона, без него невозможно созревание яйцеклетки, а значит, и наступление беременности. Также фолликулостимулирующий гормон побуждает яичники к большей выработке эстрогенов – а мы уже выяснили, что это крайне важные для здоровья женщин гормоны.

И снижение, и повышение уровня фолликулостимулирующего гормона оказывают негативное воздействие на возможность зачатия ребенка и часто становятся причиной бесплодия.

В норме уровень фолликулостимулирующего гормона у женщин репродуктивного возраста должен быть в границах следующих отметок:

• фолликулярная фаза – 3,4–21,6 МЕ/л;

• пик овуляторной фазы – 5,0–20,8 МЕ/л;

• лютеиновая фаза – 1,1–14,0 МЕ/л.

В период климакса уровень фолликулостимулирующего гормона повышается и составляет от 2,6 до 150 МЕ/л.

Возможными причинами повышения уровня фолликулостимулирующего гормона являются:

• климакс;

• недостаточность функции яичников;

• опухоли яичников;

• эндометриоз;

• опухоли и заболевания гипофиза;

• аутоиммунные заболевания;

• наличие опухолей, продуцирующих фолликулостимулирующий гормон.

Снижение уровня фолликулостимулирующего гормона может указывать на следующие состояния:

• опухоли яичников;

• синдром поликистозных яичников;

• недостаточная функция гипофиза;

• послеродовой некроз гипофиза (синдром Шихана);

• гиперпролактинемия (чрезмерная выработка гормона пролактина);

• гемохроматоз.

Также уровень ФГС повышается при алкоголизме и снижается при анорексии или длительном голодании.

Лютеинизирующий гормон (ЛГ)

Как и у фолликулостимулирующего гормона, основная функция лютеинизирующего гормона – поддержание нормальной работы репродуктивной системы. Лютеинизирующий гормон стимулирует выработку эстрогена яичников, а также провоцирует овуляцию – пиковое значение гормона стимулирует разрыв фолликула и выход желтого тела.

Нарушение концентрации данного гормона в женском организме приводит к развитию бесплодия.

В норме у женщин репродуктивного возраста уровень лютеинизирующего гормона должен соответствовать следующим значениям:

• фолликулярная фаза – 2,4–12,6 мМЕ/мл;

• овуляторная фаза – 14–96 мМЕ/мл;

• лютеиновая фаза – 1–11,4 мМЕ/мл.

После наступления климакса уровень лютеинизирующего гормона находится в пределах от 7,7 до 59 мМЕ/мл.

Повышенный уровень лютеинизирующего гормона может свидетельствовать о наличии следующих состояний:

• климакс;

• опухоли и заболевания гипофиза;

• дисфункция яичников;

• синдром поликистозных яичников;

• аменорея;

• почечная недостаточность.

Снижение уровня лютеинизирующего гормона может указывать на следующие причины:

• снижение функций гипофиза и гипоталамуса, вызванное различными заболеваниями;

• опухоли яичников;

• синдром Каллмана;

• ожирение;

• анорексия, длительное голодание;

• гиперпролактинемия;

• синдром Марфана.

Снижение уровня лютеинизирующего гормона также может быть вызвано хроническим стрессом, алкоголизмом, курением.

Пролактин

Гормон пролактин также выделяется гипофизом. Этот гормон имеет орган-мишень – молочные железы. Во время полового развития он стимулирует рост молочных желез, а при беременности провоцирует выработку молозива и регулирует его трансформацию в грудное молоко.

Также нормальный уровень пролактина поддерживает развитие беременности.

Существуют данные и о других функциях пролактина в организме.

• Пролактин участвует в регуляции иммунной защиты организма.

• Пролактин регулирует работу ферментных систем в жировых клетках, тем самым предупреждая развитие ожирения. Повышенный уровень пролактина может спровоцировать набор лишнего веса.

• Пролактин стимулирует выработку инсулина, повышает инсулинорезистентность и снижает уровень глюкозы в крови.

• Пролактин способствует лучшему всасыванию калия и натрия в кишечнике.

• Пролактин задерживает жидкость в организме.

• Повышенный уровень пролактина нарушает нормальную секрецию и работу гормонов щитовидной железы.

• Существует предположение, что патологически повышенный уровень пролактина может провоцировать развитие таких заболеваний, как эпилепсия, болезнь Альцгеймера, артериальная гипертензия, мигрень и катаракта. Также существует вероятность влияния повышенного уровня пролактина на развитие послеродовых психозов.

Пролактин защищает клетки молочной железы от злокачественных процессов.

В норме у женщины репродуктивного возраста должны быть следующие уровни пролактина:

• фолликулярная фаза – 4,5–33 нг/мл, или 136–999 мкМЕ/мл;

• овуляторная фаза – 6,3–49 нг/мл, или 190–1484 мкМЕ/мл;

• лютеиновая фаза – 4,9–40 нг/мл, или 148–1212 мкМЕ/мл.

Повышенный уровень пролактина может быть связан со следующими состояниями:

• опухоль гипофиза (пролактинома);
• синдром поликистоза яичников;
• гипотиреоз;
• цирроз печени;
• почечная недостаточность;
• диффузный токсический зоб;
• системная красная волчанка;
• ревматоидный артрит;
• дефицит витамина B_6;
• хронический стресс.

Сниженный уровень пролактина может указывать на:

• климакс;
• заболевания органов репродуктивной системы;
• синдром Шихана;
• заболевания гипофиза.

САМЫЕ РАСПРОСТРАНЕННЫЕ ЖЕНСКИЕ ЗАБОЛЕВАНИЯ И ПРОБЛЕМЫ

В данном разделе я собрал для вас всю полезную информацию по лечению и профилактике заболеваний, которые часто беспокоят женщин. Речь пойдет не только о гинекологических болезнях и заболеваниях молочной железы. Среди списка вы найдете и рекомендации по лечению остеопороза и цистита.

Информация о лечении дана в ознакомительных целях. Ни в коем случае не занимайтесь самолечением!

В разделе описаны причины появления заболеваний, их симптомы, возможные осложнения, методы диагностики и лечения. А также уделено внимание профилактике болезней.

НАРУШЕНИЯ МЕНСТРУАЛЬНОГО ЦИКЛА

Менструальный цикл в норме может составлять от 21 до 35 дней, однако у большинства женщин он составляет 28 дней. Первые пару дней менструации возникает достаточно обильное кровотечение, которое затем становится более скудным, а в конце менструации выделения становятся мажущими. В большинстве случаев менструации длятся 5 дней, но могут в норме продолжаться и от 3 до 7 дней.

У большинства девушек первая менструация (менархе) возникает в 11–12 лет. Однако иногда первая менструация может возникнуть слишком рано или, наоборот, поздно – такие отклонения повышают риск развития некоторых гинекологических заболеваний, а также болезней молочных желез.

Нарушения менструального цикла – это достаточно распространенная проблема. С ней хотя бы раз в жизни сталкиваются 6 женщин из 10. Четверть всех женщин имеют постоянное нарушение менструального цикла.

Во время каждой менструации в норме женщины теряют от 50 до 150 мл крови.

К нарушениям менструального цикла относят несколько проблем: чрезмерно длительный или слишком короткий период менструаций, чрезмерно продолжительные или слишком короткие промежутки между менструациями, слишком обильное или скудное выделение крови во время менструаций, а также сильные боли во время менструаций.

Врачи выделяют несколько видов нарушений менструального цикла.

- Гиперменорея – чрезмерное выделение крови во время менструаций при наличии нормального цикла.
- Меноррагия – наряду с чрезмерно обильными кровотечениями удлиняется и протяженность менструации – она может длиться до 12 дней.
- Полименорея – менструации также длительные, протяженностью более недели, однако объем выделяющейся крови соответствует норме.
- Гипоменорея – на фоне нормальной по длительности менструации возникают очень скудные выделения крови.
- Олигоменорея – менструация длится всего 1–2 дня.
- Пройоменорея – характеризуется слишком короткой продолжительностью менструального цикла, менее 21 дня.
- Аменорея – отсутствие менструаций более 3 месяцев.
- Опсоменорея – нормальные по длительности и объему выделяющейся крови менструации возникают редко, промежуток между ними может составлять от 1,5 до 3 месяцев.
- Метроррагия – не связанное с менструациями маточное кровотечение. Метроррагия может быть ановуляторной, то есть возникать в середине менструального цикла при отсутствии овуляции, или ациклической, то есть возникать в любой день цикла, с овуляцией такое кровотечение не связано.
- Дисменорея (альгоменорея) – характеризуется возникновением на фоне менструации сильных болей внизу живота, тошноты, рвоты, учащенного сердцебиения, потливости, нервозности, плаксивости.

Нарушения менструального цикла не возникают на пустом месте – они всегда являются маркером появившейся в организме проблемы или даже комплекса неполадок со здоровьем. Чаще всего это сигнал о нарушениях работы эндокринной системы, о возникновении гинекологического заболевания.

В любом случае нельзя оставлять проблемы с менструальным циклом без внимания. Нерегулярный цикл, а также его отсутствие или укороченный период менструаций часто приводят к бесплодию и другим нарушениям функций репродуктивной системы.

При наличии слишком обильных или чрезмерно долгих менструаций сильная кровопотеря провоцирует развитие анемии.

Многие женщины страдают от болезненных менструаций. Конечно же, это негативно отражается на их жизни, но большинство таких женщин привыкли лишь притуплять боль анальгетиками и не обращаются к врачу. А ведь подобные боли могут свидетельствовать, например, о хроническом инфекционном процессе.

Причины

Иногда нарушения менструального цикла могут быть лишь временными. Их могут спровоцировать сильный стресс, смена часовых поясов и климатических условий, перегревание, чрезмерная инсоляция, переохлаждение, серьезные травмы, обострения хронических болезней, интоксикации организма, в том числе на фоне острых инфекционных заболеваний. Цикл может нарушиться во время лечения кортикостероидами, при приеме оральных контрацептивов и некоторых других лекарственных препаратов. Также временное нарушение менструального цикла может быть следствием аборта, выскабливания, удаления миомы матки, полипов или других хирургических манипуляций на органах репродуктивной системы.

Распространенной причиной возникновения нарушений менструального цикла являются гинекологические заболевания. Часто сбой цикла является симптомом эндометриоза. Также могут повлиять такие заболевания, как аднексит, эндометрит, кольпит, миома матки, опухоли яичников и матки, рак шейки матки. Гинекологические же заболевания часто вызываются инфекциями, передающимися половым путем.

Второй по частоте причиной являются эндокринные патологии. Нарушения менструального цикла могут возникать при заболеваниях гипофиза или гипоталамуса. Сбой в цикле часто указывает на болезни щитовидной железы: ее сниженную функцию – гипотиреоз или повышенную функцию – гипертиреоз (тиреотоксикоз). При феохромоцитоме – опухоли надпочечников или при заболеваниях этих органов, например при болезни Иценко – Кушинга, также могут возникать нарушения менструального цикла. Еще одна эндокринная причина – поликистоз яичников.

Сбой гормонального фона иногда провоцирует злокачественные опухоли, которые вырабатывают гормоны. Такие опухоли могут иметь любую локализацию в организме.

Частые причины нарушений менструального цикла – ожирение, метаболический синдром

Нарушения менструального цикла могут быть спровоцированы артериальной гипертензией. В частности, из-за повышенного давления развиваются слишком обильные кровотечения.

и сахарный диабет. Они вызывают сбои в работе гормональной системы.

В некоторых случаях нарушения менструального цикла являются следствием аутоиммунного заболевания, гемохроматоза и других болезней накопления. Аномалии менструального цикла образуются при различных наследственных заболеваниях и генетических нарушениях.

Слишком обильные или слишком скудные менструации порой возникают по причине болезней, которые приводят к нарушениям свертываемости крови.

Врожденные патологии строения органов мочеполовой системы могут вызывать нарушения менструального цикла. Например, загиб матки может быть причиной болезненных менструаций — дисменореи.

Нарушения менструального цикла могут возникнуть на фоне дефицита жировой массы. Например, на фоне нервной анорексии менструации могут прекратиться вовсе. Также негативно влияют дефицит полезных веществ, голодание.

Чрезмерные физические нагрузки, тяжелый физический труд могут вызвать нарушения менструального цикла. Также возможно появление сбоев при депрессиях, хронических стрессах, нервном истощении.

Симптомы

Симптомы сбоя менструального цикла зависят от вида нарушения.

Гиперменорея проявляет себя слишком обильными кровотечениями, иногда настолько, что прокладка может промокать менее чем за час. Однако при данном нарушении сохраняется нормальная длительность менструации. А вот при меноррагии еще и сама менструация длится больше недели. Порой при меноррагии в выделениях присутствуют большие сгустки крови. При таких нарушениях из-за сильной потери крови может развиться анемия с соответствующими симптомами: слабостью, бледностью кожи, сильным сердцебиением, шумом в ушах.

Полименорея проявляет себя слишком длительной менструаци-

Чтобы вовремя выявить нарушения менструального цикла, ведите календарь начала и окончания менструаций.

ей, однако потеря крови при ней не превышает пределов нормы. А при олигоменорее менструации длятся только 1–2 дня.

При гипоменорее выделяется слишком малый объем крови. Женщина с таким нарушением может использовать за весь день только одну прокладку, причем на ней может оказаться лишь небольшое пятно крови. Иногда выделения могут быть мажущими, порой – коричневого цвета.

Опсоменорея часто приводит к бесплодию!

Пройоменорея проявляет себя слишком коротким, менее 21 дня, менструальным циклом. А при опсоменорее, наоборот, менструации появляются слишком редко, иногда – всего лишь два-три раза в год. Данное нарушение свидетельствует о серьезных гормональных проблемах и чаще всего провоцируется заболеваниями надпочечников, при которых появляются также угревая сыпь, избыточное оволосение, ожирение.

Еще большей проблемой является аменорея – отсутствие менструаций более 3 месяцев. Это также становится причиной бесплодия.

Многих женщин в той или иной степени беспокоят ноющие боли в первые дни менструаций. Но при дисменорее эти боли очень интенсивные, часто – волнообразные. Боль может отдавать в яичники, прямую кишку, мочевой пузырь. Данное состояние сопровождают тошнота, а иногда и рвота, головокружения, слабость, потливость, отечность. Также во многих случаях возникают частые мочеиспускания, диарея, метеоризм, озноб, мышечные и суставные боли, сильные сердцебиения. Повышаются раздражительность, плаксивость, возникают непереносимость запахов, чувствительность к свету и звукам, бессонница.

Диагностика

Конечно же, при диагностике нарушений менструального цикла важно выявить гормональные изменения. Причем исследуются уровни не только половых гормонов, но оценивается работа и других органов эндокринной системы.

Первичная диагностика включает в себя следующие пункты:

- гинекологический осмотр;
- взятие мазков из влагалища, шейки матки, уретры и их последующее изучение;
- общий и биохимический анализ крови;
- анализ крови на уровень половых гормонов – эстрадиол, фолликулостимулирующий гормон,

лютеинезирующий гормон, тестостерон;

- анализ крови на гормоны щитовидной железы;
- анализ крови на гормоны надпочечников;
- коагулограмма;
- ПРЦ-диагностика на инфекции, передающиеся половым путем;
- анализ крови на хорионический гонадотропин;
- общий анализ мочи;
- УЗИ органов малого таза.

Для углубленной диагностики добавляются следующие исследования:

- консультация врача-эндокринолога;
- анализ крови на гормоны гипофиза и гипоталамуса;
- анализ крови на С-реактивный белок;
- анализ крови на уровень глобулина, связывающего половые гормоны (ГСПГ);
- анализ на 17-кетостероиды (17-КС) в суточной моче;
- тест с метоклопрамидом позволяет выявить уровень выработки гипофизом гормона пролактина;
- тест с дексаметазоном позволяет выявить железу, являющуюся источником повышенной секреции тестостерона;
- диагностическое выскабливание матки с последующим изучением полученного материала;
- УЗИ щитовидной железы;
- УЗИ надпочечников;
- МРТ или КТ органов малого таза;
- МРТ головного мозга;
- гистероскопия.

Лечение

При многих нарушениях менструального цикла, причиной которых являются сбои в выработке половых гормонов, применяются оральные контрацептивы. В том случае, если нарушение вызывает сбой в работе других эндокринных желез, назначается заместительная гормональная терапия или же препараты, которые снижают функцию данной железы.

При сильных кровотечениях применяются кровоостанавливающие препараты, а также средства, которые повышают уровень железа в крови.

Иногда требуется хирургическое вмешательство, например, для удаления полипа или миомы матки, которые вызывают кровотечение. В лечении нарушений менструального цикла применяются следующие группы лекарственных препаратов:

- комбинированные оральные контрацептивы;
- гестагены;
- кровоостанавливающие препараты;
- препараты железа;
- антагонисты дофамина – при гиперпролактинемии;
- тиреоидные препараты – при заболеваниях щитовидной железы;
- спазмолитики;

• нестероидные противовоспалительные препараты;

• витаминные препараты.

При некоторых патологиях применяются следующие виды хирургического вмешательства:

• выскабливание полости матки — при эндометриозе;

• миомэктомия — при миоме матки;

• полипэктомия — при полипах матки.

Во время лечения нарушений менструального цикла важно следить за здоровьем органов репродуктивной системы: использовать барьерные методы контрацепции, избегать переохлаждений, своевременно обращаться к врачу при появлении тревожных симптомов со стороны мочеполовой системы.

Профилактика

Для профилактики нарушений менструального цикла важно своевременно обращаться к врачу при появлении любых неприятных симптомов не только со стороны органов репродуктивной системы, но и при проблемах со щитовидной железой или надпочечниками. Если вы уже имеете эндокринные заболевания, обязательно следуйте назначениям врача.

Избегайте беспорядочных половых отношений и незащищенного секса, ежегодно сдавайте анализы на инфекционные заболевания, передающиеся половым путем.

Важно следить за весом — ожирение или, наоборот, недобор килограммов существенно повышают риск развития нарушений менструального цикла. Питание должно быть полноценным и сбалансированным. Полезно употреблять продукты, богатые витамином Е, фолиевой кислотой, железом.

Избегайте переохлаждений — не сидите на холодном, после купания обязательно сразу переодевайтесь, не ходите в мокром купальнике, не носите короткие куртки в холодную погоду.

Посещайте врача-гинеколога не реже двух раз в год для профилактических осмотров.

КЛИМАКС

Наступление климакса — это один из периодов, встречающихся в жизни каждой женщины. Это заложенный природой этап угасания репродуктивной функции.

Этот период характеризуется снижением продукции половых гормонов, в первую очередь эстрогенов, из-за угасания функций яичников. Также снижается выработка пролактина, фолликулостимулирущего и лютеинизирующего гормонов гипофизом. В связи с данными изменениями у женщин прекращаются менструации.

При климаксе изменения гормонального фона затрагивают не только репродуктивную систему. Снижение уровня эстрогенов влияет на нервную, сердечно-сосудистую систему. Повышается уровень липидов и глюкозы в крови, уменьшается плотность костной ткани.

В норме климакс развивается в возрасте от 46 до 55 лет, но первые проявления угасания репродуктивной функции могут появиться уже в сорокалетнем возрасте.

Это помещает женщин в периоде менопаузы в группу повышенного риска развития более 10 разновидностей опасных заболеваний.

До 60% женщин во время климакса испытывают крайне неприятные симптомы: приливы жара, потливости, приступы озноба, головокружения, учащенное сердцебиение, головную боль, эмоциональную нестабильность, нарушения сна. При климаксе часто повышается артериальное давление, возникает атеросклеротическое поражение сосудов.

При климаксе серьезно повышается риск инсульта и инфаркта.

При наступлении климакса очень важно, чтобы женщина регулярно наблюдалась не только у врача-эндокринолога и врача-гинеколога, но и у врача-невролога.

Причины

Климакс является естественным периодом возрастного снижения функций репродуктивной системы. Угасают функции яичников, снижается выработка гормонов гипофизом. Это приводит к уменьшению количества эстрогенов, фолликулостимулирующего и лютеинизирующего гормонов.

Нормальный возраст наступления климакса – 45–55 лет. Но иногда он развивается раньше. Повлиять на это могут эндокринные заболевания – в первую очередь заболевания гипофиза, гипоталамуса, яичников и надпочечников. Также спровоцировать ранний климакс могут гинекологические болезни, онкология. Раннее наступление климакса может быть связано с сахарным диабетом, сердечно-сосудистыми заболеваниями, болезнями печени.

Ранний климакс может возникнуть при приеме гормональных препаратов, а также после удаления яичников.

Слишком позднее появление климакса также может быть связано с эндокринными проблемами, а также с некоторыми генетическими патологиями.

Симптомы

Основным проявлением климакса является полное прекращение менструального цикла – вначале возникают нарушения цикла, а затем менструации окончательно исчезают: этот процесс может быть растянут на 3–8 лет.

На фоне этих изменений возникает климактерический синдром. Он появляется не у всех. Чем стремительней снижается уровень эстрогенов, тем ярче проявляются симптомы климакса – возникают расстройства сразу нескольких систем организма.

В первую очередь сбой затрагивает вегетативную нервную систему – это приводит к появлению самых известных и самых мучительных симптомов климакса. Возникают приступы жара, потливости, учащенного сердцебиения, головокружения, которые сменяются ознобом.

Могут появляться головные боли, мышечно-суставные боли, ощущение ползания мурашек по коже и другие нарушения чувствительности.

Ухудшаются память и концентрация внимания, появляется слабость, снижается работоспособность, возникает быстрая утомляемость. Развиваются нарушения сна ночью и сонливость днем.

Появляется эмоциональная нестабильность, раздражительность, тревожность, плаксивость. Может развиться депрессия.

Из-за недостаточности эстрогенов ухудшается работа желез, вырабатывающих секрет во влагалище. Во влагалище и наружных половых органах возникает сухость, что приводит к появлению зуда, жжения. Такое состояние слизистых оболочек половых органов делает их уязвимыми перед бактериальными или вирусными инфекционными возбудителями, что грозит развитием воспалительных процессов.

Ухудшается состояние кожи – возникают морщины. Также ухудшается состояние соединительной ткани, что приводит к опущению внутренних органов, в том числе матки, стенок влагалища и прямой кишки.

Слабость связочного аппарата способствует возникновению недержания мочи. Также может возникать учащенное мочеиспускание, боли внизу живота.

После развития климакса у женщин возникают следующие риски.

- Повышается уровень холестерина и липидов в крови, что провоцирует развитие атеросклероза, сердечно-сосудистых заболеваний, инсульта и инфаркта.
- Повышается уровень глюкозы в крови, возникает инсулинорезистентность, что способствует развитию ожирения, метаболическо-

При появлении ярких симптомов климакса женщинам может назначаться гормональная терапия.

го синдрома и сахарного диабета II типа.

• Снижается плотность костной ткани, развивается остеопороз, что провоцирует развитие остеохондроза, артрозов, повышает риск переломов.

• Повышается риск развития мастопатии, доброкачественных и злокачественных опухолей молочных желез.

• Ухудшается состояние сосудов, что может привести к развитию варикозного расширения вен, тромбофлебита.

Диагностика

При климаксе очень важно пройти комплексную диагностику организма, чтобы оценить, насколько серьезные нарушения возникли из-за снижающегося уровня эстрогенов. Обследование стоит пройти с возникновением первых симптомов климакса, затем – после полного прекращения менструаций, а после – наблюдаться у терапевта, гинеколога, эндокринолога и невролога ежегодно.

Для оценки состояния здоровья женщины в период климакса проводятся следующие исследования:

• обследование у врача-гинеколога;

• обследование у врача-эндокринолога;

• консультация врача-терапевта;

• консультация врача-невролога;

• общий и биохимический анализы крови;

• анализ крови на уровень половых гормонов (эстрадиол, фолликулостимулирующий гормон, лютеинизирующий гормон, тестостерон);

• анализ крови на уровень глюкозы;

• глюкозотолерантный тест;

• коагулограмма;

• липидограмма;

• анализ крови на уровень остеокальцина;

• общий анализ мочи;

• ПАП-тест;

• УЗИ органов малого таза;

• маммография;

• денситометрия;

• кольпоскопия;

• электрокардиография.

При необходимости также проводятся следующие исследования:

• анализ крови на уровень гормонов щитовидной железы;

• анализ крови на уровень гормонов надпочечников;

• УЗИ щитовидной железы;

• УЗИ надпочечников;

• МРТ головного мозга;

• гистероскопия (осмотр полости матки);

• колоноскопия.

Список обязательных диагностических процедур после наступления климакса:

• 2 раза в год – коагулограмма, липидограмма, анализ на уровень глюкозы.

• 1 раз в год – маммография, УЗИ органов малого таза, анализ крови на уровень остеокальцина.

• 1 раз в 3–4 года – денситометрия, УЗИ органов брюшной полости, эзофагогастродуоденоскопия, колоноскопия.

Лечение

Вылечить климакс, конечно же, нельзя. Но с помощью лекарственных препаратов можно существенно облегчить его симптомы, а также снизить риск развития осложнений.

При наличии слишком выраженных симптомов и при развитии различных патологий, вызванных снижением уровня эстрогенов, может быть назначена гормонозаместительная терапия. То есть таким образом компенсируется угасание функций яичников.

По поводу гормонозаместительной терапии при климаксе раньше существовало множество споров в медицинском сообществе. Однако исследования показывают, что данная терапия существенно снижает риск развития остеопороза, сердечно-сосудистых заболеваний, опухолей молочных желез, атрофического вульвовагинита, недержания мочи и других осложнений в период менопаузы.

В качестве гормонозаместительной терапии применяют:

• монофазные препараты – комбинация эстрогенов и гестагенов с постоянным режимом приема;

• двухфазные препараты – комбинация эстрогенов и гестагенов с циклическим режимом приема;

• препараты эстрогенов – в виде таблеток, вагинальных таблеток или свечей, инъекционных препаратов, трансдермальных гелей или пластырей;

• препараты прогестагенов – в виде таблеток, вагинальных таблеток или свечей.

Для уменьшения выраженности симптомов в период климата назначаются:

• адаптогены;

• эстрогеноподобные фитопрепараты;

• седативные препараты;

• успокоительные препараты растительного происхождения;

• антидепрессанты;

• анксиолитики;

• нейролептики;

• ноотропы;

• витамин D и его аналоги;

• корректоры метаболизма костной ткани;

• витамин Е;

• корректоры нарушений мозгового кровообращения;

• статины.

Как облегчить климакс?

Для многих женщин приход климакса становится настоящим мучением. Приливы жара, потливость, ощущение нехватки воздуха, а затем озноб, зябкость рук и ног, головные боли, сильные сердцебиения. Так организм реагирует на снижение уровня эстрогенов. Можно ли как-то облегчить подобные симптомы? Да! Я дам несколько простых советов, которые помогут вам снизить интенсивность проявлений климакса.

СОВЕТ № 1. Принимайте настойку пиона.

Водная настойка на основе пиона способствует уменьшению проявлений климакса, а при правильном питании, соблюдении режима дня и активном образе жизни способна полностью избавить женщину от климактерических приливов.

Принимайте водную настойку пиона по 15—20 капель 3 раза в день.

Дело в том, что настойка пиона действует на организм не только как успокаивающее средство, но и как эффективный анальгетик. К тому же пион помогает регулировать обмен веществ и гормональный фон организма.

СОВЕТ № 2. Принимайте витамин Е.

Учеными обнаружено, что витамин Е очень эффективно снижает приливы жара. Из пищи невозможно получить достаточную для этого дозу витамина Е. Данное вещество стоит принимать в виде добавок. Начните с 400 единиц дважды в день, итого 800. Если эффект будет – принимайте такую дозировку, если нет – удвойте дозу, доведя ее до 1600 единиц в день.

Принимайте от 800 до 1600 единиц витамина Е в день.

СОВЕТ № 3 – Занимайтесь спортивной ходьбой.

Во время климакса у женщин угасает функция яичников и, следовательно, снижается выработка ими половых гормонов. Частично данный дефицит компенсируют надпочечники, которые также производят эти гормоны.

Физические нагрузки помогают работе надпочечников. Если вы утром вместо поездки на автобусе пройдете маршрут до метро или до самой работы, а вечером сделаете несколько кругов вокруг дома, то половых гормонов будет вырабатываться больше, компенсируется их дефицит. Как вариант – можете купить домашний степ-тренажер – он не дорогой. И вместо просмотра телевизора на диване смотри-

Такая целенаправленная физическая активность должна занимать не менее 30 минут в день.

те любимый сериал, занимаясь на степ-тренажере.

СОВЕТ № 4. Употребляйте продукты, богатые фитоэстрогенами.

Фитоэстрогены – это вещества растительного происхождения, чье действие на организм схоже с действием гормонов эстрогенов. Продукты, содержащие фитоэстрогены, рекомендуется употреблять каждый день. Соя является лидером по содержанию фитоэстрогенов. В ее состав входят изофлавоны генистеин и дайдзеин, глицитеин и эквол. Лучше всего употреблять проростки сои.

Также фитоэстрогенами богаты семена льна и красный виноград.

СОВЕТ № 5. Избавьтесь от вредных привычек.

Если вы курите, обязательно бросьте эту пагубную привычку – она существенно повышает риск развития осложнений в менопаузе. Не злоупотребляйте алкоголем.

СОВЕТ № 6. Нормализуйте ночной сон.

Спите не менее 8–9 часов в сутки. Многие люди, вышедшие на пенсию, начинают спать днем, но из-за этого зарабатывают бессонницу ночью. Желательно ложиться спать в одно и то же время. Перед сном не занимайтесь активными работами типа уборки или физкультуры. Лучше уделите время чтению, медитации. Выпейте чай с мятой или мелиссой.

БЕСПЛОДИЕ

К сожалению, бесплодие в современном мире – это достаточно распространенная проблема. Если при регулярной половой жизни без средств контрацепции женщина не может забеременеть в течение года, то врачи ставят ей данный диагноз.

Сформировать бесплодие могут несколько проблем или даже их комплекс:

- проблемы с созреванием яйцеклетки;
- проблемы с доступом сперматозоидов к яйцеклетке;
- проблемы с прикреплением яйцеклетки к эндометрию матки;
- проблемы с делением яйцеклетки.

Практически в половине всех случаев бесплодия возникают проблемы с созреванием фолликула и выходом яйцеклетки. Данный

Бесплодие беспокоит около 8% женщин репродуктивного возраста.

процесс регулируют гормоны, поэтому нарушение гормонального фона приводит к сбою и фолликул не созревает.

Проблемы с доступом сперматозоидов к яйцеклетке могут возникать из-за воспалительных заболеваний, часто вызванных инфекциями, передающимися половым путем, из-за гормональных нарушений, последствий родов и абортов, из-за патологических изменений в органах репродуктивной системы. Может возникнуть проблема с прохождением сперматозоидов через цервикальный канал шейки матки – этому способствуют дисплазия шейки матки или изменение густоты слизи цервикального канала, появление антител, уничтожающих сперматозоиды. Также часто проникновению сперматозоидов к яйцеклетке мешают спаечные и гнойно-воспалительные процессы в маточных трубах.

Нарушение структуры эндометрия матки, миомы и полипы, спаечные процессы в маточных трубах мешают прикреплению оплодотворенной яйцеклетки.

В современном мире бесплодие уже перестало быть приговором. Часть случаев данной проблемы успешно лечится, в других случаях проводятся процедуры ЭКО. Но нужно понимать, что бесплодие – это не только отсутствие возможности зачатия. Даже если вы не собираетесь рожать детей, на такую проблему, как бесплодие, важно обратить внимание, ведь она сигнализирует о серьезных проблемах в организме.

Причины

Рост фолликулов в яичниках и их созревание провоцируют фолликулостимулирующий и лютеинизирующий гормоны, которые выделяются гипофизом, расположенным в головном мозге. Лютеинизирующий гормон также стимулирует выработку эстрогена, поддерживает функционирование желтого тела. Под действием прогестерона эндометрий матки становится максимально удобным для прикрепления яйцеклетки и дальнейшего ее развития в плод. А повышенный уровень тестостерона может препятствовать этому процессу.

Нормальный гормональный баланс – это, пожалуй, главнейший фактор, обеспечивающий развитие беременности. Поэтому часто проблема бесплодия связана со сбоем гормонального фона, который приводит к нарушениям менструального цикла.

Повлиять на это могут эндокринные заболевания – болезни и опухоли гипофиза, гипоталамуса, яичников. Также бесплодие может развиться при заболеваниях щитовидной железы, когда она начинает вырабатывать слишком много или слишком мало своих гормонов. Бесплодие может появиться и при болезнях надпочечников.

Длительный или бесконтрольный прием гормональных препаратов, а также некоторых лекарственных средств, подавляющих секреторную функцию эндокринных желез, может привести к развитию бесплодия.

На сбой гормонального фона могут повлиять ожирение, метаболический синдром, сахарный диабет, анорексия, хронические стрессы. Различные аутоиммунные болезни тоже могут вызвать бесплодие.

Гормональные нарушения, а также полное отсутствие менструаций могут быть следствием наследственных заболеваний или генетических нарушений.

Еще одна распространенная причина бесплодия – гинекологические заболевания. Чаще всего они развиваются вследствие присутствия хронической инфекции, в большинстве случаев – это инфекции, передающиеся половым путем. У женщин некоторые венерические заболевания годами могут протекать практически бессимптомно. Инфекционно-воспалительные процессы в органах репродуктивной системы приводят к комплексным нарушениям, препятствующим развитию беременности: к нарушению консистенции и кислотности слизи в цервикальном канале шейки матки, спаечным процессам, воспалению эндометрия матки, воспалению яичников и маточных труб, нарушению процесса созревания фолликулов.

Воспалительные гинекологические заболевания могут возникать из-за наличия в организме хронических очагов инфекции, например тонзиллита, пиелонефрита или даже кариеса. Инфекционные возбудители могут попасть в орга-

Бывают случаи так называемого идиопатического бесплодия — когда не удается выявить причину у обоих членов пары, пытающейся завести ребенка. Это явление составляет до 25% всех случаев бесплодия. Но иногда причина такого «невыявленного фактора» может быть в некорректной диагностике.

У некоторых женщин с бесплодием наблюдается иммунный феномен — у них выявляются антитела против собственных яйцеклеток или в слизи цервикального канала шейки матки антитела против сперматозоидов.

ны репродуктивной системы с током крови или лимфы.

Также гинекологические заболевания могут быть опухолевой природы — например, кисты яичников, миомы матки, полипы. При эрозии или дисплазии шейки матки может нарушаться ее нормальная форма, перекрывая вход в цервикальный канал для сперматозоидов. Спаечные процессы могут возникнуть после вмешательства на органах брюшной полости.

Серьезные проблемы могут создать эндометриоз и аденомиоз (рост эндометрия в глубокие слои матки).

Хирургические вмешательства на органах репродуктивной системы, аборты, выскабливания, тяжелые роды, многократные беременности могут повлиять на состояние эндометрия матки и создать негативные условия для прикрепления оплодотворенной яйцеклетки.

Конечно же, препятствием к зачатию будут операции по удалению яичников и/или маточных труб. К сожалению, подобная проблема часто возникает из-за внематочной беременности.

Различные аномалии строения органов репродуктивной системы, такие как, например, двурогая матка, врожденное отсутствие какого-либо из органов, недоразвитие яичников могут привести к бесплодию.

Симптомы

Диагноз «бесплодие» ставят в том случае, если женщина, живущая регулярной половой жизнью (2 раза в неделю) без средств контрацепции, не может забеременеть в течение года.

Диагностика

При женском бесплодии проводится комплексная диагностика для обнаружения фактора из достаточно объемного списка возможных причин, препятствующих развитию беременности.

При обследовании у врача-гинеколога, помимо гинекологического осмотра, проводится и анкетирование, которое позволяет сделать предположения о вероятных факторах, провоцирующих развитие бесплодия.

Важно указать:

• возраст, рост и вес;

• специфику образа жизни, наличие вредных привычек;

• возраст начала менструаций;

Не всегда проблема бесплодного брака зависит от женщины. Существует и мужское бесплодие. Оно может возникать вследствие недоразвитости, слабой активности или немногочисленности сперматозоидов, при эректильной дисфункции и некоторых других проблемах, влияющих на качество спермы. Если вы столкнулись с проблемой бесплодия, обследование должны проходить оба партнера.

- регулярность менструаций;
- были ли болезненные менструации;
- были ли ранее нарушения менструального цикла;
- регулярность половой жизни;
- применение противозачаточных средств, в том числе внутриматочной спирали;
- количество половых партнеров;
- наличие в данный момент или в прошлом инфекций, передающихся половым путем;
- наличие беременностей, выкидышей, родов или абортов в прошлом.

При бесплодии проводится достаточно обширный спектр диагностических мероприятий:

- обследование у врача-гинеколога;
- взятие мазков из влагалища, цервикального канала шейки матки, уретры и их последующее исследование;
- общий и биохимический анализ крови;

Ведите календарь менструального цикла. Отмечайте в нем дни начала и окончания менструаций. Также полезно проводить измерения базальной температуры — внутренней температуры прямой кишки. График базальной температуры помогает выявить начало овуляции. Измерения необходимо проводить с утра, в покое, в одно и то же время, не вставая с кровати.

- наличие в данный момент или в прошлом гинекологических заболеваний;
- перенесенные операции;
- перенесенные острые инфекции;
- перенесенные неотложные состояния, травмы;
- наличие заболеваний эндокринной системы;
- другие перенесенные заболевания;
- количество родов и течение беременности у матери;
- сведения о возрасте и состоянии здоровья полового партнера;
- стаж бесплодия;
- общий анализ мочи;
- анализ крови на инфекции, передающиеся половым путем;
- посев менструальной крови;
- анализ крови на уровень гормонов гипофиза и гипоталамуса;
- анализ крови на уровень гормонов щитовидной железы;
- анализ крови на уровень гормонов надпочечников;
- анализ крови на уровень эстрогенов;
- анализ крови на уровень прогестерона;
- анализ крови на уровень тестостерона;
- анализ крови на уровень пролактина;

• анализ мочи на уровень дегидроэпиандростерона сульфата и кетостероидов;
• прогестероновая проба;
• проба с метоклопрамидом для оценки уровня выработки пролактина гипофизом;
• проба с дексаметазоном;
• кариотипирование;
• посткоитальный тест;
• проба Курцрока – Миллера;
• УЗИ органов малого таза;
• кольпоскопия;
• гистероскопия;
• гистеросальпингография;
• лапароскопическая диагностика органов репродуктивной системы;
• УЗИ щитовидной железы;
• УЗИ надпочечников;
• МРТ головного мозга.

Лечение

Основная цель лечения бесплодия – восстановление репродуктивной функции и возникновение здоровой беременности. Для того чтобы добиться этой цели, в зависимости от причины развития бесплодия применяют:
• лекарственные препараты, в том числе гормональную терапию;
• хирургические операции;
• репродуктивные технологии.

Лечение бесплодия порой бывает весьма продолжительным, это важно понимать. Ведь некоторые женщины, не дожидаясь положительных результатов за пару месяцев, прерывают лечение на полпути.

Выбор лекарственных препаратов зависит от причины бесплодия.

При наличии инфекций, передаваемых половым путем, применяются антибактериальные препараты:
• цефалоспорины;
• пенициллины;
• макролиды;
• фторхинолоны;
• тетрациклины.

При вирусной природе инфекции применяются противовирусные препараты.

В качестве гормональной терапии используются:
• оральные контрацептивы;
• препараты эстрогенов;
• препараты гестагенов;
• глюкокортикостероиды;
• человеческие менопаузальные гонадотропины;
• антиэстрогены;
• антагонисты гонадолиберина;
• при заболеваниях щитовидной железы – тиреоидные препараты;
• при заболевании гипофиза – антагонисты дофамина.

Также применяются различные противовоспалительные препараты.

В лечении бесплодия могут выполняться следующие хирургические вмешательства:
• сальпингостомия – для восстановления проходимости маточной трубы;
• сальпингопластика (тубопластика) – для рассечения спаек яичников и маточных труб;

При выполнении пациенткой всех назначений врача современные методы лечения позволяют благополучно родить ребенка более чем 60% всех женщин, страдающих от бесплодия.

• реконструктивная операция по восстановлению целостности маточной трубы;

• миомэктомия – для удаления миомы матки;

• полипэктомия – для удаления полипов матки;

• лапароскопическая аденомиомэктомия с метропластикой – выполняется при аденомиозе (эндометриозе);

• ФУЗ-аблация очагов разросшегося эндометрия – выполняется при аденомиозе (эндометриозе).

Велика роль в лечении бесплодия и репродуктивных технологий. Данная область медицины сейчас активно развивается, появляются все новые методы, позволяющие добиться беременности:

• Внутриматочная инсеминация – данный метод чаще всего применяется при нарушении консистенции и кислотности слизи цервикального канала шейки матки, при иммунном бесплодии. В полость матки вводится сперма полового партнера пациентки.

• ЭКО (экстракорпоральное оплодотворение) – пациентке проводится гормональная терапия и провоцируется развитие яйцеклетки, которую изымают. В лабораторных условиях яйцеклетку оплодотворяют с помощью отобранных сперматозоидов полового партнера пациентки. Затем эмбрион помещается в матку для приживления.

• ИКСИ – один из вспомогательных методов искусственного оплодотворения, при котором внутрь яйцеклетки делают инъекцию отобранных, наиболее качественных сперматозоидов полового партнера пациентки.

• Донорство яйцеклеток – применяется в том случае, если у женщины проблема бесплодия заключается в нарушении созревания фолликулов.

• Суррогатное материнство – применяется в случае, если у женщины нет проблем с выходом яйцеклетки, но есть патологии, препятствующие прикреплению яйцеклетки в матке и/или нормальному развитию беременности.

Профилактика

Чтобы максимально снизить риск возникновения бесплодия, следует заботиться о здоровье репродуктивной системы.

Не забывайте о регулярных профилактических осмотрах у врача-гинеколога – не реже 2 раз в год. Также рекомендуется ежегодно проходить УЗИ органов малого таза.

Не допускайте набора лишнего веса, следите за уровнем глюкозы в крови — эндокринные патологии существенно повышают риск возникновения проблем с зачатием.

Важно защищать себя от инфекций, передаваемых половым путем. Используйте методы барьерной контрацепции (презервативы), старайтесь избегать беспорядочной половой жизни. Следите за личной гигиеной. При появлении любых тревожных симптомов важно своевременно обращаться к врачу.

Избегайте переохлаждений: не сидите на холодном, сразу переодевайтесь в сухое после купания, не носите короткие куртки и юбки в холодную погоду.

Следите за общим состоянием организма. Не допускайте развития хронических очагов инфекции, при наличии хронических заболеваний старайтесь, чтобы не возникало обострений или прогрессирования болезней.

Хотя современные возможности медицины позволяют родить и даже позже 45 лет, стоит все же не тянуть с зачатием. Ведь с годами истощается резерв фолликулов, накапливаются проблемы со здоровьем, повышается риск развития патологических процессов в органах репродуктивной системы. Поэтому врачи рекомендуют планировать беременность до 30, максимум до 35 лет.

АДНЕКСИТ

Аднексит — это воспалительное заболевание яичников и маточных труб, которые в комплексе также называют придатками матки. В настоящее время врачи чаще применяют термин «сальпингоофорит», но в народе название «аднексит» все же более распространено.

Данное заболевание является гинекологическим заболеванием номер один. Даже среди всех болезней внутренних органов сальпингоофорит является одним из самых распространенных заболеваний у женщин в репродуктивном возрасте.

Аднексит может протекать в острой форме. Но если заболевание не было правильно вылечено или вовсе оставлено без внимания, оно быстро переходит в хроническую форму. Практически у половины всех заболевших аднексит протекает тяжело, вызывая серьезный воспалительный процесс. При хронической форме аднексит обостряется при любом провоцирующем факторе: после полового акта, переохлаждения, снижения иммунитета на фоне острых или хронических заболеваний.

Воспаление маточных труб и яичников приводит к тяжелым проблемам всей репродуктивной системы вообще и репродуктивной функции в частности. Часто аднексит провоцирует развитие серьезного спаечного процесса, который затем приводит к затруднению созревания, оплодотворения и выходу яйцеклетки в матку. Также наличие спаек серьезно повышает риск внематочной беременности.

Больше половины женщин от 18 до 35 лет хотя бы раз в жизни страдали от аднексита.

Последствием аднексита могут быть нарушения менструального цикла, хронические тазовые боли, нарушения функций яичников. При сальпингоофорите инфекция может вызвать воспаления в других отделах репродуктивной системы.

При тяжелой форме аднексита возможно даже гнойное расплавление яичников или маточных труб, спаивание придатков матки с органами брюшной полости. Также гной и бактерии могут попадать в брюшную полость, что может привести даже к перитониту.

Причины

Наиболее частой причиной аднексита являются инфекции, передающиеся половым путем, — хламидии и микоплазмы, трихомонады, цитомегаловирусная инфекция, гонококки и другие бактерии и вирусы. Бывает, аднексит вызывается микобактериями туберкулеза.

Данное заболевание может возникнуть из-за снижения иммунитета, переохлаждения, хронического стресса — при данных факторах может нарушиться баланс микрофлоры влагалища, что вызовет воспаление органов репродуктивной системы, в том числе яичников и маточных труб.

Иногда аднексит развивается на фоне кандидоза, а также других гинекологических заболеваний: бартолинита, кольпита, эндометрита, цервицита.

Бывают случаи, когда инфекция заносится в маточные придатки при половом акте во время менструаций. Еще одним провоцирующим аднексит фактором

Хронический аднексит в 7–10 раз повышает риск развития внематочной беременности.

является ненадлежащая гигиена или половой акт, при котором сочетается анальный и вагинальный секс — в этом случае в половые пути попадают бактерии из прямой кишки: кишечная палочка, стафилококки и стрептококки.

Бактерии иногда проникают в маточные придатки с током крови или лимфы из хронических очагов инфекции, например при тонзиллите, гайморите, кариесе, пиелонефрите, пневмонии.

Спровоцировать аднексит также могут хирургические вмешательства на органах репродуктивной системы, аборты, выскабливания, наличие внутриматочной спирали.

Стрессы, острые заболевания и обострения хронических болезней, переохлаждение — эти факторы вызывают снижение иммунной защиты организма, а значит, риск развития аднексита возрастает.

Симптомы

При острой и хронической форме аднексита симптомы несколько различаются. Поражаться могут как оба придатка, так и только один — в первом случае проявления будут более интенсивными.

При остром аднексите появляются боли внизу живота, которые могут отдавать в поясницу, крестец, прямую кишку. При ощупывании живота боль усиливается. Температура тела может повышаться до 39°. Развиваются симптомы общей интоксикации организма: озноб, потливость, головные и мышечные боли, слабость.

Из влагалища появляются слизистые выделения, которые называют «бели». Могут возникать задержка мочеиспускания, боли при мочеиспускании, вздутие живота.

При хроническом аднексите симптомы могут быть более смазанные, однако во время обострений проявления такие же, как и при острой форме.

Периодически возникают ноющие, тупые боли в области малого таза, боли в области поясницы, крестца, заднего прохода. Часто женщины с хроническим аднекситом испытывают боли в области яичников при половом акте, при запорах, вздутии живота.

Возникают нарушения менструального цикла. Менструации могут быть либо очень обильными, либо, наоборот, скудными, мажущими. Как правило, менструации при аднексите являются болезненными. В другие дни менструального цикла появляются слизистые выделения, порой с примесью гноя.

В запущенном случае при остром и хроническом аднексите могут возникать различные осложнения.

В маточной трубе может скапливаться гной — такое состояние врачи называют «пиосальпинкс». Оно может привести к гнойному расплавлению маточной трубы и излитию гноя в брюшную полость, что приводит к перитониту.

Аднексит часто сочетается с кольпитом — воспалением слизистой оболочки влагалища — и циститом — воспалением мочевого пузыря.

Может развиться гнойный абсцесс яичника, который может привести к потере данного органа.

Диагностика

При аднексите важно выяснить, какой именно инфекционный возбудитель вызывает воспалительный процесс, чтобы лучше подобрать способ лечения.

Применяются следующие диагностические исследования:

- обследование у врача-гинеколога;
- взятие мазков из влагалища, цервикального канала шейки матки, уретры и их последующее исследование;
- общий и биохимический анализ крови;
- общий анализ мочи;
- анализ крови на инфекции, передающиеся половым путем;
- туберкулиновая проба (реакция Манту) или диаскинтест;
- УЗИ органов малого таза;
- лапароскопическое исследование маточных труб и яичников;
- гистеросальпингография — для изучения проходимости маточных труб.

Лечение

В большинстве случаев аднексит лечат только с помощью лекарственных препаратов, а также методов физиотерапии. В запущенных случаях прибегают к хирургическому вмешательству.

Для борьбы с инфекционным возбудителем применяются следующие лекарственные препараты:

- антибиотики: пенициллины, цефалоспорины, макролиды, тетрациклины и другие;
- противовирусные препараты;
- противотуберкулезные препараты (если аднексит вызван микобактериями туберкулеза).

Для снятия воспаления, борьбы с бактериальными возбудителями используются:

- антибактериальные и противовоспалительные вагинальные свечи или таблетки;
- антибактериальные и противовоспалительные мази или гели для использования в качестве вагинальных тампонов;
- нестероидные противовоспалительные препараты;
- антисептические и противомикробные препараты для орошения влагалища.

Для повышения эффективности борьбы с инфекцией, повышения иммунитета, снятия болей, отека маточных труб, снижения температуры используются следующие препараты:

- иммуномодуляторы;
- глюкокортикостероиды;
- витаминные препараты;

Не прерывайте назначенный врачом курс антибактериальных препаратов, даже если вам кажется, что заболевание уже прошло. Это может привести к возникновению устойчивости возбудителя к лекарственному препарату.

- препараты, улучшающие микроциркуляцию крови;
- жаропонижающие средства;
- обезболивающие препараты;
- антигистаминные средства;
- адаптогены.

При хроническом аднексите эффективность лечения повышают различные физиотерапевтические процедуры, например:

- грязевые тампоны;
- парафинотерапия;
- электрофорез с обезболивающими и противовоспалительными препаратами;
- УВЧ-терапия;
- УФО-терапия;
- СВЧ-терапия;
- индуктотермия;
- магнитотерапия;
- бальнеотерапия.

Также при хроническом аднексите рекомендуется санаторно-курортное лечение.

Если возникают осложнения, проводятся хирургические вмешательства: рассечение спаек, дренирование гнойного содержимого маточных придатков, удаление маточных придатков.

Во время лечения аднексита полезно исключить из рациона некоторые продукты — жирную и жареную пищу, соленья и острую, маринованную пищу, шоколад, грибы, яйца, рыбу, мед. Рекомендуется ограничить количество соли — до 4–5 граммов в сутки. Для профилактики запоров полезны чернослив, курага и продукты, богатые пищевыми волокнами, например овощи, отруби, крупы.

Под полным запретом на время лечения должен быть алкоголь!

Чтобы не провоцировать обострения при хроническом аднексите или повторное развитие острого аднексита, избегайте переохлаждений: не сидите на холодном, переодевайтесь в сухое белье сразу же после купания, не носите короткие куртки в холодную погоду, не занимайтесь зимними видами спорта.

При аднексите нельзя использовать во время менструаций гигиенические тампоны — применяйте только прокладки. Важно следить за гигиеной, ежедневно подмывать половые органы, причем по направлению от лобка в сторону влагалища, а не наоборот. Не носите стринги.

Ухудшение кровообращения в области малого таза при хроническом аднексите ухудшает течение заболевания и тормозит процесс излечения, поэтому избегайте длительного сидения, не ведите малоподвижный образ жизни. Также стоит отказаться от ношения утягивающего белья, тесных джинсов.

При хроническом аднексите важно использовать барьерный метод контрацепции (презервативы) даже с постоянным половым партнером – необходимо на время лечения обезопасить органы репродуктивной системы от проникновения инфекции. А также, если аднексит вызван инфекциями, передаваемыми половым путем, вместе с заболевшей одновременно должен проходить лечение и ее половой партнер.

Профилактика

Чтобы защитить себя от развития самого распространенного гинекологического заболевания, в первую очередь важно защищать репродуктивную систему от проникновения инфекции.

Избегайте беспорядочных половых связей, применяйте барьерные методы контрацепции, ежегодно сдавайте анализы на инфекции, передающиеся половым путем, и в случае их обнаружения или появления тревожных симптомов своевременно начинайте лечение. Также своевременно лечите гинекологические заболевания.

Не допускайте появления хронических очагов инфекции в организме, например гайморита, тонзиллита, пиелонефрита.

Избегайте переохлаждения и снижения иммунитета.

Эндометриоз

Внутренний слой матки называется эндометрием. При болезни, которая называется эндометриозом, в организме происходит некий сбой, нарушение – врачи пока точно не установили его причину. Но вследствие такого сбоя ткань, идентичная и по функциям, и по составу с эндометрием матки, начинает разрастаться вне ее полости. Ранее к данному заболеванию относили и прорастание эндометрия матки в ее мышечный слой, но сейчас данное состояние выделяют в отдельное заболевание – аденомиоз.

Эндометрий матки под влиянием гормонов в течение менструального цикла проходит ряд изменений: разрастается, набухает и разрыхляется, а затем его часть отторгается, что сопровождается кровотечением. При эндометриозе вне матки происходит тот же процесс, что приводит к развитию воспаления.

Эндометриоз может выражаться в поражении брюшины, маточных труб и яичников, шейки матки, влагалища, кишечника, почек, мочевого пузыря, мочевыводящего канала, а иногда даже и легких.

При аденомиозе избыточный наросший слой эндометрия не отторгается во время менструаций, прорастает в мышечный слой матки, что может привести к образованию «узлов», «карманов», свищей.

Эндометриоз развивается у женщин репродуктивного воз-

Эндометриоз и аденомиоз повышают риск развития онкологических заболеваний органов репродуктивной системы и органов брюшной полости.

раста. Чаще всего заболевание появляется в 25–30 лет. В последние годы распространенность болезни все больше увеличивается.

Коварство эндометриоза в том, что в начале развития болезни она практически не вызывает симптомов, а возникшие проявления женщины в большинстве случаев считают симптомами других болезней. На начальной стадии эндометриоз иногда не выявляется даже с помощью УЗИ.

Каждая десятая женщина в репродуктивном возрасте страдает от эндометриоза.

И эндометриоз, и аденомиоз часто становятся причиной бесплодия, а также приводят к появлению хронических тазовых болей и нарушениям работы других органов брюшной полости.

Причины

К сожалению, пока медицина не может точно ответить на этот вопрос. Есть несколько теорий появления эндометриоза и аденомиоза.

Возможно, что в ткань, схожую по строению и функциям с эндометрием матки, перерождаются другие ткани. Спровоцировать подобные изменения могут гормональные проблемы или инфекционные воспалительные заболевания.

Еще одна вероятная причина развития эндометриоза — занос клеток эндометрия вне матки вместе с менструальной кровью. Также клетки эндометрия могут оказаться вне матки вследствие хирургических манипуляций.

Существует теория, что клетки эндометрия могут распространяться за пределы матки с током лимфы или крови.

Есть данные, что предрасположенность к эндометриозу может передаваться по наследству.

Развитие аденомиоза и эндометриоза могут спровоцировать эндокринные заболевания, нарушения гормонального фона. Часто данные заболевания возникают у женщин, страдающих от ожирения, заболеваний щитовидной железы, принимающих гормональные препараты. Еще одним возможным фактором является бесконтрольный прием оральных контрацептивов.

Существенно повышают риск развития эндометриоза и аденомиоза нарушения менструального цикла, начало менструаций позже 12 лет, отсутствие беременностей и родов или первые роды в возрасте старше 30 лет, многократные или осложненные роды. Также негативно влияют аборты, выскабливания. Может спровоцировать развитие данных заболеваний использование внутриматочной спирали. Гинекологические и венерические заболевания, особенно в хронической форме, тоже повышают риск. Часто аденомиоз развивается на фоне миомы матки.

К факторам риска также причисляют курение, злоупотребление алкоголем, беспорядочные половые связи, влияние неблагоприятной экологии, хронические стрессы, малоподвижный образ жизни или чрезмерные физические нагрузки.

Симптомы

Достаточно длительное время эндометриоз может протекать бессимптомно, а затем возникают проявления, среди которых наиболее частыми являются тазовые боли. Боль тянущая, ноющая, тупая. Может отдавать в поясницу, прямую кишку, влагалище, промежность, нижние конечности.

Сильные боли появляются во время менструаций, а также при овуляции. Также боль усиливается во время полового акта, при дефекации, запорах и метеоризме. Если эндометриоз затронул мочевой пузырь или мочеиспускательный канал, то могут появиться боли при мочеиспускании или даже кровь в моче, а если затронул кишечник – появляется кровь в фекалиях.

При аденомиозе менструации становятся очень обильными и длительными, а в другие дни цикла могут появляться коричневые скудные, мажущие выделения.

Также эндометриоз часто сопровождается анемией.

При тяжелой степени аденомиоза могут появляться свищи, соединяющие матку с брюшной полостью.

Есть риск перерождения эндометриоидных узлов в злокачественные опухоли.

Диагностика

Поскольку проявления эндометриоза похожи на симптомы других гинекологических болезней, диагностика должна быть очень тщательной:

- обследование у врача-гинеколога;
- взятие мазков из влагалища, цервикального канала шейки мат-

Эндометриоз и аденомиоз часто вызывают бесплодие — более чем в 50% случаев.

ки, уретры и их последующее исследование;

- общий и биохимический анализ крови;
- общий анализ мочи;
- анализ крови на инфекции, передающиеся половым путем;
- анализ крови на уровень гемоглобина;
- анализ крови на антинуклеарные антитела;
- анализ крови на онкомаркеры;
- анализ крови на агрегацию тромбоцитов;
- УЗИ органов малого таза;
- УЗИ органов брюшной полости;
- КТ или МРТ органов малого таза и брюшной полости;
- лапароскопическое исследование органов репродуктивной системы и брюшной полости со взятием образцов тканей и их последующим изучением;
- гистеросальпингография (исследование матки и проходимости маточных труб);
- гистероскопия (исследование матки);
- цистоскопия (исследование мочевого пузыря и мочеиспускательного канала);
- диагностическое выскабливание;
- проктологическое обследование.

Лечение

В зависимости от области поражения применяется лечение с помощью лекарственных препаратов или же с помощью хирургических вмешательств.

Часто используется гормональная терапия, но не при всех видах эндометриоза.

Показаниями к гормональной терапии являются следующие состояния:

- невозможность применения хирургических методов;
- нежелательность применения хирургических методов для сохранения возможности беременности;
- подготовка к хирургическому вмешательству;
- аденомиоз;
- эндометриоз брюшины;
- профилактика рецидивов эндометриоза.

В качестве гормональной терапии применяются следующие препараты:

- прогестагены;
- комбинированные оральные контрацептивы;
- производные андрогенов;
- агонисты гонадотропин-рилизинг гормона.

Для уменьшения болевого синдрома используются нестероидные противовоспалительные препараты, седативные средства.

К сожалению, хирургическое вмешательство не всегда применяется только для излечения от эндометриоза. Порой требуется провести удаление органов, пораженных измененной тканью, чтобы сохранить здоровье организма в общем.

Эндометриоидные кисты удаляются методом лазерной вапо-

К сожалению, даже после успешного лечения часто возникают рецидивы эндометриоза. В течение первой пары лет после завершения лечения вероятность повторного появления заболевания — 20%, через 5–7 лет — 50%.

ризации, то есть выпариваются лазером. Также проводится рассечение спаек вокруг придатков матки или мочеточника.

При аденомиозе чаще всего производится выпаривание или выжигание, иногда – хирургическое удаление очагов разросшегося эндометрия, а также перекрытие (эмболизация) сосудов, питающих данные очаги.

Иногда возникает необходимость в удалении яичников, маточных труб, матки, шейки матки, мочевого пузыря, прямой кишки. Такие операции могут выполняться щадящим лапароскопическим способом или открытым методом.

Во время лечения эндометриоза нельзя пользоваться гигиеническими тампонами, заниматься сексом во время менструаций.

Физические упражнения снижают уровень эстрогенов и могут замедлить прогрессирование эндометриоза, поэтому избегайте малоподвижного образа жизни.

Нельзя принимать горячие ванны, посещать сауны и бани. Но с другой стороны, нужно избегать и переохлаждений.

Гинеколога стоит посещать каждые 3 месяца, 2 раза в год нужно делать УЗИ малого таза.

Профилактика

Для снижения риска развития эндометриоза следите за весом и не допускайте набора лишних килограммов. Также не принимайте без назначения врача гормональные препараты, в том числе оральные контрацептивы.

Следите за здоровьем репродуктивной системы: регулярно, не реже 1 раза в 6 месяцев, проходите обследования у врача-гинеколога, 1 раз в год делайте УЗИ органов малого таза, своевременно лечите гинекологические и эндокринные заболевания, используйте барьерные методы контрацепции, избегайте беспорядочных половых связей.

Не курите и не злоупотребляйте алкоголем.

МИОМА МАТКИ

Миома матки – это доброкачественная опухоль, которая вырастает в мышечном слое матки. С одной стороны, миома матки может ухудшить состояние здоровья женщины, но с другой – она больше не является однозначным показанием к удалению матки, как было раньше.

Существует мнение, что наличие миомы матки у женщины

Каждая третья-четвертая женщина репродуктивного возраста имеет миому матки.

После менопаузы миома возникает у 30–40% женщин.

практически обеспечивает ей бесплодие. Однако на самом деле множество женщин с миомами благополучно рожают детей.

Миома матки появляется в большинстве случаев в 30–40 лет. В последние годы заболевание стремительно молодеет. В 80–85% случаев у женщин появляется не одна, а сразу несколько миом. Часто миомы протекают абсолютно бессимптомно, и женщины могут не подозревать о своем заболевании.

размер живота больной женщины может соответствовать 3–4-му месяцу беременности.

Несмотря на то что современные возможности медицины позволяют вести беременность даже при наличии миомы матки, эта доброкачественная опухоль все же серьезно вредит здоровью женщины. В первую очередь миома вызывает нарушения менструального цикла. Во время менструации могут быть чрезмерно обильные кро-

Во многих случаях миомы протекают вместе с эндометриозом.

Миомы растут достаточно быстро. Около 5 лет требуется данной опухоли, чтобы достигнуть размеров, требующих ее удаления. Миома может расти не только внутрь матки, но и наружу, постепенно распространяясь в полость малого таза. При росте миома может деформировать матку, маточные трубы. Порой размеры миомы могут быть столь велики, что

вотечения, хотя иногда они, наоборот, бывают слишком скудными. Также при миоме могут быть боли в области малого таза, иногда — боли во время полового акта.

Нарушения менструального цикла, а также расположение разросшейся миомы в матке вносят серьезные проблемы в возможность зачатия ребенка и вынашивания беременности. Миомы

Существует мнение, что миома может перерастать в рак. Но на самом деле риск превращения данной опухоли в злокачественное новообразование крайне мал, а по мнению многих медицинских экспертов — вообще невозможен.

повышают риск внематочной беременности.

Миома, особенно вызывающая серьезные кровотечения, раньше рассматривалась как показание к удалению матки. Сейчас существуют более щадящие способы лечения миомы, которые не требуют удаления важного для женщин органа.

Причины

Пока что точную причину развития миомы матки ученым не удалось выяснить. Но врачи установили некоторые факторы, которые связаны с развитием этой болезни.

Гормональные нарушения серьезно повышают риск появления миомы матки. Сбой менструального цикла, болезни яичников, гипофиза и гипоталамуса, щитовидной железы, надпочечников, которые приводят к нарушениям выработки эстрогенов и прогестерона, могут способствовать развитию миомы. Также миома часто появляется при сахарном диабете, при длительном или бесконтрольном приеме оральных контрацептивов и других гормональных препаратов.

Существует теория, которая объясняет развитие миомы матки вследствие воспалительных заболеваний органов репродуктивной системы. Действительно, у женщин, страдающих от хронических гинекологических заболеваний, миома матки появляется чаще.

К факторам риска также относятся слишком раннее или позднее наступление менструаций – до 11 лет или позже 13 лет, отсутствие беременностей и родов до 30 лет или первые роды позже данного возраста, бесплодие, осложненные роды, аборты.

Существует и наследственная предрасположенность к развитию миомы матки. Если у матери или бабушки женщины была миома, с большой вероятностью она возникнет и у нее.

Также на развитие миомы могут влиять курение, злоупотребление алкоголем, хронические стрессы, инфекционные заболевания, несбалансированное питание, влияние плохой экологии.

Симптомы

При миоме матки часто появляются очень обильные кровотечения во время менструаций, удлинение менструального периода. Чрезмерная потеря крови в большинстве случаев приводит к развитию анемии.

Возникают и другие нарушения менструального цикла. Чаще всего колебания периодичности менструаций – такие изменения возникают у 40% женщин. Также

При наличии ожирения риск возникновения миомы матки возрастает в 2–3 раза.

возникает дисменорея – болезненные менструации. Иногда развивается нагрубание молочных желез.

У многих женщин, страдающих от миомы матки, возникают боли в области малого таза – тупые, тянущие, ноющие. Боли усиливаются при половом акте.

Из-за увеличения размеров матки сдавливаются окружающие ткани и органы. Появляются тяжесть внизу живота, запоры, вздутие живота, нарушения дефекации, нарушения мочеиспускания. При миоме матки женщина становится более предрасположенной к развитию заболеваний почек и кишечника.

Миома матки может нарушать проходимость маточных труб для сперматозоидов и яйцеклетки, мешать прикреплению к эндометрию матки оплодотворенной яйцеклетки или препятствовать нормальному формированию плода. Эти проблемы часто приводят к бесплодию, внематочной беременности.

Даже при нормально развивающейся беременности наличие миомы может спровоцировать выкидыш или преждевременную отслойку плаценты.

При развитии осложнения – перекруте ножки миомы – возможно развитие кровотечений, некроза тканей матки, что влечет за собой образование кист или общего воспалительного процесса.

Бывают случаи, когда миома матки не вызывает никаких симптомов и данное заболевание выявляется только при обследовании по поводу других проблем с органами репродуктивной системы.

Диагностика

Во время обследования по поводу миомы матки нужно исключить рак матки, эндометриоз и другие заболевания матки или яичников.

Для повышения точности диагностики женщинам важно вести календарь менструального цикла, отмечая в нем дни начала и окончания менструаций.

Диагностика миомы матки включает в себя следующие обследования:

- обследование у врача-гинеколога;
- взятие мазков из влагалища, цервикального канала шейки матки, уретры и их последующее исследование;
- общий и биохимический анализ крови;
- общий анализ мочи;
- анализ крови на инфекции, передающиеся половым путем;
- анализ крови на уровень гемоглобина;
- анализ крови на онкомаркеры;
- анализ крови на агрегацию тромбоцитов;
- УЗИ органов малого таза;
- КТ или МРТ органов малого таза;
- лапароскопическое исследование матки со взятием образцов ткани миомы и их последующим изучением;

• гистероскопия (исследование матки);

• гистеросальпингография (рентгенологическое исследование матки и маточных труб, при котором в них вводится рентгеноконтрастное вещество).

Лечение

В лечении миомы матки в зависимости от состояния матки, расположения миомы, возраста женщины и других факторов применяются как лекарственные препараты, так и различные виды хирургических вмешательств.

Лекарственная терапия не может полностью вылечить миому, но может затормозить ее рост или даже уменьшить ее в размерах.

При лечении часто используется гормональная терапия:

• оральные контрацептивы;
• агонисты гонадотропин-рилизинг гормона;
• производные андрогенов;
• антигестагенные препараты;
• гестагены.

Для уменьшения тазовых болей применяются нестероидные противовоспалительные препараты и седативные средства.

При сильных кровотечениях применяется транексамовая кислота.

Решение о хирургическом вмешательстве принимается в следующих случаях:

• бесплодие;
• невынашивание беременности;
• увеличение размеров матки соответствует 12-й неделе беременности и больше;
• сдавление увеличившейся маткой или миомой соседних органов и тканей;
• наличие очень обильных кровотечений;
• развитие анемии;
• некроз миомы;
• инфицирование миомы;
• наличие эндометриоза;
• наличие опухоли яичников.

При миоме матки используются различные виды хирургических вмешательств.

Наибольшее распространение получила ФУЗ-абляция — выпаривание узлов миомы с помощью фокусированного ультразвука высокой интенсивности. Но у этой процедуры есть ряд недостатков. Во-первых, существуют данные, что после такого лечения высок риск повторного возникновения миомы. Во-вторых, эту операцию не стоит проводить женщинам, желающим забеременеть.

Лучший эффект оказывает хирургическое удаление миомы, причем вход в матку может осуществляться через прокол в брюшной стенке (лапароскопический метод) или через влагалище (гистероскопический метод).

Еще один вариант лечения миомы матки — это эмболизация маточных артерий. То есть перекрывание кровотока по сосудам, которые питают миому. Катетер со специальным материалом для закупоривания вводится через бедренную артерию.

В крайних случаях проводится удаление матки — гистерэкомия. Раньше эту операцию при миоме выполняли всем женщинам в менопаузе. Считалось, что орган уже отслужил свое, беременностей больше не планируется, менструальный цикл прекращен, поэтому матку можно смело удалять. Однако исследования показали, что удаление матки серьезно повышает риск опущения стенок влагалища и прямой кишки, их выпадения, а также других осложнений. Поэтому в настоящее время удаления матки стараются избегать и проводят данную операцию только тогда, когда нет иного выхода.

При наличии сопутствующих эндокринных и гинекологических заболеваний, которые и могли спровоцировать развитие миомы, очень важно одновременно проводить их лечение.

Также важно ограничить физическую нагрузку, связанную с напряжением нижней части живота и подъемом тяжестей.

Во время лечения миомы матки необходимо посещать врача-гинеколога как минимум каждые 3 месяца. А после успешного лечения не забывайте посещать гинеколога каждые полгода и 1 раз в год проходить УЗИ органов малого таза для раннего выявления возможного рецидива миомы.

Профилактика

Поскольку точные причины развития миомы пока не установлены, трудно дать однозначные рекомендации профилактики данного заболевания. Но существенно снизить риск появления миомы матки можно.

Во-первых, следите за весом — наличие ожирения является одним из факторов риска.

Во-вторых, проводите профилактику и своевременно начинайте лечить гинекологические, эндокринные и инфекционные заболевания.

При наличии хронических эндокринных заболеваний, а также сахарного диабета важно держать заболевание под контролем и не допускать его прогрессирования.

В-третьих, следите за качеством половой жизни. Избегайте незащищенного секса, а также желательно вести регулярную половую жизнь с постоянным партнером. У женщин, родивших до 30 лет, риск миомы ниже, поэтому дан-

Помните, что при миоме матки нельзя применять никакие тепловые процедуры, поэтому не используйте горячие грелки, чтобы снизить боль внизу живота, не принимайте горячие ванны, не загорайте и не посещайте бани или сауны. Одновременно стоит избегать и переохлаждений.

ный факт тоже стоит взять во внимание.

В-четвертых, с осторожностью относитесь к приему гормональных препаратов – их необходимо принимать только по назначению врача и строго в указанной дозировке.

К сожалению, некоторые женщины сами «назначают» себе оральные контрацептивы, но подобная самоуверенность приводит только к нарушениям работы репродуктивной системы.

Следите за здоровьем репродуктивной системы. Посещайте врача-гинеколога для профилактического осмотра 1 раз в 6 месяцев, ежегодно проходите УЗИ органов малого таза.

Не курите и старайтесь избегать стрессов.

КИСТА ЯИЧНИКА

Киста яичника – это достаточно распространенная женская проблема, чаще всего появляющаяся в репродуктивном возрасте. Киста представляет собой опухолевое образование, которое имеет вид капсулы, заполненной жидким содержимым.

Появление кисты яичника может быть связано с нарушением процессов, протекающих при менструальном цикле. В яичниках содержится запас недозрелых яйцеклеток – фолликулов. Каждый менструальный цикл несколько фолликулов созревает под воздействием гормонов. Один из фолликулов становится особенно крупным. Он вскрывается, и из него выходит яйцеклетка, а на месте разорвавшегося фолликула возникает желтое тело. Это желтое тело имеет функцию железы, которая вырабатывает гормоны, необходимые для поддержания беременности. Если же оплодотворения яйцеклетки не происходит, то желтое тело через несколько дней исчезает, а у женщины развивается овуляция. Затем менструальный цикл повторяется заново.

При нарушениях в репродуктивной системе фолликул во время овуляции не разрывается и продолжает расти, превращаясь в кисту – ее называют фолликулярной.

Также киста может возникнуть из желтого тела, которое не рассосалось, как должно быть в норме.

Кисты яичников встречаются у 70–80% женщин.

Кисты желтого тела могут исчезать самостоятельно.

Есть еще один вид кисты яичника, параовариальная киста. Она прилегает вплотную к яичнику и часто прорастает в связки, поддерживающие придаток матки (яичник и маточную кисту), что может привести к их серьезной

Фолликулярные кисты часто сами рассасываются меньше чем за полгода.

деформации, а значит, и к риску внематочной беременности или к бесплодию. К сожалению, именно этот вид кисты часто появляется у женщин до 30 лет.

Если кисты считаются опухолевыми образованиями, то эндометриоидная киста, дермоидная киста и цистоаденома — являются доброкачественными опухолями яичников. Их также называют «кистомы».

Эндометриоидная киста развивается на фоне эндометриоза, и чаще всего от нее страдают нерожавшие женщины 20–40 лет. Причиной появления данной кисты являются нарушения баланса половых гормонов.

Дермоидная киста — достаточно редкая опухоль, которая возникает еще на этапе внутриутробного развития, то есть является врожденной. И она склонна к перерождению в злокачественную опухоль! Дермоидную кисту еще называют тератомой. Эта опухоль формируется из зародышевых клеток, назначение которых в формировании плода может быть совершенно разным, поэтому дермоидная киста может содержать в себе кости, зубы, волосы, ногти, мышцы или жировую ткань, а иногда даже сформировавшиеся части тела, например глаз или палец.

У женщин в предклимактерическом периоде и в менопаузе часто развивается цистоаденома. Ее папиллярный подвид часто перерождается в злокачественное образование. Эта опухоль может достигать гигантских размеров — до 50 сантиметров! Бывают случаи, когда вес удаленной цистоаденомы превышает 25 килограммов.

Есть и другие виды кист и кистом яичников, но они возникают достаточно редко.

Кисты яичников могут вызывать неприятные симптомы — тянущие боли внизу живота, тяжесть в области малого таза, боли во время полового акта. Но иногда они протекают, совершенно никак себя не проявляя, но тайно негативно влияя на состояние репродуктивной системы, вызывая ослабление функций яичников и бесплодие. Кроме того, как уже было сказано выше, всегда есть риск перерождения кисты яичника в раковую опухоль. Поэтому так важно регулярно проходить профилактические обследования.

Причины

Большую роль в возникновении кист яичника играют гормональные нарушения, которые оказывают влияние на баланс женских половых гормонов. Чрезмерно повышенный уровень эстрогенов может повлиять на развитие кисты яичника. Такие проблемы могут возникнуть при различных эндокринных заболеваниях: болезнях яичников, щитовидной железы, надпочечников, гипофиза и гипоталамуса. Гормональный сбой может возникнуть при ожирении, сахарном диабете, длительном или бесконтрольном приеме гормональных препаратов, в том числе и оральных контрацептивов, при большом стаже отсутствия половой жизни.

Существуют данные, что риск образования кист яичников повышается у женщин, не рожавших до 30 лет, а также у тех, кто по каким-либо причинам не осуществлял грудного вскармливания при наличии лактации. Слишком раннее начало менструаций (до 12 лет) тоже является фактором риска.

Повышается риск развития кист яичника и при климаксе, наступившем до 50 лет или позже 57 лет.

Предрасположенность к появлению кист яичников может быть наследственной.

Еще одна причина развития кист яичников — гинекологические заболевания воспалительной природы. Серьезно повышают риск эндометриоз и аднексит.

Повлиять на возникновение кист могут и хирургические операции на органах малого таза, аборты, осложненные роды, выкидыши.

Симптомы

Основные симптомы, которые вызывают кисты яичника, связаны с тем, что киста сдавливает окружающие ткани или органы. Может возникать ощущение тяжести внизу живота. Также появляются тянущие, распирающие, ноющие боли, которые отдают в лобок, промежность, в ногу или поясницу. Болевые ощущения часто усиливаются при физической нагрузке, например при поднятии тяжестей или прыжках, во время полового акта. При эндометриоидной кисте боли становятся более интенсивными во время менструаций.

Если киста давит на кишечник, могут возникать запоры и метеоризм. А при давлении кисты на мочевой пузырь появляются ложные учащенные позывы к мочеиспусканию или же реальное учащенное мочеиспускание.

Иногда кисты не вызывают неприятных симптомов, но все же оказывают негативное влияние на состояние репродуктивной системы, провоцируя нарушения менструального цикла, а также бесплодие. Сдавливая яичник, киста ухудшает его функции, а также нарушает циркуляцию крови, что приводит к постепенной атрофии данного органа. При деформации кистой яичника и маточной трубы также повышается риск внематочной беременности и сальпингита.

Кисты могут воспаляться из-за инфекций, проникших в них с кровотоком. В этом случае болевые ощущения усиливаются.

Есть риск разрыва кисты яичника. Это может произойти при ушибе области малого таза, при

Наиболее часто происходят разрывы эндометриоидной кисты и кисты желтого тела.

поднятии тяжестей, во время полового акта, при попытке дефекации во время запора и даже при кашле. Киста может разорваться и вследствие воспаления или своего роста.

При разрыве кисты возникают тяжелые осложнения, которые могут угрожать не только здоровью, но и жизни женщины. Если киста воспалилась и была наполнена гноем, то излитие такого содержимого в брюшную полость приведет к перитониту. Также может развиться внутреннее кровотечение.

Разрыв кисты проявляет себя сильной болью внизу живота, которая может отдавать в поясницу, в промежность или в задний проход. Это состояние сопровождают тошнота и рвота, головокружение, сильная слабость.

Есть и другое осложнение — перекрут яичника, который сопровождается резкой, сильной болью в месте поврежденного органа. Из-за тяжести кисты во время физической активности, например при прыжках или беге, яичник может прокрутиться вокруг своей оси, что приведет к нарушению его кровоснабжения, что может грозить отмиранием тканей яичника.

И разрыв кисты, и перекрут яичника являются неотложными состояниями, требующими незамедлительной госпитализации и проведения хирургического вмешательства.

Диагностика

При диагностике кисты яичника важно исключить наличие воспалительного процесса — аднексита и других гинекологических заболеваний. А также необходимо проверить кисту на возможную злокачественность образования.

Проводятся следующие обследования:

• обследование у врача-гинеколога;

• взятие мазков из влагалища, цервикального канала шейки матки и уретры и их последующее изучение;

• общий и биохимический анализы крови;

• анализ крови на уровень половых гормонов (эстрадиол, фолликулостимулирующий гормон, лютеинизирующий гормон, тестостерон);

• анализ крови на инфекции, передающиеся половым путем;

• анализ крови на онкомаркеры (СА 19–9, СА 125);

• анализ крови на С-реактивный белок;

• анализ крови на хорионический гонадотропин (для исключения внематочной беременности);

- УЗИ органов малого таза;
- МРТ или КТ яичника;
- пункционная биопсия кисты под контролем УЗИ с последующим гистологическим и микробиологическим изучением, а также исследованием на онкомаркер CA 125 полученного материала;
- лапароскопическое исследование яичника.

Лечение

В зависимости от размеров кисты, ее разновидности и степени ее негативного воздействия на репродуктивную систему выбирается метод лечения – он может осуществляться как с помощью лекарственных препаратов, так и с помощью хирургической операции. Кисты размером до 1 сантиметра наблюдают в динамике, не проводя терапию.

Фолликулярную кисту и кисту желтого тела также вначале оставляют под наблюдением – ведь эти доброкачественные образования могут исчезнуть самостоятельно менее чем за полгода.

При некоторых видах кист может быть назначена гормональная терапия. Она включает в себя:

- комбинированные оральные контрацептивы;
- препараты гестагенов.

Также назначаются витаминные препараты, в том числе витамины А и Е, витамины группы В.

Для уменьшения болевых ощущений могут быть назначены спазмолитики или нестероидные противовоспалительные препараты.

Если медикаментозное лечение не дает эффекта или неприемлемо при имеющемся виде кисты, используются хирургические операции.

Наиболее щадящим видом хирургического вмешательства является удаление кисты яичника (цистэктомия), выполняющееся лапароскопическим способом, то есть через небольшие проколы в брюшной стенке. Если же киста является слишком большой или есть высокий риск ее разрыва, операцию проводят открытым способом.

В некоторых случаях невозможно удалить только саму кисту, и тогда вместе с опухолевым образованием проводится частичное удаление тканей яичника (резекция). Если же и это сделать невозможно или же киста переродилась в злокачественное образование, то удаляется яичник целиком – такая операция называется «овариоэктомия».

При наличии кисты яичника нельзя применять тепловые процедуры – принимать горячие ванны, париться в бане или сауне, класть грелку на низ живота. Также необходимо избегать переохлаждений.

Запрещаются или ограничиваются нагрузки на мышцы пресса, подъем тяжестей, бег и прыжки, слишком активные действия во время полового акта.

Следите за менструальным циклом и при его нарушениях сразу обращайтесь к гинекологу.

Профилактика

Для снижения риска образования кисты яичника избегайте набора лишнего веса, проводите профилактику и своевременное лечение заболеваний эндокринной системы, не принимайте оральные контрацептивы и другие гормональные препараты без назначения врача.

Стоит также иметь в виду, что роды до 30 лет, кормление ребенка грудью до 6 месяцев и регулярная половая жизнь снижают риск развития некоторых видов кист.

Важно следить за здоровьем репродуктивной системы — применять барьерные методы контрацепции, своевременно лечить гинекологические заболевания, ежегодно сдавать анализ крови на инфекции, передаваемые половым путем, и проходить УЗИ органов малого таза. Не забывайте и о профилактических обследованиях у гинеколога каждые 6 месяцев.

Избегайте переохлаждений и защищайте себя от инфекционных заболеваний.

КОЛЬПИТ

Кольпит — это воспаление слизистой оболочки влагалища. Данная проблема очень распространена — более 70% женщин хотя бы раз в жизни сталкивались с этой болезнью. Заболевание также имеет и другое название: бактериальный вагинит. Кольпит вызывает ощущение жжения и зуда во влагалище, боли при половом акте, выделения из влагалища с неприятным запахом.

Микрофлора, обитающая на слизистой оболочке, выстилающей стенки влагалища, находится в определенном балансе. Кроме полезных микроорганизмов, например лактобактерий, в состав микрофлоры входят и условно-патогенные бактерии: стафилококки, стрептококки, грибки кандида, гарднереллы, микоплазмы, хламидии. Рост их численности сдерживается полезными микроорганизмами, поэтому в норме, даже при присутствии в микрофлоре влагалища условно-патогенных бактерий, воспаление не развивается.

Если же на репродуктивную систему или весь организм в общем начинает воздействовать какой-либо негативный фактор, то баланс микрофлоры нарушается и возникает воспаление, то есть кольпит. Негативными факторами являются переохлаждение, общие инфекционные заболевания, прием антибиотиков, гинекологические болезни, гормональные на-

Кольпит входит в тройку самых распространенных гинекологических заболеваний.

рушения, заболевания эндокринной системы и некоторые другие. Кольпиты такого рода называются неспецифическими.

При кольпите всегда существует вероятность распространения воспалительного процесса на другие органы репродуктивной системы: шейку матки, матку, маточные трубы и яичники. Воспаление может вызывать гнойные процессы, нарушения менструального цикла, возникновение спаек, нарушения репродуктивной функции вплоть до бесплодия.

Причины

Одной из частых причин кольпита являются нарушения гормонального фона. Снижение количества эстрогенов провоцирует уменьшение в составе микрофлоры влагалища полезных лактобактерий, которые сдерживают рост условно-патогенной микрофлоры.

Данное заболевание нередко возникает во время беременности, в период менопаузы, после абортов или на фоне неправильно подобранной гормональной тера-

Инфекции, передающиеся половым путем, также могут вызвать кольпит, который называют специфическим. Такими инфекционными возбудителями являются, например, трихомонады или гонококки.

Бывает так, что кольпит проходит самостоятельно, но это не значит, что болезнь была излечена. При малейшем воздействии негативного фактора воспаление будет возникать снова и снова, нанося все больший урон репродуктивной системе. Те же проблемы могут возникнуть, если женщина обратилась к врачу, но не стала полностью завершать весь курс назначенных препаратов – инфекция может стать устойчивой к лекарству, и в дальнейшем кольпит будет сложнее вылечить.

пии, в том числе и оральных контрацептивов. Также могут повлиять ожирение, заболевания яичников, болезни щитовидной железы, заболевания гипофиза и гипоталамуса, болезни надпочечников. Часто кольпит беспокоит женщин, страдающих от сахарного диабета.

Баланс микрофлоры влагалища может нарушиться при наличии других воспалительных гинекологических заболеваний – аднексита, эндометрита, бартолинита.

Вызвать кольпит могут инфекции, передающиеся половым

путем, — гонококки, которые вызывают гонорею, трихомонады, уреаплазмы, вирус герпеса.

Также кольпит может возникнуть при различных изменениях слизистой оболочки влагалища. Нарушения кровообращения в области малого таза могут привести к атрофическим процессам в слизистой оболочке влагалища, а это в свою очередь вызовет нарушение баланса микрофлоры. Постоянные спринцевания, применение различных «народных» средств могут привести не только к пересушиванию слизистой оболочки влагалища, но и к ее химическому ожогу! На этом фоне обязательно разовьется кольпит. Также данное заболевание может возникнуть при ненадлежащей гигиене половых органов, при слишком редкой смене гигиенических тампонов во время менструаций.

Повреждения слизистой оболочки влагалища во время слишком интенсивного полового акта, использования секс-игрушек, при отягощенных родах, хирургических манипуляциях тоже могут вызвать кольпит.

Спровоцировать развитие кольпита могут аллергические реакции. В первую очередь это аллергические реакции на средства для интимного ухода, на материалы, из которых изготовлено нижнее белье, на гигиенические прокладки или тампоны, на вагинальные лекарственные средства.

Также факторами, провоцирующими развитие кольпита, являются переохлаждения, общие инфекционные заболевания, гиповитаминозы, обострения хронических заболеваний, хронические стрессы, снижение иммунитета.

Отдельно можно выделить длительный или бесконтрольный прием антибиотиков — он нарушает баланс микрофлоры влагалища и часто провоцирует размножение грибков кандида.

Симптомы

В некоторых случаях кольпит может практически никак себя не проявлять. Но чаще всего имеет яркие симптомы.

Из влагалища появляются выделения с неприятным запахом, в некоторых случаях пенистые. Они могут быть слизистыми или молочного, зеленоватого или желтоватого цвета.

Во влагалище ощущается дискомфорт, зуд, жжение. При поло-

Во время менопаузы или при гормональных нарушениях может снизиться продукция вагинальной смазки, что повышает риск травмирования слизистой оболочки влагалища при половом акте. При данной проблеме рекомендуется использование искусственной смазки — лубриканта.

вом акте может возникать боль. Если воспаление достаточно серьезное, то могут появляться боли внизу живота.

При запущенном кольпите воспаление может распространиться на шейку матки, матку, маточные трубы и яичники, еще больше усугубляя проблему. Такое воспаление может вызвать нарушения менструального цикла, спайки, бесплодие.

Диагностика

При кольпите важно выяснить, какая именно инфекция вызвала воспаление, а также какой негативный фактор спровоцировал нарушение баланса микрофлоры влагалища.

Выполняются следующие исследования:

• обследование у врача-гинеколога;

• взятие мазков из влагалища, цервикального канала шейки матки и уретры и их последующее изучение;

• общий и биохимический анализы крови;

• общий анализ мочи;

• анализ крови на инфекции, передающиеся половым путем;

• анализ крови на уровень эстрогенов;

• анализ крови на уровень гормонов щитовидной железы;

• УЗИ органов малого таза;

• кольпоскопия (исследование слизистой оболочки влагалища).

Лечение

При кольпите используются различные лекарственные препараты. Помните, что если кольпит был вызван инфекцией, передаваемой половым путем, то лечение должны одновременно проходить оба половых партнера.

Для уничтожения инфекционного возбудителя применяются:

• системные антибактериальные препараты;

• препараты в вагинальных свечах или таблетках;

• противогрибковые препараты;

• противовирусные препараты.

Для орошения влагалища используются отвары календулы или ромашки.

При запущенном кольпите назначается физиотерапевтическая процедура — облучение влагалища ультрафиолетом. Данный метод помогает в уничтожении инфекционных возбудителей и обладает противовоспалительным эффектом.

Для восстановления нормальной микрофлоры влагалища применяются специальные влагалищные гели или вагинальные капсулы, содержащие лактобактерии. Также используются препараты лактобактерий и бифидобактерий в виде капсул, порошков и таблеток для приема внутрь.

Во время лечения кольпита тщательно следите за интимной гигиеной, носите только белье из хлопка. При менструации не используйте гигиенические тампоны, применяйте только прокладки! От половых контактов во время лечения лучше воздержаться до полного выздоровления.

Если кольпит был спровоцирован гормональными нарушениями вследствие эндокринных патологий, то важно заняться лечением и этих заболеваний. То же самое относится и к сопутствующим гинекологическим болезням.

Профилактика

Чтобы защитить себя от возникновения кольпита, важно проводить профилактику заболеваний, передаваемых половым путем. Избегайте беспорядочных половых связей, пользуйтесь барьерными методами контрацепции.

Снижайте риск воздействия различных негативных факторов. Избегайте переохлаждений: не сидите на холодном, не носите короткие куртки и юбки в холодную погоду, переодевайтесь в сухое белье сразу же после купания. Носите нижнее белье из натуральных материалов, не пользуйтесь сомнительными, слишком дешевыми средствами для интимной гигиены. Не делайте спринцеваний без назначения врача и не подмывайте влагалище с помощью мыла. Избегайте травмирования слизистой оболочки влагалища.

При наличии гинекологических и эндокринных заболеваний важно вовремя начать их лечение. При хронических эндокринных патологиях нужно следить, чтобы не возникали обострения или прогрессирование болезни.

Поскольку длительный прием антибиотиков может вызвать кольпит, нельзя принимать эти препараты без назначения врача, а во время приема по назначению стоит дополнительно применять препараты для профилактики грибковой инфекции.

Чтобы своевременно выявить заболевания органов репродуктивной системы, важно посещать врача-гинеколога 1 раз в 6 месяцев и делать УЗИ органов малого таза 1 раз в год.

Женщинам в менопаузе при сухости влагалища необходимо получить консультации врача-гинеколога и врача-эндокринолога насчет применения заместительной терапии гормональными препаратами.

БАРТОЛИНИТ

У входа во влагалище, около больших половых губ располагается парный орган – бартолинова железа. Ее воспаление называется бартолинитом. Это заболевание достаточно часто появляется у женщин, чаще всего в репродуктивном возрасте.

Чаще всего от бартолинита страдают женщины от 20 до 45 лет.

Бартолинова железа через свои протоки, выходящие рядом с влагалищем, выделяет секрет, который защищает слизистую оболочку влагалища от пересыхания. Этот секрет выделяется активнее во время полового возбуждения. Через выводные протоки в бартолинову железу может проникнуть инфекция – так и возникает воспаление.

Сначала поражается проток, а затем поражается и сама бартолинова железа. Из-за воспалительного процесса проток отекает, сужается, что приводит к нарушению оттока секрета бартолиновой железы. Из-за скопления секрета возникает увеличение железы в размерах, кожа над железой краснеет, а содержимое железы может стать гнойным – развивается абсцесс. Воспаление вызывает сильную боль. Если абсцесс вскрывается и гнойное содержимое вытекает, то состояние больной женщины облегчается. Но в том случае, если гнойное воспаление продолжается, может произойти расплавление стенок железы, попадание гнойного содержимого в кровь с развитием общего сепсиса.

Во многих случаях бартолинит вызывается инфекциями, передаваемыми половым путем, также развитие данного заболевания может спровоцировать плохая гигиена.

Причины

Наиболее частой причиной развития бартолинита являются инфекции, передающиеся половым путем: гонококки, трихомонады, хламидии, микоплазмы.

Бартолинит может вызвать и условно-патогенная микрофлора, которая может находиться в теле человека, например стрептококки, стафилококки, кишечная палочка. Во многих случаях данные возбудители попадают в протоки бартолиновой железы при плохой гигиене, анальном сексе, а также при неправильном подмывании (от ануса в сторону влагалища).

Также бартолинит могут вызвать грибки кандида. В редких случаях инфекция может попасть в бартолинову железу с током крови или лимфы из хронических очагов инфекции, например при аднексите, пиелонефрите, тонзиллите или даже гайморите. Иногда инфекция

Бартолинит может иметь хроническую форму — воспаление железы с формированием и вскрытием абсцесса повторяется снова и снова.

попадает в выводные протоки бартолиновой железы при расчесах, травмировании кожи в области входа во влагалище.

Риск развития бартолинита повышает снижение иммунитета, которое может развиться на фоне переохлаждения, общих инфекционных и различных хронических заболеваний, приеме иммунодепрессантов.

Симптомы

При воспалении выводного протока бартолиновой железы (каналикулите) возникают покраснение и отечность слизистой оболочки рядом с выходом протока, красное пятнышко вокруг устья протока, горячее на ощупь. Если нажать на бартолинову железу, из устья изливается гной. Появляется дискомфорт или боль в области протока, которая усиливается при ходьбе, при половом акте.

Позже, при закупорке протока, увеличивается в размерах бартолинова железа из-за скопления в ней секрета, который при воспалении становится гнойным. Такое состояние называется абсцессом. Увеличение бартолиновой железы явно различимо и на ощупь, и визуально — в некоторых случаях она может целиком закрыть вход во влагалище. Малые и большие губы отекают, область над железой краснеет и становится горячей на ощупь. Часто развиваются симптомы общей интоксикации: повышение температуры тела, озноб, слабость, головные и мышечно-суставные боли.

Возникают сильные боли в области бартолиновой железы, которые усиливаются при нажатии, половом акте, ходьбе. В покое в области бартолиновой железы появляются пульсирующие боли.

Абсцесс может вскрыться самостоятельно, и тогда симптомы облегчаются. При развитии хронической формы абсцесс постоянно то возникает, то вскрывается, в месте бартолиновой железы формируется киста.

Абсцесс бартолиновой железы может привести к гнойному расплавлению данного органа, к распространению инфекции с током крови и развитию воспалений других внутренних органов.

Диагностика

В первую очередь при бартолините важно установить инфекционного возбудителя, вызвавшего воспаление.

Диагностика бартолинита включает в себя следующие обследования:

- обследование у врача-гинеколога;
- взятие мазков из влагалища, цервикального канала шейки матки и уретры и их последующее изучение;
- взятие пробы выделений из канала бартолиновой железы и ее последующее изучение;
- общий и биохимический анализы крови;

- анализ крови на С-реактивный белок;
- анализ крови на инфекции, передающиеся половым путем;
- анализ крови на вирусные гепатиты;
- общий анализ мочи;
- УЗИ органов малого таза;
- кольпоскопия (исследование слизистой оболочки влагалища).

Лечение

На начальном этапе бартолинит лечат только с помощью лекарственных препаратов.

Для борьбы с инфекционными возбудителями и воспалением применяются следующие средства:

- антибактериальные препараты;
- противомикробные препараты;
- противопротозойные препараты;
- противогрибковые препараты;
- наружные антисептики;
- нестероидные противовоспалительные средства;
- вагинальные антибактериальные и противомикробные препараты.

В том случае, если абсцесс не вскрывается самостоятельно или бартолинит перешел в хроническую форму, возникает необходимость в проведении хирургической операции.

Абсцесс бартолиновой кисты вскрывают, выкачивают гнойное содержимое и промывают полость железы антисептическим раствором.

При наличии кисты бартолиновой железы ее разрезают, а ее края подшивают к слизистой оболочке.

Во время лечения бартолинита нельзя принимать горячие ванны, посещать бани или сауны, прикладывать горячую грелку к половым органам. Также важно избегать переохлаждений.

Нужно носить нижнее белье из хлопка и менять его ежедневно. Следует воздержаться от половых контактов.

Ежедневно подмывайтесь и обрабатывайте область пораженной железы антисептическим раствором.

Профилактика

Чтобы защититься от появления бартолинита, избегайте беспорядочных половых контактов, используйте барьерные средства контрацепции.

Старайтесь не допускать снижения иммунитета, переохлаждений,

Ни в коем случае не пытайтесь выдавить гной или вскрыть бартолинову железу самостоятельно — это может привести к попаданию инфекции в кровоток!

Занесение инфекции от ануса к влагалищу также происходит при ношении трусиков-стрингов.

обстрений хронических заболеваний.

Следите за личной гигиеной, не подмывайтесь, направляя руку от ануса к влагалищу.

Вовремя лечите гинекологические заболевания и проходите профилактические обследования у врача-гинеколога 1 раз в полгода. Ежегодно сдавайте анализы на инфекции, передающиеся половым путем.

ЭРОЗИЯ ШЕЙКИ МАТКИ

Эрозией шейки матки называется доброкачественный процесс нарушения целостности слизистой оболочки шейки матки. Данное заболевание также называют эктопией шейки матки.

Шейка матки – это нижняя, выступающая во влагалище часть матки. В ней, соединяя влагалище и полость матки, проходит цервикальный канал. Влагалищную часть шейки матки и стенки цервикального канала сверху выстилают разные виды клеток: шейку матки – многослойный плоский эпителий, цервикальный канал – цилиндрические клетки. Кислотная среда влагалища и цервикального канала также разная, и выстилающие клетки приспособлены именно к конкретному уровню кислотности. В некоторых случаях цилиндрические клетки цервикального канала распространяются и на поверхность шейки матки или же вовсе начинают замещать многослойный плоский эпителий шейки матки. Но тогда они начинают подвергаться воздействию более кислой среды влагалища. Из-за этого цилиндрические клетки воспаляются, их слой разрушается – появляется эрозия, также возникают небольшие язвочки.

Эрозия шейки матки чаще всего протекает бессимптомно, иногда может лишь проявлять себя незначительными кровянистыми выделениями после полового акта, процесса дефекации при запоре, а также во время овуляции, когда шейка матки размягчается под воздействием гормонов.

Несмотря на то что эрозия в большинстве случаев никак не проявляет себя, важно своевременно диагностировать данное заболевание и начать его лечение. Эрозия шейки матки повышает

Эрозия шейки матки возникает более чем у 50% женщин репродуктивного возраста.

Эрозия шейки матки не появляется у женщин после 40–45 лет.

риск проникновения инфекции в органы репродуктивной системы, ухудшает проникновение сперматозоидов по цервикальному каналу в матку, что может привести к бесплодию. При длительном течении эрозия шейки матки может перерасти в дисплазию — предраковое состояние.

От эрозии шейки матки чаще всего страдают молодые женщины репродуктивного возраста. Иногда эрозия появляется даже у маленьких девочек.

Причины

Одной из наиболее распространенных причин появления эрозии шейки матки являются инфекции, передающиеся половым путем. Часто эрозия развивается на фоне вируса герпеса, микоплазмоза, хламидиоза, вируса папилломы человека, уреаплазмоза, трихомониаза, гонореи, цитомегаловируса.

Второй распространенной причиной являются гинекологические заболевания воспалительного характера — кольпит, бартолинит, аднексит, эндометрит. Часто развитие эрозии шейки матки провоцирует кандидоз влагалища (кандидозный вульвовагинит). Также эрозия может развиться из-за дисбактериоза влагалища, возникшего на фоне длительного приема антибиотиков.

Снижение иммунитета при общих инфекционных заболеваниях, травмах, хронических заболеваниях тоже может вызвать дисбактериоз влагалища и развитие эрозии шейки матки.

Травмы шейки матки при слишком интенсивном половом акте, при диагностических и хирургических манипуляциях, при осложненных родах, абортах тоже могут положить начало эрозивному процессу.

Эрозия шейки матки может появиться вследствие аллергической реакции на материалы гигиенических тампонов или прокладок, средства интимной гигиены или контрацепции, на синтетическое нижнее белье.

Гормональные нарушения тоже могут способствовать развитию эрозии шейки матки. Это может произойти при эндокринных заболеваниях, а также во время полового созревания, развития беременности. Прием неправильно

Некоторые женщины сами «зарабатывают» себе эрозию, увлекаясь спринцеванием, которое провоцирует дисбактериоз влагалища.

Замечено, что слишком раннее или слишком позднее начало половой жизни повышает риск развития эрозии шейки матки.

подобранных оральных контрацептивов тоже влияет на возникновение эрозии.

Симптомы

У большинства женщин эрозия шейки матки вообще не проявляет себя. Но также могут возникать и некоторые симптомы.

После интенсивного полового акта, длительного натуживания во время дефекации при запоре могут появиться выделения в виде кровянистых нитей или коричневой «мазни». Также могут возникать слизисто-гнойные выделения.

При крупной эрозии могут появляться боли во время полового акта.

Диагностика

Поскольку эрозия шейки матки часто протекает бессимптомно, очень важна регулярная профилактическая диагностика у врача-гинеколога с проведением гинекологического осмотра.

При диагностике эрозии шейки матки проводятся следующие обследования:

- обследование у врача-гинеколога;
- взятие мазков из влагалища, цервикального канала шейки матки и уретры и их последующее изучение;
- общий и биохимический анализы крови;
- анализ крови на С-реактивный белок;
- анализ крови на инфекции, передающиеся половым путем;
- ПАП-тест (для исключения рака шейки матки);
- общий анализ мочи;
- УЗИ органов малого таза;
- кольпоскопия (исследование слизистой оболочки влагалища и шейки матки).

Лечение

При лечении эрозии шейки матки сначала производится уничтожение инфекционного возбудителя, снятие воспалительного процесса. Для этого применяются следующие лекарственные препараты:

- антибактериальные препараты широкого спектра действия;
- противопротозойные препараты;
- противовирусные препараты, в том числе антигерпетические;
- иммуномодуляторы;
- нестероидные противовоспалительные препараты;
- антибактериальные и противомикробные вагинальные препараты;

• антисептические растворы для орошения влагалища.

В настоящее время в гинекологии был изменен подход относительно обязательного прижигания эрозии шейки матки, как было ранее. Сейчас считается, что женщинам, планирующим беременность, с небольшими эрозиями прижигание проводить не стоит, поскольку после него на шейке матки образуется рубец, который может осложнять процессы зачатия и родов. В этом случае проводится динамическое наблюдение за эрозией шейки матки с ежегодным взятием соскоба.

В том случае, если эрозия находится в состоянии, позволяющем подозревать скорый переход в предраковое состояние, при появлении неприятных симптомов, а также женщинам, больше не планирующим беременность, выполняется прижигание эрозии шейки матки.

Прижигание может выполняться разными способами.

• Химическая коагуляция — прижигание выполняется с помощью препаратов с кислотами. При данном виде прижигания тяжело контролировать глубину прижигания, поэтому может возникнуть ожог слизистой оболочки шейки матки и влагалища.

• Криодеструкция — прижигание выполняется с помощью жидкого азота. Такой вид прижигания безболезненный и не вызывает кровотечения, но во время данной процедуры трудно контролировать глубину прижигания, что может привести либо к необходимости повторного проведения процедуры, либо к выжиганию глубоких и здоровых тканей шейки матки.

• Диатермокоагуляция — прижигание выполняется с помощью электрического тока. Такой вид прижигания сейчас используется редко, поскольку после него на шейке матки остается сильный рубец, возможно возникновение сужения устья цервикального канала. Также имеется риск кровотечений.

• Лазерная коагуляция — прижигание выполняется с помощью лазера. Данный метод наиболее щадящий и эффективный, его можно применять даже для лечения эрозии шейки матки у нерожавших женщин. Заживление после лазерной коагуляции происходит достаточно быстро.

• Радиохирургическое лечение эрозии шейки матки — прижигание выполняется с помощью сверхчастотного электромагнитного поля. Достаточно щадящий метод. Заживление также происходит довольно быстро.

При слишком обширной эрозии или угрозе перерождения ее в рак шейки матки выполняется хирургическое вмешательство, в ходе которого удаляется либо часть шейки матки, либо вся шейка матки. Также при необходимости применяется пластика шейки матки.

Профилактика

Профилактика эрозии шейки матки включает в себя защиту от инфекционных возбудителей, передающихся половым путем. Для этого следует избегать беспорядочных половых связей, пользоваться барьерными методами контрацепции.

Ежегодно стоит сдавать анализ крови на инфекции, передающиеся половым путем.

Важно следить за здоровьем репродуктивной системы. Посещайте врача-гинеколога для профилактического осмотра 1 раз в 6 месяцев. Своевременно лечите гинекологические заболевания.

Старайтесь не допускать снижения иммунитета, переохлаждений, обострений хронических заболеваний.

Не носите нижнее белье из некачественных тканей, избегайте травмирования влагалища и шейки матки.

МАСТОПАТИЯ

Данное заболевание также называют кистозно-фиброзной болезнью, или фиброаденоматозом. Мастопатия является доброкачественным состоянием, при котором железистая ткань молочной железы начинает разрастаться. Это заболевание широко распространено – его имеют более 50% всех женщин.

Чаще всего мастопатия появляется в 45 лет, но может развиться и в промежутке от 30 до 55 лет. Данное заболевание может затронуть как одну, так и обе груди.

Хотя многие женщины считают увеличение груди даже приятным эффектом, мастопатия может привести к проблемам в молочных железах. Разросшаяся железистая ткань молочной железы начинает сдавливать нервные окончания, ухудшает циркуляцию крови в молочных железах.

Железистая ткань молочной железы является гормонозависимой. Сбой гормонального фона служит причиной развития мастопатии. Также под влиянием гормонов при мастопатии железистая ткань увеличивается и уплотняется где-то за неделю до наступления менструаций – грудь кажется разбухшей, тяжелой, плотной на ощупь, появляются болевые ощущения.

Существует две формы мастопатии – диффузная и узловая. При узловой форме разрастание железистой ткани сопровождается образованием плотных узлов, при диффузной форме узлы не появляются. При узловой форме могут возникать такие образования,

С тем или иным заболеванием молочной железы сталкиваются в своей жизни до 45% всех женщин.

Мастопатия повышает риск развития кист и онкологических заболеваний молочных желез.

как внутрипротоковая папиллома и филлоидная фиброаденома, кисты молочной железы – эти опухоли имеют вероятность перерождения в злокачественные новообразования.

При мастопатии очень важно регулярно проходить обследования молочных желез – до 40 лет нужно делать УЗИ, а после 40 – маммографию.

Причины

В большинстве случаев мастопатия развивается из-за гормонального дисбаланса, при котором повышается уровень эстрогенов.

Такие нарушения могут быть связаны с заболеваниями эндокринной системы. Поликистоз яичников, заболевания щитовидной железы, заболевания надпочечников, болезни гипофиза и гипоталамуса могут вызвать развитие мастопатии.

Опухоли яичников могут спровоцировать появление мастопатии. Также патологическое разрастание железистой ткани молочных желез может возникнуть при опухолях, которые продуцируют эстрогены.

Нарушения обмена веществ, такие как метаболический синдром, ожирение и сахарный диабет, могут вызвать появление мастопатии.

Гормональный сбой может возникнуть и из-за различных гинекологических заболеваний – аднексита, эндометриоза, эндометрита, миомы матки. Часто мастопатией сопровождаются нарушения менструального цикла.

Также гормональный дисбаланс может возникнуть при заболеваниях печени.

Риск развития мастопатии повышают отсутствие родов до 30 лет, первые роды в возрасте старше 30 лет, аборты, выкидыши, отказ от кормления грудью или кормление менее 5 месяцев.

Травмы груди, ношение слишком тугих бюстгальтеров повышают риск развития мастопатии.

Факторами риска к развитию мастопатии являются физическое перенапряжение, хронические

Часто женщины избегают маммографии, потому что считают, будто бы рентгеновское излучение может негативно отразиться на здоровье и даже вызвать рак. На самом деле доза излучения при маммографии столь мала, что процедуру можно делать несколько раз в месяц, не опасаясь за состояние организма.

Гормональный дисбаланс и развитие мастопатии могут возникнуть при длительном или бесконтрольном приеме гормональных препаратов, в том числе оральных контрацептивов.

стрессы, тяжелые заболевания, курение, злоупотребление алкоголем.

К появлению мастопатии также есть наследственная предрасположенность. Если у мамы или бабушки женщины была мастопатия, то риск развития мастопатии повышается.

Симптомы

В начале развития заболевания может возникать только увеличение молочных желез без появления других симптомов.

Проявлением мастопатии является появление симптомов со стороны молочных желез за 5–7 дней до начала менструаций. Молочные железы, пораженные мастопатией, набухают, уплотняются. В них развивается ощущение тяжести и дискомфорта. Могут появляться дергающие, тянущие или пульсирующие боли, которые часто отдают в плечо или в подмышку. Также боль может отдавать в шею, лопатку, грудную клетку (как бы в основание молочной железы). Как правило, боль и дискомфортные ощущения затухают ко второму дню менструаций.

Иногда симптомы со стороны молочных желез не зависят от менструального цикла и присутствуют постоянно. В некоторых случаях могут появляться прозрачные, молочные или даже кровянистые выделения из сосков.

Узловая форма мастопатии проявляется образованием цилиндрических или округлых уплотнений, подвижных и не спаянных с кожей. В редких случаях узлы образуются столь большие, что это приводит к деформации формы груди.

При мастопатии может возникать осложнение – галактофорит, то есть воспаление протока молочной железы. По сути, это одна из форм мастита. Галактофорит проявляется покраснением кожи рядом с воспаленным протоком, повышением температуры тела, сильными болями в молочной железе.

Диагностика

При диагностике мастопатии, особенно узловой ее формы, очень важно исключить злокачественные процессы в молочной железе. Обследование начинается у врача-маммолога, который тщательно ощупает молочные железы и близкорасположенные лимфатические узлы. Также проводится тщательное исследование гормонального фона и поиск возможных эндокринных нарушений. Собирается история беременностей и родов женщины, изучается наличие у нее хронических заболеваний.

Диагностика мастопатии включает в себя следующие обследования:

- обследование у врача-маммолога;
- УЗИ молочной железы;
- маммография;
- общий и биохимический анализы крови;
- анализ крови на уровень половых гормонов;
- анализ крови на уровень гормонов щитовидной железы;
- анализ крови на онкомаркеры;
- дуктография (рентгенологическое исследование протоков молочной железы с введением контрастного вещества);
- МРТ молочной железы (проводится при подозрении на злокачественное новообразование);
- пункционная биопсия молочной железы (проводится при подозрении на злокачественное новообразование);
- допплеросонография молочной железы (исследуется кровообращение внутри молочной железы);
- радиотермометрия (исследование температуры внутри молочной железы для выявления воспалительных процессов и злокачественных новообразований).

Для выявления эндокринных патологий также могут назначаться:

- УЗИ щитовидной железы;
- УЗИ органов малого таза;
- УЗИ надпочечников;
- анализ крови на уровень гормонов надпочечников.

Лечение

В большинстве случаев для уменьшения симптомов мастопатии используются лекарственные препараты. В том числе используется гормональная терапия для нормализации уровня гормонов и торможения разрастания железистой ткани молочной железы.

При узловой форме может потребоваться хирургическое лечение, если существует подозрение, что опухолевое образование может переродиться в злокачественную форму.

Применяются следующие лекарственные препараты:

- дофаминомиметики;
- гестагены;
- антиэстрогены;
- аналоги гонадотропин-рилизинг гормона;
- препараты йода;
- растительные препараты, например экстракт плодов прутняка, кактуса, ламинарии, ириса;
- витаминные препараты.

Хирургическое вмешательство выполняется строго по показаниям и учитывая возраст больной, поскольку послеоперационный рубец может нарушить лактацию. Поэтому к хирургическим вмешательствам прибегают у женщин ближе к менопаузе, а также в том случае, если опухоль сильно беспокоит или может переродиться в рак молочной железы.

При наличии кист может проводиться процедура склеротерапии, при которой в кисту вводится специальный препарат, склеивающий кисту и вызывающий ее зарастание. Также может проводиться пункция кисты с выкачиванием из нее жидкого содержимого. Иногда после выкачивания жидкости объем заполняется газом.

Если опухоль вызывает подозрения, может проводиться секторальная резекция, при которой удаляется часть молочной железы вместе с опухолевым образованием.

Женщинам с мастопатией важно проводить каждый месяц самообследование молочных желез. Выполнять его лучше в первые два-три дня после окончания менструаций, а в менопаузе — в любой выбранный день месяца.

Самообследование молочных желез.

- Встаньте перед зеркалом и осмотрите молочные железы — нет ли асимметрии, разного расположения сосков, усиления пигментации на одной из ареол, нет ли изменения состояния кожи, впадин или выпуклостей на коже, втяжения сосков. Проведите такой же осмотр с поднятыми вверх руками, с руками на поясе и напряжении грудных мышц.
- Зажмите поочередно соски и посмотрите, нет ли выделений из них.
- Лежа на спине, подложите одну руку под голову и ощупайте молочную железу с этой стороны. Подушечками пальцев прощупайте грудь по кругу (кругами, расходящимися от соска к грудной клетке, и наоборот) и линиями от соска к грудной клетке.
- Проведите такое же ощупывание груди в положении стоя, лучше — во время принятия душа, чтобы пальцы лучше скользили.

При обнаружении уплотнений, изменения состояния кожи или сосков, выделений из сосков — незамедлительно обратитесь к врачу-маммологу.

При мастопатии также нельзя перегревать и переохлаждать грудь, старайтесь защищать ее от травм.

Профилактика

Для профилактики мастопатии не набирайте лишний вес, своевременно лечите гинекологические и эндокринные заболевания.

Стоит отказаться от курения и злоупотребления алкоголем. Старайтесь избегать стрессов, чрезмерных физических нагрузок.

Ведите регулярную половую жизнь. Первые роды желательно должны быть до 30 лет. При рождении ребенка по возможности кормите его грудью не менее 6 месяцев.

Не забывайте о регулярных профилактических обследованиях молочных желез.

ЦИСТИТ

Цистит, то есть воспаление мочевого пузыря, поистине можно назвать женским заболеванием. Ведь у мужчин оно возникает крайне редко из-за особенностей строения мочеполовой системы, а именно из-за более длинного, чем у женщин, мочеиспускательного канала – инфекции труднее пробраться в мочевой пузырь.

Каждая третья представительница прекрасного пола хотя бы раз в жизни страдала от цистита и не понаслышке знает о мучительной острой боли во время учащенного мочеиспускания или ложных позывов.

Чаще всего цистит вызывается инфекцией, причем, попав в мочевой пузырь, она может не вызвать сразу воспаление, а остаться в «дремлющей» форме. Однако воздействие любого негативного фактора, например переохлаждения, может активизировать ее. Если цистит не лечить правильно, то воспаление будет то угасать, то появляться вновь, мучая женщину годами.

Причины

Большинство случаев цистита вызывается бактериальной инфекцией. Часто это кишечная палочка, которая проникает в мочевой пузырь при плохой гигиене, неправильном подмывании, половом акте с анальным сексом. Виновником цистита могут стать и трусики-стринги – их тонкая перемычка во время ходьбы сдвигается от анального отверстия к влагалищу, перенося инфекцию.

Развитие цистита также могут спровоцировать стафилококки, стрептококки, протеи, энтерококки, клебсиеллы. Эти бактерии могут проникнуть в мочевой пузырь не только через мочеиспускательный канал, но и нисходящим путем из почек или с током крови из хронических очагов инфекции, которые возникают при аднексите, гайморите, тонзиллите, пневмонии и некоторых других болезнях.

Еще одной бактериальной причиной цистита могут быть инфекции, передающиеся половым путем, например микоплазмы, хламидии, гонококки.

Иногда цистит может вызвать грибковая инфекция – кандидоз.

Провоцирующим цистит фактором, создающим благоприятный фон для размножения бактерий, является застой мочи, длительная задержка опорожнения мочевого пузыря. Вот почему опорожнять мочевой пузырь нужно в ближайшее время после возникновения позывов, а не терпеть до последнего.

Хронический цистит беспокоит до 10–15% всех женщин.

Также факторами риска являются переохлаждение, ношение тесного нижнего белья или брюк и юбок, сидячая работа, малоподвижный образ жизни, острые заболевания или обострения хронических болезней. Развитие цистита могут спровоцировать аллергические реакции, гормональные нарушения, дефицит витаминов или даже обычный стресс.

В редких случаях цистит может быть вызван неинфекционными причинами – при физическом или химическом повреждении слизистой оболочки мочевого пузыря. Так может произойти при катетеризации мочевого пузыря, при прохождении камня из почки. Повредить слизистую оболочку могут некоторые лекарственные препараты, например применяющиеся при химиотерапии.

Симптомы

Цистит проявляется частым мочеиспусканием – до 20 раз за час, а иногда и больше. Причем выделяется очень скудное количество мочи, и, чтобы помочиться, женщине приходится тужиться. Во время мочеиспускания возникает сильная, порой невыносимая, режущая и жгущая боль, которая распространяется и на мочеиспускательный канал, и на сам мочевой пузырь. По мере развития заболевания моча становится мутной, а затем – с примесью крови. При тяжелой форме заболевания развивается гнойное воспаление, что может привести к разрыву мочевого пузыря – но это очень редкое осложнение.

На фоне цистита в большинстве случаев возникают симптомы общей интоксикации организма: озноб, повышение температуры тела до 39 °С, тошнота, слабость, ломота в мышцах и суставах, снижение аппетита. Иногда появляются боли внизу живота. Яркие проявления симптомов длятся около 7 дней.

Если цистит не был излечен правильно, возникает его хроническая форма, которая выражается периодическими обострениями. Они по своим проявлениям схожи с симптомами острого цистита. Обострения чаще всего длятся более недели, иногда даже в несколько месяцев. Яркие симптомы интоксикации (озноб, повышение температуры), как правило, не возникают, а вот боли при учащенных мочеиспусканиях беспокоят больных очень длительное время, периодически появляясь даже в период ремиссии.

При большом стаже хронического цистита могут возникать подтекание мочи по каплям, недержание мочи при смехе, кашле или прыжках, повышенная утомляемость и снижение работоспособности. Возможно распространение инфекции на почки с развитием пиелонефрита или на мочеиспускательный канал с развитием уретрита.

Диагностика

Самое главное при цистите — установить возбудителя или выявить другую причину развития заболевания.

При диагностике используются следующие методы исследований:

- обследование у врача-уролога;
- взятие мазков из уретры и влагалища с их последующим изучением;
- общий и биохимический анализы крови;
- анализ крови на инфекции, передающиеся половым путем;
- общий анализ мочи;
- бактериологический посев мочи;
- анализ мочи по Нечипоренко;
- цистоскопия (исследование мочевого пузыря);
- хромоцистоскопия (исследование мочевого пузыря с применением окрашивающего вещества);
- комплексное уродинамическое исследование (исследование работы мочевого пузыря и мочеиспускательного канала);
- урофлуометрия (исследование скорости мочеиспускания).

Лечение

Цистит лечат с помощью лекарственных препаратов. К хирургическим вмешательствам прибегают только в случае неинфекционного цистита или при развитии осложнений.

Медикаментозная терапия при цистите:

- антибактериальные препараты широкого спектра действия;
- противовирусные препараты;
- противогрибковые препараты;
- диуретики;
- урологические антисептики;
- фитопрепараты;
- иммуномодуляторы;
- нестероидные противовоспалительные препараты;
- антигистаминные препараты;
- препараты экстракта простаты;
- корректоры нарушений микроциркуляции.

Помните, что назначенный курс лечения нельзя прерывать, даже если кажется, что симптомы прошли, — это может привести к тому, что инфекция станет устойчивой к лекарственным препаратам.

При лечении цистита важно исключить употребление алкоголя, острой, соленой и жареной пищи. Нужно употреблять более 2 литров жидкости в сутки.

Ежедневно подмывайте половые органы и меняйте нижнее белье. Не носите синтетическое, тугое белье, стринги.

При облегчении симптомов не забывайте своевременно опорожнять мочевой пузырь.

При хроническом цистите очень важно избегать переохлаждений и не находиться длительно в сидячем положении.

Во время лечения цистита выпивайте по 1 стакану (но не больше!) в день клюквенного или брусничного морса. Такие напитки помогут повысить кислотность среды мочевого пузыря, что будет губительно для бактерий. Кислые напитки нужно пить в перерыве между приемами лекарственных препаратов.

Профилактика

Избегайте незащищенного секса, используйте барьерные методы контрацепции.

Соблюдайте правила личной гигиены, ежедневно меняйте нижнее белье.

Подмывайте половые органы только по направлению от лобка к анусу, а не наоборот.

Не ходите с переполненным мочевым пузырем, не терпите до последнего.

Избегайте переохлаждений, не сидите на холодном и не носите короткие куртки или юбки в холодную погоду.

Не допускайте появления в организме хронических очагов инфекции, своевременно лечите воспалительные заболевания.

ОСТЕОПОРОЗ

Остеопороз — это прогрессирующее уменьшение плотности костной ткани. С данной болезнью часто сталкиваются женщины в период менопаузы.

Костная ткань состоит из губчатого и компактного вещества — компактное вещество покрывает губчатое. Компактное вещество состоит из пластин, которые плотно прилегают друг к другу, что обеспечивает прочность кости. Губчатое вещество имеет ячеистое строение и образуется костными перекладинами, состоящими из пластинок, которые располагаются под углом друг к другу. Губчатое вещество обеспечивает сопротивляемость кости силе тяжести и растяжения. При остеопорозе нарушается усвоение костной тканью кальция и фосфора, из-за чего губчатая ткань становится более рыхлой и пористой. Вследствие этого возрастает риск переломов. Переломы не только чаще возникают, но и медленнее срастаются.

Также при остеопорозе нарушается процесс постоянного обновления костной ткани. В костях есть два вида клеток — остеобласты и остеокласты. Остеокласты разрушают устаревшие клетки костной ткани, а остеобласты создают новые клетки. При остеопорозе из-за недостаточного усвое-

Семь женщин из десяти после климакса имеют проявления остеопороза в той или иной степени.

ния кальция и фосфора, а также из-за гормональных нарушений баланс этого постоянного разрушения и обновления нарушается – костная ткань начинает разрушаться быстрее, чем восстанавливаться. Прочность компактного вещества ослабевает, и кость становится подверженной деформации и переломам. Также возникают боли в костях.

До 30% всех переломов у людей старше 50 лет связаны с ухудшением состояния костей из-за остеопороза.

В пожилом возрасте остеопороз серьезно повышает риск перелома шейки бедра. А эта травма может надолго приковать больного к кровати и стать причиной тяжелой инвалидности.

Остеопороз чаще всего развивается у женщин в период менопаузы. На возникновение заболевания влияют нарушения гормонального баланса – снижение уровня эстрогенов. Также остеопороз может возникнуть при эндокринных заболеваниях, при нарушениях обмена веществ, на фоне беременности, ожирения и малоподвижного образа жизни.

Причины

Одной из распространенных причин появления остеопороза являются гормональные нарушения. Снижение уровня эстрогенов при возникновении климакса серьезно повышает риск развития остеопороза. 7 из 10 женщин после вступления в период менопаузы уже в первые пять лет начинают страдать от проявления остеопороза.

Остеопороз может развиться из-за изменения гормонального фона во время беременности.

Эндокринные заболевания тоже могут спровоцировать развитие остеопороза. К таким болезням относятся заболевания щитовидной железы, болезни гипофиза и гипоталамуса, заболевания надпочечников.

В первый год периода менопаузы женщины теряют до 10% костной ткани и по 2–5% в год в течение последующей жизни.

Риск развития остеопороза повышен у блондинок с голубыми глазами.

Длительный прием глюкокортикостероидов, других гормональных препаратов, оральных контрацептивов может привести к развитию остеопороза. Также на появление остеопороза влияет длительный или бесконтрольный прием антацидов, мочегонных препаратов, антагонистов гонадотропин-рилизинг гормона, тиреоидных препаратов, иммунодепрессантов.

Нарушения обмена веществ – еще одна причина возникновения остеопороза. Повлиять могут метаболический синдром, сахарный диабет, нарушения обмена белков, нарушения всасывания полезных веществ в кишечнике.

Остеопороз может развиться при заболеваниях крови (талассемии, миеломной болезни, лейкозах), болезнях почек, заболеваниях печени, ревматических заболеваниях (системной красной волчанке, ревматоидном артрите, анкилозирующем спондилоартрите), болезнях желудочно-кишечного тракта, лактазной недостаточности.

Анорексия, истощение и длительное голодание также повышают риск развития остеопороза. Остеопороз может возникнуть при недостаточном питании, бедном фосфором, кальцием, витамином D, белками.

Злоупотребление алкоголем, курение, малоподвижный образ жизни, употребление большого количества кофе тоже являются факторами риска.

Некоторые люди имеют наследственную предрасположенность к появлению остеопороза.

Симптомы

Пока заболевание не разовьется до тяжелой степени, больные могут абсолютно не замечать симптомов остеопороза. Затем появляются боли в костях, которые усиливаются при перемене погоды, при физической нагрузке. Чаще всего боли возникают в пояснице и в тазу, в ребрах и голеностопных суставах. Также появляется ощущение тяжести между лопаток.

Развивается сутулость, снижается рост, могут возникать искривления позвоночника, в запущенном случае – деформация костей скелета.

Остеопороз также может сопровождаться ломкостью ногтей и волос, разрушением зубов, частыми переломами. Также могут возникать учащенные сердцебиения.

При возникновении переломов они очень медленно срастаются. При переломе шейки бедра заболевание начинает представлять серьезную опасность для жизни больного, поскольку может привести к невозможности восстановления нормальной двигательной активности.

В пожилом возрасте часто развиваются артрозы, и остеопороз делает невозможным проведение операции по имплантации искусственного сустава.

Диагностика

Диагностика на остеопороз после 50 лет должна профилактически проводиться каждые 2–3 года. При появлении жалоб со стороны костей, при частых переломах и заболеваниях, которые могут приводить к разрушению костной ткани, исследование на остеопороз проводится в любом возрасте.

При диагностике на остеопороз проводятся следующие исследования:

- обследование у врача травматолога-ортопеда;
- обследование у врача-эндокринолога;
- анализ крови на уровень остеокальцина;
- анализ крови на уровень костного фермента щелочной фосфатазы;
- общий и биохимический анализы крови;
- анализ крови на уровень кальция и фосфора;
- анализ крови на уровень половых гормонов;
- анализ крови на уровень гормонов щитовидной железы;
- анализ мочи на уровень дезоксипиридинолина;
- остеоденситометрия (рентгенологическое исследование плотности костной ткани);
- ультразвуковая денситометрия (ультразвуковое исследование плотности костной ткани);
- рентгенография костей;
- МРТ костей;
- двуэнергетическая рентгеновская абсорбциометрия (проводится при исследовании плотности костной ткани бедренной кости или позвочника).

Лечение

Коррекция плотности костной ткани достигается с помощью применения лекарственных препаратов. Во время лечения важно контролировать его эффективность, ежемесячно сдавая анализы и раз в полгода проходя денситометрию.

Для лечения остеопороза применяются:

- препараты кальция;
- аналоги витамина D;
- витамин D;
- гормональные препараты;
- корректоры метаболизма костной ткани;
- анаболики.

При наличии лишнего веса важно снизить его, чтобы уменьшить нагрузку на кости скелета. Следует избегать травм.

Откажитесь от курения и не злоупотребляйте алкоголем.

До менопаузы женщинам необходимо употреблять 1000 мг кальция в сутки, в период менопаузы — 1500 мг.

Ведите активный образ жизни, ежедневно делайте зарядку. Физическая активность помогает укреплению костей. Но не занимайтесь прыжками, работой с большими весами. При остеопорозе хорошо подойдут йога, пилатес, плавание, аквааэробика, ходьба на лыжах.

В сутки женщины должны употреблять 800 МЕ (10—30 мкг) витамина D.

Суточная норма фосфора для женщин — 1500 мг.

Лечение поддерживается специальной диетой. Рацион необходимо обогатить следующими продуктами:

• Продукты, богатые кальцием, – сыр, творог, йогурты, рыбные консервы вместе с костями, брокколи.

• Продукты, богатые витамином D, – сливочное масло, говяжья печень, печень трески, сметана, яичный желток, рыбий жир.

• Продукты, богатые фосфором, – молоко, сыр, рыба, бобовые, яйца, злаки.

• Продукты, богатые магнием, – кунжут, семена тыквы, бобовые, орехи, какао, отруби, морепродукты.

Также следует обогатить рацион белковой пищей. Необходимо исключить из рациона напитки, содержащие кофеин. Не стоит часто употреблять продукты, обладающие сильным мочегонным действием.

Профилактика

Важно, чтобы рацион содержал перечисленные выше продукты. Питание должно быть полноценным и сбалансированным.

Суточная норма магния для женщин — 400 мг.

В период климакса важно пройти обследование у врача-эндокринолога, чтобы, если в этом возникла необходимость, начать гормонозаместительную терапию как можно раньше, не дожидаясь осложнений.

В период менопаузы необходимо каждый год сдавать анализ крови на уровень остеокальцина и на содержание кальция и фосфора, а также 1 раз в 2–3 года проходить процедуру денситометрии.

Не набирайте лишний вес и ведите физически активную жизнь.

КРАСОТА И ЗДОРОВЬЕ В ЛЮБОМ ВОЗРАСТЕ

В этой главе я приведу секреты красоты и долголетия. Это лучшие советы от меня и экспертов «О самом главном», накопленные за все годы существования нашей передачи.

Помните, что данные советы не заменяют поход к врачу. Рекомендации помогут вам приумножить здоровье и ускорить выздоровление только на фоне основного лечения проблемы у специалиста.

Мифы о правильном питании

За годы существования программы «О самом главном» мне пришлось столкнуться с огромным количеством распространенных и причудливых мифов о правильном питании. В этом разделе я приведу самые интересные и, конечно же, развенчаю их.

МИФ № 1. В рационе должно быть как можно меньше жиров.

Начнем с того, что жиры – это соединения глицерина и жирных кислот. А жирные кислоты могут быть насыщенными и ненасыщенными. Ненасыщенные, полезные жиры находятся в таких продуктах, как рыба, орехи и растительное масло.

А насыщенными жирами, самым вредным из которых является холестерин, богаты мясные продукты, кондитерские изделия, различные майонезные соусы, фастфуд.

Во всем необходимо соблюдать норму, если вы будете употреблять много жиров – получите ожирение, атеросклероз и заболевания сердца. Но если вы будете придерживаться безжировой диеты – вам обеспечен дефицит витаминов A, E и D и гормональные нарушения.

МИФ № 2. Нельзя есть после 6 вечера.

То, что нельзя есть после 6 вечера, – это миф. Если вы поздно ложитесь, то можете есть и в 8,

Самые полезные жиры — это Омега-3 и Омега-6.

В суточном рационе жиры должны составлять 20–30%. Из этого количества на долю насыщенных жиров должна приходиться 1/3, на долю ненасыщенных — 2/3.

и в 10 часов вечера. Главное, соблюдать другое правило – последний прием пищи должен быть за 4 часа до сна.

МИФ № 3. Чай для похудения помогает избавиться от лишних килограммов.

Чаи для похудения – это не только абсолютно бесполезный для снижения веса продукт, но еще и очень вредный!

Весь эффект напитков для похудения заключается в действии включенных в их состав мочегонных средств. При употреблении такого чая из организма уходят отеки и вес снижается. Но стоит прекратить прием такого напитка, и вода вновь вернется.

Однако, если пить такой чай ежедневно, это приведет к обезвоживанию. При обезвоживании кровь сгущается, сердцу становится труднее ее перекачивать, повышается риск тромбообразования. Нарушается насыщение кислородом крови в легких и удаление из нее углекислого газа. Вследствие этого к органам возвращается венозная кровь, в которой содержится недостаточное количество кислорода. Кроме того, сгущаются и другие жидкости организма. Например, желчь. Это вызывает выпадение солей в осадок, что в дальнейшем способствует образованию камней в желчном пузыре.

Некоторые чаи для похудения содержат также слабительные средства. Увлечение такими напитками может привести к серьезным последствиям – нарушению работы желудочно-кишечного тракта, дисбактериозу кишечника. При постоянном раздражении прямой кишки из-за диареи повышается риск развития проктологических заболеваний и рака прямой кишки!

МИФ № 4. Диабетические продукты на фруктозе менее калорийны, чем обычные продукты с сахаром.

Фруктоза при всей своей натуральности вовсе не так уж безвредна. Во-первых, хоть она и усваивается инсулинонезависимо, но процесс ее трансформации происходит в печени, которая излишки фруктозы превращает в жир, и этот процесс идет быстрее, чем в случае с излишками глюкозы. Именно переход в США от потребления обычного сахара на кукурузный сироп, содержащий примерно одинаковые количества фруктозы и глюкозы, связывают с эпидемией ожирения и сопутствующих заболеваний. Кроме того, фруктоза не менее калорийна – 4 ккал/г, как и у обычного сахара!

Диабетические продукты на основе сахарозаменителей не менее калорийны, чем содержащие сахар!

МИФ № 5. Полезно каждый день пить свежевыжатые соки.

Существует устойчивый миф, что полезно пить как можно больше свежевыжатых соков, – народная молва говорит о том, что соки не только богаты витаминами, но и помогают в лечении многих заболеваний. Некоторые люди пьют свежевыжатые соки литрами, иногда даже натощак. В большинстве фитнес-клубов и в уважающих себя ресторанах обязательно в прейскуранте есть раздел свежевыжатых соков. Но сокотерапия имеет серьезные противопоказания и может привести к проблемам со здоровьем.

Например, есть мнение, что свежевыжатый яблочный сок богат железом. На самом же деле яблочный сок никак нельзя назвать рекордсменом по содержанию железа – в нем его всего 12% от суточной нормы. Кроме того, железо из продуктов растительного происхождения усваивается очень плохо. Яблочный сок противопоказан при гастрите с повышенной кислотностью, язвенной болезни желудка и панкреатите, так как содержащиеся в нем органические кислоты стимулируют выделение желудочного сока и ферментов поджелудочной железы. Есть у яблочного сока и полезное свойство – яблочный сок богат пектином (разновидностью пищевых волокон), который помогает выводить вредный холестерин.

Еще одно распространенное мнение, что морковный сок помогает лучше видеть. Но это миф – к сожалению, морковь никак не влияет на остроту зрения. Но есть и полезное свойство – морковный сок содержит большое количество витамина А и бета-каротина, которые являются антиоксидантами и защищают наши клетки от разрушительного воздействия свободных радикалов. А вот при заболеваниях печени морковный сок не стоит пить, поскольку избыток витамина А накапливается в печени и усугубляет ее поражение.

Существует распространенный миф, что капустным соком можно вылечить язву желудка и двенадцатиперстной кишки. Это не так. Капуста действительно содержит витамин U, который улучшает заживление язвы желудка, но принимать его стоит только в виде препаратов. Капустный сок противопоказан при склонности к метеоризму и заболеваниях ЖКТ, так как усиливает газообразование из-за высокого содержания серы.

Некоторые люди начинают утро со стакана свежевыжатого апельсинового сока – считается, что он богат витамином C и поднимает иммунитет. Апельсиновый сок действительно положительно влияет на работу иммунной системы. Но! В апельсиновом соке содержится большое количество органических кислот, поэтому противопоказания будут те же, что и у яблочного сока: язвенная болезнь, гастрит, панкреатит. А регулярное употребление апельсинового сока натощак поможет вам заработать все эти болезни. Кроме того, органические кислоты стимулируют моторику кишечника, поэтому нельзя употреблять апельсиновый сок при расстройствах кишечника.

Есть мнение, что свекольный сок снижает давление. И это действительно так. Но происходит это из-за большого количества нитратов, содержащихся в свекольном соке – они расширяют сосуды. При гипотензии употребление свекольного сока может привести к резкому падению давления и обмороку. Также свекольный сок содержит щавелевую кислоту, поэтому при наличии или предрасположенности к мочекаменной болезни, пиелонефриту и почечной недостаточности свекольный сок противопоказан.

Как профилактика заболеваний соки полезны, но они не смогут вылечить болезнь так же, как лекарства. Кроме того, съесть сам фрукт или овощ намного лучше, чем выпить сок из них. Во-первых, при контакте с кислородом во время выжимания сока витамины начинают окисляться. А во-вторых, овощи и фрукты также содержат полезную клетчатку, которая и от холестерина защищает, и моторику кишечника улучшает, и помогает надолго создать чувство насыщения.

Употребление свежевыжатых фруктовых, ягодных, а также морковного и свекольного соков противопоказано при сахарном диабете, так как они имеют высокий гликемический индекс и содержат большое количество простых сахаров. По этой же причине не стоит употреблять эти соки людям, имеющим лишний вес.

Мифы о похудении

Это тоже один из наиболее часто задаваемых вопросов в нашей передаче. Конечно же, хотелось бы, чтобы была чудо-таблетка – съел, и 5–10 килограммов долой.

Но наш организм устроен так, что избавиться от лишнего веса поможет только соблюдение двух правил: правильное питание и физическая активность.

И все же за годы существования программы «О самом главном» мы нашли несколько простых подспорий в вопросе похудения.

СОВЕТ № 1. Аромат ванили снижает аппетит.

Рецепторы обоняния, находящиеся в носу, передают информацию мозгу — в лимбическую систему. А лимбическая система участвует в регуляции физиологических процессов, например отвечает за успокоение или возбуждение. Она же тесно связана с гипоталамусом, который отвечает за аппетит. Поэтому так часто повышенный аппетит бывает следствием психологических проблем.

Еда становится одновременно заменителем счастья и успокаивающим средством. Вначале повышенный аппетит «нападает» на человека только в стрессовых ситуациях, но со временем он становится постоянным спутником человека.

Запах ванили через обонятельные рецепторы действует успокаивающе и расслабляюще на гипоталамус, а он, в свою очередь, подает менее интенсивные команды к выработке желудочного сока. И таким образом аппетит снижается.

СОВЕТ № 2. Захотелось есть — съешьте сельдерей.

Сельдерей содержит всего 13 килокалорий. А вот организм тратит на усвоение сельдерея больше энергии, чем этот овощ в себе содержит. Поэтому сельдерей называют овощем с нулевой калорийностью. Поскольку сельдерей содержит большое количество пищевых волокон, он создает долгое ощущение насыщения. Захотелось есть — возьмите черешок сельдерея. Жевать этот овощ можно в любых количествах и без ущерба для фигуры.

СОВЕТ № 3. Добавляйте в пищу имбирь.

Жгучее вещество гингерол, содержащееся в имбире, повышает скорость метаболизма, а значит, и ускоряет сжигание калорий. Имбирь можно добавить в чай, приправить им мясные специи. Эффективен как сырой корень имбиря, так и сухой имбирь.

СОВЕТ № 4. Вместо бега занимайтесь скандинавской ходьбой.

Во-первых, скандинавская ходьба (ходьба с лыжными или тре-

Снизить аппетит также могут помочь ароматы корицы и мяты.

Скорость метаболизма также ускоряет капсаицин, содержащийся в остром перце.

кинговыми палками) задействует практически все группы мышц, а значит, укрепляется все тело. А во-вторых, скандинавская ходьба помогает похудеть значительно эффективнее бега.

Во время бега организм находится в пульсовой зоне, которая практически соответствует максимальной для человека частоте сердечных сокращений. В этой пульсовой зоне повышается кардионагрузка, а вот жир практически не сжигается. При скандинавской ходьбе кардионагрузка умеренная и не заставляет ваше сердце «выпрыгивать из груди», хотя отлично тренирует его. А организм находится в зоне 60–70% от максимальной ЧСС – это зона жиросжигания.

30 минут в день прогулки с лыжными палками помогут вам худеть в месяц на 1,5–2 килограмма! А еще в отличие от бега при скандинавской ходьбе происходит умеренная нагрузка на суставы, поэтому нордическая ходьба будет полезной для людей с артрозами.

Скандинавской ходьбой можно заниматься в любом возрасте.

СОВЕТ № 5. Употребляйте достаточное количества белка.

Многие женщины, садясь на диету, начинают есть одни овощи да салатные листья. А о белках забывают. Но белок худеющему и занимающемуся спортом организму просто необходим!

Белки повышают уровень метаболизма, а значит, потребленные калории ваш организм начнет сжигать быстрее. Белок также способствует наращиванию мышечной массы, а чем больше мышечной массы в организме, тем эффективнее он сжигает полученные калории. Только не забывайте, что одного употребления белка для наращивания мышечной массы недостаточно, нужны физические нагрузки.

Кроме того, белковая пища помогает дольше не чувствовать голод. После еды в крови увеличивается содержание лептина – именно этот гормон формирует ощущение сытости. Белковая пища повышает концентрацию лептина на 70%, а пища, богатая углеводами и жирами, повышает ее лишь на 30–40%.

Свою норму белка можно рассчитать по формуле: 1,2 г белка × масса тела.

СОВЕТ № 6. Правильно рассчитывайте суточную калорийность рациона.

В попытке похудеть многие женщины сильно урезают количество потребляемых калорий в сутки. Буквально клюют как птички. А вес стоит на месте. Почему так происходит?

Существует такое понятие, как величина основного обмена – это показатель того, сколько тратит ваш организм в состоянии покоя, то есть для поддержания основных своих функций. Если калорийность вашего рациона меньше величины основного обмена, организм начнет замедлять метаболизм, чтобы снизить расход энергии, которой ему недостает. А значит, сильно замедлится и потеря веса. Поэтому, чтобы эффективно расставаться с лишними килограммами и не навредить своему здоровью, суточная калорийность рациона не должна быть меньше величины основного обмена.

СЕКРЕТ № 7. Снижайте гликемический индекс продуктов в своем рационе.

Гликемический индекс продукта показывает скорость подъема уровня сахара в крови после его употребления. Чем выше гликемический индекс (ГИ) продукта, тем быстрее из него усваивается глюкоза, а значит, тем выше шансы, что она отложится в жир.

Чем больше твердых пищевых волокон в продукте, тем дольше организм будет его переваривать, следовательно, тем ниже будет гликемический индекс данного продукта. Например, у, казалось бы, диетического арбуза ГИ – 70, а у цельнозернового хлеба – всего 45. Также гликемический индекс продукта резко возрастает при его термической обработке. Так, у сырой моркови ГИ – 35, а у вареной – уже 85!

Необходимо изучать ГИ продуктов, которые вы едите, и стараться употреблять продукты только с низким и средним ГИ, чтобы не допускать быстрого увеличения уровня сахара в крови.

Есть еще один полезный «фокус»: употребление белков вместе с углеводами уменьшает их гликемический индекс – белок снижает скорость всасывания глюкозы в кровь. Например, у риса ГИ 70. А если его съесть с куриной грудкой, ГИ риса снизится до 60!

Приведу список гликемического индекса некоторых продуктов.

Рассчитать свою величину основного обмена можно по формуле: 655,1 + 9,6 × масса тела + 1,85 × рост — 4,68 × возраст.

Продукты с высоким гликемическим индексом

Продукт	ГИ
Пиво	110
Финики	103
Глюкоза	100
Модифицированный крахмал	100
Тост из белого хлеба	100
Брюква	99
Сдобные булочки	95
Печеный картофель	95
Жареный картофель	95
Рисовая лапша	92
Консервированные абрикосы	91
Белый рис	90
Морковь (вареная или тушеная)	85
Кукурузные хлопья	85
Картофельное пюре	83
Крекеры	80
Тыква	75
Арбуз	75
Французский багет	75
Пшено	71
Шоколадные батончики	70
Молочный шоколад	70
Сладкая газированная вода	70
Перловая крупа	70
Картофельные чипсы	70
Коричневый сахар	70
Белый сахар	70
Манная крупа	70

Продукты со средним гликемическим индексом

Пшеничная мука	69
Ананас	66
Быстрорастворимая овсяная каша	66
Сок апельсиновый	65
Джем	65
Свекла (вареная или тушеная)	65
Черный дрожжевой хлеб	65
Мармелад	65
Изюм	65
Ржаной хлеб	65
Картофель, варенный в мундире	65
Цельнозерновой хлеб	65
Макароны с сыром	64
Банан	60
Мороженое	60
Майонез	60
Дыня	60
Овсяная каша	60
Кетчуп	55
Горчица	55
Спагетти	55
Песочное печенье	55
Рис басмати	50
Киви	50
Хурма	50
Коричневый неочищенный рис	50

Продукты с низким гликемическим индексом

Виноград	45
Тост из цельнозернового хлеба	45
Гречка	40
Макароны «Аль денте»	40
Курага	40
Чернослив	40
Дикий (черный) рис	35
Нут	35
Яблоко	35
Апельсин	35
Слива	35
Фасоль	34
Гранат	34
Персик	34
Томатный сок	33
Чечевица	30
Грейпфрут	30
Зеленая фасоль	30
Морковь сырая	30
Вишня	25
Зеленая чечевица	25
Красная смородина	25
Малина	25
Баклажан	20
Брокколи	15
Капуста белокочанная	15
Сельдерей	15
Кешью	15
Отруби	15
Авокадо	10
Листовой салат	9
Зелень	5
Ванилин, корица	5

СОВЕТ № 8. Сделайте свой рацион богатым пищевыми волокнами.

Пищевые волокна – это компоненты в продуктах питания, которые не перевариваются с помощью пищеварительных ферментов. Их в некоторой степени перерабатывает полезная микрофлора кишечника.

Пищевые волокна, или, как еще говорят, клетчатка, имеют несколько полезных свойств, помогающих в снижении лишнего веса:

• Пищевые волокна создают объем в желудке и тем самым поддерживают длительное чувство насыщения.

• Пищевые волокна снижают усвояемость калорий в первую очередь из «быстрых» углеводов.

• Пищевые волокна выводят из организма излишки «плохого» холестерина и нормализуют углеводно-жировой обмен.

Суточная потребность пищевых волокон для женщин разного возраста.

• Женщины от 19 до 30 лет – 28 граммов.

• Женщины от 31 до 50 лет – 25 граммов.

• Женщины старше 50 лет – 22 грамма.

При ожирении, желчнокаменной болезни, атеросклерозе и некоторых других заболеваниях потребность в пищевых волокнах возрастает. А при колитах и энтеритах, а также других заболеваниях пищеварительной системы, сопровождающихся метеоризмом и диареей, количество употребляемых пищевых волокон необходимо снизить.

Пищевыми волокнами богаты запеченная фасоль, орехи, малина, сушеные инжир и курага, сельдерей, стручковая фасоль, морковь, перловая и гречневая каши, свекла, отрубной и ржаной хлеб, овощи и фрукты.

Самым удобным способом употреблять достаточное количество пищевых волокон является добавление в рацион прессованных или молотых отрубей. В день их достаточно съедать 1,5–2 столовые ложки. Отруби можно добавлять в йогурты, кисели, каши, салаты или использовать в качестве панировки для котлет и рыбы.

СОВЕТ № 9. Ешьте пищу в виде пюре.

Когда пища попадает в желудок, он перерабатывает ее и примерно через два часа отправляет в кишечник. Желудок оказывается пустым, и в мозг снова поступает сигнал о голоде. А если та же пища перемолота в пюре, то она обволакивает стенки желудка и сигнал о голоде не поступает более длительное время.

Поэтому пюре из брокколи и цветной капусты, овощные смузи, льняная каша и белковые коктейли помогут вам надолго сохранить чувство сытости во время диеты.

СОВЕТ № 10. При возникновении чувства голода выпейте стакан воды.

Иногда, чтобы утолить чувство голода, достаточно выпить стакан воды. Желудок подаст сигнал в мозг о том, что он наполнен, и чувство голода отступит.

СОВЕТ № 11. Ешьте медленно.

Ведь для того чтобы сигнал о насыщении поступил в мозг, требуется время. В результате вы будете наедаться меньшим количеством пищи, и чувство голода будет меньше вас беспокоить.

ССОВЕТ № 12. Ешьте часто.

С возрастом в организме заметно снижается уровень обменных процессов, и привычное питание приводит к набору веса. Для того чтобы вернуть метаболизм на более высокий уровень, необходимо изменить структуру пищевого рациона. Необходимо перейти на шести-семиразовое питание маленькими порциями. Такое дробное поступление пищи заставит пищеварительную и эндокринную системы работать более результативно.

СОВЕТ № 13. При появлении желания что-нибудь съесть почистите зубы.

Если при чувстве голода почистить зубы фруктовой пастой, то оно притупится. Организм будет думать, что вы съели что-то вкусное. К тому же сработает условный рефлекс – после чистки зубов есть уже нельзя.

СОВЕТ № 14. Не старайтесь похудеть слишком быстро.

Питание впроголодь может привести к нарушениям работы эндокринной системы, заболеваниям желудочно-кишечного тракта, болезням печени. Кроме того, при слишком быстрой потере веса риск набрать обратно скинутые килограммы после возвращения к обычному питанию серьезно возрастает. Нормальной потерей веса считается 0,5–1,5 кг в месяц.

Как правильно провести разгрузочный день?

Разгрузочные дни являются отличными «выходными» для нашего организма. Они помогают снять нагрузку на желудок, печень и поджелудочную железу, активизируют защитные силы организма и помогают сбросить лишний вес. Но только в том случае, если разгрузочный день проведен по всем правилам. Ведь многие женщины, даже если и начинают проводить разгрузочный день, часто срываются уже к обеду. Кроме того, при большой силе воли, но неправильном проведении разгрузочного дня можно серьезно навредить своему здоровью.

Вот правила, которые помогут провести разгрузочный день правильно.

1. Для разгрузочного дня выберите выходной день. Во-первых, этот день необходимо провести в спокойствии, а во-вторых, в рабочие будни будет тяжело придерживаться графика питания.
2. Распланируйте разгрузочный день. Придумайте занятие на целый день, чтобы отвлечься, например разберите фотографии, одежду, наведите порядок в квартире, совершите прогулку. Рекомендуется провести этот день в одиночестве, чтобы не появилось соблазна сорваться и выпить с друзьями по чашечке кофе с пирожными.
3. Перед началом разгрузочного дня необходимо хорошо выспаться, не менее 8 часов. Если вы будете невыспавшейся – это негативно отразится на нервной и сердечно-сосудистой системах, и тогда разгрузочный день принесет больше вреда, чем пользы.
4. В разгрузочный день необходимо увеличить количество жидкости. Не менее 2 литров воды. Это поможет почкам выводить токсины, а вам – избавиться от чувства голода.
5. Разгрузочный день – это ни в коем случае не голодание! Не-

обходимо выбрать один продукт, который вы будете употреблять в течение дня. Хорошо подходят для разгрузочного дня гречка, кефир, куриная грудка. Есть пищу следует маленькими порциями через каждые два часа. Это поможет снизить нагрузку на печень и поджелудочную железу и не допустить чувства голода.

6. Помните, что разгрузочный день — это не повод лежать пластом на диване. Физические нагрузки низкой интенсивности, такие как йога, пилатес, зарядка, будут очень полезны в разгрузочный день. Они улучшат кровообращение и помогут сохранить тело в тонусе.

Врачи рекомендуют здоровым людям проводить разгрузочные дни 2 раза в месяц, а при некоторых заболеваниях пищеварительной системы или ожирении — каждую неделю.

Мифы о средствах для красоты

Каждая женщина старается как можно дольше сохранить свою красоту, продлить молодость. И на средствах, реклама которых обещает именно этот эффект, никто не экономит. Но действительно ли все кремы, шампуни и прочие косметические средства по-настоящему работают? К сожалению, это не так. И вот с какими мифами мне пришлось столкнуться за время существования программы «О самом главном».

МИФ № 1. Кремы с коллагеном и коэнзимом Q10 помогают бороться со старением кожи.

На самом деле молекулы коллагена и коэнзима Q10 слишком крупные и не могут проникнуть в кожу. Обещание омоложения за счет этих ингредиентов — всего лишь рекламная уловка. Раньше в этот список входили и кремы с гиалуроновой кислотой, но сейчас производители стали выпускать средства с низкомолекулярной «гиалуронкой». Кстати, замедлить старение кожи помогут продукты, богатые витамином С, ведь этот витамин улучшает выработку коллагена.

МИФ № 2. Шампуни от выпадения волос действительно помогают.

Выпадение волос усиливается при повышении уровня гормона

Продуктами-рекордсменами по содержанию витамина С являются черная смородина, болгарский перец, шиповник и клубника.

Есть препараты, которые при некоторых видах алопеции помогают затормозить скорость выпадения волос. К таким лекарствам относится, например, миноксидил. Однако это средство необходимо вводить под кожу, в виде шампуня оно работать не сможет.

дигидротестостерона и ухудшении кровоснабжения кожи волосистой части головы. Шампуни не способны повлиять на эти нарушения.

МИФ № 3. Шампуни для улучшения роста волос помогут быстрее отрастить шевелюру.

На самом деле шампуни для улучшения роста волос бесполезны. Скорость роста волос зависит от гормонального фона и кровообращения в коже волосистой части головы. Никакой шампунь не может повлиять ни на уровень гормонов, ни на микроциркуляцию крови.

МИФ № 4. Частое расчесывание вредно для волос.

Частое расчесывание приносит только пользу. При расчесывании волос касайтесь гребнем или щеткой кожи головы. Это будет действовать как массаж и улучшит микроциркуляцию кожи, что скажется на состоянии и скорости роста волос самым лучшим образом.

МИФ № 5. Самое эффективное средство борьбы с мозолями на пятках – противомозольная жидкость.

Я не рекомендую прибегать к подобным средствам! Жидкость содержит большую концентрацию агрессивных щелочей, которые разъедают кожу. Поскольку жидкость растекается, ее трудно нанести только на области ороговения. Кроме того, жидкость быстро проникает внутрь и может затронуть нормальные участки кожи, вызвав сильный ожог, после которого могут остаться рубцы. Бывали случаи, когда некротизация ткани при таком ожоге приводила к ампутации пораженной конечности!

Лучше для ухода за стопами использовать кремы с салициловой кислотой или мочевиной. Эти сред-

Маска для восстановления волос.

Чтобы приготовить маску, вам понадобятся всего лишь два компонента: репейное масло и яичный желток. Для одной процедуры потребуется примерно 3 столовые ложки масла, его необходимо будет подогреть, а затем добавить предварительно взбитый желток. Вот и все! Держать такую маску на волосах рекомендуется не менее 30–40 минут. Рекомендую делать курс из 10–15 процедур.

ства обладают кератолитическим, размягчающим действием. Плюс таких мазей в том, что в них данные агрессивные вещества содержатся в очень небольшой концентрации.

МИФ № 6. Обертывание пищевой пленкой помогает избавиться от лишних килограммов.

Основное действие, которое достигается при помощи обертываний пищевой пленкой, – это создание парникового эффекта. Пленка задерживает тепло, и человек начинает усиленно потеть. Этим обуславливается потеря веса после обертывания, но эффект этот, увы, краткосрочный, до первого выпитого стакана воды.

Но у подобной процедуры есть и крайне негативное действие. Обертывание пищевой пленкой приводит к расслаблению стенок вен и застою крови. Частое использование таких обертываний может привести к варикозному расширению вен. Кроме того, повышенное потоотделение и отсутствие условий для испарения пота способствуют раздражению кожи, возникновению потницы – появляются красные зудящие пузырьки. Также может возникнуть закупорка сальных желез, что приведет к появлению угревой сыпи.

МИФ № 7. Гидрокортизоновая мазь помогает избавиться от морщин.

Этот миф появился на просторах Интернета и в эфире женского «сарафанного радио» сравнительно недавно. Но к нам в редакцию уже поступило несколько писем от пострадавших женщин, рискнувших воспользоваться этим чудо-средством. Поэтому я считаю своим долгом и на страницах этой книги еще раз предупредить не только о бесполезности, но и о вреде данного народного метода!

Гидрокортизоновую мазь прописывают при воспалительных процессах. Гидрокортизон является системным аналогом кортизола, который вырабатывают надпочечники. То есть гидрокортизоновая мазь – это гормональное средство, к которому нужно относиться со всей серьезностью! «Волшебный» эффект воздействия на морщины на самом деле объясняется тем, что при нанесении на кожу гидрокортизон провоцирует местный отек тканей, за счет чего кожа на лице натягивается, мелкие морщины исчезают. Но гидрокортизон разрушает коллаген, то самое вещество, которое помогает сохранить упругость кожи. И, по факту добиваясь временного эффекта, вы на самом деле провоцируете появление еще большего количества морщин.

МИФ № 8. Медовый массаж выводит шлаки и соли из организма.

Начнем с того, что понятия «шлаки» в медицине не существует. Соответственно, и нечего выводить из организма. При медовом массаже мед начинает пениться и становится белым — это состояние меда и демонстрируют пациентам как свидетельство выведенных солей и шлаков. В действительности же мед становится белым из-за отслоившихся во время массажа частичек эпидермиса.

Но медовый массаж не такой уж и бесполезный. Он улучшает кровообращение, хорошо разминает мышцы.

МИФ № 9. Дермароллеры — эффективный и безопасный способ борьбы с морщинами.

Действительно, после первых процедур женщины замечают, что морщины разглаживаются. Это происходит за счет того, что иглы дермароллеров наносят коже микроповреждения. Любые травмы, даже вот такие незначительные, приводят к тому, что в мозг поступает сигнал о повреждении и запускается процесс регенерации. Место повреждения заполняется соединительной тканью. Из-за этого внешне морщины разглаживаются. Женщины радуются такому эффекту и продолжают пользоваться снова и снова. Однако накопление участков соединительной ткани ухудшает кровоснабжение кожи, что со временем приводит к еще большему появлению морщин, от которых уже дермароллер не поможет избавиться. Кроме того, всегда существует риск занесения инфекции в глубокие слои кожи при уколах иглами.

Прыщики и покраснения на лице

Мало кого обрадует появление в зеркале отражения собственного лица с прыщиками и покраснениями. Возникать такие неприятности могут из-за разных причин.

Иногда прыщики и покраснения появляются из-за плохой гигиены, касания лица грязными руками, воздействия ветра, холода, сухого воздуха. Если ситуация с появлением прыщей была единична, то беспокоиться не стоит, но если высыпания и покраснения на коже беспокоят вас постоянно, необходимо обратиться к врачу. И не к одному, а сразу к трем.

1. Обратитесь к врачу-гастроэнтерологу — покраснения и прыщи на лице могут возникать из-за воспалительных заболеваний желудочно-кишечного тракта. Воспаление слизистой оболочки ЖКТ вызывает перевозбуждение определенных звеньев нервной системы, которая принимает непосредственное участие в регуляции деятельности сальных желез, что приводит к излишнему продуцированию кожного сала. Увеличивать количество и плотность кожного сала также может воспаление желудка и двенадцатиперстной кишки, вызванное бактерией Helicobacter Pylori.

2. Обратитесь к врачу-эндокринологу — нарушения гормонального фона являются частой при-

Прыщики и покраснения на лице также могут быть следствием заболеваний печени.

чиной покраснений и прыщей на коже лица. Гормональный дисбаланс стимулирует чрезмерную выработку кожного сала. Такое случается в переходном возрасте, при беременности, климаксе. Нарушения гормонального фона могут быть вызваны заболеваниями надпочечников, гипофиза и гипоталамуса, щитовидной железы, поликистозом яичников.

3. Обратитесь к врачу-дерматологу – прыщики, покраснения и появление сосудистой сетки на лице могут быть признаком демодекоза. Заболевание вызывает паразит – клещ демодекс. Продукты

Помимо демодекоза, прыщики на лице могут возникать и при других кожных заболеваниях, которые диагностирует врач-дерматолог.

его жизнедеятельности вызывают воспалительный процесс в коже лица. Клеща демодекс невозможно разглядеть невооруженным глазом – он микроскопический. Выявить проблему сможет только врач-дерматолог. Демодекоз может также поражать края век глаз – клещам нравится обитать в волосяных фолликулах ресниц. Заразиться демодекозом можно, например, при использовании чужих предметов гигиены, через постельное белье, при обращении в сомнительные косметические салоны, где не проводят надлежащую стерилизацию инструментов.

Часто прыщики и покраснения на лице не проходят, потому что женщины в борьбе с ними делают ошибки. Вот основные из них.

• Не стоит протирать кожу спиртовым лосьоном. Он разрушает гидролипидную пленку, покрывающую нашу кожу и защищающую ее от инфекций. В ответ кожа стремится компенсировать потерянные липиды и начинает усиленно вырабатывать кожное сало, что приводит к закупорке пор и еще большему воспалению.

• Ни в коем случае не выдавливайте прыщи! В коже лица, особенно в районе носогубного треугольника, расположены многочисленные кровеносные сосуды, которые идут к мозгу. Попадание инфекции в данную область может стать причиной развития энцефалита и менингита.

• Не пытайтесь замаскировать прыщи толстым слоем тонального крема. Таким образом вы еще больше усиливаете воспаление. Ведь тональный крем забивает поры.

Секреты косметологии для зрелой кожи

В молодом возрасте, при достаточном уровне гормонов, клетки кожи работают в полную силу. Особые клетки – фибробласты – вырабатывают коллаген, гормон роста, гиалуроновую кислоту – все те вещества, которые помогают сохранять упругость кожи.

Когда женщина вступает в период менопаузы, ее гормональный фон снижается и клетки перестают выполнять работу в необходимом объеме. Все это приводит к старению кожи: атрофии жировой клетчатки, обезвоживанию клеток кожи и появлению морщин.

С морщинами борются, пожалуй, все женщины. До недавнего времени эта борьба была, увы, неравной. Ведь различные натуральные средства помогают отсрочить момент появления «отметок времени» на коже, но, когда морщины уже прочерчивают лицо, отвары, кремы и маски оказываются неэффективными.

К счастью, сейчас появились возможности эстетической медицины, которые позволяют сохранять красоту и бороться с морщинами. Правда, запутаться в достаточно обширном списке процедур очень легко.

Вот четыре самых эффективных способа борьбы с возрастными морщинами.

- Липофилинг – восстановление объема кожи при помощи собственного жира пациента.
- Стволовые клетки – у пациента делается забор жировой ткани, из которой в лабораторных условиях выделяются стволовые клетки. Эти клетки культивируются и затем могут храниться в банке лаборатории в течение всей жизни пациента. По необходимости делается забор стволовых клеток и вводится пациенту. Стволовые клетки начинают вырабатывать новую жировую ткань, сохраняя необходимый объем кожи.
- Филлеры – данные препараты не только заполняют объем кожи, но и стимулируют работу фибробластов, которые начинают вырабатывать молодой коллаген.
- Инъекции ботулотоксина – поскольку кожа на лице из-за мимики очень подвижная, постоянно сокращается, то филлер будет очень быстро выводиться из нее, что создаст необходимость слишком частого его применения. Чтобы избежать этого, проводятся инъекции ботулотоксина последнего поколе-

Ночной образ жизни, курение, злоупотребление алкоголем, заболевания эндокринной системы, хронические стрессы ускоряют процесс появления морщин.

ния – они максимально очищены от белка и, следовательно, не вызывают ответную иммунную реакцию организма. Ботулотоксин помогает снизить сокращения некоторых лицевых мышц, при этом не нарушая мимику, что продлевает действие филлера.

Как заподозрить болезнь по состоянию ногтей?

Снимая старый лак с ногтей, чтобы сделать маникюр, задержитесь и внимательно посмотрите на свои ноготочки в их первозданном виде. Они могут многое рассказать о состоянии вашего здоровья.

Молочно-белый цвет ногтей – сигнал к тому, чтобы сделать УЗИ печени. Ведь он может свидетельствовать о циррозе! Причиной изменения ногтей при хронических заболеваниях печени выступают нарушения в обмене кератина, связанные с увеличивающимся повреждением печени.

Желтый цвет ногтей также может возникнуть при заболеваниях печени, которые сопровождаются желтухой. Ногти могут пожелтеть при онкологических заболеваниях и при хронических болезнях легких.

Желто-серый цвет и тусклость ногтей, на которых появляются продольные бороздки, могут свидетельствовать об эндокринных заболеваниях, ревматизме, атеросклерозе, скрытых хронических инфекциях и паразитарных заболеваниях.

Форма ногтей по типу часового стекла (ногти выпуклые и округлые), особенно с голубоватым оттенком, сигнализирует о нарушениях кровообращения, в первую очередь возникающих при заболеваниях сердца. Часто голубоватый цвет ногтей свидетельствует о развитии ишемической болезни сердца.

Если ногти по типу часовых стекол утолщены и имеют желтоватый оттенок, то это может говорить о нарушениях кровообращения на фоне атеросклероза или курения.

При белых пятнах на ногтях стоит сдать общий анализ крови. Ведь такие пятнышки часто появляются при анемии.

Продольные бороздки – сигнал к тому, чтобы сдать анализы на дисбактериоз. Ведь такие бороздки часто появляются при проблемах с желудочно-кишечным трактом.

Волнистые ногти могут свидетельствовать о дефиците витамина А и витаминов группы В.

Плохой рост ногтей, их ломкость – повод сдать анализ на гормоны щитовидной железы. Такие проявления на ногтях бывают при сниженной функции щитовидки – гипотиреозе.

О чем может говорить потемневшая кожа на локтях?

Кожа на локтях – достаточно хороший индикатор возникших проблем со здоровьем. Если кожа на локтях темнеет, значит, стоит посетить врача и пройти обследование. Причин потемнения может быть несколько.

• Гиповитаминоз – когда в организме не хватает основных «кожных» витаминов А и Е, начинается ее обезвоживание. Как следствие, появляется сухость кожных покровов и кожа на локтях тускнеет, приобретая серый цвет.

• Дисбактериоз кишечника – при дисбактериозе нарушается всасывание в кишечнике полезных веществ, в том числе витаминов и микроэлементов, необходимых для нормального состояния кожи. Их дефицит приводит к сухости и изменению цвета кожи на локтях.

• Псориаз – вызывает образование чрезмерно сухих, красных, иногда темных, приподнятых над поверхностью кожи пятен. Чаще всего они появляются на подвергающихся трению и давлению местах – поверхностях локтевых и коленных сгибов.

• Гипотиреоз – у заболевания щитовидной железы, при которой снижается выработка ее тиреоидных гормонов, даже есть неофициальное название – «синдром грязных локтей».

• Сахарный диабет – метаболические нарушения в организме больного (уменьшение утилизации глюкозы, гипергликемия, повышенный уровень глюкозы в организме, нарушение белкового, минерального и липидного обмена) могут привести к изменению цвета локтей, а также к огрубению кожи на локтях.

Когда грудь становится тяжелой женской ношей

Многие женщины мечтают о большом бюсте. Ежегодно более 15 тысяч женщин делают операцию по увеличению груди. А многие, наоборот, мечтают ее уменьшить.

Одних женщин природа сразу щедро одарила возможностью носить бюстгальтеры размера D и больше, у других грудь прибавила в размерах после беременности, набора лишних килограммов или гормональных нарушений. Обладательницы большого бюста имеют повышенный риск некоторых заболеваний, но эту проблему можно решить.

ПРОБЛЕМА № 1. Боли в спине.

Большая грудь смещает центр тяжести. Таз отклоняется от центральной оси, чтобы удержать равновесие, и на поясничный отдел спины при этом ложится сильная нагрузка. Из-за смещения центра тяжести позвоночник находится в постоянном напряжении, что может привести к развитию остеохондроза и сопутствующим проблемам: к болям в спине, головным болям и к чувству ломоты в руках.

РЕШЕНИЕ: выполняйте упражнения, способствующие укреплению мышечного корсета спины.

Также для распределения правильной нагрузки на мышцы спины выбирайте бюстгальтер с широкими бретелями, с «косточ-

Из положения лежа на животе плавно и медленно поднимите голову и верхнюю часть грудной клетки. Замрите на несколько секунд и плавно опуститесь вниз. Во время второго подъема одновременно поднимите не только голову и грудь, но и ноги. Повторите 10—15 раз.

ками» в чашках, закрывающий грудь целиком.

ПРОБЛЕМА № 2. Дерматит.

За большой грудью нужен постоянный уход. Кожа под большой грудью не дышит, появляются опрелости, раздражения, развивается дерматит. Такие проблемы особенно часто беспокоят обладательниц большого бюста в жаркое время года.

РЕШЕНИЕ: носите бюстгальтер из дышащих материалов. В жаркую погоду регулярно обмывайте кожу под грудью водой с нейтральным мылом или используйте влажные салфетки. Также полезно применять детскую присыпку.

ПРОБЛЕМА № 3. Повышенный риск рака груди.

На самом деле не существует прямой связи большого размера груди с повышенным риском рака молочной железы. Но есть косвенные факторы. Во-первых, большую грудь женщинам труднее полностью исследовать на наличие уплотнений при самодиагностике. Во-вторых, увеличение молочных желез в зрелом возрасте может быть связано с гормональными нарушениями. То есть происходит разрастание железистой ткани с образованием уплотнений и кист – такое состояние называется мастопатией. Опухоли при мастопатии доброкачественные, но за ними можно при самообследовании проглядеть опасную опухоль.

РЕШЕНИЕ: до 35 лет профилактическое УЗИ молочных желез – 1 раз в 3 года. После 35 лет – маммография не реже 1 раза в 2–3 года.

Как замедлить старение?

Можно ли отсрочить наступление старости? Это, пожалуй, один из самых частых вопросов, который мне задают в студии героини наших программ или в письмах наши телезрительницы. К сожалению, нет пока способа повернуть время вспять, но есть возможность затормозить процессы старения внутри организма.

Вот лучшие советы, которые помогут вам сохранить свою красоту и здоровье как можно дольше.

СОВЕТ № 1. Принимайте хондропротекторы.

Первое, что выдает в человеке старение, отнюдь не морщины, а его походка. Скованность, отсутствие гибкости – все это из-за заболеваний позвоночника и суставов, которые являются лидирующими причинами инвалидизации населения нашей страны. К сожалению, от артроза в той или иной степени страдают до 80% населения земного шара. Уже у 30-летних женщин встречаются признаки разрушений суставов, и с каждым годом число заболевших возрастает.

Не стоит дожидаться первых болей в колене или прострела в спине. Защищайте свои суставы при помощи хондропротекторов: хондроитина сульфата и глюкозамина. Они улучшают состав внутрисуставной жидкости, снимают воспаление в суставах и способствуют регенерации хряща.

ХОНДРОПРОТЕКТОРЫ НЕОБХОДИМО ПРИНИМАТЬ КУРСОМ НЕ МЕНЕЕ 4 МЕСЯЦЕВ.

СОВЕТ № 2. Принимайте рыбий жир.

Еще одна причина реального старения организма – заболевания сосудов. Атеросклероз – это эпидемия XXI века. Данное заболевание является причиной самых серьезных и угрожающих жизни проблем со здоровьем: инфаркта, инсульта, аневризмы аорты, острой сердечной недостаточности. Атеросклероз вызывает сужение просвета сосудов, что ведет к ухудшению кровообращения, что существенно ускоряет старение! Из-за плохого кровоснабжения ухудшается состояние кожи – появляются морщины, снижается память, резко падает выносливость.

Для профилактики атеросклероза принимайте рыбий жир. Он содержит Омега-3 полиненасыщенные жирные кислоты, которые снижают уровень холестерина и триглицеридов, замедляя образование атеросклеротических бляшек в артериях, а также улучшают текучесть крови, уменьшая ее вязкость.

СОВЕТ № 3. Принимайте мелатонин.

Мелатонин образуется в клетках эпифиза, расположенного в головном мозге, а затем секретируется в кровь, преимущественно в темное время суток, ночью. На свету, в утренние и дневные часы, выработка гормона резко подавляется. Женщины, которые не спят ночью или страдают от бессонницы, испытывают хронический дефицит гормона мелатонина и имеют на 40–60% больший риск развития коронарной болезни сердца и сосудов, а также на 40% возрастает риск рака молочной железы. Также мелатонин проявляет антиоксидантную активность

Снижение уровня мелатонина подавляет активность иммунных клеток, то есть ухудшается иммунитет.

Для уменьшения возрастной пигментации попробуйте средства с экстрактом петрушки — ее эфирные масла обладают не только отбеливающим, но и тонизирующим и бактерицидным действием.

и способен бороться со свободными радикалами, которые являются причиной старения организма.

Если вы страдаете от бессонницы или вынуждены работать в ночную смену, принимайте препарат с содержанием мелатонина.

СОВЕТ № 4. Принимайте пивные дрожжи.

Пивные дрожжи богаты витаминами группы В. Эти витамины улучшают работу нервной системы, а значит, сохраняют нормальную память и концентрацию внимания. Кроме того, витамины группы В улучшают состояние кожи, помогают при угревой сыпи, тормозят процессы старения.

СОВЕТ № 5. Не усердствуйте с желанием загореть.

В слоях эпидермиса находятся клетки меланоциты, которые вырабатывают красящее вещество — меланин. Благодаря этому веществу кожа окрашивается загаром. Но главная роль меланина — поглощать и рассеивать ультрафиолетовое излучение и таким образом защищать кожу от повреждения солнечной радиацией. При попадании солнечного света на кожу меланоциты активизируются, без воздействия ультрафиолета — переходят в спящий режим. Чрезмерное пребывание на солнце приводит к неравномерному распределению активных меланоцитов в коже. Меланин начинает вырабатываться только отдельными группами меланоцитов — появляются пигментные пятна.

Чтобы защитить кожу от избыточного воздействия ультрафиолета, используйте кремы с солнцезащитным фактором (spf).

Но это еще не все! Кожа состоит из трех слоев — эпидермиса, дермы \и гиподермы. В среднем слое — дерме — расположены коллагеновые волокна, которые играют роль каркаса, упругой основы для эпидермиса. Ультрафиолет вызывает образование в коже свободных радикалов, которые разрушают коллагеновые волокна, кожа обезвоживается, слой дермы уменьшается, что приводит к появлению морщин.

Боремся с плохим кровообращением

У каждой третьей женщины после 40 лет тот или иной орган недополучает питательные вещества и страдает от недостатка кислорода. И это ведет к серьезным проблемам со здоровьем! Все дело в ухудшении кровоснабжения этих органов. Ведь кровь является главным переносчиком питательных веществ и кислорода. И если с кровообращением какого-либо органа возникает проблема, то часть его клеток гибнет, другие перестают выполнять свои функции, а затем нарушается работа и всего органа.

Симптомами нарушений кровообращения являются:

- зябкость, ощущение холода в конечностях;
- онемение в конечностях;
- покалывание в конечностях;
- боли и ломота в конечностях;
- плохое заживление ран;
- головокружения;
- головные боли;
- скачки артериального давления.

У женщин самой частой причиной плохого кровообращения является варикозное расширение вен нижних конечностей. После 50 лет также часто появляется ишемическая болезнь сердца. Если вы испытываете симптомы нарушения кровообращения, обратитесь к врачу-терапевту. Он проведет необходимые обследования и отправит вас к профильному специалисту (флебологу, кардиологу, неврологу) в зависимости от вашей проблемы со здоровьем.

Что можете сделать вы сами? Вот 3 полезных совета.

- Необходимо выпивать не менее 1,5–2 литров воды в сутки. Частой причиной нарушения кровообращения является сгущение крови. Сердцу труднее ее проталкивать по сосудам. Вода же разбавляет кровь, что улучшает ее прохождение даже по самым мелким капиллярам.

Чтобы контролировать количество выпитой за день воды, лучше всего мерить воду бутылками. Каждый день заполнять двухлитровую бутылку чистой питьевой водой и следить за тем, чтобы к концу дня она оказалась пустой.

- Разогнать кровь поможет контрастный душ и массаж кожи

Не используйте массаж жесткой щеткой при тромбофлебите, а также если у вас на ногах есть признаки атрофии кожных покровов, трофических язв.

жесткой щеткой. Не делайте воду ледяной и слишком горячей. Достаточно перехода с прохладной на теплую.

• Употребляйте продукты, богатые полиненасыщенными жирными кислотами Омега-3: жирные сорта рыбы, оливковое и льняное масло. Омега-3 снижают уровень фибрина в крови, защищая от образования тромбов, а также укрепляют стенки сосудов.

ЗАКЛЮЧЕНИЕ

Я очень надеюсь, что после прочтения этой книги вы больше не будете беззащитными перед заболеваниями и поймете, насколько это важно – сохранять свое здоровье.

Укрепить организм, сохранить активность даже в зрелом возрасте, быть здоровым и счастливым – все это возможно! Для этого достаточно всего лишь каждый день соблюдать простые рекомендации, собранные в данной книге, внимательно относиться к своему питанию, вовремя проходить профилактическую диагностику.

Я создавал эту книгу, учитывая все самые популярные темы, которые интересуют зрителей нашей программы, все вопросы, которые вы задаете в письмах и звонках. И хочу, чтобы она стала вашим путеводителем в мир здоровья и долголетия.

Научно-популярное издание

Агапкин Сергей Николаевич

СПРАВОЧНИК ДОЛГОЛЕТИЯ

Ответственный редактор *Э. Саляхова*
Выпускающий редактор *А. Сергеева*
Художественный редактор *Р. Фахрутдинов*
Технический редактор О. *Лёвкин*
Компьютерная верстка *Л. Панина*
Корректор *Н. Хотинский*

ООО «Издательство «Эксмо»
123308, Москва, ул. Зорге, д. 1. Тел.: 8 (495) 411-68-86.
Home page: www.eksmo.ru E-mail: info@eksmo.ru
Өндіруші: «ЭКСМО» АҚБ Баспасы, 123308, Мәскеу, Ресей, Зорге көшесі, 1 үй.
Тел.: 8 (495) 411-68-86.
Home page: www.eksmo.ru E-mail: info@eksmo.ru.
Тауар белгісі: «Эксмо»
Интернет-магазин : www.book24.kz
Интернет-дүкен : www.book24.kz
Импортёр в Республику Казахстан ТОО «РДЦ-Алматы».
Қазақстан Республикасындағы импорттаушы «РДЦ-Алматы» ЖШС.
Дистрибьютор и представитель по приему претензий на продукцию,
в Республике Казахстан: ТОО «РДЦ-Алматы»
Қазақстан Республикасында дистрибьютор және өнім бойынша арыз-талаптарды
қабылдаушының өкілі «РДЦ-Алматы» ЖШС,
Алматы қ., Домбровский көш., 3«а», литер Б, офис 1.
Тел.: 8 (727) 251-59-90/91/92; E-mail: RDC-Almaty@eksmo.kz
Өнімнің жарамдылық мерзімі шектелмеген.
Сертификация туралы ақпарат сайтта: www.eksmo.ru/certification

Сведения о подтверждении соответствия издания согласно законодательству РФ
о техническом регулировании можно получить на сайте Издательства «Эксмо»
www.eksmo.ru/certification
Өндірген мемлекет: Ресей. Сертификация қарастырылмаған

Подписано в печать 18.07.2018. Формат 70x100 $^{1}/_{16}$.
Гарнитура «Myriad Pro». Печать офсетная. Усл. печ. л. 46,67.
Тираж 3000 экз. Заказ 7033.

Отпечатано с готовых файлов заказчика
в АО «Первая Образцовая типография»,
филиал «УЛЬЯНОВСКИЙ ДОМ ПЕЧАТИ»
432980, г. Ульяновск, ул. Гончарова, 14

Оптовая торговля книгами «Эксмо»:
ООО «ТД «Эксмо». 142700, Московская обл., Ленинский р-н, г. Видное,
Белокаменное ш., д. 1, многоканальный тел.: 411-50-74.
E-mail: **reception@eksmo-sale.ru**

По вопросам приобретения книг «Эксмо» зарубежными оптовыми покупателями *обращаться в отдел зарубежных продаж ТД «Эксмо»*
E-mail: **international@eksmo-sale.ru**

International Sales: International wholesale customers should contact Foreign Sales Department of Trading House «Eksmo» for their orders.
international@eksmo-sale.ru

По вопросам заказа книг корпоративным клиентам, в том числе в специальном оформлении, *обращаться по тел.: +7 (495) 411-68-59, доб. 2261.*
E-mail: **ivanova.ey@eksmo.ru**

Оптовая торговля бумажно-беловыми
и канцелярскими товарами для школы и офиса «Канц-Эксмо»:
Компания «Канц-Эксмо»: 142702, Московская обл., Ленинский р-н, г. Видное-2,
Белокаменное ш., д. 1, а/я 5. Тел.:/факс +7 (495) 745-28-87 (многоканальный).
e-mail: **kanc@eksmo-sale.ru**, сайт: www.**kanc-eksmo.ru**

В Санкт-Петербурге: в магазине «Парк Культуры и Чтения БУКВОЕД», Невский пр-т, д. 46.
Тел.: +7(812)601-0-601, **www.bookvoed.ru**

Полный ассортимент книг издательства «Эксмо» для оптовых покупателей:
Москва. ООО «Торговый Дом «Эксмо». Адрес: 142701, Московская область, Ленинский р-н,
г. Видное, Белокаменное шоссе, д. 1. Телефон: +7 (495) 411-50-74. **E-mail:** reception@eksmo-sale.ru
Нижний Новгород. Филиал «Торгового Дома «Эксмо» в Нижнем Новгороде. Адрес: 603094,
г. Нижний Новгород, ул. Карпинского, д. 29, бизнес-парк «Грин Плаза».
Телефон: +7 (831) 216-15-91 (92, 93, 94). **E-mail:** reception@eksmonn.ru
Санкт-Петербург. ООО «СЗКО». Адрес: 192029, г. Санкт-Петербург, пр. Обуховской Обороны,
д. 84, лит. «Е». Телефон: +7 (812) 365-46-03 / 04. **E-mail:** server@szko.ru
Екатеринбург. Филиал ООО «Издательство Эксмо» в г. Екатеринбурге. Адрес: 620024,
г. Екатеринбург, ул. Новинская, д. 2щ. Телефон: +7 (343) 272-72-01 (02/03/04/05/06/08).
E-mail: petrova.ea@ekat.eksmo.ru
Самара. Филиал ООО «Издательство «Эксмо» в г. Самаре.
Адрес: 443052, г. Самара, пр-т Кирова, д. 75/1, лит. «Е».
Телефон: +7(846)207-55-50. **E-mail:** RDC-samara@mail.ru
Ростов-на-Дону. Филиал ООО «Издательство «Эксмо» в г. Ростове-на-Дону. Адрес: 344023,
г. Ростов-на-Дону, ул. Страны Советов, д. 44 А. Телефон: +7(863) 303-62-10. **E-mail:** info@rnd.eksmo.ru
Центр оптово-розничных продаж Cash&Carry в г. Ростове-на-Дону. Адрес: 344023,
г. Ростов-на-Дону, ул. Страны Советов, д. 44 В. Телефон: (863) 303-62-10.
Режим работы: с 9-00 до 19-00. **E-mail:** rostov.mag@rnd.eksmo.ru
Новосибирск. Филиал ООО «Издательство «Эксмо» в г. Новосибирске. Адрес: 630015,
г. Новосибирск, Комбинатский пер., д. 3. Телефон: +7(383) 289-91-42. **E-mail:** eksmo-nsk@yandex.ru
Хабаровск. Обособленное подразделение в г. Хабаровске. Адрес: 680000, г. Хабаровск,
пер. Дзержинского, д. 24, литера Б, офис 1. Телефон: +7(4212) 910-120. **E-mail:** eksmo-khv@mail.ru
Тюмень. Филиал ООО «Издательство «Эксмо» в г. Тюмени.
Центр оптово-розничных продаж Cash&Carry в г. Тюмени.
Адрес: 625022, г. Тюмень, ул. Алебашевская, д. 9А (ТЦ Перестройка+).
Телефон: +7 (3452) 21-53-96/ 97/ 98. **E-mail:** eksmo-tumen@mail.ru
Краснодар. ООО «Издательство «Эксмо» Обособленное подразделение в г. Краснодаре
Центр оптово-розничных продаж Cash&Carry в г. Краснодаре
Адрес: 350018, г. Краснодар, ул. Сормовская, д. 7, лит. «Г». Телефон: (861) 234-43-01(02).
Республика Беларусь. ООО «ЭКСМО АСТ Си энд Си». Центр оптово-розничных продаж
Cash&Carry в г.Минске. Адрес: 220014, Республика Беларусь, г. Минск,
пр-т Жукова, д. 44, пом. 1-17, ТЦ «Outleto». Телефон: +375 17 251-40-23; +375 44 581-81-92.
Режим работы: с 10-00 до 22-00. **E-mail:** exmoast@yandex.by
Казахстан. РДЦ Алматы. Адрес: 050039, г. Алматы, ул. Домбровского, д. 3 «А».
Телефон: +7 (727) 251-59-90 (91,92). **E-mail:** RDC-Almaty@eksmo.kz
Интернет-магазин: www.book24.kz
Украина. ООО «Форс Украина». Адрес: 04073 г. Киев, ул. Вербовая, д. 17а.
Телефон: +38 (044) 290-99-44. **E-mail:** sales@forsukraine.com

Полный ассортимент продукции Издательства «Эксмо» можно приобрести в книжных магазинах «Читай-город» и заказать в интернет-магазине www.chitai-gorod.ru.
Телефон единой справочной службы 8 (800) 444 8 444. Звонок по России бесплатный.

Интернет-магазин ООО «Издательство «Эксмо»
www.book24.ru
Розничная продажа книг с доставкой по всему миру.
Тел.: +7 (495) 745-89-14. E-mail: **imarket@eksmo-sale.ru**

ISBN 978-5-04-096007-1